國家『十五』重點圖書出版規劃項目
國家古籍整理出版『十五』重點規劃項目
國家教委人文科學研究『九五』規劃項目
全國高等院校古籍整理研究工作委員會『十五』重點項目
江蘇省『十五』重點圖書出版規劃項目
全國古籍整理出版規劃領導小組資助出版

全元文

李修生　主編

鳳凰出版社

6

圖書在版編目（CIP）數據

全元文. 6 / 李修生主編. -- 2版. -- 南京 : 鳳凰出版社, 1999.9 (2017.5重印)
ISBN 978-7-80643-025-5

Ⅰ. ①全… Ⅱ. ①李… Ⅲ. ①古籍－匯編－中國－元代 Ⅳ. ①Z424.7

中國版本圖書館CIP數據核字(2017)第081208號

書　　名	全元文(六)
主　　編	李修生
責任編輯	卞　岐
出版發行	鳳凰出版社(原江蘇古籍出版社) 發行部電話025-83223462
出版社地址	南京市中央路165號,郵編:210009
出版社網址	http://www.fhcbs.com
照　　排	南京理工出版信息技术有限公司
印　　刷	上海世紀嘉晋數字信息技術有限公司 上海市匯金路899號,郵編:201700
開　　本	850×1168毫米　1/32
印　　張	28.125
字　　數	602千字
版　　次	1998年12月第1版　2017年5月第2版 2017年5月第3次印刷
標準書號	ISBN 978-7-80643-025-5
定　　價	155.00圓

《全元文》編纂工作委員會

顧　問（以姓氏筆劃爲序）

白壽彝　周　林　郭預衡　啓　功　劉迺和

主　編

鍾敬文

副主編

李修生

編　委（以姓氏筆劃爲序）

龍德壽　曾貽芬　李夢生　吳小平　彭久安

王明澤　卞　岐　朱瑞平　李　軍　李　鳴

李修生　李夢生　何本方　吳小平　邱居里
邱瑞中　卓連營　周少川　姜小青　查洪德
徐　勇　曾貽芬　張文澍　郭立傑　彭久安
鄧瑞全　樊善國　魏崇武　龍德壽　羅　超

資料工作人員

李仲祥　楊玉芬

第六册責任編委

樊善國　張文澍　李　鳴

目録

全元文卷一六七

王惲 一

全元文卷一六八

王惲　二

全元文卷一六九

王惲　三

全元文卷一七〇

王惲　四

全元文卷一七一

王惲 五

全元文卷一七二

王惲　六

全元文卷一七三

王惲 七

全元文卷一七四

王惲 八

全元文卷一七五

王惲 九

全元文卷一七六

王惲 一〇

全元文卷一七七

王惲 一一

全元文卷一七八

王　惲　一二

全元文卷一七九

王惲 一三

全元文卷一八〇

王惲　一四

全元文卷一八一

王惲 一五

全元文卷一八二

王惲 一六

全元文卷一八三

王惲 一七

全元文卷一八四

王惲 一八

全元文卷一八五

王　惲　一九

全元文卷一八六

王　惲　二〇

全元文卷一八七

王惲　二一

全元文卷一八八

王惲　二二

全元文卷一八九

王　惲　二三

全元文卷一九〇

王　惲　二四

全元文卷一九一

王惲 二五

全元文卷一九二

王惲 二六

全元文卷一九三

王　惲　二七

全元文卷一九四

王惲 二八

全元文卷一九五

王惲 二九

全元文卷一九六

王惲三〇

全元文卷一九七

王惲 三一

全元文卷一九八

王惲 三二

全元文卷一九九

王惲 三三

全元文卷二〇〇

王惲 三四

全元文卷二〇一

王惲 三五

全元文卷二〇二

王惲　三六

全元文卷二〇三

王惲 三七

全元文卷二〇四

王惲 三八

全元文卷二一〇五

王惲　三九

全元文卷二〇六

王惲 四〇

全元文卷一六七

王惲 一

王惲(一二二七——一三〇四),字仲謀,號秋澗,衛州汲縣(今河南汲縣)人,早歲從學王磐,曾得元好問指點,受史天澤賓禮。中統元年(一二六〇),左丞姚樞宣撫東平,録為詳議官。時初建省部,即被選入京師,擢為中書省詳定官。二年春,轉翰林修撰、同知制誥,兼國史院編修官,世祖初期詔書辭令,多出其手,其間曾隨中書省官赴開平會議,有《中堂事記》三卷,記載頗詳。至元五年(一二六八),拜監察御史,上書列論,疏陳時政,彈劾奸邪,均直言無畏,《烏臺筆補》多作於此時。九年,授承直郎、平陽路總管府判官。十四年,入為翰林待制,拜朝列大夫,先後任河南北道、燕南河北道提刑按察副使。十八年,向皇太子真金進獻《承華事略》二十篇,深受贊賞。十九年春,改山東東西道提刑按察副使,一年後因疾還衛。二十二年春,以左司郎中召。其時作《玉堂嘉話》八卷,記述見聞軼事、典制沿革等。二十六年,授少中大夫、福建閩海道提刑按察使。二十八年,召回京師。二十九年春,向世祖上萬言論政事書,提出「更張振勵」的十六項舉措,授翰林學士、嘉議大夫。元貞元年(一二九五),成宗即位,又進獻《守成事鑒》二十五篇,加授通議大夫,知制誥同修國史,奉旨纂修《世祖實録》。大德元年(一二九七),進為中奉大夫。二年,求退未允。五年,再請老歸。八年六月,卒。追贈翰林學士承旨、資善大夫,追封太原郡公,謚文定。《元史》卷一六七有傳。

著作有《秋澗先生大全文集》一百卷、《相鑒》五十卷、《汲郡志》十五卷。今存《秋澗集》一百卷，由其子公孺據其遺稿編類而成，「請於朝，命江浙省刻梓以行」，由至治元年嘉興路儒學刊行（簡稱「至治本」），明代對此有修補本（簡稱「明修補本」，見《元人文集珍本叢刊》），明弘治十年河南馬龍、金舜臣又據元至治本繕寫翻刻刊行（簡稱「弘治本」），民國初商務印書館影印，收入《四部叢刊》，清代有抄本多種，《四庫全書》所收，即據抄本而成。本書所收王惲文，凡出自《秋澗集》的，以弘治本為底本，校以文淵閣所藏《四庫全書》本（簡稱「文淵閣四庫本」），并參校至治本、明修補本和清嘉慶十一年至十三年王宗炎家抄并經手校跋本（簡稱「王抄校本」）。原《秋澗集》中有《承華事略》六卷、《中堂紀事》三卷、《烏臺筆補》十卷、《玉堂嘉話》八卷，本書僅收其序文。

中統神武頌　并序

維三年春王正月，逆璮悖負天恩，扞我大刑，裒奸詸頑，嘯凶東土，於是命將致討。天戈一麾，不五月而克清大憝。茲蓋皇帝陛下，龔奉天心，布昭神武，睿智足臨，有征無戰故也[一]。昔肅宗中興唐室，而元結獻頌，用歌大業，垂示無極。臣惲忝屬太史，親睹盛事，頌聲不作，咎將曷歸？敢綴緝所聞，謹撰《中統神武頌》一首，凡千有一百二十四字，雖辭理未應，庶幾神武仁聖之德，鏗鍧炳耀，播宣金石，振一代之徽烈也。萬冀微誠，仰蒙天聽。臣惲惶懼昧死，拜手稽首而獻頌曰：

皇帝踐祚，粤維三年[二]。萬靈清蹕，乃狩于燕。曰寒而寒，曰燠而燠。百度脩明，朝廷清肅。東截海表，西亘庸濮。悉臣悉貢，罔不率服。時維逆壇，禍心久纏。再世鴟張，顓征擅權。奄殿全齊，厲階泗漣。煮鹽涸海，鏟銅夷山。地險物衆[三]，蘖芽其間。懵恃奸罯，海波可田。背脅疽根，怒而自鞭。時徼邊功，外示忠惓。警我宋急，騎通甘泉。帝以德御，聽之誠然。再命不庭，穢彰溥天。浪駭鯨奔，擬騰百川。投袂東來，盜我西偏。天意有在，聚而熸旃。皇帝神武，不震不愆，燎我神鼎，烹此小鮮。命將興師，策出萬全。方叔召虎，爪牙利宣。爰命宗王，相臣是丞，顓彼封拜，虎符發兵，赫赫禁旅，犀甲熊旌。相臣曰璧，維周之楨。氣蓋一世，徐方震驚。皇帝曰嘻！殲厥渠魁，脅從罔懲。既誓我師，鋭莫與爭。賊謂我怯，蠆鋒來乘。一戰而退，曠懷自矜。誑以有待，孤城自嬰。皇帝曰嘻！壇不時下，我民是恫。武略神機，運之淵衷。相與謀謨，丞相天澤。乃拜稽首，賊出下籌。豨突於笠，不死何求。繚以巨堙，畢克于秋。帝曰元老，壯哉謀猷！其往視師，代予以休。馬首既東，零雨其濛。精彩一變，氣吐而虹。萬杵一動，月暈而墉。山斷外援，水防内通。高壘深溝，俟其自斃。日壓賊營，雲頹死氣。賊勢既窘，魄褫心悸。鼠拔其牙，獸崩厥角。斧偃螳潛，鋒摧蝟縮。七月壬戌，環陴内訌，賊伺我隙，悉甲來攻。萬死幸脱，突我梯衝，相史相趙，出奇無窮。既敗而壁，衆猶嘯凶。迨其癸酉，有星蓬蓬，驍若矢石，妖聲墮空。因之出降，衆兇率同。彼狡狂卒，不知所圖。銜窶鼠竄，自投於湖。宛轉不死，可知其愚。童子執戈，縛之以趨。比梟逆首，磔裂其軀。併取同惡，牽攣就誅。林林部曲，面縛俟死。皇帝曰噫！皆朕赤子，若蠢何知，一從先旨，解甲投戈，縱歸田里。東際海壖，西逾膠濟。殺氣一空，歡聲四起。既定歷城，東趣廣固。比傳城下，降幡内竪。凡厥士女，無或畏懼。取彼逆屬，收其府庫[四]。市肆農耕，按堵如故。纍纍婦妾，婉婉弱齡，三木囊頭，來獻闕庭。既令市朝，咸即厥刑。盡頒所獲，大犒將旅。稛載驩呼，各歸禁伍。勞我元臣，其安爾所，視我民政，衮闕則補。肆赦東方，皇恩斯溥。録我陣殁，恤我孤苦。舊染惟新，各安爾土。皇帝曰噫！頷頷歷城，横燎兇燄。干戈所歷，復其租斂。惠賜谷帛，拯其昏墊。陰伏陽開，乾旋坤奠。海岱重清，一出聖筭。奄奄北風，簪而遠竄。威憺蠻陬，東夷來獻。蓋代稱觴，萬口交慶。再拜稽首，皇帝神聖。天錫勇智，萬邦以正。億萬斯年，受天明命。皇帝孝友，敦序九族。有爵有土，煌煌車服。終歲燕賜，克諧克睦。帶礪山河，與天齊福。皇帝睿哲，别白忠直。天賚厖臣[五]，左輔右弼。孰敢予侮，為天立極。皇帝聖慈，約法好生。奚取八辟，三章更輕。大獄之起，寧失不經。如壇之誅，萬死何容！罪止一族，餘無所從。漢制黨錮，唐興羅織。濫及無辜，慘莫之惕。天地大德，曰生曰植。致討已來，惟天是則。吾皇之心，堯仁舜德。海宇熙熙，春臺壽域。群臣歸美，度越前古。唐平淮西，漢滅吴楚。以今方之，其烈斯鉅。規規孝景，計誅臣錯。岌岌憲宗，皇咨於度[六]。兵纏四載，吴縛於愬。惟此齊功，五月而成。斷以睿筭，畀之戎衡。皇帝執謙，弗居弗處。宗廟之靈，將士之助。敢告成功，于考于祖。祀事載祇，牲牢鍾虡。樹羽崇牙，應田縣鼓。肅雝和鳴，先祖是聽。神靈曰都，嗣皇之英。持盈之德，守成之能。保我丕祚，萬福是膺。壽等南山，不騫不崩。小臣眷眷，職司述稱。屬辭比事，獻芹之誠。親睹盛業，拭目太平。淵嘿無言，咎將孰徵[七]。冒昧狂斐，觸犯雷霆。敢摭輿議，用垂頌聲。

〔一〕有征無戰故也：征，原作「正」，據至治本改。　〔二〕粵維三年：粵，至治本作「舉」。　〔三〕地險物衆：險，文淵閣四庫本作「夥」。　〔四〕收其府庫：收，文淵閣四庫本作「取」。　〔五〕天賚厖臣：厖，文淵閣四庫本作「虎」。　〔六〕皇咨於度：咨，至治本、明修補本作「資」。　〔七〕咎將孰徵：徵，文淵閣四庫本作「勝」。

蛾眉硯賦　并序　憲宗五年春

余家所役二硯，研磨有年，殆與瓦礫不異。書生作計，朝夕筆硯間，所用若是，欲善其事而不能也，宜矣。乙卯春，偶得是硯於販夫之手，質名于譜，蓋歙石蛾眉之種也。噫！豈天誘愚衷，將為文字之祥耶？抑亦有數，自王氏而發潛德之光耶？遂筆而賦焉。其辭曰：

嘿齋主人，行年廿有九。日從事於翰墨，將遊心于道囿。家畜二硯，形模老丑。研磨歲深，埃塵瓦缶，嘆材石之莫遇，偶見授於野叟。發此秘藏，殆天所誘。歸予之月，卯插其斗。從吾囊之羞澀，喜溪光之照牖。其質圓以古，其色緑而黝，鬼擲滈璧，鏡蝕秦紐。太初之面目已露，元氣之胚胎未剖。涵玉德之餘潤，鏗金聲於一扣。其閱人多矣，幾墨翻於醉袖也。肌理細膩，豐而不蔀。顧溪痕之隱然，旋摩挲而無有。雪浪翻江，映日光走。其瑩滑温純之德，誠硯中之瓊玖也！若夫蒼文上横，眉嫵初就。予想濃抹遠山，濯如春柳。其横雲却月之狀，又似開乎成都之畫手。質名于譜，兹歙石蛾眉之右也。夫龍山之英，歙溪之瀏。醖釀幾年，鍾此奇秀。信神物之有歸，不圖為嘿齋座中之友也。當其書幌畫明，筆耕而耨。一噓泫然，雲蒸霧湊。試墨花於春融，覺松風之瀉竇。縱未灑薔薇之春露，聽此亦足以醒張顛之宿酒也。相期百年，以介爾壽。硯兮硯兮！汝名雖異，儻浮於實兮，終有愧於屋漏。故東坡有云：「澀不拒筆，滑不褪墨。」茲乃硯之佳焉，又何必鸜其目而鳳其味也耶！

茹野菊賦

并序　至元三年春三月

丙寅春三月，予以司明告病，避忌食物，無可供嚼嚙者，家人輩采菊芽為蔬。考之圖經，味甘平，療風熱，於頭目極順適也。遂筆而賦之，其辭曰：

蹇予投劾而來歸兮，守先人之故廬。日閉關而却掃兮，殆幽潛之不殊。視外物其弊屣兮[一]，將遊心於聖書。何庖厨之遠戒兮，幾釜中之生魚。嗟肉食其無相兮，喜盤蔬之有餘。潔我晨羞，出于不虞。擁案未前，露香滿裾。童子啞然而告予曰：茲野菊之方苗，適采擷于林墟。考之圖經，食有益於頭顱也。若夫春芽翠茁，方莖碧腴[二]。湯沃苦盡，鼎調氣濡。甘湧舌本，味欺圃蔬。拉晚菘以為友，役春蒲而作奴。貯空腹而不厭，恐落英之不如。彼寒花之可愛，寄高情於一壺。縱傲睨乎秋霜[三]，踰佳辰而日疏。此方騰藉春陽，甲拆而敷[四]。收微生於全體，供野人之所需。吾乃灑芳馨而三噍，覺眼華之掃除。其氣平夷，其樂舒徐。豈一杯之野馥，等悦人之豢芻。雖草木之謰口，亦因茲而起予。世有啖糠覈而瓠肥，厭粱肉而黑瘦[五]，豈非適於口而心苦，濡以膏而體劬。吾知甘非薄以自樂，能充説其體膚。既而隱几冥坐，心明志虛。佳境修然，恍與夢俱。以神為馬，以尻為舁。既發軔於菊潭，或弭節乎山隅。訪淵明於栗里，尋天臺之隱居。然後鼓東南之歸枻[六]，追散人於江湖。覺而賦之，猶足以續《離騷》而吊三閭也。

[一]視外物其弊屣兮：弊，文淵閣四庫本作「敝」。　[二]方莖碧腴：方，文淵閣四庫本作「芳」。　[三]縱傲睨乎秋霜：睨，原作「睍」，據至治本、文淵閣四庫本改。　[四]甲拆而敷：甲，文淵閣四庫本作「中」。

[五]厭粱肉而黑瘦：瘦，文淵閣四庫本作「癯」。　[六]然後鼓東南之歸枻：「然」字原闕，至治本模糊不清，據文淵閣四庫本、王抄校本補。

未央瓦研賦 贈終南李鍊師和甫

斗直寅，日維酉。栩栩蝶化，夢入靈囿。覺而扣門，有來玄叟。投我天硯，形圜色黝。鬼擲滈璧，鏡蝕秦紐。文章鬱律[一]，蛟蟠虺走。以長樂無極而言，迺漢殿燼餘之瓦首也。當其炎運天開，禹卑秦陋。未央屹建，長樂丕構。體紫極之圓方，壯神麗於九有，俾子孫無復加於後也。若夫萬疊雲浮，跨凌天宇。鱗影參差，鼇背掀舉。瓊綴檐牙，香團桂樹。倒景激日馭之光，流潤浥金莖之露。聳萬國之衣冠，蔭千秋之歌舞。礪太華而帶河渭[二]，謂斯瓦之貞固。天落妖慧，一掃而去。咄爾微質，歸復其土。何千歲而不化，偶野人之與遇？今歸乎我，又係厥數。摩挲漢月，碧花燦吐，似喜余之主也。試玄蛟兮海運，瀉松風於窗户。滑不墨褪，澀不筆拒。然復其天，則御陽周宣王宫名之耳孫，較其古，乃銅雀之鼻祖。彼鸜其眼而羅其紋，咮則鳳而形則□[三]，用或□□□奚足取，是不若兹瓦之體□。而□□□□□□□□□屋蔭生聚，帡幪霜雪，蔽虧風雨。是則用得其所，付大任於汝也。豈期棐几呈材，辭客與伍。處雖失宜，其功尚溥。鍛我銛鋒，藉汝涵湑。乞英靈於班馬，鑒興亡於今古。大書特書，猶足以旌朱游而削張禹也。道士顧笑，吾子其為我賦之。

[一]文章鬱律：律，文淵閣四庫本作「律」。　[二]礪太華而帶河渭：河渭，至治本作「河清」，疑誤。
[三]咮則鳳而形則□：咮，原作「味」，據文淵閣四庫本、王抄校本改。

三峰晴雪賦　并序　至元十二年冬十一月

乙亥歲冬十一月，余以守吏將事，自蒲抵華，倉惶待命於塵坌間。望三峰晴雪，焕爛高潔，皓不可尚已。顧而自憐，豈勝慚穢！適與左山商公，遇於祠南柏行間，歸作是賦以寄。其詞曰：

華於衆嶽，峻極莫之京兮。三峰絶觀，松雪益其清兮！倒景旁射，銀闕爛峥嶸兮！仙掌翻空，灝爽下青冥兮！豈玉井蓮芳，仙遊擁霓旌兮！巨靈變現，咤崑丘之瓊兮！金天移仗，敞瑶華之宫兮！

泠飈吹而不滅，海月照還空兮！軒豁呈露，何物外之雄兮！又如螭蟠之老子，與希夷之鉅兮！朗出天表，飲太泉而遊封中兮！安得杖仙人之九節，登神丘之崇兮，問真源於白帝，追二公之蹤兮！胡一行而作史，搶塵土之容兮！對清都而不克往，世故驅以東兮！掉塵鞅而北騖，刺梗滿吾胸兮！望岳神而三嘆，歸夢挂岩松兮！縱靈移之罔誚，獨不愧於躬兮！歸而賦之，吾言固誇，猶足以為執熱者之清風也。

熙春阮賦 并序

玄暉上人得隆德故閤餘材，斲而為阮，因以熙春目之，亦文殊之義也。至元戊寅春，同甯尹端甫、劉御史叔謙、趙太傅彦伯坐心遠軒，師為鼓《緑水》、《悲風》二曲，清越悲壯，坐客感嘆興亡，有愴然于懷者，師請予賦之。其辭曰：

天新雨，風日妍。心與閑會，境趣静便。拉曠懷之逸士，過雪庵之老禪，斂袂危坐，添爐炷箋。於是出桂阮，調素絃。控朏月而當抱，撫筠柱之横駢。師曰：「茲熙春之斷餘，偶絲之而清圓者也。」遂鼓一再行，清越悲壯，如泉咽冰底[一]，風行樾間。翛翛兮欲斷而復作，淙淙兮似漱而還潺。鏗爾擿銅丸之韵，凄兮聆高樹之蟬。又如游士騁説，劍歌去燕。何辭氣之從横，激太清而沉羽淵。客乃呀然而驚，慘然而悲，信乎物之感人，有不期然而然者。想老徽之般樂，蕩侈魄以無前；厭華陽之湫隘，敞樓居而致仙。海鼇首抃，金鵬翼騫。鬱鼎蓮之香霧，鎖月殿之嬋娟。蔭千秋之歌舞，壽艮岳而不騫[二]。俄龍移而鼎去，繼金亡而閣遷。殆露槃之聲折，悵秋風而涕潸！興廢一瞬，兩朝百年。委繁華於野草，鎖莽苑之荒煙。咄此木之何幸，遇幽人之達觀。納彌盧於芥子[三]，寓餘哀於一彈。猶足以舞魚龍於海曲，洗亡國之愁顔也。嗚呼噫嘻！向之使人凛而悲者，物詎能動於人哉！人之哀樂，妄為物之所牽。不知太虚寥寥，既寂而玄。唯此理之嘿識，何繁華廢興之足嘆。師曰：「子其為我賦之。」吾欲秋月當户，松風滿軒。寫仲容之别操，合清商而洞宣，使雲陰蔽空，玄鶴下躚。走商延于濮上，掩新聲於師涓也。

[一]如泉咽冰底：冰，文淵閣四庫本作「水」。　[二]壽艮岳而不騫：艮，原作「良」，據至治本、文淵閣四庫本改。　[三]納彌盧於芥子：彌，文淵閣四庫本作「須」。

吊廉將軍墓賦　并序

三代而下，功利之説興，人臣擅恃功能，鮮以禮讓為國者。觀頗挾勲内忿，忸居人下，加諸彼不淺[一]。相如引車避嫌，有犯無校，蓋出天稟粹然，處之為非艱。至頗聞急先一言[二]，遽能握髮數罪，受責門庭，在將臣為實難。若將軍者，可謂不遠而復，得無祇悔之義哉！遂摛文以吊，其辭曰[三]：

涉滹沱而北騖兮，過常山之故城[四]。何高丘之突兀兮，鬱劍氣之峥嵘。野人指而告予曰：「此廉將軍之封陵也。」人與骨而塵朽兮，義於粲乎日星。遂陳辭而吊古兮，命僕夫以停征。嗚呼休哉！昔伯禹之所以聖兮，始不伐而不矜。秦誓之所以經兮，善悔過而胥盟。觀戰國之多士兮，依稀猶三代之英。惟功利之時尚兮，天理有時而蔽明。能不遠而復初兮，其惟趙之廉卿。方國都之中立兮，資内附而兵精。頗分閫而秉鉞兮，騰茂實而蜚英聲。梁從隨而楚讋兮，燕弭伏而齊并。時有以卜將軍之意氣兮，殆雷動而滿盈。遽相臣之出右兮，何發言之盈庭。幾肉餒而食甘兮，奮兩虎之必争。及聆急難之一言兮[五]，輒弭耳而服膺。復頓顙而悔過兮，折節負贖罪之荆。在引車而不必多兮，將臣及此，所以為古今之難能也。逮漢起而帝稱兮，禮飲至而策勳。何諸將之失度兮，至擊柱而紛紜。安得將軍從容為一言兮，解販繒屠狗之棼。彼臣濬之冒鼚兮[六]，加充渾之貪蒙。咤吴平於帝前兮，亘滔天而為己功[七]。安得將軍滌易其褊薄兮，俾無成而有終。嗟鄂國之列公兮，挾勳勞而凌帝宗。縱私忿而無忌兮，一墮夫臣子之恭。安得將軍北面而同列兮，以中和之氣銷悍戾於未然之胸也。雖哀之而不能鑒兮，文空言其奚庸。繄慨慕其耿光兮，日三省乎微躬。蕩吾伯夷之隘兮，擴乎穆公之容。希前賢而同升兮，附驥尾而竭忠。雖斷斷而無它兮，庶幾廩廩德讓君子之風。衡山烟而暮去，撫鳴劍兮增雄。

[一]加諸彼不淺：文淵閣四庫本句末多一「乎」字。　[二]至頗聞急先一言：急先，文淵閣四庫本作「先急」。

［三］其辭曰：文淵閣四庫本無「其」字。　［四］過常山之故城：過，文淵閣四庫本作「遇」。　［五］及聆急難之一言兮：急難，文淵閣四庫本作「急先」。　［六］彼臣濬之冐耋兮：耋，文淵閣四庫本作「窒」。

［七］亘滔天而為己功：滔，文淵閣四庫本作「貪」。

登常山故城賦

我登常山，心慨嘆兮！斷城連絡，蛇陳蜿兮。憶當全盛，兩漢間兮！萬井歌吹，魚龍淵兮。椎埋劍擊［一］，習俗然兮，光沉響絶，夫何言兮？有懷古人，秉心延兮！交如餘耳，始足賢兮。烈如顔袁，抗僞燕兮！垂光竹帛，星日懸兮。壯哉子龍，屋而祀兮！膽氣滿軀，勇夫志兮。賊瞞臣漢，得所事兮！天理在人，一符契兮！千載仰止，初無異兮！諒彼有立，忠與義兮。

［一］椎埋劍擊：椎，原作「推」，據至治本、文淵閣四庫本改。

鶴媒賦　并序　至元壬午冬

中統二年，予在上都掌記中堂。客有負青障、挾長杈，二鶴馴於後，以廩繼來請。問其役，曰：「以鶴取鹿者也。」嗚呼！鶴，善類也。喙雖長，不鉤銛以噬；爪雖巨，無跻指以攫。而於麀伏，容有忮害，其如人之不仁何？至元壬午冬，與禮部王兄子冕[一]，因話及此，慨然有感曰：「今人以智計相傾，内險外易者，何殊於鶴之取鹿也？」作《鶴媒賦》，其辭曰：

萬物者，元氣之盜。氣之靈者，莫人若也。既役物而君之，其忍以盜作智而為得計乎？如紸麃草間，圖鷵潔地。啇紙求蜂，葉城網雉。盜物矜雄，此何足異。以智獵愚，理固宜然，用愚戕愚，斯則不仁之亟也。鶴本善類，與物無忮。飛翔寥廓，仙游之驥。教之羽舞，已違元性。詐以摽鹿，遂戕彼命。是則鶴之善，人則用而險之，返有過於機穽也。鶴了不知，鹿終弗悟。歲供庖厨，皆鶴之故。何殊人心，内險外易。以詐假仁，顯比陰忌。將取彼有，則必姑與。彼昏不知，日狎而伍。一落其機，投足無所。誠何異以鶴而媒取也。吾然後知物之顯暴者，既得預而防之；愚而深中者，尤不可玩而侮也。示我同志，筆而為賦[二]。

[一]與禮部王兄子冕：冕，文淵閣四庫本作「晃」。　[二]筆而為賦：文淵閣四庫本作「筆而賦之」。

玄猿賦 并序　效庾開府體　至元十七年二月

至元十七年二月己卯清明日，陪經略子明祭丞相忠武公墓[一]。適嗣侯平章格[二]，自靜江籠致是猿以獻，西溪王通議命余賦之，以紀奇觀。其辭曰：

寶符之野渟沱，鎮人初樂歲華新[三]。峴山正有墮淚感，走馬遠出西州門。映堂階之碧草，陪開府之嚴裡。睹方物之來享[四]，宛有勝於攸聞。緊爾猿之玄質[五]，何其性之能馴[六]。素面掌許，玄裳若纁。尻不識尾，臂長於身。一動一靜，既恒且仁。澗飲岩棲，有彝有倫。木方華而不折，菓視熟而呼分。思全生於物表，時隱見於冬春。三峽秋月，九嶷暮雲。雪嘯煙啼，子從母奔。動射者傷弓之慘，驚山人應騁之輪。哀楓林之逐客，助永夜之霑巾。其或冷挂虛壁[七]，幽尋窈冥。避群猱之喧躁，悟善惡之難并。去王孫而敻絶，誠可愛而彼可憎也[八]。故或者謂衰周之士夫，從昭王而南征。痛膠舡之不返[九]，化若類而成群。恐此事之朦朧[一〇]，伊誰聞諸水濱[一一]。淡夕陽於平野，送歸鞍之逡巡。偶吐辭而為賦，念此物之貞純。或體玄而尚寂，要擇善而相親。以升木而取喻，庶有感于斯文。

[一]陪經略子明祭丞相忠武公墓：子明，文淵閣四庫本作「助」。
[二]適嗣侯平章格：格，文淵閣四庫本作「稽」。
[三]鎮人初樂歲華新：鎮，文淵閣四庫本作「淪」。
[四]睹方物之來享：方，文淵閣四庫本作「萬」。
[五]緊爾猿之玄質：玄質，文淵閣四庫本作「黑質」。
[六]何其性之能馴：何，文淵閣四庫本作「尚」。
[七]其或冷挂虛壁：冷，文淵閣四庫本作「隱」。
[八]誠可愛而彼可憎也：彼，文淵閣四庫本作「靡」。
[九]痛膠舡之不返：舡，文淵閣四庫本作「船」。
[一〇]恐此事之朦朧：朦朧，文淵閣四庫本作「懞慌」。
[一一]伊誰聞諸水濱：聞，文淵閣四庫本作「間」。

蟠木山賦

丁亥之冬，夜氣清淑，夢游石林，萬玉嶒崒。明日與客步入李叟叟字希賢之塾，燎爐却寒。有蟠者木，輪囷離奇，大屬吾目。負之與歸，而為秋澗坐中之物。其為狀也，左抱右擁，或疊或窪。蹄股交峙，口鼻互呀。於是抉洞穴，振泥沙，分嶺嶂，翦杈枒。坳者窐，突者丫。去朽剔蠹，磨光出華。丹丘赤城，凌空散霞。不知沉伏於地中者幾年，一旦聽吾喙之横誇，若乃峰頂改色，湧雲倒懸。岩崦層出，峽門洞穿。刻畫嫫母，與施并妍。其磊落盤錯，自一成而有足觀也。咄此怪供，强名曰山。然為幸也，蓋有大於是焉。不腐而為朽壤，不化而為飛煙。收槁梧于爨下，遇中郎而獲全。蔭居華屋之底，植立几席之前。聳太華三峰之秀，有象江六石之堅。終日與伍，似非偶然。徙倚蒼精之蓋，摩挲白鹿之巔[一]。何澹僻之苦樂，掇衆人之所捐。吾愛夫始賤而終貴，先污而後蠲。出神奇於腐朽，蜕凡骨而得仙者也。噫！以静而致壽者，山之性；隨帝而出震者，木之權。惟動静之交見，渾體用於一源。吾固衰謝，拙於變遷。以静為樂，以安為便。藏吾所别之器，浩吾固有之天。守介節而不易，庶兹蟠之可鎸。安時處順，出艮震兩者之間。不然造物者憐其不材，辭翦伐而終天年。其將亦惟周旋[二]。孰得惡而舍旃？客曰：「汝言雖夸，以山木而較之，似不膠於一偏。子其為我賦之，若足以折詭辯於莊叟，發新意於老泉也。」（以上《秋澗集》卷一）

[一]摩挲白鹿之顛：鹿，王抄校本作「虎」。 [二]其將亦惟周旋：亦惟，文淵閣四庫本作「與惲」。

全元文卷一六八

王　惲　二

上世祖皇帝論政事書　至元二十九年春

臣近蒙禮部符承中書省劄，該憲臺欽奉聖旨，召臣惲馳傳赴闕庭者。臣惲伏自欽承明命，夙夜祇懼，不知所為。意者憲臺過舉，俾備顧問，庶有所發明。因自忖量，國家之事，日有萬幾，非愚下所能識。然臣自中元迄於今日，久叨仕進，區區管窺，不無一見，輒敢以時務所宜先者數事，昧死上聞。臣聞自古創業垂統之君，必定制畫法，傳之子孫，俾遵而守之，以為長世不拔之本。欽惟皇帝陛下聖文神武，以有為之資，膺大一統之運，長策撫馭，區宇民數，遠邁漢唐，其所渴者[一]，特治道而已。然三十年間，勵精為治，因時制宜，良法美意，固已周悉。今也有更張振勵，講明畫一，若懸象而昭布之，使臣民曉然知其法之所以，豈不便哉！故臣以立法定制為論治之始。一曰：議憲章以一政體。《傳》曰：法者輔治之具，一日闕則不可。君操於上，永作成憲；吏承於下，遵為定式；民曉其法，易避而難犯。若周之三典、漢之九章是也。今國家有天下六十餘年，小大之法尚遠定議[二]，内而憲臺天子之執法，外而廉司州郡之法吏，是具司理之官，而無所守之法，猶有醫而無藥也。至平刑議斷，旋旋為理[三]，未免有酌量準擬之差，彼此輕重之異。臣愚謂宜將已定律令，頒為新法，或有不通行未盡該者[四]，如累朝聖訓與中統迄今條格，通行議擬[五]，參而用之，與百姓更始。如是則法無二門，輕重適當，吏安所守，民知所避而難犯。天下幸甚！二曰：定制度以抑奢僭。夫制度者，明尊卑、别貴賤、法天道而立人極也。故古者衣服、飲食、輿馬、屋廬皆有恒制。至於庶人僕妾，其禁尤嚴。惟在君人者，制節菫度，率先化下為務。何則？上之動静為人勞逸之本，上之奢儉為人富貧之源，可不鑒哉！欽惟皇帝陛下。臨御以來，躬先儉素，思復淳風。如輕紵衣而貴紬繒，去金飾而樸鞍履，至衣服等物銷織鍍研之類[六]，一切禁止，以奉行漸遠，不無弛緩。今也臣民衣飲逾於公侯，婦女衣着等於貴戚，以致聘財過於卿相，男女不能婚姻。正以用之無制，僭越暴殄，有不能供億者，故物價不得不踴而貴，錢幣不得不虚而輕。上下困弊，日甚一日。假若巨室之家，親屬奴隸，衣飲一切，自有等差，若例而一之，寧不困乏？臣愚以謂宜一切定奪，大行禁止，使民志定而不少僭越。用既有度，物自豐饒，恐亦實楮幣、殺物價之一端也。三曰：節浮費以豐財用。夫一世之財，足周一世之用，不必專豐其財，去其害財者可也。今國家財賦，方之中統初年，歲入何啻倍蓰，而每歲經費終不阜贍者，豈以事勝於財，過有所費故也？為今之計，正當量入為出，以過有舉作為戒，除饗宗廟、供乘輿、給邊備、賞戰功、捄荒歲外，如冗兵妄求浮食冗費，及不在常例者，宜撿括一切，省減以豐其財。財豐事勝，食足氣充。以攻則取，以戰則勝，以柔則服，將何為而不成，何求而不獲？古之善為國者，君不必富，富藏於民，故用雖多而取不竭。孔子曰：「百姓足，君孰與不足？」此之謂也。且財非天來，皆自民出。竭澤焚林，其孰禦之？但力屈財殫，非所以養民而强國也。昔亡金世宗[七]，諸王有以不給而請告者，世宗曰：「汝輩何騃！殊不知府庫之財，乃百姓之財耳。我但總而主之，安敢妄費！」迄今稱說，以為君人至言，可不鑒哉！四曰：重名爵以攬威權。古人稱官爵謂之「天秩」，王者代天爵人，鼓舞一世，使天下之人奔走為吾用者，此也。惟「爵」與「禄」不輕以付人，曰賢，曰材，乃能得之，所以為礪世磨鈍之具。若得之輕，則視之輕；視之輕，則人不重；人不重，將見君子遠、小人至，此必然理也。惟其磨礪轡馭之權，世主操於上，不輕授人，與當其材，何患氣之不振、力之不竭、事之不成者哉！今四海一家，權宜假借之舉，日漸希闊[八]，正國家收攬威權之時，如近年委任稍重者，罔考其素即授崇品。激之建功立事，固是駕馭英雄大權，苟非其人，不無叨竊不安之懼。今中外無事，朝廷宜重而惜之。昔有唐使職，或帶相銜[九]，然止行見職，曾無分省實權。五曰：議廉司以勵庶官。臣聞古之善為國者，不使人有怠惰不振之氣。若作於心而害於政，苟非以德振起，必須度時宜，本人情，齊之以法，故得小大畢力，上不勞而衆事舉。今州郡之官，品流殽雜，既無選舉甄別，止循常資，紛紛籍籍聚散於吏部，例得一官，鮮不因循苟且，以歲月養資考而已。欲望承流宣化，趨事赴功，卓有惟新之政，亦已難矣！嘗觀漢唐之馭吏也，能者增秩賜金，公卿缺則補之，以表其賢[一〇]；否者，放田里而不事事。唐則召七品以上官集於闕庭[一一]，親與訪問，究得失而進退之。然二者不過爵禄為勸。爵禄極，則意滿足；意滿足，則怠心生。亦有無如何者，故持斧直指採訪黜陟等，使歲相望於道。而本朝之舉高出前代。比者廉司之設，初氣甚張，中外之官，悚然有改過自新之念。大姦巨猾，致畏懾而不自安；庸人懦夫，將卓爾而有所立。行無幾何，法禁稍寬，使監視者勁挺之氣不息而自斂，聽從者奸弊之萌潛滋而復楠[一二]。恐徒易其名，而不能革州縣之故習。夫刑罰崇寬，固是國家美政，然分別善惡，以示勸懲，豈得專務寬卹。昔亡金大定間[一三]，尚書省奏順州軍判崔伯時受贓不枉法，准制當削官停職。世宗曰：「受財不至枉法，以習知法律故也。所為奸狡，習與性成，後復任用，豈能自悛？雖所犯止於追官[一四]，非奉特旨無復録用。」以致犯禁者鮮，此先事之明驗也。今風俗澆薄，遇有所犯，苟免無耻。臣愚謂法宜稍重[一五]，以權一時，其要在人法并任，精擇官僚，優加吏禄。憲綱既立，公道大行，官有作新之氣，吏無餬口之虞。我之氣既伸，彼安得不振；我之政既肅，彼安敢或私。所謂上行下效，源清流長，將見風彩百倍，有登攬澄清之望矣。六曰：議保舉以覈名實。方今親民與參佐官，莫縣令、經歷為重。縣令乃百姓師帥，師帥賢，則德澤宣；參署為一路紀綱，紀綱振，則政務舉。今例出常流，安取殊績！臣愚以為若行品官保舉法，庶得其人。其法，品量舉主[一六]，與所保者資歷相應，果皆兩可，復精加磨勘，無謬妄私意，然後許令入狀。相小大之才，授繁簡之任，限以歲月，如唐制厘務出二百日者，是也。課其殿最升黜。舉主得人者，受知賢之賞；不職者[一七]，坐不當之罰。舉官自然盡心，受保者常恐相累。如此，庶立功而寡過矣。其南選尤宜施用此法[一八]。何則？江南比至平定[一九]，諒為不易。凡所隸附，秋毫無犯，可謂仁義之師。秖以前省調官[二〇]，賄而海放[二一]，行省注擬，尤為濫雜。侵漁掊克，慘於兵凶，至盜賊竊發，指此為名。仰賴天恩，幸其無事。今宜委官分揀，以行此法。其停革人員不至罷黜者，降之邊遠；邊遠見職委有聲迹者，使之內遷。亦激勸一法，玆蓋自漢唐五代迄於亡金，皆遵而行之，當時號稱得人。然必須內設審官考功等職，專掌其事。七曰：設科舉以收人材。方今名儒碩德，既老且盡。後生晚進，既無進望，例多不學。州府鄉縣，雖立教官，講書會課，祗皆虛名，略無實效。以致非常之材未聞一士，州郡政治苦無可稱。思得大儒碩德難矣！臣愚以為[二二]，不若開設選舉取驗之速也。夫進士選，歷代號取士正科，將相之材皆從此出。前代講之熟矣，理有不可廢者。若限以歲月而考試之，將見士爭力學，人材輩出，可計日而待也。論者必曰：今以員多闕少，見行壅滯，若復此舉，是愈壅而滯之也。臣謂不然，蓋科舉之設，本以覈實學而收多士，清仕途而息雜流，庶得將相全材，為國論治道備大用也，豈不愈於學校徒設，汗漫而無所成乎！八曰：試吏員以清政務。前代取吏之法，條目甚嚴。如宰相子，辟舉令取充省雜，終場舉人，試補臺掾，品官子孫，吏員班祗閤門等人出身者，試補六部令史。夫令者，明法令曰令；史者，通經史曰史。今府州司縣應用一切胥吏，多自帖書中來。官無取材，勢須及此，所習既凡，聞見或寡。欲望明刑政，識大體，務清弊革，難矣。臣愚以謂：為今之計，莫若將合歲貢吏人，以吏員法試之，中選者仍許上貢，補充隨朝身役。外州府郡見役者，從廉司以校法試驗，庶幾激之，積漸肯學。其月請俸給，亦合定奪，能使得餬其口，然後可責以廉。何則？今廉司專抑吏權，察非違[二三]，少有貪鄙，不計養廉，即按而治之。是縱之竊而責以「何盜之為」，豈理也哉！九曰：恤軍民以固邦本。近命新省整治以來，一切事務盡從簡靜，可謂不嚴而治、不肅而成者也。中外熙熙，翕然有拭目太平之望。茲蓋皇帝陛下屏去奸慝[二四]，保合大和，嘉靖邦本，專任責成之效也！然猶有當軫慮者。夫為治之道，政貴均一，不少偏重，否則必更而張之，使至公均被國家。且自攻圍襄陽以來[二五]，簽取軍役，蓋四舉矣。將着中物力等户，盡充軍站，中間扡下上户，其能有幾？皆貧難下户。而軍興百色所須，皆仰供辦[二六]。江南甫下，遭值前省和顧和易，急徵暴斂，侵漁不法。又將軍站閃下差税，不問多寡，止除四兩，餘者分灑見户。其逃亡差税，又行每歲陪納。數年之間，編氓已是靠損，其小户困苦不較可知。臣以時屬方殷，其代輸差税，宜令蠲免，涵養存䘏小康，若一旦別有征求，易為責辦。其軍站户富者，至有田畝連阡陌，家資累巨萬，丁對列什伍；貧者，日求生活，有儲無甔石，田無置錐者。今也不分難易，一體應役。又至元十一年，簽充到軍役者，多是近下户，計當時起遣，已是生受[二七]。臣愚謂俱合分揀定奪，庶不致困乏逃竄，有誤臨時調遣不均之弊，莫此為重。十日：復常平以廣蓄積。常平倉設自至元八年，隨路收貯斛粟約八十餘萬。今倉廩具存，起運久空[二八]，甚非朝廷捄荒䘏民本意。夫常平之法，歲豐增價以糴之，則農重穀而敦本；歲荒則減價以糶之，故民倚安而無菜色。如往年定時估，以平物價，竟不克行，殊不若常平之有粟也。蓋低昂權在有司兼并，利無專擅故也。若復實常平，倘遇凶歉，出糶三二千石，穀價自平，楮幣亦復加重，且免賑濟破用軍國正儲，實為古今良法。十一曰：廣屯田以息遠餉。臣聞邊儲遠餉，自古未有良法。如飛輓負載、賣爵贖罪、引種和糴，未免弊困，多不能行，俱未若留兵屯田為古今之長策也。臣試以唐振武事言之：憲宗元和七年，李絳言天德、振武今豐州等處。左右良田約四千八百頃，收粟四十萬斛，歲省度支錢二十餘萬緡。兹非明驗歟！今振武豐州，界河兩旁，除營帳百姓耕占外，其餘荒閑尚多。若大治屯田，自非水旱，田功稍集，國儲必有所濟。唐陸贄所謂「緣邊土沃而久荒，所收必厚」。又近歲山後流移户多，將見抛地土，時暫借，令營屯，亦是一法。富弼曾言此事。及撿括冒占，仍招募願户者聽，外邊屯已置營屯去處，亦宜差强果為國盡心有為能臣，重與撿勘。其間一切可行未舉、已行不盡者，極人為而盡地力，仍將迤南一切置屯見閑户數，併徙邊防，以捄一時。此急於治外之意也。十二曰：息遠略以撫已有。臣常聞老子以恬淡為宗，孔宣父戒及其在得。二聖人垂教，以天理當然為言，非徒設也。欽惟皇帝陛下聖神文武，臨御天下三十餘年，昭丕天之功，接千歲之統，三五已來，未有若斯之盛。其於太祖聖武皇帝垂創之業，可謂大集厥成。然有其有者安，務廣德者强。審今之勢，譬猶蓄牧大家，川量谷計，數已殷富，正在牧圉擇人，芻豢得所而已。如此則牛羊茁壯，日蕃而無耗，不然罔卹見有，又務多得，將見復求者未獲，則已有者瘠而耗之，可不惜哉！伏願陛下息遠略，撫已有，以恬淡為心，以在得為戒，頤養聖壽，配天無極。此宗廟神靈、四海臣民之願也。臣又嘗觀天地之氣，四時行，萬物生，皆自然而然。又其升降止三萬里之中，其範圍不出三十萬里之内，餘則混淪磅礴，雖聖人有置而不論者。伏惟陛下憲天體道，財成輔相[二九]，功已不能殫紀，尚何言而何慮哉！十三曰：感和氣以消水旱。夫兵者凶器，戰者危事，不得已而用之，且以强勝為戒。我國家以神武戡定海宇，日月所出没，霜露所霑墜，莫不臣而主之。然地廣物衆，不無孽芽其間，故三十年之久，十有餘舉。如征大理、雲南，渡鄂渚，平内難，討賊壇，取江南，破襄漢，駕洋海，下占城，定高麗，問罪交州，掃清遼甸，皆除暴固存，彼動此應，不得已而用之之舉也。然士卒愁苦，死傷暴露，邊郡困乏，中外憂勞之氣，不得不傷陰陽之和，而致水旱之報，是以聖人重之、畏之。故老子曰：「大軍之後，必有凶年。師之所處，荆棘生焉。」故比年以來，水旱無時，霜災屢作，山崩地震，變出非常；奸臣柄用，盗賊竊發；百姓嗷嗷，日趨於困。臣常讀中元已來國書詔條，未嘗不以生靈為念，棄捐細故，講信修睦，以用兵為重。此堯舜好生之德，禹湯克寬不自滿假之仁也。願陛下躬體玄默，頤養聖壽，與天無極。以初元之心為心，以恬澹之慮為慮，為民祈天請命[三〇]。災害不生，禍亂不作，使黎庶知其無好兵之心，天地鬼神諒其不得已之意。庶幾天回哀眷，易乖戾而為和平，變荒歉而為豐稔，斂時五福，敷錫庶民，咸躋仁壽之域，天下幸甚！十四曰：崇教化以厚風俗。自昔風俗美好，由禮義所生。今也禮義既衰，故日趨於薄。一法出，則衆奸作；一令下，則百詐起。何則？民所欲而生者，歲不加益，我過為之求者，日有所增。所謂救生而不贍，奚暇治禮儀哉！有司釋此不念，每以厚風俗為務，如孝行有復役[三一]，節婦有旌議，婚姻立學，師表淑慝，忠臣義士，歲有常秩之類，非不家至户曉，然終無分寸之效者，徒文具虚名而已。夫天下之事，有本有末，知所先後，則教立而化行。臣愚以為風化之行，莫若國家先以四教為本[三二]，曰：仁以養之，義以取之，禮以安之，信以行之。何為仁？父愛子育，懷生樂業，温飫以養其心。何為義？輕徭薄賦，取斂合宜，寬裕以暢其氣。何為禮？上下有分，毋妄侵辱，誅責以當其功罪。何為信？發號施令，一出不易，忱誠以明其約束是也。而前政者謂桑葛也[三三]，曾不務此，專以威虐肆心，督責為令，取辦一時，流毒四海，不知陵遲偏詖有不可救藥，至于今為厲者。如逋負差徭，有已蠲未蠲者，貧難軍人，有已間未間者。民出衹應，不蒙撥降，反復償其不應；民辦和買，雖蒙官還，曾何敷其元價？杖刑重責，不上大夫，崇卑之品，曾不少間。悉被其戮辱，夫如是將何以責民心之近，厚風俗之淳粹者哉[三四]？惟其四者本立，而天下悚然有忠厚廉耻之心，而後敦之以禮讓，謹之以庠序，觀之以鄉飲，教之以冠婚喪祭。民將目擊而心諭，安行而有得。二三大臣匡直輔翼於上，時從而振德之，孰有子遺其親、臣後其君者哉！所謂「父子有親、君臣有義」，不曰「風恬俗美」，將安歸乎？十五曰：減行院以一調遣。伏見近者立行院四處，蓋欲養兵力、分省權而免横役。然不可多設，多設則一旦遇有調遣，號令不相統一，至合而征，苟進涉險難，不肯併力一向，以趨成功。况江嶺阻隔，動輒數百里，賊去此而盜彼，即欲加兵，則曰「我已降於彼」。比緣知會，已殺掠而去，如向者鍾賊是也。其在江西，我逐而出境，即睨而不視。其在福建，復逐而出境，亦坐而不問已。至朝廷專差重臣，會三道之兵，總統於上，才方剿絶。臣故曰不可多立者緣此也！若止設一院於江州[三五]，地既酌中，號令四出，復命皇子震統於上，使跨有江淮，遥制兵勢，將何衝而不折，何令之不一哉？誠為簡便。十六曰：絶交貢以示曠度。夫邊方小國，外示臣屬，内實觀望，我以誠往，彼輒譎來。何則？恃其險僻，昧夫天理，而懷苟且假息之念故也。非修文以來，易以計破，難以兵碎也。今交趾，漢數郡之地耳，數年之間，雖奉貢伻來，終未稽顙闕下，款輸誠赤。今年犴一犀象，明年獻翠具若干，是皆我物，藉為己有，調書詞、延歲月而已。此最不可信者。昔漢文帝却千里馬，詔郡國毋令來獻，而越王尉佗[三六]，曾未幾何，怨艾自新，去號北面，終其身内屬，正以德禮懷柔然爾。臣愚以謂彼之交貢，自今宜辭而無受，則我之所得者有三：不寶遠物，示以曠度，一也；鱗介之屬，叵測淺深，不知我之虛實，彼用自絕，使私計內窮，二也；又使駭夫天子明見，照萬里之外，畏天事大之心，庶有以自省其曲直所在，三也。剌竹蘖弩，緩則律行奸詐，急則曲盡服從。伏乞下公卿集議，以付有司。臣之所言雖至淺近，然當陛下無忌諱之時，遠被寵召，無一言補報，緘默旅退，豈惟自棄，大負朝廷虛求之心？顧臣庸愚，何足重輕！萬一片言有可取，使四方大賢大德之士聞之，曰如臣者，且蒙採擇，將訑訑而來，皆為陛下用矣。臣不勝俯伏待罪憂恐之至。臣惲昧死再拜謹言。

[一]其所渴者：渴，文淵閣四庫本作「守」。　[二]大小之法尚遠定議：遠，文淵閣四庫本作「無」。　[三]旋旋為理：旋旋，文淵閣四庫本作「旋漸」。　[四]或有不通行未盡該者：文淵閣四庫本作「或有不通未行盡該者」。　[五]通行議擬：議擬，文淵閣四庫本作「擬議」。　[六]至衣服等物銷織鍍砑之類：砑，原作「呀」，據至治本改。　[七]昔亡金世宗：亡，文淵閣四庫本作「日」。　[八]日漸希闊：希，文淵閣四庫本作「疏」。　[九]或帶相銜：銜，文淵閣四庫本作「印」。　[一〇]公卿缺則補之，以表其賢：文淵閣四庫本作「公卿缺則表之，以觀其賢」。　[一一]唐則召七品以上官集於闕庭：以上官，文淵閣四庫本作「官以上」。　[一二]潛滋而復楠：復楠，原作「復持」；文淵閣四庫本作「復興」。此據王抄校本改。　[一三]昔亡金大定間：亡，文淵閣四庫本作「者」。　[一四]雖所犯止於追官：止，原作「上」，據至治本、文淵閣四庫本改。　[一五]臣愚謂法宜稍重：謂，原作「為」，據文淵閣四庫本改。　[一六]品量舉主：主，文淵閣四庫本作「止」。　[一七]不職者：職，文淵閣四庫本作「識」。　[一八]其南選尤宜施用此法：其南，原作「獻」，據至治本

改。　[一一九]江南比至平定：比，原作「北」，據至治本、王抄校本改。　[一二〇]祇以前省調官：文淵閣四庫本作「即以調省調官」。　[一二一]賄而海放：海，文淵閣四庫本作「每」。　[一二二]臣愚以為：為，原作「謂」，據文淵閣四庫本改。　[一二三]察非違：違，文淵閣四庫本作「為」。　[一二四]屏去奸慝：慝，文淵閣四庫本作「惡」。　[一二五]且自攻圍襄陽以來：攻，文淵閣四庫本作「破」。　[一二六]皆仰供辦：仰，文淵閣四庫本作「何」。　[一二七]多是近下户，計當時起遣，已是生受：文淵閣四庫本作「都是近户，不計當時起遣，已是生受」。　[一二八]今倉廩具存，起運久空：文淵閣四庫本作「今倉廩久空，起運具存」。　[一二九]財成輔相：財，文淵閣四庫本作「裁」。　[一三〇]為民祈天請命：請，文淵閣四庫本作「禱」。　[一三一]孝行有復役：有，原缺，據文淵閣四庫本補。　[一三二]莫若國家先以四教為本：原為「莫國家若先以四教為本」，據文淵閣四庫本改。　[一三三]謂桑葛也：桑葛，文淵閣四庫本作「僧格」。　[一三四]厚風俗之淳粹者哉：粹者，文淵閣四庫本作「也」。　[一三五]若止設一院於江州：若，文淵閣四庫本作「雖」。　[一三六]而越王尉佗：佗，原為「他」，據文淵閣四庫本改。

上御史臺書　至元五年十月

至元五年十月日，前翰林修撰王惲言[一]：蓋聞御史周官也，其職掌贊書受法令[二]。秦漢以來，乃副貳丞相，任耳目司察之寄。唐制二臺，左以糾朝政，右以繩郡縣，職非不要，責非不重也。至於天下之大奸，郡國之大豪，時務之得失，生民之利病，京官之迭居内外，郡吏之歷事臧否，莫不劾視按問，以之定功罪而賞罰[三]，不待稽覆證左，會有失實而抵坐之也。是以天下之人，惴惴焉，凛凛焉，惟恐有毫髮詿誤，風聞疑似，名絓憲章。至於顛越不恭者，蓋千百一而已[四]。故朝廷清而萬事咸理，遠近一正而奸邪屏跡矣！我國家列聖相承，重熙累洽，奄宅區夏，垂六十年。迨聖天子登極，典憲日新，百度具舉。於是建臺司，置僚屬，蓋將示公道，抑澆私，折奸萌，救内重之弊也。切惟風憲條目，古今一致也。强宗豪右，田宅逾制，凌弱暴寡，二千石刻損政令，不恤疑獄，倍公向私，侵漁百姓，苟阿所愛，蔽賢寵頑，通行貨賂，選署不平，此漢六條之制也。唐之目四十有四，今不具見，雖繁簡不同，以近事攷之，或有可詳。若聽覽未充，衮職有闕，彌縫匡救之者，不敢後也。中書政本，機務所出，整肅糾繩之者，不可闕也。官或曠員[五]，未得其人，擢任薦升之者[六]，不可緩也[七]。綜劾之權，内外惟一，强御巽懦之際，不可異也。大臣當任責也，返循嘿而無所建明；小臣當奉職也，或僭越而覬覦徼倖。至於臣門如市，請謁公行，名器大權，假授失當。學校久廢，以為非所急而起青衿之譏；賢材在下，以謂不必用而興白駒之嘆[八]。選部無法，徇情故而害至公；鄉原賊德[九]，亂朱紫而敗俗化。守令不職，怨讟交興[一〇]；刑罰失衷，手足無措。胥吏舞文而亂紀，群小告訐以成風。服色僭越，尊卑無章，工技淫巧，澆靡日蠹。將帥狃於掊克而邊防弛，上下習於垢亂而積弊深。若是者皆國家之急務，臺諫所當亟言而不可後者也。今聖天子體國子民，度越百代，大經良法，志在必行。然以今觀之，憲臺一司，整綱頓紀，所以肅清内外，其可不申明大體，姑務毛辛細事，苟以塞詔命而已耶？然事有未易以一二言者[一一]，試以其事切於今者明之。凡臺之所糾擿者，皆百官有司，踰於法之外者也。今承積弊之後，法制未完，品式未具，官無定資，人無定分。數年以來，抵法冒禁者，人人皆是也。舉一而遺其九，是九者幸免，其一者雖置於理，亦未能服其心也。何則？蓋其罪均而刑殊，罹於法者少，漏於網者多也。若欲人人而劾之，內自京畿，外及州郡，極刑之間[一二]，圜土之內，將不勝其繫者矣[一三]。異日法之不行，二者必居一於此。古者大弊之後，必有更始之制，然後法得以行，人莫敢犯，故能洗舊染之污，成維新之化。果克若斯，善之善者也！其或不然，當舉其大而遺其細，大者伏其罪而小者栗矣。若張綱之埋輪，陽城之伏閤，貴戚斂手若鮑中丞，金吾膽落如溫御史，如是則吾之法行矣。今中外大小百司，於未立法制已前，其奸贓不發者，不可以枚計[一四]，此朝廷有識之士所共知共見者也。制立之後，有畏罪懼法，改而奉公為能吏矣；亦有狃於故習未能盡革、少有贓私而輕者矣；極有怙姦自終、長惡不悛、觸冒公禁、無所忌憚、姦私狼籍者矣。所謂人人不能劾之者[一五]，蓋謂此也。如能區別其類，刊去其太甚者，董敕懲艾其情輕者，革心而奉公為能吏者，宜加褒異獎顯，堅其自新之心，如此則贓私者去矣。雖然，事猶有可慮者。贓污雖去，內外闕員者必多，而事有曠矣。必欲備官而無曠於事，其法有五：曰科舉，曰吏員，曰門蔭，曰勞效，曰選舉。其四者前代遺法具在，舉而行之則辦矣。獨選舉之制，舊例雖存，擬之當今，權宜節目，固有不同。今日選舉之法，當令內外官五品以上，各舉所知，不拘親故門下及子孫弟侄，其材可備用者，皆得預選。所貢者賢，舉主當以次旌擢，所貢者不肖，與之減等致罰，使不得預京官之例。此五事既行，付之吏部，定為選格，所謂去前之惡，收後之善[一六]，承其乏，備其曠，使選舉有例，品節有章，朝廷無可指之瑕。不惟法制一定，後世有所持循，使天下傲倖覬覦非望無行之徒，將不革而自去矣。今憲司既建，所當行者其目甚多，然切於今者，獨此五事為要耳。所謂一代之制，綱舉而衆目張者矣。伏惟二三賢執事天挺高明，剛而不撓，忠言讜論，洞達政體，毅然以大節任天下之重，蓋素所藴積耳。而復内貳鈞軸，外領雄藩，山立揚休，坐鎮雅俗，底柱障乎頹波〔一七〕，風棱肅乎霜簡，見諸行事，上為聖天子所知，非一朝一夕，是可謂據得致之位，又有可行之資者矣。若惲也，草茅一介，遭遇明時，違遠朝廷，蓋八年于兹。雖越在草野，乃心未嘗一日不在王室，今復蒙被寵召，拔起於泥途之中，犬馬之力思所以報效，而媿其孱弱不材，然愚衷内激，情有不能已者，敢觸犯忌諱，贅狂瞽以獻〔一八〕。冒瀆尊威，不勝戰懼之至。

〔一〕前翰林修撰王惲言：底本闕「翰」字，據文淵閣四庫本補。　〔二〕其職掌贊書受法令：掌，原作「蓋」，據文淵閣四庫本改。　〔三〕以之定功罪而賞罰：而賞罰，文淵閣四庫本作「而權賞罰」，多「權」字。　〔四〕蓋千百一而已：一而已，文淵閣四庫本作「一人而已」。　〔五〕官或曠員：曠，原闕，據至治本補，文淵閣四庫本作「備」。　〔六〕擢任薦升之者：擢，至治本作「憐」。　〔七〕不可緩也：緩，原闕，文淵閣四庫本作「寬」。　〔八〕以謂不必用而興白駒之嘆：謂，文淵閣四庫本作「為」。　〔九〕鄉原賊德：原，文淵閣四庫本作「願」。　〔一〇〕怨讟交興：讟，文淵閣四庫本作「讀」。　〔一一〕然事有未易以一二言者：文淵閣四庫本作「然未易有以一二言者」。　〔一二〕極刑之間：極刑，原作「拯刑」，據文淵閣四庫本改。　〔一三〕將不勝其繫者矣：繫，文淵閣四庫本作「繁」。　〔一四〕不可以枚計：計，文淵閣四庫本作「舉」。　〔一五〕所謂人人不能劾之者：人人不能，文淵閣四庫本作「不能人人」。　〔一六〕收後之善：收，原作「牧」，據文淵閣四庫本改。

［一七］底柱障乎頹波：障，原脱，據文淵閣四庫本補；王抄校本作「迄」。　［一八］贄狂瞽以獻：文淵閣四庫本作「抒狂昧以獻」。

上張右丞書　中統元年十一月

中統元年冬十一月朔，布衣王惲謹齋沐頓首再拜，致書于右轄相公閣下：夫布衣窮悴之士，混閭閻之下，處巖穴之間，欲砥行立名，非附驥尾而托青雲之士，惡能施於後世哉！昔夷齊，讓國之賢君也，在彼則僻處海濱，在此則晦迹中國。周武北伐，二人相與叩馬而諫，太公以義士扶而去之，時人未之知也。及宣父贊之曰「古之賢人也」，「求仁而得仁」，故得名粲星斗，望隆嵩華，奮乎百世之上，通乎千載之下，其名日益彰矣。此太史公所以感激而傳之也。向非夫子表而出之，吾知其寥寥寂寂，西山一餓夫耳［一］，又焉能廉頑鄙而厲懦夫者哉？惲，衛人也，生於窮巷之中，長於蓬茨之下，意廣材疏，無所肖似，徒以欲罷不能之心，雪其窗，螢其几，蟫蠹書史，自娛自愈而已［二］，其於聖學之蘊，治國平天下之術，懵不知也。以故年近不惑，而無成於一藝。迹混常流，而不登於士林。《傳》曰：「四十、五十而無聞焉，斯亦不足畏也已。」僕每讀至此，未嘗不廢書長嘆，傷歲月不我與也。於是中夜興起，徬徨四顧，思得出大賢之門，脱囊中之潁，攀逸駕，附驥尾，固瞠乎其後矣。庶幾碌碌，因人成事，免夫堙滅無聞之耻。方今聖賢在上，治具畢張，朝廷清明，百度改正，内都省而統宏綱，外總司而平庶政，雷厲風飛，皇猷攸塞。因自謂曰：彈貢禹之冠，捧毛義之檄，兹非其時乎！遂乃應東魯之辟，忝賓僚之末[三]，席不暇煖[四]，而簡書之召，已飛馳於汶水之上矣。伏自俟命已來，倉皇失措，不知所以，自通知於閣下，尚賴往者知遇之故。拜下風，接清燕，藉手尺書[五]，俯憐駑鈍，以致剪拂顧，俾之長鳴而增倍價[六]，是遇知於閣下者，似不偶然矣。伏惟閣下剛健文明，練達政體，挾漢日則洗光咸池，分蘭省則坐鎮俗雅。忠結主知，學為世用。承恩綸於夜半，洞律管於天心。而復窺其經綸之業，大有高於天下者[七]，不得不為閣下頌之。昔房喬善斷，而如晦矢之以謨；姚崇應變，而宋璟守之以文。四賢者雖所行不同，同歸于正，故相須以成，俾無悔事。今閣下極推讓規隨之度，收清寧畫一之功，誠漢室之蕭曹，聖朝之房杜也！然念朝廷日遠，天下之事，盡在中書。中書之權，實在二三執政。今閣下繫國安危，為世輕重，進退百官，號令天下，所謂「仕進之烟霄，一世之龍門」也，尚何驥尾、青雲之比擬哉！天下之士，欲掇青紫、昭名聲者，捨閣下而將安歸乎[八]？如惲之心，非敢必其自遠方而來，以黔驢之技，名聯仕版，身簉蘭臺。投書宰相，遂韓愈早達之心；擁帚侯門，要魏勃見知之遇。既聞達於諸侯，歸顯揚於閭里。正以千里一召，寵幸過矣[九]。是則足以脱布衣之賤[一〇]，刷無聞之耻，而抱一壺千金之貴也，尚何富貴之心之有哉？伏願明明在上，穆穆布列，聚精會神，相得益章，無疆之休，與世共之。而惲也處畎畝之中，樂堯舜之道，辭編户之役，為太平之民，守先人之弊廬，甘考鼎之饘粥，亦足以餬口而蔽風雨矣。不然登西山而追伯夷之風，游東魯而觀洙泗之教，豈得不謂由烟霄而附青雲，自閣下而攀驥尾，顯名當時，施於後世者哉？觸犯尊嚴[一一]，不勝惶恐之至。

［一］西山一餓夫耳：餓，原闕，據文淵閣四庫本補。　［二］自娛自愈而已：愈，文淵閣四庫本作「喻」，王抄校本作「樂」。　［三］忝賓僚之末：忝，文淵閣四庫本作「參」。　［四］席不暇煖：暇，明修補本作「眠」。　［五］藉手尺書：手，文淵閣四庫本作「乎」。王抄校本作「于」。　［六］俾之長鳴而增倍價：倍，明修補本作「信」。　［七］大有高於天下者：高，文淵閣四庫本作「為」。　［八］捨閣下而將安歸乎：底本闕「安」字，今據文淵閣四庫本補，王抄校本作「捨閣下而誰歸」。　［九］寵幸過矣：過，文淵閣四庫本作「遇」。　［一〇］足以脱布衣之賤：脱，文淵閣四庫本作「挽」。　［一一］觸犯尊嚴：嚴，文淵閣四庫本作「威」。

上元仲一書記書

正月十四日，王惲頓首再拜白：蓋聞居天下有二道焉，「出」與「處」而已。伏惟書記上人，聰明特達，居天下至静之中，窮聖學大衍之道，積有年矣。回視斯世，若不足玩，至於或「出」或「處」，安往而不可哉？第所可惜者，時也。朝廷嚮明而治，聖王順應而行，圖回天功，混一區宇，網羅英俊，片善俾舉。彼閩風興起者，雖山澤之蒭蕘，布衣之賤士，思砥節礪行，竭力悉智，願仰副上之好賢樂善之實焉。若曰薦舉不私，用養得所，其職在於賓師之賢，遇知主上之人［一］，朝夕引翼，一歸於正。俾賢者進，而不肖者退。此天下重事，而治亂之所繫也。故《傳》曰：「得士者昌，失士者亡。」又《詩》云：「濟濟多士，文王以寧。」蓋言世顯之士，能如是也。嗚呼！何君不聖？何王不明？必得聰明至静之士，見微知著，臨事不惑，斷于中而察于外，夫然後可得非常之士，而能建莫大之功。當今之時，可以與權者，舍上人一二輩，其孰與哉[二]？若僕也，蟫蠹書史，兀坐窮年，占畢之外，百事不解，爾來二十有八年矣。《傳》曰，「四十、五十而無聞焉，斯亦不足畏也已。」僕每讀至此，未嘗不掩卷嘆息，内增愧赧。噫！自治不勇，而喋喋於左右者何哉？蓋僕恨以荒疎無似，不能卓然自表於世，而上人遭際乃爾，君臣之義，既不可廢，今日之出，可謂千載一時也。伏惟書記上人，藉有為之資，乘可致之勢，「出」則為王者之師，「處」則不失高尚其事。若僕所謂可惜者，如是而已矣，但未知生民幸不幸耳！西狩尚遥，想當遠去，略布鄙懷，惟上人其圖之。惲載拜。

[一]遇知主上之人：主，文淵閣四庫本作「至」。　[二]其孰與哉：與，文淵閣四庫本作「舉」。

檄李秀才士觀取淵明文集書

前六月五日，嘿齋主人頓首白：余家舊藏《靖節文集》一編，蓋王掾濟川之所録也。此本自入王氏，不復備翻閲有年矣。今吾子所秘於篋者，實出弊家所藏之舊本。數欲一觀，吾子愕然以「無有」力辭，余且謂誠然而止。夫何天誘其衷，手足誤敗，云此集我家實有之，蓋次兄手所録也，不知吾子前日之拒之辭，誠何心哉？且靖節之詩，正如清風明月，四時何嘗闕焉。既非秘異世莫得聞之書[一]，一旦譸張，自欺其心，又欺其友，抑不知吾子誠意之學、尚友之義，果安在哉？《傳》曰：「人誰無過？過而能改，善莫大焉！」望吾子毋以前日之辭為愧，不致有抵壁投珠之舉，復惠然許諾，以修舊好，是吾黨中改過自新之友，豈不快哉！豈不快哉[二]！如其不然[三]，是吾子終絶於長者也。吾且將長驅問罪，以圖進取之計，不知吾子將何所逃罪焉？縱吾子限以學海，峻以文府，壁以詩壘，整筆陣以前，與吾義師抗，正煩腰間之箭，重射魯連之書也。若曰堅守力盡乃降，謝罪於轅門之下，將唯命是聽。俾介忠胄信之士，干仁櫓義之師，盡取所有，梱載而歸，以貽執事羞，固非所願也，惟吾子詳擇焉。嘿齋主人頓首白。

[一]既非秘異世莫得聞之書：莫得，文淵閣四庫本作「得莫」。書，文淵閣四庫本作「詩」。[二]豈不快哉！豈不快哉！：文淵閣四庫本作「不豈快哉」！[三]如其不然：文淵閣四庫本作「如其不然，而存此心」。

答周南樂書

惲再拜白：來書承勉以「割愛」、「致壽」為喻，雅意甚佳。然僕近六旬已來，老病相仍，百念灰冷，何止此一事爾！至云情之過差，似未相悉也，且老妻推自結髮，迄今與相生活者四十餘年，内助之力既勤孔多，一旦决去，即漠然若無所係，豈人情也哉？故非夫人之慟[一]，有不期然而然者。如足下所喻，是耄嗟者既非，鼓缶者為是。恐三極之間，人倫大致，造端之理，未易可輕也。兼聖人垂世，以近情為貴；靜言來章[二]，殆以無情者為高，而不及者亦未為下也，無乃泛應不相關之論哉。此說一行，又似夫足下平日於吾老嫂處，樂爾之懷絶藐然也，其如諸餘何？相顧偕老，方以道業相規之不暇，忽辱以風花為貺，不幾於當悲而歌，哀樂失所乎！且風花之愛，蓋少年妄念[三]，不圖吾友老大，尚未厭斁，情之所鍾，果孰多焉[四]？臨紙信筆，不覺喋喋如此，幸併為一嘻也[五]。來索廳事題扁等書，不卹拙惡，勉為作去，未中尚民社自愛[六]，惲再拜白。

[一]故非夫人之慟：原文闕「人」字，據文淵閣四庫本補。

[二]靜言來章：言，文淵閣四庫本作「念」。

[三]蓋少年妄念：妄，底本誤作「忘」，今據文淵閣四庫本改。

[四]果孰多焉：文淵閣四庫本作「果多焉」。

[五]幸併為一嘻也：文淵閣四庫本作「幸併為之一嘻也」。

[六]未中尚民社自愛：中，文淵閣四庫本作「申」。

與子初中丞書 為喪子慰釋

惲再拜白：聞吾友以季子之喪，情之所鍾，時雖易有未克遽已者，竊恐重傷天和[一]，且緩勿藥之喜，欲有陳慰，以目疾故，敢奉書以寓其說。夫事機臨衆，得所處為難；憂患切身，處之者尤不易也。何則？蓋驗吾平時存養定力為何如耳。死喪固已大矣，然有常有變。父之於子，以愛為主；子之於父，以顧養為先。傷其愛，莫逆於父送其子，雖為戚僅期，略無弗忍過隆之禮。豈養老送終，人子之順事，其或失養自夭者，豈惟不順，是亦門庭之孽也。往年甯人程氏，喪其佳兒，程氏名和，其子翰，聰明有文采，歿年二十[二]。哭而過市，匪朝伊夕，竟以哀而戕其生，識者譏之。蓋以理哀之，情之正；以事而哀，則情之私也。自今觀之，使程氏不死其子，而所圖稱遂，其後事蹉跌，大有過於夭閼之痛者。向使程知幾先見，何有於事哀而殞其生者哉？乃知禍福倚伏，未可以向謀為得[三]，一旦遽失，輒以永傷為抱也。古稱「聖」與「賢」者[四]，為能以禮制心，以義制事，處乎中而無過不及之差[五]。然哀之於情，固為不細，發欲中節，聖不吾法，吾何所揆哉？昔伯魚之死，宣父不以弗忍易事，而徒以隆其喪，有以見適於中而不敢越也。然哭子淵，從者曰：「子慟矣！」茲蓋痛其道無所屬也。子者，一己之至情；道者，天下後世之所公共也。故於仲由，發無已之責；在子鯉，有過甚之嘻。又《傳》曰：「君子所履，小人所視。」「巨室之所慕，一國慕之。」古人當其無可奈何，則安之。念夫一身之重，而以衆人之所視而慕者為慮。其於私憂，故有不遑專卹者，兼盛衰吉凶，循環迭至，吾之定力，正在順受而已。況氣之為孽，理之不順者哉！嘗以子夏喪子，哭而至失其明，曾子數之以為過，後人鑒之以為懲。嗚呼！在聖門之徒，猶未免溺於所愛，矧餘人哉[六]？要之能截然剛制，納諸中而不失其正，有以義割愛而已。故延陵季子，其子死於嬴博之間，袒還三號，揜坎而即去，曰骨肉歸於土，魂氣無不之也。意者，父子雖天性，而修短亦命也。觀其所處，儉而有度，哀而有節，可謂達生死之變，酌古今之宜，適恩義之中，而存後世久遠之慮者矣。故孔子嘆其合於禮而賢之，此無他，能以義制恩也。今吾友沉潛剛克，明理而達變，修其身而齊於家，刑於家而達於人者也，僕尚何言！然一身之重，存養之功，逆順之理，適中之義，尤當以延陵之心為心，以西河之過為戒，而為後來久遠之慮者，乃所以望於閤下也。惟高明亮之。信筆為言，不罪疎拙。惲再拜白。

［一］竊恐重傷天和：竊，原作「切」，據文淵閣四庫本改。　［二］聰明有文采，歿年二十：文淵閣四庫本作「聰明有文，卒時年二十」。　［三］未可以向謀為得：為，文淵閣四庫本作「而」。　［四］古稱「聖」與「賢」者：文淵閣四庫本作「古之賢者」。　［五］處乎中而無過、不及之差：文淵閣四庫本作「處乎中而無不及之差」。
［六］矧餘人哉：文淵閣四庫本作「矧其餘人哉」。

謝張詹丞書

六月日，中議大夫治書侍御史王惲頓首再拜，奉書于詹丞相公閤下：昔韓昌黎以聲光未白，屢用文章投獻知己，若於汴則售董公晉，於徐則撼張公建封，在朝廷則取知於宰相度。予嘗讀其書，想其人，何激揚奮發，鋭於進而希當世之用哉！蓋欲遇夫大人君子，假其休光餘烈，以斯文效用，將托於不朽故也［一］。惲猥厠士行［二］，役志於簡編者，有年於兹，緣技之癢，時吐辭自喜，亦欲效用於世，受知於大人君子之門，且驗夫平日勉行之素，徘徊四顧，曾不能就其知遇之願者［三］，亦有年矣。側聞閤下以明亮之姿，操特達之用，推賢薦士，持衆美效於上，以端宮府之望，孜孜焉惟恐片善或遺，一士之悵悵而去也切自喜幸。今重華繼明，群彦周列，兹非求知效用之時邪？故奉書上進，斷不自疑，竟承閣下不以愚疏見鄙，周旋備至，俾峨冠而前，顒對麾仗，致有西池非常之遇，豈惟身都顯異，抑為吾道中外之光，其知遇之幸，何董、張、裴、晉公之倫可得而比儗者哉！自是而後，足迹踵於門牆者數矣，未嘗不顧盼翦拂，使之增華當時。葵藿微誠，瞻焉孰無？然不敢有一毫過覬上凂左右者，以本然之分固在，尚何他覦而自取貪冒無厭之譏乎？閣下才識明亮，固雖遠計，不忘此時之愚也。既而行止靡定，淹延茫洋，莫知其然。進退維谷之間，實有出於無聊賴者，不知於已託，是自疏也。因不自揆，庶藉休燠，少熙寒谷之凛，又使遇知明時之幸，庸有以將之也。故伸鳴執事，有不嫌於屑屑者。況聞省録不忘，又有過於前日顧盼翦拂之厚，叙别之際，欲負愧伸感，且謝其不敏，復恐倉卒失辭[四]，重得罪於左右，用是不果於披露也。違離已來，夙夜慨嘆，至于今而有不遑安者，何則？言不復于後，進不保其往，此最君子之所深病。在閣下固已融而不留，而惲也不知量之慊，若復往而不答，又恐貽自棄自絶之悔，將何以復登中護之堂，接君子之清光，庶幾不腐之意者乎[五]？敢布愚衷，惟君侯詳恕之。

惲再拜白。

[一]將托于不朽故也：朽，文淵閣四庫本作「朽」。　[二]惲猥厠士行：厠，原闕，據文淵閣四庫本補；王抄校本作「進」。　[三]曾不能就其知遇之願者：就，文淵閣四庫本作「遂」。　[四]復恐倉卒失辭：失，原作

[五]庶幾不腐之意者乎：腐，文淵閣四庫本作「負」。「共」，據至治本改。文淵閣四庫本作「具」。

貢舉議

貢舉人材[一]，肇自唐虞，而法備於周。漢興，乃用孝廉秀才等科，策以經術時務，以州郡大小限其歲貢之數，以賞罰責長吏極其人材之精，猶古貢士法也。歷魏至於後周，中間因時更革，固為不一，要之不出漢制之舊。迨隋始設進士科目，試以程文，時勢好尚有不得不然者。至唐有明經進士等科，既明一經，復試程文對策。中者雖鮮，號稱得人，至有龍虎將相之目。其明經立法敷淺，易於取中，當時亦不甚重。又別設制科[二]，以待天下非常之士，故前宋易明經為經義，其賦義法度嚴備，考較公當，至亡金極矣[三]，後世有不可廢者！然論程文者，謂學出剽竊，不根經史。又士子投牒自售，行誼蔑聞，廉耻道喪，甚非三代貢士之法。伏遇聖天子臨御之初，方繼體守文，以設科取士為切，若止用先皇帝已定格法，與時適宜，可舉而行[四]；如邁隆前代[五]，創為新制，可不詳思，揣其本末，酌古今而論之[六]。惟古貢士率從學而出，後世不詢經行，徒採虛譽，因循薦舉，狃為私恩，不顧公道，此最不可者也。莫若取唐楊綰、宋朱熹等議參而用之，可行於今。綰之法曰：令州郡察其孝友信義而通經學者，州府試通所習經業[七]，貢於禮部，問經義十條，對時務策三道，皆通，為上第。其經義通八、策通二，為中第。其《論語》、《孝經》、《孟子》兼為一經。熹之議曰：分諸經史，如《易》、《詩》、《書》、《周禮》、二戴《禮經》、《春秋三傳》各為一科，將《大學》、《中庸》、《論》、《孟》分為四科，并附已上大經，逐年通試，及廷試對策，兼用經史，斷以己意[八]，以明時務得失。愚謂為今之計，宜先選教官，定以明經史為所習科目，以州郡大小限其生徒，揀俊秀無玷污者充員數，以生徒員數限歲貢人數，期以歲月，使盡修習之道，然後州郡官察行考學，極其精當，貢於禮部，經試經義作一場，史試議論作一場，題目止於三史內出。廷試策兼用經史，斷以己意，以明時務。如是則士無不通之經、不習之史，進退用舍，一出於學，既復古道[九]，且革累世虚文妄舉之弊，必收實學適用之效，豈不偉哉！外據詩賦，立科既久，習之者衆，亦不宜驟停。經史實學既盛，彼自絀矣。翰林學士王惲謹議[一〇]。（以上《秋澗集》卷三五）

[一]貢舉人材：材，原作「林」，據至治本、文淵閣四庫本改。　[二]又別設制科：別，文淵閣四庫本作「有」。
[三]至亡金極矣：亡，文淵閣四庫本作「于」。　[四]可舉而行：文淵閣四庫本作「可舉而行之」。　[五]如邁隆前代：文淵閣四庫本作「邁隆前代」。　[六]酌古今而論之：論，文淵閣四庫本作「用」。　[七]州府試通所習經業：文淵閣四庫本作「州府試通經習所業」。　[八]斷以己意：斷，文淵閣四庫本作「對」。
[九]既復古道：復，文淵閣四庫本作「習」。　[一〇]「翰林學士王惲謹議」：學士，文淵閣四庫本作「臣」。

全元文卷一六九

王惲 三

醉經堂記 至元四年夏六月中伏日

王子築室於中唐，既落成，揭之曰「醉經」。客有過而疑焉，曰：「古之人名其室廬，蓋皆砭所欲而儆不逮。今吾子年踰强仕，讀書學道，積有寒暑，方以「醉經」為志，且平昔所尊何經[一]、所嗜者何學耶？」予應之曰：人孰不飲食？得其味者或寡矣[二]。且天下之事，必綦其所嗜而後得之[三]，如易牙之别味，養叔之治射，秋之於弈，伯倫之於酒。唯其嗜之酷，故能造乎極而嚌其胾者矣。矧《五經》者，聖人之成法、生民之大命係焉。若夫盡乾坤之變，極萬物之情，鬼神之所以幽[四]，吉凶消長之所以著，使人窮神知化，樂而不憂，遯而無悶者，《易》之道也。性情之所發，禮義之所當止，天地鬼神之所以感動，草木昆蟲之所以區别[五]，俾多聞博識、益耳目之聰明者，《詩》之教也。五帝之建極，三代之受授[六]，邦本所以基而固，生民所以厚而康，布在方策，示人主以軌範者，《書》之奥也。飲食有節，進退有度，使君臣、父子、兄弟、朋友之間，上下志定，而無僭越危亂之禍者，《禮》之實也。公是非，明褒貶，君子小人之所以分，亂臣賊子之所以懼，萬世而下，使大中至正之道綱維世教，不至於魑魅魍魎者，《春秋》之法也。斯五者，天下之達道。堯舜以之無為，湯武以之順守，周公以之輔相，孔孟以之垂教，伊尹之致其君，顔子之樂其樂，其皆出於此乎！然非嗜之酷，資之深，守死善道，殆未窺其窔奧也。若予也，幼而學，以舉業汩其真，壯而仕，以冥行易所守，内乏中和以植其本，外欿禮義以制其宜，望道而未見，歠醨而失醇，所謂清廟之玄酒，至道之膏腴，時或揚觶一嚼，卒未造乎古人中聖之地，故事變之來，酬酢倒置，鮮中律節。此無他，志之不立，經之不明故也。嗚呼！予乎，其將醉于經乎？朝而浸六藝之醲郁，夕而味百家之異同。然後躡丘臺而望千鍾之聖，騁奥府而追百觚之賢，神凝妙理，心粹太和，浩浩其天，淵淵其淵，不知我之醉經，經之醉我，是則醉經為志不其曠且樂歟！重為歌之曰：「能者在人，不能者在天。幼學壯行，訂夫學之正偏。道之隆污，一聽天之云然。彼君子兮，盡其性之所全，故無入而不自得焉。有河上丈人者出，庶幾知予心之拳拳。」客曰：「若子之志似酣且適矣，尚何言哉！」乃揖而退，因書其言于壁，不惟志其所欲，亦且規其未至者，日就月將，果能粹于全經者乎？時至元丁卯夏六月中伏日，醉經堂主人王仲謀父記[七]。

[一]且平昔所尊何經：昔，文淵閣四庫本作「日」。　[二]得其味者或寡矣：得，文淵閣四庫本作「而得」。
[三]必綦其所嗜而後得之：文淵閣四庫本「得」下少「之」字。　[四]鬼神之所以幽：鬼神，文淵閣四庫本

作「神鬼」。　[五]草木昆蟲之所以區別：之所以區別，文淵閣四庫本作「之所以能區別」。　[六]三代之受授：受授，文淵閣四庫本作「授受」。　[七]醉經堂主人王仲謀父記：醉，原闕，據文淵閣四庫本補。

博望侯廟辯記　至元四年八月夏至後三日

頓坊距汲縣東北二十五里，川原衍沃，泉流交貫，蓋蒼水沇湫，至此而後發。厥田宜稻與麻，平時修竹彌望，號稱「小蘇門」。按圖誌：其地殷墟近郊、太行之朝陽也。坊北不百舉武，有岡陂陀，際山西來。岡首有祠，俗相承云漢博望侯張騫廟，侯之冢在焉。予讀《西漢書》，騫自建元中使西域，通烏孫而卒，冢今在漢中，此安得騫之墓所哉[一]？是乃欒史所辨。汲縣東北三十里有岡曰「博望」，上有石墳洎二石表，云張騫冢非也，乃故原武典農高府君之神道，呼為石柱國者是也。然不明府君何代人，而典農，魏晉間秩號，見《晉書·何曾傳》，曾為汲郡典農中郎將。其於郡人有功，因屋而祀之，昭昭矣。今縣治去頓坊二十里而遥，曰五十里者，考之蓋距古汲城而言也。又按唐志書：武德六年，改共城為共州，置博望縣。此亦因岡而為名，故土人不究是非，直以崗縣名與騫侯封相同，遂指為騫之冢廟，何其誤哉！至元四年，外叔韓澍來官，數以廟辨見囑，予因為説曰：明則有禮樂，幽則有鬼神。幽明雖殊，其理罔間。騫若有靈，恐不能一朝居此。且以名亂實者，君子惡諸。守令者，民神之主也，一旦有事，祠下幣祝交獻，明以典農高君，而曰博望張侯，吾誰欺，欺神乎？言且不順，而望神之妥靈肸蠁，吾未之信也。嗚呼！正名實，明祀典，有司之事也。今侯之為縣首，以孚誠感通神明，致雨陽之應，以利其鄉人。故正兹名實之不正，足以見侯之莅官興事不苟云。歲丁卯壯陽月夏至後三日，郡人王惲記。

[一]此安得騫之墓所哉：所，原闕，據文淵閣四庫本補。

洄溪記 有銘

王子性僻野，喜泉石，樂之窮老而不饜。間歲買田郭西，廣且百畝，土瘠而甌窶[一]，特以溪流回護，居水之腹，景氣古澹，令人有足愛者。且清泉二水，近自蘇嶺，遠發黑山，至共西南而後合，縈帶林野，百里而後渡汲。予嘗登丘望遠，溪自郭氏林塢徑北流，運肘而東指，盡三里而北騖，沉沉無聲，若白虹西來，束田為腹，視兩際為最深。惟其崖岸峻曲，故淵流紆緩，黛滀膏渟，倒影空碧。其或匯而為盤渦，瀴而為浦溆[二]，横烟漠漠，魚鳥飛没，此溪曲之大率也。至若林霏未開，披拂縞練，風漪遡行，殆縈而轉；夕月秋霽，瑶琨滿溪，流光空明，蕩而復回；金支翠旍，有來宓妃，鷗汎汎而不下，舟摇摇而若維。是則淵洄泱泱，容態百出，澄萬慮，駐景色，可喜可觀者也。若夫齋淪淵默，溪之靈也；浸潤原野，溪之德也；窟宅蛟鼉，溪之神也；變態曲折，隨物賦形，溪之文也；衆壑來會，噏聚呷納[三]，溪之量也；湯湯洋洋，旦夜不息，是又溪之無盡藏也。豈幽人智士樂而不饜者，良以此歟[四]？予久閑寂，若為時所遺也。日以杖屨徜徉溪上，屏蓊翳，遠馬牛，疏薉惡，以潔溪之流。居無幾，溪之神似喜予之主也，林壑從而增華，雲烟為之動色。臨溪而漁，藉草而坐，不勞登涉，指顧之頃，其溪山之勝，魚鳥之樂，盡在吾目中矣。王子於是醉而歌，起而舞，振靈修之遠駕，襲九淵之神龍[五]，不知世之遺我[六]，我之遠世，將淵潛以自珍也。昔柳州謫永，易冉而為愚；元結刺道，以浯而銘溪[七]。今予援二公之例[八]，錫汝曰「泂溪」，其誰將不然？安知夫溪神不擊節嘆賞，喜其名嘉而實得，時出歌舞，以樂其不世之遇也耶！銘曰：

浩浩川流，逝何速兮。涓涓石雷，時或窮兮。水維淵泂[九]，物所鍾兮。吾庸名汝，亦自容兮。汝安吾命，尤冲融兮。邑無君子，吾適從兮。偭彼蟆獺，追神龍兮。匪惟自珍，俟吾道之隆兮。

[一]土瘠而甌窶：窶，原作「吏」。疑誤，據文淵閣四庫本改。　[二]瀴而為浦溆：瀴，文淵閣四庫本作「漾」。　[三]噏聚呷納：噏聚，原作「噏欿」，文淵閣四庫本作「翕聚」。欿，字書無此字，據文淵閣四庫本改。　[四]良以此歟：歟：原作「與」，據文淵閣四庫本改。　[五]襲九淵之神龍：襲，原作「竜」，即古「龍」字，故改。　[六]不知世之遺我：遺，文淵閣四庫本作「遠」。　[七]元結刺道以浯而銘溪：浯，文淵閣四庫本作「潛」，誤。元結《浯溪銘·序》可證。　[八]今予援二公之例：援，原作「扳」，據文淵閣四庫本改。　[九]水維淵泂：泂，文淵閣四庫本作「淪」。

殷太師廟重建外門記　至元四年九月九日

廟有外門，舊矣。金泰和四年，節度使孟公鑄易而新之。近代以來，廢撤不復者，蓋三紀焉。維皇朝至元元年，郡侯渤海王復命汲縣令葛佑作新太師之祠，奉明詔而緝廢典也。越明年春二月，神宇甫完，移治令下。逮夏五月，郡人韓澍來令兹邑，奠謁祠下，顧瞻臺門，未克完具，殆無以稱新宫而揭虔敬。明年秋七月，乃經始焉，順歲成而樂民用也。九月初吉，告成厥功，輪奂爽塏，神游敞然，風馬雲車，肅焉來臨，左林右泉，奕奕動色。既而主縣簿高顯洎其屬，願以事文諸廟石，遂再拜請書於惲。惲曰：太師之墓在衛境，聖迹也。按祭秩，常祀也。自殷迄今二千有餘歲矣，神之所以凜然如生、血食不絶者，豈非忠義之氣，粹而為喬嶽，融而為列星，窮天地，亘萬古，作大閑，為民極故也！孔子稱殷有三仁焉，蓋至誠惻怛之心，其揆一也。太師之進諫不去，箕子之法授聖也；太師之殺身成仁，微子之志存宗也。前代以二賢配饗廟庭，亦見夫顯異尊崇之禮，宜矣。然一門之役，不可不謂全功。重嘉令之為縣，民安政簡，而復致敬恭於明神，繼成前功，可謂能也已。故詳書本末，以俟來哲[一]。至元丁卯秋九月重九日，謹記。

[一]以俟來哲：俟，文淵閣四庫本作「示」。

種柳記 至元五年六月

古之人，十年種木，俟以時而充吾用也。然五十不藝樹者，謂夫歲月之不我予也。物之易生，莫柳若也，自拱把而合抱，特十餘歲耳。今年春，命家僮斧東城之柳七十有二本[一]，植諸洄溪之上。清流溉其根，時雨澤其顛[二]，甫閱月，枝葉扶蘇，已復可愛。異時，材則充吾家棟宇之用，薪則供吾爨下朝夕之須，斧斤以時，有不勝其用者矣。不然，畏日凝空，炎風灼野，長條美蔭拂堤岸而庇清流，使龜魚游泳，為牛馬憩息之所，亦田家之一快也。吾今年四十有二，小子其識之。且念夫天之生物，無匪益於人者。人為物靈，役萬有而君之，亦莫不極焉。不知加我數年，能有益於物也，果何如哉？時至元戊辰夏六月，洄溪主人記。

[一]命家僮斧東城之柳七十有二本：柳，原作「外」；本，原作「木」。據文淵閣四庫本、王抄校本改。　[二]時雨澤其顛：澤，明修補本、王抄校本均作「濯」。

社壇記　至正四年冬十月

田之置社，所從來尚矣。自天子至於庶人，莫不有社，蓋所以神地道而美民報也。其制壝而不屋[一]，俾之受霜露風雨，以達天地之氣。社者，五土之示、田主之所依也。各以方所宜木樹之，以表其位，夏以松，殷以柏，周以栗是也。祀以春秋，始用祈而終有報也。日用甲，祭之常而取其始也。配以稷，蓋稷為五穀之長，且稷非土無以生，土非稷無以見生生之效，以其同功均利，更相載養故也。至元三年秋，予買田於清水之南，墾斸樹藝，且歷歲時，得田二百餘畝，方之圭潔，蓋以倍蓰矣[二]。若夫水土之賜，莫非君恩，乾溢豐凶，實維神所托焉，是不可不明乎本。觀衛土所宜，惟棠為然，故於舍之西南若干步，就其木以為神表箸之位，春祈秋報，用安以妥。嗚呼！社禮之廢久矣，背本趨末者衆矣。古之為民者四，各有恒業，不相哤雜。今三者不易，為士者獨失所守，逞逞載質，不相吊於道路者，幾何人斯若予也。工商賤事，非所宜為，以幸為利，義之所不敢出也。是則耕而後食，藉之為育廉之地，誠又性之所便，身之所安爾！予一夫耳，其能化鄉人乎？以為告朔餼羊，使田正有所依，而知載養之功，德合無疆矣！於是乎書。時四年丁卯冬十月也。

[一]其制壝而不屋：壝，原作「遺」，據至治本、文淵閣四庫本改。　[二]蓋以倍蓰矣：蓰，原作「徙」，據元至

治本、明修補本、文淵閣四庫本改。

孔履記

中統三年五月

孔子歿千有八百餘歲，小子惲獲拜履褰於先進趙公學舍，吁可敬也。履之制極古，長尺有二寸，其圈以絲。藉則以枲為之，紋作古方花，角結駢羅，紕絡如畫，不可端倪。厥首几几，似圓而方，狀若物勾，勢欲上達。循口有衣如罾，可相掩覆。傍綴繩絇，長約數寸，殆用拘縛，以斂口哆。環唇之周，中貫繶紃。疊踵之後，辮結方舒。犢鼻穿徹，色蒼艾無光。枱之纖脡者逮弊，絲之堅凝者不變也。於是拂拭睇眎，起敬起愛，怳如升君子之堂，仰高風，攀逸駕，而聆足音之跫然也。若夫履者，禮也。君子所履，小人所視，況吾夫子踐履之物哉！吾儕小人，可不敬而視之。且夫子相魯七日，誅卯也於兩觀之下，如由、賜之徒，尚愕然而驚，況魯人乎！然視其所履，其詳可得而考也。夾谷之會，齊以萊兵劫公，孔子履階而上[一]，不盡一等。是履也，凝然山立，兵却魯張，其無嚴諸侯之勇，可得而見也。然後退而閑居，從容中道，與三千之徒翺翔於洙泗之間[二]，接武於杏壇之上，其素履之往，坦坦幽人之貞[三]，可得而觀也。俾後之君臣、父子、兄弟、夫婦，順而履之者昌，捨而違之者亡。宜乎吾夫子萬世之下，凝旒被衮，履帝位而不疚，其道光明者焉。嗚呼！當崇奉者，聖人之功也；當踐履者，聖人之迹也。苟知其功而不踐其迹，與嗜古物為耳目之玩者等矣！是誠不可不知其所當履也。中統三年夏五月，同宣撫徐世隆、都司劉郁、幽陵張著觀，汲郡王惲拜手稽首而為之記。

［一］孔子履階而上：階，原作「者」，據至治本、文淵閣四庫本改。　［二］翱翔於洙泗之間：翱翔，文淵閣四庫本作「翩翻」。　［三］坦坦幽人之貞：之，原闕，據文淵閣四庫本補。

殷少師比干廟肇祀記

至元四年冬十月

總管趙郡陳公治衛之明年，政平訟理。一日謂僚佐曰：「太師比干之神，古今之盛烈也。以視事之初，未遑致祭，為守臣者，是殆闕如。況在明詔，又當夤奉，神不於其祭，吾烏乎用吾祭。噫！斯典之廢久矣，禮失而野，當以義起。且四時以秋為金，五行以金為義，而太師之徽烈，忠貞剛毅，蓋與秋律一也。今以秋令祀之，庶幾氣可應而神來格也。」僉曰：「俞。」公於是擇穀旦，謹齋沐，得秋九月十有四日戊戌。夜漏下四十刻，公乃延郡之賓友洎府之幕屬，畢集祠下。質明，公斂衽以入，乃即厥事，鼓鍾既陳，賓從就列，籩豆靜嘉，牲醪香腯，奠獻禮成，泠風穆然，忻忻康樂，神具醉飽。從祀者凡十有九人，對越靈威，精魂動盪，殆肅如也。既闔户，賓主序位。主人示曠度，略苛禮，歌管交奏，饜飫神貺。公乃詠《擬騷》之九誦，賦《伐木》之卒章，洗爵揚觶，以極歡暢。顧謂坐客曰：「祀以秋期，肇自於是，可乎？」客乃聞而贊之，為之歌曰：「沉寥兮九秋，神粹兮一氣。百卉兮具腓，貞松兮勁厲。來雲兮度帟，回風兮滿旆。坎坎兮蹲蹲，人神兮具醉。雨暘兮時若，神賜兮屢歲。爰祀兮清商，自公兮毋替。」燕既終，賓主揖而退，繹之明夜，大雨信宿乃止。咸曰：「時雨之應，豈非公之至誠所感耶！」公以謙撝自牧，乃謝不敏，曰：「適雨與會，予何德以致之？」既而，府從事李端告予曰：「公自下車，迹其善政，有不可揜焉者，其於事神治人，可謂備矣。宜文諸廟石，以旌厥美。」衛人王惲偉其言而嘉之[一]，于是乎記。至元丁卯冬十月也。

[一]偉其言而嘉之：偉，文淵閣四庫本作「韙」。

楊氏塑馬記　至元四年秋七月

至元二年春三月，運副楊君祝香濟瀆，道宿承恩，夢人驅乘馬而西，寤而異之。及投誠沇海[一]，出紵衣以賜[二]，因默祝曰：「幽靈如此，當復來以答神貺。」越翼日，馬無病而斃，即火之，俾授陰策。明年春，再走祠下，追念驤德與相之權奇，有足見于土木，而聳陰馭之儀者，乃命工塑設於神庭之右，驤首振鬣，勢殆躍如。既而楊再拜，請記於予。予謂清濟在天地間一水耳，唯其不常流亂，涉河溢滎，沇洑地中，獨達于海，故曰「瀆」，此濟之所以神也。祭秩視諸侯，有國者祀之。近代來歲時香火，奔走百郡。世之人豈以靈淵賧欻[三]，變幻百出，能警動人耳目[四]，以為瀆不測之神耶？夫神聰明正直者，恐不爾必矣[五]。且楊君誠心所貫，發於夢，夢之所得見於行事，其亦敬共篤信[六]，聽於神而不疑者也。然心即神也，神即心也。吾恐方寸靈明之地[七]，即天地百神之主，而吉凶禍福不由乎己而由神乎哉！昔昌黎公碑羅池神筆，李儀醉踣廟下，以為靈，尚何怪於此哉！至元丁卯秋七月日記。

[一]及投誠沆海：沆，文淵閣四庫本作「流」。　[二]出紵衣以賜：紵，至治本作「綜」。　[三]世之人豈以靈淵映欻：映欻，文淵閣四庫本作「閃欻」。王抄校本作「駭欻」。　[四]能讋動人耳目：讋，文淵閣四庫本作「驚」。　[五]恐不爾必矣：爾必，文淵閣四庫本作「必爾」。　[六]其亦敬共篤信：共，文淵閣四庫本作「恭」。　[七]吾恐方寸靈明之地：寸，文淵閣四庫本作「正」。

遊玉泉山記[一]

至元七年四月二十一日

玉泉，附都之名山也。予十年間三走居庸，以事梗，未遑一遊，有顧揖雲烟而已。至元七年四月廿一，與憲臺諸公出餞高、劉二侍御於高梁河上。客既去，相與並騎，且話且前，舉目瞻佇，已次甕山，因共為玉泉之遊。於是轉崗陵，過碾莊，望西南林壑，煙霏空翠，襟袖為之淋灕也。遂舍騎而步，歷佛閣，觀檻泉，偃靈鰲之□騫，訝玉虹之□□。命童子以銀罌挹水於石鯨之口，清冷甘冽，三咽乃已。於是攀雲蘿，轉山腹，不百餘步□□飛□□□□□□平湖，令人有撐舟昆明之想。稍西，得□□□□□廿□

而上入□華石洞，二三子解□盤礴□酒談□□□大□□□洽所歡充然有所得□之□俗頂□□醒從□□□凝空，清和扇物，雲光湖水，倒影一碧。□子與客□春山之詩歌，離宫之曲，不知□之屬，宫日之在山也。歌曰：昔人作宫兮重扃扉，今□來遊兮登故基。山田有苗兮漁有磯，鳥飛鷗泳兮同一□。翠華一去兮□落暉，山川良是兮往事非。感兮懷□□□人悲，我生胡為兮亦栖栖。滄浪水清兮濯冠□□□而去□思□□□□意於得□□□而然若□□□□□□□□意於登賞，遂成兹遊，至有心於成約。與造物游於一日之内，而償窮年之勞，不為事奪風雨妨者，殆無幾耳。予然後知天下之事，任術以去取，留意於成全者，皆以小智自私，則失自然之理也，可勝嘆哉！同遊者凡六人：范陽李公弼、秦臺楊子秀、郾城韓君美、洹水梁幹臣、太原温次霄、汲郡王仲謀。期不至者：饒陽高瑞卿、涑水邢良輔。餞不及者：固安王輔之、相州馬才卿。

[一]此篇四庫本未收。至治本有一面文字漫漶，今據王抄校本補。

遊霖落山記

中統四年十二月十五日

州西北四十里，有山曰「霖落」，寺曰「香泉」者。初自寺莊入山門，約行六七里，峰回路轉，得古浮圖亭。亭出杳靄間，青嶂回抱，真畫圖也。望東北諸峰，頂磨蒼穹，足注絶壑。山之椒，萬石林立，極太湖奇特之狀，半空磊落，勢若飛來。蒼官老栢[一]，儼侍上下，雲煙空翠，顧揖不暇，即霖落山也。行百餘步，徑漸狹，束石犖确，不能騎。青鞋竹杖，推挽以進，還自絶澗底，陟西磴道，入寺殿廢基，枕巔崖上，東西二佛龕，歲月崢嶸，皆開元間物也。南瞰哀壑，心魄為動。王子與客循東崖而下，抵霖落山足，仰看青壁，斗絶如削，今謂之「捨身崖」者是也。少憩，轉而升東北石磴，攀蘿蹴蘚，度滴乳古巖，再折而抵華嚴壁下。壁磨崖為之，作隸書，刻華嚴部，特精緻可觀，字約萬數。木客誕誇，時出光怪中，鑿巨龕古佛，護以龍象，其香泉自經洞石罅中流出，穿雲雷石，復從乳巖半腹下瀉，作瀑布流飛，濺叢石間，珠跳玉迸，頃刻百斛。山藉以潤，寺仰以清也。西崖對峙，老色積鐵，怪石出槲樹間，蹲踞騰拏，衆獸相搏，望之愕然而恐。野人指予而告曰：「此獅子巖也。」其西北一峰，天成如臺，石逕作梯，盤屈而上，若雌霓挂樹，連卷未收[二]，即寺之眺月臺也。寺故址，山中相傳昔魏安王起雪宫於此，故宋人石刻，皆引魏離宫故事，有「崎嶇一逕入禪扉，魏主離宫在翠微」之句。金盛時，殿閣極多，今祇稠禪師一殿巋然獨存。所恨薄暮，不獲陟連雲絶頂，放曠遠目，以盡諸山之勝，令人仰視飄然，有整翮凌雲之志。既而林風振壑，寒日下山，蒼然暮色，自遠而至。猿鳴兕叫[三]，凛不可留。遂自南山半腰，歷蘚磴，俯渚岸，盤馬謹轡而還。回顧寺塔，瞑烟四合，無復所見，但覺西山爽氣，清潤雄秀，溢我心目，襟袂以之淋灕，詩脾為之清壯也。夫遊覽細事也，功名之士，有所不取；然謝傅之放情丘壑，羊公之興懷峴首，二賢者其功業豈下於人哉！要之高人勝士，不無瀟灑出塵之想，闤闠塵俗，觸眼可惡，時於山川風烟勝處，垂橐而往，囷載而歸。俾廓落之懷，心凝形釋，與萬化冥合，然後知吾向之未始遊焉，如何？若曰功名顯赫如二公而後可，噫！高天厚地，須富貴何時邪？癸亥冬十二月望日記。

[一]蒼官老栢：官，文淵閣四庫本作「松」。 [二]連卷未收：卷，文淵閣四庫本作「蜷」。 [三]猿鳴兕叫：叫，文淵閣四庫本作「嘯」。

新井記 有銘 中統四年六月

水之滋人，至矣。予城居三十年，口衆而無井，亦一苦也。蓋飲食酒茗之用，日不暇數十斛[一]，率以僕奴遠汲取足，誠可憫也。中統四年夏六月朔，召井工，鑿井於舍南隙地，告成於是月上旬之戊午。凡用錢布四千五百，役庸三十六，甃甓三千二百，其深四尋有二尺[二]。既汲果食冽而多泉，味之莫餘井若也[三]。且夫汲之為郡，一咽會也。吾聞生聚繁夥之地，水率鹹苦，井而得美泉者，百不一二數。何則？腐穢滲漉之餘故也。予生也多疾，鹹苦之味，尤所禁忌。今新泉若是而甘且冽，天其或者湔浣我心肺，滌濯我五臟，沛然助往來生生之資[四]，而供無窮之用也。是宜銘。銘曰：

四年季夏日戊午，鑿井得泉甘勝乳。古云飲之疾可愈，朝來汲引已堪覩。金沙離離流百股，一泓寒碧蒼烟吐。黑知灣環潫水府[五]，劇郡之水率斥鹵。此泉扶衰殆天與，我嬰重潔繘修組[六]，尚飲來者無窮數。

[一]日不暇數十斛：數，文淵閣四庫本作「二」。　[二]其深四尋有二尺：二，底本、文淵閣四庫本均作「一」，據至治本、明修補本改。　[三]味之莫餘井若也：餘，文淵閣四庫本作「予」。　[四]沛然助往來生生之資：生生，文淵閣四庫本作「衆生」。　[五]黑知灣環瀠水府：灣環，文淵閣四庫本作「彎環」。知，疑為「如」。　[六]我嬰重潔繙修組：嬰，文淵閣四庫本作「嬰」。

登鸛雀樓記[一]　至元九年十一月

予少從進士泌陽趙府君學。先生河中人，故兒時得聞此州樓觀雄天下，而鸛雀者尤為之甲。及讀唐李虞部、暢諸、王之渙等詩[二]，壯其藻思，令人飄飄然有整翮凌雲之想，擬一登而未能也。至元壬申春三月，由御史裏行來官晉府，因竊喜，幸曰：蒲為屬郡，且判府職，固廳幕而開掌有顓務[三]。國制判官典郵傳，季得乘馹，撿劾稽緩，西南河關勝概，固形於夢寐中矣。其歲冬十一月戊寅，奉堂移偕來伻，按事此州，遂獲登故基，徙倚盤礴，情逸雲上。於是俯洪河，面太華，揖首陽。雖傑觀委地，昔人已非，而河山之偉，風烟之勝，不殊於往古矣。於是詠采薇之歌，有懷舜德；起臨河之嘆，而思禹功。坐客顧笑，舉酒相囑，何其思之深而樂之多也。噫！昔韓吏部欲造登南昌閣者屢矣。至於刺潮移袁濱潭，卒莫之遂，秖獲載名其上，列三王之次。今雖罄適夙昔，盡登臨之美，而不覩瓌偉嶻嶪之觀，乃知勝賞有數，樂事不可併也。偕來者：古肥戴剛柔克、滏陽馬眗德昌、營州張思誠，誠叔子翁孺侍行。

是歲陽復後一日，承直郎汲郡王惲仲謀甫記。

［一］登鶴雀樓記：鶴，原作「觀」，據文淵閣四庫本改。　［二］及讀唐李虞部暢諸王之涣等詩：諸，文淵閣四庫本、王抄校本均作「當」。　［三］固廳幕而開掌有顓務：開，文淵閣四庫本作「關」。

平陽府新修星丸漏記［一］　至元十年二月

經漏之法，蓋所以司天地之朝昏，儆官民之動息，郡邑皆得置之［二］，遵古制也。平陽府治舊有漏，設臺門上。近代來［三］，名存器亡，具鐘鼓而已。視事初，思有以更張之，遂得遺法，所謂「木漏星丸」者也。其制為夾屏，高幾尋，廣則半之，中布㪯道七折，用棘作丸彈如，凡六十數，以循環六千，分晝夜百刻之度。又按中星制十二圖［四］，定日月寒暑、消長遲速之候。注丸為分，積分取點，積點成刻，均平五更，定為成式。至元十年春二月丁未，新漏告成，法簡而易知，理明而度應，信乎可恒用而不息者也。噫！君子之為政，自一己而達之物，因物而取信於民。兹漏之設，苟不自信而勤於政，豈惟伊漏之愧，將何以化齊民哉？爰作箴以自警。其辭曰：

在昔上古，挈壺有職。堯水懷山，欽若星曆。繄爾經漏，亦政令所棘。不夙則暮，匪時動息。今也具成，官民攸則。彼寧不勤［五］，政荒業隳。嗚呼有官，率先是思。

［一］平陽府新修星丸漏記：元、明諸本均作「平陽府新條星亢漏記」，誤，據文淵閣四庫本改。［二］郡邑皆得置之：文淵閣四庫本無「得」字。［三］近代來：文淵閣四庫本作「自近代來」。［四］又按中星制十二圖：二，文淵閣四庫本作「一」。［五］彼寧不勤：勤，至治本、王抄校本作「動」。

太平縣宣聖廟重建賢廊記　至元十年八月

二帝三王之道，逮孔子而後明。然師授私淑，傳之後世，俾彝倫攸叙而不斁者，七十子有力焉。是則配侍於聖人也，宜矣。太平晉國故封，今為絳之劇邑，襟山帶河，衝會南北，故其俗率勤儉剛義、憂深思遠，有陶唐之遺風焉。為縣者必欲明倫復古，吾夫子之教，其可後乎？縣有廟學，國朝已來，具法宮而虛兩序，春秋奠獻，自侯已降，位設牖下，其於典憲，是殆闕然。至元八年夏，進義副尉平遥任興嗣來主縣簿，覩其如是，慨焉興感，乃衹會教官張鑄、孫某，暨邑之士人，相與庀材僦工，經營以方。凡為室東西各五楹，翬飛翼棘［二］，奂焉維新。遂圖七十子肖像于壁，元哲當座［三］，素臣儼如，載尊載儀，咸列斯宫，吁其偉哉！以至元癸酉秋八月，行釋菜之禮，用安神棲，邦人向化，士興于學。若任君者，其於承宣之職，可謂知所先務矣。爰作詩以歌之。其辭曰：

元聖垂教，先天後終。用廣發越，群賢之功。於赫魯語，如日在空。建極明治，萬古是崇。宜其報禮，極熾而隆。奕奕兩序，厥功固微。小善罔棄，大焉可希。刻詩廟門，來者庶幾。

[一]翬飛翼棘：翼，文淵閣四庫本作「矢」。

[二]元哲當座：元，王抄校本作「先」。

澤州新修天井關夫子廟記

至元十一年正月

舜澤南逕太行，左腹百里而遥，走懷洛道也。當天井關衝[一]，有殿屋巍然，高出林表，曰「夫子廟」。廟之建，莫究所從來。歲年滋久，物不能終壯，故脊圯瓦裂，桷陊榱傾[二]，障蓋日疏，風雨攸斁，寖及于壞。行人過客，朝頓夕處，車隱户間，火燧柱下，熏翳蕪躪[三]，惡不可睨。孰謂神能一朝而妥於此乎！莫瀆慢此若。某以至元九年夏四月[四]，調官平陽，道出祠下，愕眙嗟咨，詎可下墜教基，俾守土者大貽神羞，吾儒安得不受其責？於是屬州尹皇甫琰以營新圖[五]。越明年冬十月，迺經始焉，完故益新，克壯于昔，而復繚周垣，建崇門、固扃鐍。既治既除，神宇肅敞。又明年春正月，州判官張漢來告迄功，且致尹意，求予文以記之，曰：「祠雖葺而稍新，固不足為成功[六]，然轍跡事不辨諸廟石，無以警山甿野俗。若載之，恐以誣傳誣[七]，伊明府有以述之。」嗚呼！惟夫子之道，本原於天，天理出於人心固有[八]，周衰，王者迹熄，邪説暴行大作[九]。天以堯、舜、禹、湯、文、武、周公之道，恐遂湮微，又不能聲臭諄諄下誨於人，故誕生元聖，祖述憲章，振鐸下土。於是觀周如陳聘楚，轍環於齊、魯、宋、衛之郊，盖將以明人倫建極[一〇]，復其固有之天，俾君臣義，父子恩，夫婦别，朋友信，長幼序，天地位，萬物育而已。其道則禮、樂、刑、政，其文則《詩》、《書》、《易》、《春秋》，如水火菽粟，日用而不可離，非有誕漫詭異，雖行不經之事，萬世而下，順而履之者昌，逆而違之者亡。論夫神化無方之妙，復有大於此者歟[一一]！又何俟草間之鼠、石上之轍，牿流俗而駭衆目者哉！然按《世家》，孔子將西見簡子于晉，聞鳴犢、舜華之死，臨河而嘆曰：吾之不濟，命也。今澤實晉之東鄙，廟之設，豈非出於人心，景慕篤信[一二]，如瞻天就日[一三]，有不可廢焉者！先賢因之以神道設教，明夫聖道溥博，無所往而不在，彌六合而滿坑谷也。故併及之，尚來者無惑。尹諱琰，字國瑞，姓皇甫氏，潞之襄垣人。賢而有文，為政勤彊練密，聲藉甚于時。十一年歲在甲戌正月既望，承直郎平陽路總管府判官汲郡王惲謹記。（以上《秋澗集》卷三六）

[一]當天井關衝：關，底本、明修補本作「開」，據至治本、文淵閣四庫本改。　[二]桷陊榱傾：陊，文淵閣四庫本作「折」。　[三]熛翳蕪躝：翳，原作「醫」，據文淵閣四庫本改。　[四]某以至元九年夏四月：某，明修補本作「其」。　[五]於是屬州尹皇甫琰以營新圖：新，原闕，據文淵閣四庫本補。　[六]祠雖葺而稍新，固不足為成功：此句文淵閣四庫本作「祠雖新葺而稍固，不足為成功」。　[七]恐以誣傳誣：此句文淵閣四庫本作「可以無傳誣」。　[八]天理出於人心固有：固，文淵閣四庫本作「故」。　[九]邪説暴行大作：大，文淵閣四庫本作「又」。　[一〇]蓋將以明人倫建極：人，原闕，據文淵閣四庫本補。　[一一]復有大於此者歟：者，原闕，據文淵閣四庫本補。　[一二]景慕篤信：篤，原闕，據文淵閣四庫本補。

[一三]如瞻天就日：如，原闕，據文淵閣四庫本補。王抄校本作「敬」。

全元文卷一七〇

王惲 四

平陽府重修道愛堂記[一]

三晉之地，表山帶河，風土□□□□□□大者侯爵，小者卿采，圜檄二千餘里，自前代來視諸道為上游。平陽實治理所在，故府署之制□崇壯麗，勢壓□□；不爾，與山川形勝，莫相長雄。道愛堂今府治之前□事。其東西廣十有五尋，南北□一□□□□□□辛丑都監郡薛闍公因故基□創焉，當至元十一年甲戌歲，蓋三十有三載矣。歲月既墳[二]，土木弛解□□侏儒就弱[三]，西鶩夏□□□沉氣湮鬱□□□不時脱落，殆不能視□□顛撐危□□□□□上□冬官考工悉許公帑□□於是憑寬如□相前增崇□□□之腐□撓敗者蓋□□輒之破裂者□□□□之□折者與夫吏舍臺門狼藉□□□□□之□然山□大□□瞻重門洞□盡城之南北□望□□□□衡玄□□□□居六曹執事登降□□□□公式治于中從容委□□□□□□之隆□□□於治以一□之用□□□□□□

□□□□□宣于斯□□□審于斯□□□□□□□□□□□□□□□□□□□
□□□□□□□□□□□□不□勤官□□□□□□□□□□□□□之戒凜
□□□□□□□□□□□□□取學□□人之意也□□□□□□□□□即府判
官西衛王惲謹記。

［一］此文文淵閣四庫本未收。　［二］歲月既墳：墳，王抄校本作「堙」。　［三］侏儒就弱：就，王抄校本作「撓」。

平陽路景行里新修岱嶽行祠記　至元十二年二月

岱宗東方之鎮山，有國者得以旅焉。祭典下衰，世以神司命萬類死生禍福，幽明會歸，故所在駿奔奉祀，惟恐居後。去之遠者其敬篤，事之肅者祠愈崇［一］，蓋其風俗使然，復何怪焉。平陽故族張士信等，信之篤、事之尤謹者也，常以匪廟而貌之［二］，不足妥靈揭虔，牖人於善也。於是傾貲擇勝，得東南陬景行里爽塏之地甚延，奠其神觀焉。實經始于辛卯歲之三月，落成于至元之戊辰［三］。凡締屋幾三十楹，前殿後寢，兩廡廊翼［四］，中設冥府諸像，曰昭惠君、蒿里相、祈嗣位、五重□直［五］，及陰囿變相，擁衛環列，罔不畢備。巍巍煌煌，帝居輝光［六］，俾觀者起敬加畏，知所勸戒，善油然而生于衷，洋洋焉對越靈威，如在其左右也。下至作樂有亭，省牲有偪[七]，便户鑿乎西，臺門敞其南，概瞻餘祠，號稱整肅。吁！勤亦至矣。一日來丐文於予，將紀其興建本末，洎信助者之名氏，永昭于後，因略為論述之。嗚呼！古人以神道設教，今也作新祠宇，為事理雖殊，而勢有固然者。自禮義亡而世教不明於下，一鄉之士，秉彜心而私淑人者，不爾則弗克悟陋民而儆薄俗，是則後人之意也歟？然神也者，聰明正直，福善禍淫，乃其職耳。奉之者歲時儀獻，能齋莊沐潔，遠惡遷善，可薦而不為神羞，吾知夫朋酒斯饗，獲簡穰之祉矣。不然，慊負中積，象恭于神，雖鏘之以鐘鼓之音，腆之以牲幣之禮，芳菲滿堂，三獻具舉，神將厭而不顧，尚何福之有哉！幸來者詳特書之意，庶乎其遠黷矣。十有二年春二月，平陽路總管府判官汲郡王惲謹記。

[一]事之肅者祠愈崇：事，文淵閣四庫本作「祀」。　[二]常以匪廟而貌之：文淵閣四庫本作「常以貌廟而匪之」。　[三]落成于至元之戊辰：落成，原闕，據至治本、文淵閣四庫本補。　[四]兩廡廊翼：廊，原闕，據文淵閣四庫本補。　王抄校本作「對」。　[五]五重□直：此句王抄校本作「五蘊使直」。　[六]帝居輝光：輝，原闕，據文淵閣四庫本補。　王抄校本作「有」。　[七]省牲有偪：偪，文淵閣四庫本作「湢」。

絳州正平縣新開溥潤渠記

至元改號之六載，詔立大司農司，其品秩僚屬特與兩府埒，蓋以農桑大本，滋殖元元，莫斯為重。故崇職掌，開藉田，以率先天下。外建行司，曰使而副[一]，歲時巡視，責郡縣長吏，條綱甚悉，考其成績而明殿最。凡先農之遺功，陂澤之伏利，崇山翳野，前人所未盡者，靡不興舉。東雍之地，厥土赤埴墳[二]，雖潤蓄兩河，島則腴而亢，下者鹵而瘠，時雨稍愆，歲功不稔。州尹馬君患之，遂按行川浸，思有以濟其艱，而敬承天子之明詔，曰：「澮吾所用也。」於是度原隰，順水勢，距郡治東南三十里曰楊程鄉，澮入汾，所至横截水衝，楗石為堰者三，袤可六十步武，穿崖塹阜，激之北騖。波神委蛇來就，東帶郭門而西注汾[三]，其間長溝通洫，蔓引枝分，溉田度二千餘畝。水性濁滓，流惡溢腴，於田甚宜，業已波及，穫可畝一鍾。凡役工若干，計未週歲而渠事告成。蓋君以規度有方，衆樂其溥博之施也，故自始迄終，曾不告勞，絳下老人，相與材公之為[四]，感公之勤，欽明命，霈利澤，終以實惠及民，懇予文以記之。予嘗有事於鼓溪之神，登高望遠，觀隋令梁公軌引用鼓水[五]，分溉田疇，幾絳之西北郊，于今蒙被其澤，每惜其水有餘利，而河為限，彼晉之東，國值旱暵[六]，思以一杯沃枯槁而不可得。嗚呼！何跬步相望而有苦樂之間哉？今馬君鋭興兹役，出衆慮之所不及，行前世所未行，俾汾左之田，溥洽膏潤，仁民之功，其利博哉！百載而下，將見府君與梁公并祀而同談者矣。董其役者，實縣尹趙某、簿王某，能事其事而不負所責，勤亦至矣。故採及之，且采民謡而爲之歌。歌曰：

新渠成，汾之滸。溉我田，流潟鹵。公雖劬，民獲所。昔也豐穰獲幾許？今縱旱暵決渠雨。甌窶滿篝公所與，公惠我兮毋速去。我報公兮烏所覩，刻石河濆照千古。

[一]日使而副：而，文淵閣四庫本作「曰」。　[二]厥土赤埴墳：埴，原作「殖」，據文淵閣四庫本改。

[三]東帶郭門而西注汾：東，文淵閣四庫本作「東」。　[四]相與材公之爲：與，原作「輿」，據文淵閣四庫本改。　[五]覩隋令梁公軌引用鼓水：公軌，原脱，據王抄校本補。文淵閣四庫本作「公某曾」。　[六]于今蒙被其澤，每惜其水有餘利，而河爲限。彼晉之東，國值旱暵：原文多處爲黑釘，其中「其澤」、「每惜」、「利」、「彼晉」、「東」、「國值旱」，皆據王抄本補。此段文淵閣四庫本爲「于今蒙被其澤者衆，其水有餘，蓄而河爲限，截隔之。故每當旱暵」。

遊王官谷記　至元十一年夏

山之與水，相胥而後勝。山非水，則石悴而雲枯；水非山，則勢夷而氣泊。二者雖具，得其人而後名。中條山王官谷，其萃美之尤者也。山闃首河曲，連亘北騖爲雷首、爲棲巖、爲萬固，運肘而東爲五老，又東而得王官谷。谷漢故壘名，有唐司空表聖之别業，至今遺像、休休亭在焉。至元甲戌夏六月，予以檢括牧田會蒲[一]，已而奔命珣瑕，取道于虞，王官諸峰指顧東邁，後八日，因恙小休。暑雨向霽，遐想風煙，情逸雲上，遂幡然來遊。始自固氏西南，行約四五里，抵山門，歷磴平進，無顛頓推挽之勞，不百許步，已入山堂陝中矣。其繚而曲，深而容，垂蘿灌木[二]，磐石美蔭，草香而土肥，環峰疊嶂，碧壺瑶甕，濃淡覆露，内曠而外掩，無擁遏怫鬱之氣。蓋谷田中高狀作層階，勢相覆壓耐辱，所謂上下方者是也。東西兩山，曰「壺門」、「夕陽」，青壁矗立，嶄絶如削[三]。中峰曰「天柱」，秀拔特起，如巃鼻嘘空，高虧雲表，不與衆峰聯絡，真奇觀也。峰半有石突然，曰「落鶴臺」。又西有石拱立，曰「雙人」。左右斷崖，水作瀑流下瀉，如仙人解佩，天紳未收。西則泉脈出縮，以乾溢為度；東則飛灑噴薄，陰壑恒雨。砰崖激石，下注幽磵，是謂「貽溪」者是也。山藉以潤，人仰以清，物滋以榮也。王子於是斂衽薦茗，謁司空祠下，退觀休亭諸詩，既高公之名節，且詫谷之深秀也。青鞋竹杖，扶掖上征，抵天柱峰足，望東巖瀑布，礧磈三詔亭上[四]，因留宿焉。時月出山豁，萬籟沉寂，涼露洗空，失暑所在，青嶂瑶光，非復塵世。其東溪水聲，如遠鼓鼘鼘，隱動林壑，顧謂兒子孺曰：「此山靈張樂，喜其來而作予氣也。」深夜久聞，毛髮森竪。山人李珏出司空《一鳴集》，相與披讀，於露幌風簷之際，顧瞻林影，如見鬒眉，乃酌水再酹，乞靈於公，詠休休之歌，思考槃之樂，安得黄金買堪乘之鶴，追仙遊於寥廓也邪？不然摇江山之筆，吸撑霆之氣，貯濯詩脾，以增益其未至，庶幾列名於王駕李生之次，亦所願也[五]。日既昃，徘徊久之，出山。林霏煙翠，漠然四合，回望谷口，無復所見。庚伏中旬後三日，共溪雲隱記。

[一]予以檢括牧田會蒲：牧田會蒲，文淵閣四庫本作「民田澮溝」。　[二]垂蘿灌木：蘿，文淵閣四庫本作

「條」。　　[三]嶄絶如削：嶄，原脱，據王抄校本補。文淵閣四庫本作「卓」。　　[四]磁礴三詔亭上：上，文淵閣四庫本作「下」。　　[五]庶幾列名於王駕李生之次，亦所願也：此句文淵閣四庫本作「庶幾列王駕李生之次，其亦所願也」。

待旦軒記

至元十年五月二日

至元壬申歲，予自御史調官平陽，扁私居之軒曰「待旦」，蓋所以礪厥志而儆不逮也。矧河東列城五十，棋布相望，大府實根本所在，而風俗係焉。國制張官五廳幕，例下僚位東西，與別駕嚮至，扶筆剖斷一定于上，官僚若無所事，及占署牘尾，無細大，通得可否之。是則位雖下，所責亦不輕。第以品位有崇卑，材術有優劣。得其人，則分安而政舉；非其材，則身骫而事去[一]。自惟氣質疎散，心雖勉强，撫字無方，故就列已來，朝夕惕勵，如恐弗勝，當其夜漏將盡，晨鷄始興，矍起盥漱[二]，即夫清明，假寐之際，得無深思者乎？其於德澤川流[三]，何宣布焉？庠序熠興，何申重焉？綱維未振，何主張焉？風俗未醇，何肅清焉？吏沸務棼，何理亂焉？訟繁獄滯，何簡恤焉？屬邑不共，曷先率焉[四]？賢才在下，曷薦揚焉？静言念兹[五]，有公以處心、勤以集事耳。噫！周公聖臣也[六]，負扆履籍，以當冢宰之位，至於思兼三王而施四事，猶坐以待旦，勤强不息，况其下者乎！蓋勤則為補拙之資，公即具生明之本[七]。無私則心宰，心宰則理得[八]，理得則言順；克勤則匪懈，匪懈則力行，力行則事隨，事隨則物化。此理之固然，無復疑者，苟不是念，而甘糞土其身，皋皋訿訿，藉廩禄為代耕之地，與夫工不事事，計日取傭者奚異哉！恐食焉而氣怫，寢焉而體骩[九]，尚何根本是賴，風化得喪之所係焉。若此者，豈惟愧負中積而獲罪于時，將見嘯于梁者，下瞰其室矣。於是乎大書屋壁，庶抑詩之自警云。明年夏五月二日，靖共堂主人汲郡王惲記。

[一]則身骩而事去：去，文淵閣四庫本作「隳」。　[二]矍起盥漱：起，文淵閣四庫本作「然」。　[三]其於德澤川流：此句文淵閣四庫本作「其汙澤川流」。　[四]曷先率焉、曷薦揚焉：兩句中「曷」，文淵閣四庫本作「何」。　[五]静言念茲：茲，文淵閣四庫本作「之」。　[六]周公聖臣也：臣，文淵閣四庫本作「人」。　[七]公即具生明之本：具，文淵閣四庫本作「其」。　[八]無私則心宰、心宰則理得：心宰，文淵閣四庫本作「心平」。　[九]寢焉而體骩：體骩，文淵閣四庫本作「體骩骫」。

畫記

至元十二年春

近世之没者，以平時服玩，遺宗屬賓友，諺云留念緒。然非故舊知愛之至，則不爾。平陽刀君，嘗飲予於私第，酒酣，出古畫一篚，中得龍嵓山水兩幅，其山骨鬱茂，林屋黯密，蓋學中立而逼真者也，上題云：「丙申春孟留汾水時，為康玉閏所作[一]。」時金大定十六年也，歲月峥嶸，迄至元甲戌，九十餘載矣。余嘆賞者久之，□即前用為壽，辭焉。明年乙亥春，君以疾終。既卒哭，其家持畫來貺，遵治命也。嗚呼！君與余非故交深知者[二]，且南麓畫在士大夫間固有品格，然不過一物耳。其可重者，氣與義也。昔曾子易簀而後歿，愛其禮也。今君當萬事已矣之際，事有不遑及者，乃以是為囑，篤夫義故也。吁！衰俗波蕩中，能耿耿取信如此[三]，可謂信義不失者矣。時於軒楹間展對斯畫，愾然想見其人，未嘗不為之嘻歔也。君諱國器。資敦純。早以勳閥為征西帥，臨敵決戰，以果毅稱軍中。後因疾去職，僻居田間，怡然自得，人不知為故侯失將也[四]。

[一]為康玉閏所作：文淵閣四庫本作「康玉潤屬所作」。[二]君與余非故交深知者：文淵閣四庫本作「君與余非故交而深知者」。[三]能耿耿取信如此：文淵閣四庫本作「耿耿取信能如此」。[四]人不知為故侯失將也：失，文淵閣四庫本作「大」。

西山經行記　至元十二年七月

至元乙亥秋七月，被藩府檄，偕來伻盧君採文石於晉。丙申，如襄陵董治厥事，館許氏東堂。八月庚子，次西梁。質明，致祭黃崖山下，遂命工即役，借榻普照僧舍，凡再宿。有以義成石為言者。壬寅，馬北首，旁山行[一]，入臨汾界，過侯氏、四水等峪。逾山尾，得王莊峪。峪口敞豁夷衍，北連白陵呰脚。既夕，宿龍子祠南晉掌里。癸卯，下井峪，渡麻棚澗，自獅子鼻登山，越石門，是為姑射峪[二]。西山諸峪，凡十有八處[三]，姑射、王莊實為之要。蓋南達吉鄉，北走紫川道也。前臨渚岸，觀陰定關，關形峽束若石門然，僅通人過。想夫秋潦滄汾，群壑來注，掀騰勃怒，萬馬東駃[四]，遽阨兹口，激而為飛流，銀濤雪浪，百丈湍瀉，亦壯觀也。躡澗西騖，歷馬蹄纏，山雨奄至，且作且止。指望仙臺，眺玉女樓，望生馬壇頂諸峰，烟霏翠濕，空濛無際。蹊蹬縈紆，盤十有八折，袛神居洞下。洞腹寬肆，窿穹巉巖，仰視欲墜，後有竅透邃，山之噫氣穴也。遂解衣盤礴，憩洞閣上。尋復開霽，山紅澗碧，景氣爛漫。凉風吹面，自遠而至，煩襟翛然，如夢仙府，雖遇四子於汾水之陽，不足以喻其樂也。因留題壁間，且辯其誕。少焉，遊太一洞，觀陰鐏玉柱，蓋石鐘乳也。稍西，騗馬鞍嶺[五]，上弱羊坂，坂長約七八里，極峻折，艱於登陟，馬力不能勝。抵暮，宿西陶謝氏林屋。甲辰，由鄭峪入義成，分循澗槽西行，徑嶮狹，草木蒙茂，步履錯迕，過水磑，折而東北上碻嶺。視石之所在，石陛砌覆，壓隱山之半腹，玄質白章，又有絳其色若雲然者，尤秀潤奇特。降横崗，石溜間得枯梇一株，矯如龍騰，奇崛可愛。於是按行澗道，睬輦運所經，稍東入深峽，亂澗水，峽形曲折，中藏堂隍，其根足沙水嚙蝕，似口、似圈、似窪，呀焉而頤張，突焉而角出者，不可殫記。兩崖峻削，嶄嶄壁立，高入雲表。大石阜如，齟齬左右，勢犖确，殆不能騎。造愈深而峽愈奇。又東行十餘里，顛崖横截，水淙瀉石甕中，鏘然如環佩鳴兩山間，峻絶不可越矣。遂自南脚嶺攀援北上。峰回路轉，行可六七里，抵宿東陶山家[六]。乙巳，復自羊坂東降，取姑射北道，過龍堂澗望仙門，謁王母洞。道人致酒山閣，以軟脚例飲。余浮大白者三。世傳北山中，復有玉蓮古洞，下與此穴暗相通連，旁有水泉曰「漉錢」名者，事涉誕怪，不復紀。遂由側嶺白石溜下參峪，抵西叚里，午飯郭氏田舍，日昃還府。吁！天壤間山水佳處，唯幽人勝士得徜徉其間，與顥氣造物俱遊而共樂。不圖官守急遽中而獲兹遊，雖不能窮幽極勝，弄雲烟而狎魚鳥，亦非常之舉也。歸筆所覩以誌，且見夫因事機，攄煩滯，而不為徒然也。

［一］馬北首旁山行：文淵閣四庫本作「馬北首山行」。［二］是為姑射峪：原闕，據文淵閣四庫本補。［三］凡十有八處：八，文淵閣四庫本作「九」。［四］萬馬東駃：駃，文淵閣四庫本作「駛」。［五］騙馬鞍韉：騙，文淵閣四庫本作「蹁」，王抄校本作「徑」。［六］抵宿東陶山家：陶山家，文淵閣四庫本作「陶家山」。

船篷庵記

船篷道人姚氏，太平相里人，自童丱入道，甲子幾四百矣。棲心淡泊，草衣木食，全其生而樂其樂，穴居野處于澗之阿，削懸崖為土空［一］，廣不逾尋丈，迴環洞如。一歲之中，而有結夏蟄冬之適，塊坐塵凝，與時啟閉，温燠清深，去圜闠咫尺［二］，殆塵壤隔。予嘗以事走絳，與故人張器之遇，把臂道舊，步入縣西溪，遂來遊兹庵。道人因丐名於余，題之曰「船篷」。且請其説［三］。船篷者，取形似而言，然意不無其所寓焉。蓋水浮天而載地，中土者，天地之虚舟也。萬類雜處，魚頭濈濈，其陵蕩傾覆之虞，日復一日，何若斯人處斯室而獨為一天，肱眠瓢飲，樂其樂而曾無錙銖之患哉？余乃為之歌曰：

「玄冥之曦兮，朱夏之清兮。木歸其根，蟄吾形兮。梨花雪開，啟吾扃兮！人區鮓甕，全吾生兮！篷底秋江，汎然無所攖兮！余復何求？心營營兮！」道士顧笑，舉酒相屬，後余歌而言曰：「銘吾廬甚當。」於是乎書。

［一］削懸崖為土空：空，文淵閣四庫本作「室」。 ［二］去圜圓咫尺：圜圓，文淵閣四庫本作「闤闠」。
［三］題之曰船篷，且請其說：文淵閣四庫本作「題之曰船篷菴，請其說」。

平陽府臨汾縣姑射山新道記

晉人善用水而盡地之利，山之奥藏，未有以悉發。府治西山行五十里曰東西陶，鏐炭所萃，連山亘峪，根苗洞窟，軒豁呈露。然澗壑嶺嶂，號稱天險。坳深峻削，摩雲穴地，礌錯交礙，跬步間登頓駭汗，不勝其憊。雖中伏厚利，用是限隔，川居邑聚，十不獲一二［一］，並山農氓，志圖開鑿［二］，力單罔逮，睨之而興慨者［三］，蓋有年矣。皇子安西王以維城之重，分茅開府，胥宇雍土，爰命幹使，伐石兹山，輦出之途，仍宣理焉。乃西自李琚疏度而北，踰南山，截義成澗，盤土塿，東上協嶺，脅折而東北行，度鄭封峪，上砦［四］。蓋炭之膏盛，於焉而最［五］。又嘗置鐵官，出車連連之咽會也。循崖崦取易東騖，緣西陶北麓，其顛走延隴四道［六］，過東陶里，出斷崖南，分而兩岐，其一履級東降，越疳溝，旋韓脚嶺腦，南則駕馳嶺，轉弱羊石盤，抵壽山平壑下，會馬鞍嶺口，以備北道石峽水潦時至之虞。躡龍溏而東，經望仙北洞，跨南北溝首，由前後石門嶺，下白石溜，歷參峪，注赤植坡陽，盡西段里。當峰回路轉，復作避車場六，防其致阻塞也。其間踣鉅石，擘老峽，峻絶者坦焉，阨仄者廓焉[七]，磽确者火焉。刊落摧陷，去危就安，變壅鬱為疏通，夷峻惡為平易，西東一瞬，略無梗澀。雖並崖旋阜，紆回曲折，方之故蹊，曾弗加遠，凡為里一萬八千餘步，總役徒五百，度工萬五千[八]。其始至於迄工，才十有八日。於是山輸委貨，人休永勞，逶迤安舒，坦坦東下，籠負車牽，魚貫而出。居者行者，笑歌載路，相與言曰：伐他山之材，而獲茲石之秀[九]，因輦運之役，遂致道途通暢之便，西山伏利，以之盡起，不惟俾一方之民，賴厥功而富所用，抑以見我國家封建之制，肇造藩維之方，陰賜於民者，將張本於是。不爾，山澤無窮之利，將終古而奧藏矣。守土吏大小之役實董其事，是不敢不志。某年月日記。

[一]十不獲一二：文淵閣四庫本作「獲十不一二」。　[二]志圖開鑿：志，文淵閣四庫本作「悉」。　[三]睨之而興愾者：興，文淵閣四庫本作「心」。　[四]上砦：砦，原闕，據王抄校本補。文淵閣四庫本作「其上」。　[五]於焉而最：而，文淵閣四庫本作「為」。　[六]走延隴四道：四，王抄校本作「西」。　[七]阨仄者廓焉：仄，文淵閣四庫本作「窄」。　[八]總役徒五百，度工萬五千：文淵閣四庫本作「總役度五百，徒工萬五千」。　[九]而獲茲石之秀：石，文淵閣四庫本作「山」。

平陽府臨汾縣新廟記

至元十三年三月

平陽當河汾間，為鉅鎮，屬邑五十餘城，臨汾劇而最要。經界纔百里，占籍者幾萬五千户。凡丘賦之重，徭役之煩，十常居其二。而風聲氣習，勤儉果譎，宛然雜唐晉餘俗。惟其物浩壤狹，且不相能，故人嚚於訟，必直曲乃已，聽約束俟審辨者，動填里閈。縣舊署在府右廂康寧坊之南城，易代來，為土人氏豪據[一]，有司假老屋隙舍，寓理曹務，一歲間，輒三五易處。簿書儀具，坌集委積，棼不可暉，奔趣執事者[二]，當夏熾冬冽，赭汗僵立，尤實艱苦。前政狃故常眄瓜代[三]，日復一日，漫不加省，庶幾赫令尹之威，具睟瞻之幟，清承宣風化之源，其惟艱哉！逮今縣監某洎尹某，稔其如是，適時和訟理[四]，嚮化有漸，乃以其故詢諸衆。僉曰：「念兹在兹，竊有年矣，第率先無自，訖于今唈唈也。」既度其人之樂用，遂經辨焉。應直得景行里次氏之故第[五]，凡成室一十有五楹，略不加易，其來如歸。廳事適中，吏舍兩列。形閎前敞，衡達里逵，於是遠湫隘，處高明，委蛇安舒，各有攸叙。中外竦然，大易觀仰。既而史亢淵曰：「其興滯易弊之勞，趨事樂成之懇，公倡私應，共濟厥美。匪劖書珉石，代而縣者，烏能究根據而見經始？」贄禮幣來謁文。予以歷官内外，因知天下之治，在於宰相、師帥得人而已。佐天子，理百官，發號施令，以遂物宜者，宰相也；推君治，宅民生，供事取決，會歸有極，撫字百里間者，師帥也。是則宰相與師帥，勢雖霄壤，以本末體要而言，實相須成化耳。故前代選重其人，督柬於清流，册授於軒陛，疏名殿屏，蓋繇是也。今國家條章具舉，百度惟貞，顓任責成，垂寄殊切。作縣者苟非恪勤官守，推忠及物，何以稱經緯相需之望？今一縣之署置，固匪政之大者，類能若是，尚何患仕之不優，俗之弗易，責罔塞而績用不章於時哉？予特喜縣僚屬達於從政，有志於民，得《春秋》憫雨之義，故以所繫重者告焉，幸來者毋忽。至元丙子三月日記。

[一]為土人氏豪據：土，原作「工」，據文淵閣四庫本改。 [二]奔趣執事者：趣，文淵閣四庫本作「趨」。
[三]前政狃故常眄瓜代：眄，文淵閣四庫本作「盼」。 [四]適時和訟理：訟，文淵閣四庫本作「政」。
[五]應直得景行里次氏之故第：應直得，文淵閣四庫本作「因購得」。

懷先賢記 至元十三年正月一日

至元甲戌冬，予既復首陽山夷齊祠，繹之日，亞尹張侯聿來會祭。遐想故家，佇瞻墟墓，對越靈威，泫焉泣下，蓋風誼激哀，有不能已焉者。顧謂予曰：走世為孤竹人，自稺及壯，經行遊獵，往來南北故城間，靚夫廟貌不稱，旌記寂寥，言念于懷，顏實有靦。吾子幸為我大書特書，歸揭海濱，以為邦人光，且表夫山川之重鎮，二賢出處之大致也。按圖經，箕尾之分，勁氣下蟠，控帶遼碣，北平乃一大咽會，故其俗雄碩尚氣義，敦諾急難，凜焉有戰國餘習。平州經界，本殷諸侯孤竹君世封，春秋為肥子國，秦漢以來，列郡縣不恒，實燕之肥如盧龍邑地。肥如因水得名耳，開皇間，始陞為州，直灤江而西二十里，有古城宛存。枕動山東麓[一]，蓋孤竹故都，今指曰「竹城」者是也。州治南三十里而近，有山巋然，盤亘中野，其名曰「孤」，屋二賢其上，遂亦「首陽」呼焉。於戲！二子之英烈言窮天地亘萬古，皎乎！日月不足以喻其明，巍乎嵩華不足以喻其峻。俾後之為人臣者，取標準而知所懼，其為世教，豈小補哉！尚何侯山稱號而為之顯晦也。然侯懷賢思齊之意，何其盛歟！莊周有言，「去國期年，見似之者而喜[二]」，蓋敬恭桑梓，曾不煅其愛惡[三]，矧國之古賢、世之大老、特立而不群者乎？若張侯者，可謂尚友千載，敦鄙薄而有志者也。侯諱昊，字明卿，資果達，嗜魯論為顓學，故莅官行己，多據經旨，為言已而沾沾然喜見顏間，曰：「吾中有所得矣。」其篤信好學如是，至有以張侯論目之者。十有三年丙子春正元日謹記。

[一]枕動山東麓：文淵閣四庫本作「枕於東山之麓」。　[二]見似之者而喜：之，文淵閣四庫本作「人」。
[三]曾不煅其愛惡：煅，文淵閣四庫本作「較」。

遺廟記

至元五年六月十一日

金海陵煬王，以天德七載乙亥定議南伐。明年，正隆改元，詔大營汴京，擬混一江左，遷而都焉，故廟社之制，於是乎興。然清廟實前宋之故物也，在景祐間，祇十有七楹[一]，而金之記曰[二]：「正隆四年己卯歲冬十有一月，禮部尚書同修國史王競、銀青榮禄大夫參知政事敬嗣暉、開府儀同三司尚書左丞相上柱國魯國公臣張浩監修。」實金為之增廣加飾，非創作也。何以明之？覩其梴桷旅楹，大而徑三尺者，比皆腐朽餘丈[三]。若曰金朝創始，不及百年，安得如此之朽腐哉？廟直大内之南，馳道之東，殿法吴制，東西列二十五楹，袤四十丈，廣七丈。其神室内，地廣一十步，餘四步為室前之虚明。廟兩首各限一楹。中以二十三楹，分十有一室，從西以三楹作一室，餘每室以兩楹為之。龕之數，其西位夾室，六南向者，三北向者，東俱兩龕[四]，自餘率一龕，所向皆東面而已[五]，總十有八龕。殿階作二層，列升道三，前井亭二，東西相向。外作重堧四繚，面有門[六]，角有樓，門南列五闥，餘三而已。其東北中垣之外，即册寶殿也。國制：凡帝后寶册暨郊廟金玉禮器皆在焉，令太常官一員，每季檢視，用印封緘，謂之點寶。禮器者何？爵瓚圭璧是也；玉册者何？先代哀謚是也。其册，帝以寶玉作簡，后以象齒為之，賁以金書，貫以朱絲，封縢甚秘，世莫之見。南則更衣亭，亭前舊有湖石瓌奇[七]，名曰「瑞芝」。其東南外垣之内，即神庖封取血膋之所，環重垣之内，東西為廡，各五十楹，旁夾廟門，各廿有五，于以分布齋郎、駿奔、執事之列[八]。正北則闕焉。其西南垣外，即廟署位，前有門以表，循外垣西北，復鑿偏户一，意者備執事出入之便也。予聞之遺老云：金制祀廟[九]，率以親王上宰攝太尉以享，太祝奉遷宗祏，置地，用色羅上羃，帝以黄，后以絳，所謂至敬無壇也[一〇]。茵以皋比，器設陶皿，用血肉以獻，上下之樂畢備。此金朝典秩之大概也。國亡已來，汴之宫室，毁撤掃地，顧惟兹廟以貯儲得巋然獨存。　皇朝中統五年夏四月，詔河南前宣撫張子良撤焉，以北浮御河入燕，就為今之太宮，從堂議也。據正隆己卯至今甲子，以曆考之，適百有六年也。識者異之。且今初建宮於燕，多撤汴材，其木皆以燕用為誌。今是廟亦復用燕之故址，有數存乎其間爾，自有能辨之者。夫君子將營宮室，宗廟為先，祖宗胡可以無廟？然一廟之用，有不可勝之費。今也存亡廟而為新宮，其尊祖息民，可謂恭儉者哉！是廟，宋制也。按《禮經》，天子七廟，太祖之廟居中，三昭、三穆，為之左右，其七主：曰壇，曰墠，曰考廟，曰王考廟，曰皇考廟，曰顯考廟，曰祖考廟。月一祭之，遠廟為祧，去祧為壇，去壇為墠。壇墠者，有禱焉祭之，不則乃止[一一]。此三代不易之制也。逮東漢變而為一廟，同宇異室耳。李唐自貞觀、開元後，增置九數。後宋因之，亦列九世為十二室。而金朝以九帝有天下百餘年，上自景太至於宣宗[一二]，不審天興奉祀之日，其間升祔祧出，得列於太室者，凡幾廟，何者得祔，何者為祧邪？故并及之，以俟更考云。至元五年夏六月十一日記。

[一]祇十有七楹：十，原闕，據明修補本補。　[二]而金之記曰：而，文淵閣四庫本作「考」。　[三]比皆腐朽餘丈：餘丈，文淵閣四庫本作「餘幾丈」。　[四]其西位夾室，六南向者，三北向者，東俱兩龜：「三北向者，東」五字原闕，據文淵閣四庫本補。此段王抄校本作：「其西位夾室六，南向者凡為室七，室俱兩龜。」　[五]所向皆東面而已：東面，文淵閣四庫本作「東西」。　[六]面有門：面有，原作「面沿」，據元至治本、明修補本、王抄校本改。　[七]亭前舊有湖石瓌奇：瓌，原作「環」，據文淵閣四庫本改。　[八]駿奔執事之列：原作「駿奔走執之列」，據文淵閣四庫本改。　[九]金制祀廟：金，原闕，據王抄校本

補。文淵閣四庫本作「舊」。　[一〇]至敬無壇也：壇，文淵閣四庫本作「文」。　[一一]不則乃止：文淵閣四庫本作「無禱則否」。　[一二]上自景太至於宣宗：宣宗，文淵閣四庫本作「宣廟」。

泰安州長清縣樂育堂記

至元十四年三月

趙君明叔尹長清之明年，政夷訟簡，眂其民可教，迺築廟垣為數泮宮[一]，於是治學舍，植松竹，聚書史，立教條，率儒生屬吏，日講授其中。雖造次多故，未嘗少輟。不半載，士勤於業，吏循其風，禮容文物，郁郁可觀。十四年春，與予會於京師，因以扃所聞為問，曰：「有是哉[二]，奚足多為？然清今為中縣，顧瞻岱宗，背負河濟。士風教習出齊魯間[三]。在昔距濟南為近邑[四]，生徒率就學於府[五]，故禮殿序庠之屋，庳隘無足稱於前，俎豆弦歌之雅[六]，不接見於閭里青衿之耳目，蓋有年于茲矣。此僕之所以不敢狃安，故常鄙薄其俗，勉有此舉也。」已而以學記來請。嘗試論之：古之君子以先知覺後知，以先覺覺後覺，是天之所責於我者甚重，我烏得而避之？況有能致之資，居可行之位，尤當急先務也。令尹雖出宰百里，實為一方師帥，政之得失，俗之善惡，一繫夫志嚮所在[七]，知先後之序耳。人之秉彝，惟其物則內具，故好是懿德，此天理均有，人心之本然也。苟得其養，無高卑大小之間，故狂而聖、愚而明。始也致知格物，身修而家齊，終則明德新民，國治而天下平。由是而觀，學校庠序之教，豈小補哉[八]！叔世道微，功利説興，督責之令密，士以區區末學，苟禄代耕，奔走鞅掌於簿書期會之間，我躬不閱，遑卹乎俎豆禮容之事哉[九]！今君以修敏之材，奮迹諸生間，歷事臺省，由省臺而宰劇邑，卒於簿書期會、奔趨督責之餘，遵詔條，確志嚮，務以德義牖民，力行不倦為樂，俾群材長育如中陵者，莪菁菁然而盛，可謂能也已[一〇]。昔韓潮陽牒置鄉校曰：「刺史縣令不躬為師，使後生無所從學，為耻，又以養育人材為吾君相之事[一一]，顧天之所責於我者，當何如哉？」若趙君者，庸知夫不異日得時行志，以斯道覺斯民，為天下之樂且儀乎？吾見有開必先之兆，於是乎始。君諱文昌，濟南人。至元丁丑歲三月丙申記。

[一]乃築廟垣為數泮宮：築，原闕，據王抄校本補。　[二]有是哉：哉，原闕，據文淵閣四庫本補。　[三]士風教習出齊魯間：士風，原闕，據文淵閣四庫本補。　[四]在昔距濟南為近邑：文淵閣四庫本無「為」字。　[五]生徒率就學於府：於，原闕，據王抄校本補。文淵閣四庫本作「于省」，《濟南府志》作「大」。　[六]俎豆弦歌之雅：雅，原闕，據王抄校本補。文淵閣四庫本作「數」，《濟南府志》作「盛」。　[七]一繫夫志嚮所在：一，原脱，據至治本、明修補本、文淵閣四庫本補。　[八]令尹雖出宰百里……豈小補哉：此段《濟南府志》作：「惟令尹為民之師帥，政之得失、俗之美惡，一係於志尚所在，於以設施云耳。夫天生蒸民，有物有則。民之秉彝，好是懿德，苟有以率之迪之，日復一日，民知從化，而莫不好德焉，則政行而俗亦易矣，豈小補哉！」　[九]遑卹乎俎豆禮容之事哉：禮容，文淵閣四庫本作「禮器」。　[一〇]可謂能也已：能，《濟南府志》作「賢」。　[一一]又以養育人材為吾君相之事：君相，文淵閣四庫本作「宰相」。

遠風臺記

至元十五年四月

豐宜門外西南行四五里，有鄉曰「宜遷」。地偏而囂遠，土腴而氣淑，郊丘帶乎左，横岡亘其前，中得井地三九之一。卜築耕稼，植花木，鑿池沼，覆蕢池傍，架屋臺上，隸其榜曰「遠風」，以為歲時賓客宴遊之所者，韓氏之昆仲也。至元戊寅，百有六日，主人邀予來登[一]。顧瞻河山形勢，在北則近連圻甸，南則遠際河朔，東控海門碣石之雄，西眺太行桑乾之勝，千里一瞬，略無限隔。少頃，風翛翛然自太虛中來，浸淫乎谿谷，蕩漾乎林野，春和明霽，微埃不興，聲先乎群木之顛，氣鬱乎崇丘之外，然後度叢桂，入亭圃[二]，轉蘭獵蕙，泛溢乎層棟軒楹之間。座客欣然，動蘭臺之興，暢方外之適，披襟當之曰：「信乎滌煩臆，抒滯思，而其來之之遠也。」余仰而思、俯而嘆曰：「子知風之來邈[三]，未究夫臺之得斯名於士大夫間也。韓氏自鄭城府君以來，孫謀底法，以燕翼子者，義則昭昭矣。通甫君美，遵誨承志，光大先業，懽然若父菑之敷播[四]，曄然如棣華之相輝，溯流尋源，其遺風所從來遠矣。故賢士大夫莫不重其好賢樂善，登茲臺而願與之遊。由是而觀，慈祥豈弟之風，又賢於人遠甚。况茲墅也，出而入仕，頣步於廟朝之上[五]；退而隱處，偃薄於山林之下。將行義達道[六]，存志俟時，無不安適。其清風穆如、流芳於後人者，又有遠而不可極之致。不然天壤間林泉佳處，第欲暢幽情而滌煩慮，何所往而不可？」客曰：「嘻！有旨哉。今韓氏卜築之意，信得其趣，而吾子可謂發不言之秘，勉其所未然者焉。」既而囑予筆記之，因掇前言，俾刻諸臺上，以貽來者。至於風交平疇，良苗懷新，行之而喜者，茲植杖野人之事[七]，故不復云。後三日記。

[一]主人邀予來登：文淵閣四庫本作「主人來邀予」。　[二]入亭圃：亭圃，文淵閣四庫本作「亭檻」。
[三]子知風之來邈：邈，文淵閣四庫本作「遠」。　[四]懽然若父畜之敷播：敷播，文淵閣四庫本作「數播」。
[五]頣步於廟朝之上：廟朝，原作「清朝」，據文淵閣四庫本改。　[六]將行義達道：將，文淵閣四庫本作「得」。　[七]茲植杖野人之事：植杖，原作「值杖」，據文淵閣四庫本改。

韓氏遵誨堂後記

人子之事親，存没兩間，觀志由行，三年無改，為孝之至，况終身而維則者乎！燕今為大都會，世家鉅族飄輕裾，蔭華欀[一]，非不侈而盛也，及論夫居室善而内有則者，韓氏為足稱。長即總管通甫，次即君美判府。予御史裏行在燕者凡三年，用是交好甚款，知為人甚詳。修身齊家，讀書治生，禮賓客，應外務，一以忠信孝悌為主，怡愉雍睦，如賓友之相敬，棣華之相輝也。過庭者佩詩禮之嚴，居家者無言笑之雜。超然而處，熙然而遊，几筵多燕衎之娱[二]，田野有烹歌之樂。以致一門之内，百順坌來，昆弟之間，言無少間[三]。所謂身不求達而達有餘，屋不期潤而潤自至。予嘗獲拜鄖城府君畫像，望之粹然一淳德君子，其嘉言善行，無非後嗣可遵而法者。乃知韓氏淵流之深長，枝葉之茂盛，疏之溉之者，功加於前，繼之承之者，復善其後。故永年先生作堂名曰「遵誨」[四]，良有旨哉。嘻！李唐在前代為盛世，至以家法言者[五]，獨京兆柳氏為稱首。予每讀玭傳，求其修齊之要，不出以忠信為本，孝悌為先[六]，至曰：「此乃食之醯醬[七]，可一日無哉？」未嘗不撫卷嘆息，三復格言。方衰俗頹靡中，而韓氏昆仲亦能以孝悌忠信為飲食之醯醬，揚令名而顯祖考，奉潛德而發幽光。惟是心不匱，至錫類也。如是，將見垂芳來葉[八]，不獨柳氏專美於前史也。（以上《秋澗集》卷三七）

[一]飄輕裾蔭華檽：檽，文淵閣四庫本作「襛」。　[二]几筵多燕衎之娛：几，原作「方」，據文淵閣四庫本改。　[三]言無少間：無，文淵閣四庫本作「庸」。　[四]故永年先生作堂名曰「遵誨」：「作」字以下原闕，據文淵閣四庫本補。　[五]至以家法言者：「至」字以下至下句「京兆」，原闕，據王抄校本補。以家法言者，明修補本作「以家之言者」，文淵閣四庫本作「以家法相傳」。　[六]不出以忠信為本，孝悌為先：「忠」、「本」、「先」字原闕，據四庫本補。　[七]此乃食之醯醬：文淵閣四庫本作「此飲食醯醬」。　[八]將見垂芳來葉：來葉，文淵閣四庫本作「奕葉」。

全元文卷一七一

王　惲　五

河内修武縣重修廟學記　至元二十年二月十八日

覃懷風土距太行之陽，川夷氣淑，山水秀麗，遠而舒發於寧者為多，故人傑地靈，自昔無荒寒僻野之陋。至元壬午冬，前州將劉暉與予同在京師，間相會，肆談懷衛間勝槩，娓娓忘倦。因及縣之廟學與夫本末，告予曰：「廟自宋歷金，雖制量邑作，當時徙建甚備，罹壬辰雲擾，俎豆不遑，賴先帥家府為主張，是故已圮者[一]，隨葺；堅完者，俾勿壞。乃以有道王君文玉、陳復、趙宜中輩，前後顧筦，得巋然獨存於兵燼之餘，力也，非幸也。至元癸酉，不肖自鄭秩滿來歸，顧殿廡肖像，歲月浸久，風雨浸剥，黮昧傾藉，無復於舊。荷薪之責，懼不克舉，遂倡帥官庶，日以修治崇飾為事，御史栢德孝思又從而贊焉，經調官蒲、楊、彭三明府[二]，十年間皆次第而作新之。遂延致學師，日誘諸生講肄在其中，復請有司，得灑掃十餘人，春秋奠獻，鐘鼓鏗鏘，禮容升降，蓋肅如也。僕之素願雖畢，而明德新民之效，尚未敢議也。」余曰：「不然，郡縣之政，似有緩而急者，學校是也。學校者，三代之所以明人倫也。人倫明於上，則小民親於下，其所以關係風化，不的然而彰較！若夫山川英粹之氣，氤氳開闔，鍾奇孕秀，曾無今昔醇醨之間，至於涵養薄俗，作成善類，實庠序基而本之[三]。後之來者，復能增崇勉勵，以極菁莪樂育之美，異時人材輩出，如近代進士張夢弼、郭箴、張衮、祁文秉、趙尚賓，文彩風流，照映一時，誠不難矣！」劉侯曰：「有味哉！子之言也。請筆之。」歸而刻諸麗石，庶幾有讀斯文而興起者焉。二十年歲在癸未二月十八日謹記。

[一]是故已圮者：已圮，文淵閣四庫本作「當葺」。　[二]經調官蒲楊彭三明府：彭，文淵閣四庫本作「去」。
[三]實庠序基而本之：基而本之，文淵閣四庫本作「為之基本」。

蘭亭石刻記　至元二十年五月十七日

蘇門盧君茂之得玉色碑。石中斷，墜酒壚間。偶見睎之，乃《禊飲序》也，即懇求得之。予自穉年留心翰墨，閱是本無慮十數，此帖極清勁有神而不龐雜，與定武石本略同。其背有勑書，字塗以黄金，光彩尚焕，下復刻祈公字二，豈裕陵賜宰相衍家物也？嘗謂二王墨妙，雖片言隻字，如寸珠尺璧，見者皆當寶惜，不可使混泥沙。今一旦為吾所遇，免夫淋涔嚙蝕、委棄劘滅之厄，果神物護持，時有授受然耶，異時歸來，當臨溪起亭，位置壁間，扳長史齋新例，榜其亭曰「右軍」。且詫鄉賢曰：「此乃吾王氏真行之祖也。」庶幾有摳衣而請益者，其於奎壁兩間，不無煌煌者焉，但未知在幾年後耳。又諺云：「室無滯貨，不為潤屋。」矧吾儕以多文為富乎？然物之堅者，莫金石若也。玆刻也，豈敢保其必壽，抑不敢矜其長為己有，特記焉以付子孺，庶王氏來者能弓而箕之，是所謂「薪有盡而火無窮」之傳也。二十年歲在癸未夏五月十七日謹記。

御史箴後記　至元二十年五月

此帖，閑閑公為師中丞仲安所書。亂餘，李侯輔之掇於西臺著聞，後為義士張伯寧所有。至元戊寅，因獲觀於張鄰野家，孝純愛玩不已，命子遠摹臨，略不失筆意。壬午秋，予至京師，鄰野子來謁，遂及曩之所摹。明日持以見贈，墜逸之餘，僅得百一十八字。公之書世固不少，論夫擘窠大書，雄勁瓌奇，體兼顏、蘇而自成一家者，此平生最得意書也。予性僻而好古，於書學嗜而不厭，故所欲見者，每每如意，豈歐陽子謂「物聚於好」然耶？抑亦有契分故耶？二十年癸未夏五月，雨中與子孺裝潢，歸藏春露堂，以為書林寶鎮，且懌同志願見之心。中議大夫治書侍御史汲郡王惲謹記。

祥露記　至元二十一年正月二十八日

先母夫人，平昔顧惲讀書，作言辭，喜見於色曰：「好！此吾歿且無憾。若汝長，仍能辦日飯一盂啖我，過於鼎餗榮矣。」亡後十有四祀，方得廩食於官，而菽水自供之養，曾不少及，第新婦推代中饋勞者，僅六年。風樹之感，其何有涯！故每讀文正范公饗若曹之歎，未嘗不撫卷流涕也。甫十年，不幸先君亦捐館，以治命建新阡於河西鄉。用明年百五日，奉遷二親藁殯於沁曲。玄堂纔開，有二黄蝶飛出。其先妣柩蓋，珠露凝綴，晶明焕爛，駢羅角結，殆寶幢纓絡，蒙覆其上，且聞清香襲人，觀者異焉。天日照臨，移刻乃晞。嗚呼！夫人自己酉秋棄養，至是整十祀矣，在窀穸間祥見如此，恐非偶然也。昔人有夢持炬下入祖禰壙中，識者謂光照先世之兆。兹夢也，或有異不異焉。今野蔭之氣化為真露[一]。露膏澤也，復聯綴而成雯華[二]。意者，先妣之德有幽光而未發耶？不然，將澤及子孫，有以文而興起者邪？開先之慶[三]，固當有在，惲不得進而知也[四]。至元廿一年歲舍甲申[五]，正月二十有八日，中議大夫山東東西道提刑按察副使男惲百拜泣血追記。

[一]今野蔭之氣化為真露：今，文淵閣四庫本作「夫」。
[二]復聯綴而成雯華：雯，文淵閣四庫本作「文」。
[三]開先之慶：文淵閣四庫本作「開之先慶」。
[四]惲不得進而知也：進，原闕，據王抄校本補。此句

[五]至元廿一年歲舍甲申：舍，文淵閣四庫本作「在」。
文淵閣四庫本作「惲固不得而知也」。

均斡堂記[一]

財賦者，生民之命、國家之大本也。善理者，古今無幾焉。自鹽鐵事興，漢庭諸儒紛紜辨論，竟莫能一，其艱在於不傷財而必害民故也。濟南漕長趙侯洎其貳儲君天章過余，求扁其公堂之顔，遂題曰「均斡」，蓋取孟堅志書之辭也。均者，使四民常均，公有餘而私不乏；斡者，所以齊衆度而抑兼并也。二者為義如此，何古人憂後世之心深且重哉！顧提新政，意若在兹，第不自著者，形與迹耳。蓋嘗思之，其所以經制於一堂之上者，不過以廉自澡、以静内守、而以法外御也。故務雖繁而愈辦，羨此常而益增，此自然理也。異時總會民賦，鼓鬻山海，低昂物貨之權，佐理軍國之用，從容朝珂，籌之以策，未必不由主静而法，以均斡為得計，而以籠絡為末策也。未知以為何如？二公唯而退，於是乎書以為記。

[一]均斡堂記：斡，文淵閣四庫本作「幹」。

遊華不注記 至元二十一年

濟南山水可遊觀者甚富，而華峰濼源為之冠。余到官八月，湖光山色，朝夕與對於庭户几席間，若無所觀，心有所不在焉。然每以歷居卑濕為念，或有云堰頭者，乃自昔濼引諸泉入大清之峻口也。一鍤之力，不崇朝可徹而陸之，常欲一往而未遑也。泠竈節得暇且寬，憲使耶律君邀余暨簽書杜君為兹山遊，且尋堰頭之盟，諾焉。逮十有一日，遂自歷下亭登舟，亂大明湖，經會波樓下，出水門，入廢齊漕渠，所謂小清河者是也。汎灔東行約里餘，運肘而北，水漸瀰漫。北際黄臺〔一〕，東連疊徑，悉為稻畦蓮蕩。水村漁舍，間錯煙際，真畫幀也。於是緑萍蕩槳，白鳥前導，北望長吟，華之風烟勝賞，盡在吾目中矣。是日也，天朗氣淑，清風徐來，水平不波，鳴絲歌板，響動林谷。舉酒相屬，開口而嘯。少頃，扶腋登岸，相與步入華陽道觀。主人方布几延賓，僕以疾作遽還，二君為愀然也。至於罔獲陟連雲絶頂，追謫仙之逸駕，斗蒼梧之暮雲，富覽江山以盡遊觀之美，特閑適餘事，初不訝其從違，正恐山靈獨回俗駕，造物者有所靳耳。既歸，伏卧舟中，怦怦焉如宿酲在懷，殊伊鬱也！但聞兩舷間風水之聲，自宫自商，拍拍盈耳，殆魏獻子之歌鐘、石鐘山之水樂也。且念華峰之勝，樂在近郊，因以步里計之：自歷亭北至華陽院下，廿里而遠；由水門抵黄臺北渚，十八里而近；以葦汀漁箔、周折灣淑，從城東北阿至艤舟山家，蓋且十曲矣。時至元甲申清明前一日也，謹記。

〔一〕北際黄臺：際，文淵閣四庫本作「濟」。

春露堂記

至元二十二年十月

王氏居安仁西里，有宅一區，湫隘近市。或者曰：宜易此而就爽塏。余應之曰：遺簪之求，聖人有取焉，况吾先人之弊廬乎！然歲深屋老，枝撑攲側，有不堪託處者，於是謀為新堂〔二〕，不侈不陋，于以藏遺書、閟宗器，節序致嚴，設裳衣而安寢祭，且將碇吾居〔三〕，明嚮晦燕偃息之所落成，遂榜其顔曰「春露」，蓋取霜露既降，感時思親之義也。嗚呼思雩，我將從其重乎？思其重，念吾親之志也。敬其止，慮夫不克析薪之荷也。昔吾先君思淵子握瑜懷瑾，經世之志甚遠，汔澹無所營〔四〕，專事於學，務為無所不闚，要歸適用有為而已。嘗曰：吾年未老，持此而明吾道，行吾志於天下，庶乎開物成務，大有見於世，不然吾遯則無怍無悶矣。悲夫！曾不少施而卒，賫志以没，至為有為者所惜。此不肖所以仰穹罔極，而抱終身之慼也。蓋吾親之去日愈遠，不肖之受年益深。去親邈，則子孫有悠而無密；受年多，則氣志漸怠而生不蹶。追其遠，所以厚來者之德也；重其思，所以勉吾心之述也。《傳》不云乎「孝也者，繼志述事之謂也」！周公善焉，是則為達孝。學也者，學為周孔而已矣。至於履霜濡露，感念歲時，入室肅焉如覩乎容色之晬，出户愾然若聞其歎息之音。齊則見其所為饗者，凄愴怵惕，爽動于中〔五〕。是皆時思之常，君子所之同也。後之嗣服者，登斯堂讀斯文，求予心之所泊，能先其所重，而不忘其所常，將見堂構無盡，孝思為不匱矣。至元廿二年十月日記。

[一]於是謀為新堂：堂，文淵閣四庫本作「室」。

[二]且將碇吾居：碇，文淵閣四庫本作「奠」。

[三]明嚮晦燕偃息之所：燕，文淵閣四庫本作「入」。

[四]汔澹無所營：汔，文淵閣四庫本作「恬」。

[五]奭動于中：奭，文淵閣四庫本作「爽」。

熙春閣遺制記　至元二十三年十月

梓人鈕氏者，向余談熙春故閣形勝，殊有次第，既而又以界畫之法為言[一]，曰：此閣之大槩也。構高二百二十有二尺，廣四十六步有奇，從則如之。雖四隅闕角，其方數紆餘于中。下斷鼇為柱者，五十有二。居中閣位與東西耳構九楹。中為楹者五，每楹尺二十有四，其耳為楹者各二，共長七丈有二尺。上下作五檐覆壓，其檐長二丈五尺，所以蔽虧日月而却風雨也。閣位與平座疊層為四，每層以古座通藉，實為閣位者三，穿明度閣而上，其為梯道凡五折焉。世傳閣之經始，有二子掖醉翁過前，將作者曰：「此即閣之制也。」取其成體[二]，故兩翼旁構，俯在上層，欄構之下[三]，止一位而已。其有隆有殺，取其漂紗飛動、上下崇卑之序。此閣之形勢所以有瑰偉特絶之稱也。予因念汴自壬辰兵後，故苑蕪没，惟熙春一閣，巋然獨存。昔嘗與客三至其上，徙倚周覽，雖悵然動麥秀黍離之感，且詑其巖巢壯麗，如神營鬼構，洞心駭目，有不可端倪者，至不藉井幹，不堦峻址，飛翔突起于青霄而矗上，又似夫鼇掀而鳳翥也。予歷考秦漢已來宮殿之制，漢不復於秦，而唐不及於漢，如未央、長樂，曾何得阿房之萬一？含元、華清，又奚敢跂兩都之規制也？蓋天地氣衰，國資民力與林林之材不克取盈，而尺度不足其數焉故也。然熙春遺構，亦可為近代之杰觀。彼騷人詞客，雖稱述賦詠極其偉麗，是猶臆説建章[四]，而徒彷像其千門萬户而已，終非梓匠，不能知其規模與勝概之所以然。閣廢撤已久，及聞紐氏之説，使觚稜金爵上雲霄而飛舞空際者[五]，盡在吾目中矣。然不文之言，不足以達遠，因作記以遺之。鈕氏者，顓世庬材工師之良者也[六]。至元廿三年冬十月記。

[一]既而又以界畫之法為言：之法為言，文淵閣四庫本作「之言」。　[二]取其成體：其，原作「具」，據文淵閣四庫本改。　[三]欄構之下：構，文淵閣四庫本作「檻」。　[四]是猶臆説建章：建章，原作「庭章」，據文淵閣四庫本、王抄校本改。　[五]使觚稜金爵上雲霄而飛舞空際者：雲霄，原作「雲雨」，據文淵閣四庫本改。　[六]顓世庬材：庬材，原闕，此據王抄校本補。又「顓世庬材」，文淵閣四庫本作「蓋世所共稱」。

徵夢記

至元二十五年二月九日

某官真定時，夢一老人長身縞衣，杖而告曰：「若遇而祖，能識之乎？」憶祖妣妙清君平時語惲者，熟視之，為吾大父敦武府君無疑。載拜已，乃跽而請曰[一]：「惟王氏上世，嘗有顯者否？」先祖曰：「今濟源陳堯叟祠碑所刻王姓者，即遠祖也，切識之。」時至元庚辰春二月也。惲以是異，念之者無時。後八年戊子二月，韓氏子中西謁濟瀆，託之為求訪，果於司馬端明所撰《四令祠堂記碑》脇，得元符二年春二月、左中散大夫知軍州事拜謁題名，迺陳之外孫王悦名氏。吁，亦異哉！」題名云：「外孫左中散大夫知軍州事王悦，奉詔詣靈祠禱雨畢，恭拜堂下。元符二年春二月廿九日也。」刻碑之右肋。父即前宋王安簡公[二]，曾拜參知政事，名舉正[三]，字伯中，係堯佐之婿。其子誨、悦。舉正，歐公所謂「清德之老」是也[四]。其二子名諱見東坡《飛白記》。不肖平生，凡事欲將至，必警先於寤寐間。如先君將歿，以翠微節度傳迓，召為御史，人以牛刀迎刺於口[五]；斷絳陽獄，斛律神自牖來告；待制翰林，有「瑶階參筆，月殿芸香」之詠；馳奏中統二年十二月為都事時事。行宮，有「雪漠三更，雲輜萬兵」之作；進讀東朝，夢紫閣連延，龍馬飛翔之異。是皆徵明而不可誣者。故古人論夢，心官，物之至靈，非但藏往，固能知來。凡天地古今之所有，無一外乎此，而有明晦、遠邇、通塞之間。此人之所以有夢，夢之所以多變也。然有直有象[六]，有精有想，唯精誠感薄，神靈之所告者，乃有占而可徵。是夢也，求其所以，似亦涉因想。蓋不肖每以先世旌紀寂寥，念不去懷者有年[七]。今先祖昭告如是，此亦理之必至。所可異而重者，據其夢而得其實，於二百載之前若合符節。此豈祇勞於想可致而論耶？又知吾先世神爽雖遠而昭昭矣。嗚呼！既誘其衷，明夫系之有自，所謂闕而有待者，不知復能鑒佑，使遂其初心，少副明靈之精應乎？其或亶然，是垂老之日，即受生之年也，是不可不識。至元廿五年春二月九日記。

〔一〕迺跽而請曰：跽，文淵閣四庫本作「跪」。　〔二〕父即前宋王安簡公：安，原作「文」，據蘇軾《仁宗皇帝飛白記》改。　〔三〕名舉正：原作「夆正」，據文淵閣四庫本改。下同。　〔四〕歐公所謂清德之老是也：歐公，文淵閣四庫本作「坡公」，王抄校本作「歐公」。　〔五〕人以牛刀迎刺於口：人以牛刀，文淵閣四庫本作「人即以刀」。　〔六〕然有直有象：直，文淵閣四庫本作「真」。　〔七〕念不去懷者有年：不去，文淵閣四庫本作「在」。

透月巖記　至元二十四年冬

王子塞向冬蟄，不出户者兩月。適寒曦回燠，乘休郊遊，步過故人子也鮮伯之居〔一〕，有奇石儼侍堂背。鋭上而豐下，百竅洞達。大者為巖，小者為竇。聳者為嶺，絡者為脈。復形勢之所當出者，又皆人意與會，表禀瑩潔，渾然天成，顧而睨之，如華峰半圭，高插雲表。余乃百匝摩挲，襟袖霑漬。主人因乞名於余，即目之曰「透月巖」。何其石堅凝篤實物也，今玲瓏秀麗，實而能虚，疏風逗月，回伏景氣，如神剜鬼刻，出奇乃爾，誠百中不一見也〔二〕。主人喜其名佳而物稱，明日過門，懇文其狀。予告之曰：「昔汝父新中府君，熟其平生久矣。為人安静，遇禮而用和者也。嘗買一石，日與之伍，呼為石友，乃臨終曰：『吾國俗近古，不封不樹，然我殁，當以此石表吾岡西墓田。』何嗜好其篤也如是！因念昔陸績官鬱林，裝鉅積以越海〔三〕；鄭璠守象江，輦六石以歸秦。前人稱道，筆之簡册，非特見其澹僻也，正以二賢操履，當涖官行己之際，以廉静為心，由篤實而致輝光之用者，在此而不在彼也。吁！汝父之志，固有慕於昔賢，今汝能箕裘世業，亦廉潔自厲，復輦置奇石，思繼静觀之樂，因迹以求心，庶能堅其所已至，而厲其所未至者焉，又得一悃愊無華吏矣。不然，將以物為玩，徒成喪志之癖，非余之所敢知也。」於是乎書以貽之。至元廿四年丁亥冬，春節前三日記。

［一］步過故人子也鮮伯之居：也鮮伯，文淵閣四庫本作「額森伯」。［二］誠百中不一見也：中，原闕，據文淵閣四庫本補。王抄校本作「聞」。［三］裝鉅積以越海：積，文淵閣四庫本作「石」。

林氏酴醿記　至元二十五年夏

人之愛其物也，培植顧護之意必致其曲。物既得養，榮華茂盛之氣，而自與人意會。理則或然，我未之察耳。林氏别墅有酴醿一株，自初植至今，特二年于兹。戊子清和節，予杖而來觀，花雖未而根撥［一］，枝葉條達舒暢，盈盈然有不勝其茂密者。清淑之氣，霑漬窗户間［二］，若喜其相遇而與之相會也［三］。然所以盛者：種之非常，一也；地之氣美，二也；人力所至而不失其養者，三也。一圃之間，異卉殊富而獨致曲于兹者，豈饜彼紅紫，而特惜其芳之白且潔歟？近以是花置之露堂西序，晨起將啟户，香自隙作陣而出，有襲人鼻觀之烈［四］。至於簾櫳之縈拂、几席之薰染、著幕而不散者數日［五］。且花之為物，香與色而已。若夫香之清郁，色之孤潔，殿春餘而獨開於夏初者，其風流蘊藉，餘品有不得伉且儷者。其為世之所重而不厭其多者，良以是歟？余幽居日無事，隨其隙地，亦以栽種為樂。城中糞壤瓦礫，土之正氣，悉為穢污所易，百植而不一生。非獨余家，比比皆是。木之美者，愛雖篤，力雖至，返得憔悴可憐之色，幸生致枯之歎，是知紫庭之蘭不生於枳棘之野，丹崖之木不產於犖确之丘也，必矣！又《傳》曰：苟得其養，無物不長；苟失其養，無物不消。是以君子惡居下流。可不慎哉[六]！林君為人，氣勝者也，凡一事一物之作，不肯碌碌落於人後，必極其精粹而後已。今年七十有二，目明耳聰，强步健啖。壯歲嘗從侍講徒單公遊，教其子讀書，致身顯達。今也謝其所必為而安其所已至者，日一遊其圃，非特物之為玩，將思其老而縱心，憐天生發之意，而明其馨香之德云。秋澗翁喜其如是，既與之欸，因書以為記。時二十五年立夏後十有五日也。

[一]花雖未而根撥：撥，文淵閣四庫本作「節」。　[二]霑漬窗户間：霑漬，文淵閣四庫本作「有漬」，王抄校本作「霑清」。　[三]若喜其相遇而與之相會也：與，文淵閣四庫本作「幾」。　[四]有襲人鼻觀之烈：鼻，原作「洞」，據文淵閣四庫本改。　[五]著幕而不散者數日：著幕，原作「着莫」，據文淵閣四庫本改。　[六]可不慎哉：慎，文淵閣四庫本作「懼」。

清蹕殿記 至元二十五年四月二十五日

維衛州太一廣福萬壽宮[一]，伏為憲天述道仁文義武大光孝皇帝赫臨之盛，易常然丈室，大起行殿，邇天威而貯寵光焉。既落成，嗣師蕭全祐以其事上聞，賜名曰「清蹕」。全祐將文諸貞石，以傳不朽，謂臣嘗忝屬太史，於法得書，乃具其本末來請。臣謹按，初，上之在潛也，思得賢俊，以裨至理，聞太一四代度師蕭輔道弘衍博大，則其人也。於是以安車來聘。既至，上詢所以為治者，師以愛民立制，潤色鴻業，用隆至孝者數事為對，上喜甚，賜之重寶，辭不受。曰：「真有道士也。」賜號「中和仁靖真人」，冠帔尊崇之禮，前後有加。迨己未春，鑾輅南駕，次牧之野。時師僊遊已邈，上以隱居所在，特枉駕來幸，周覽殿廡，儀享丈室[二]，詢慰宿昔者久之，所以欽悒真風，懷思不忘。且從五代嗣師居壽之請也。及登大寶，復降璽書，追寵師德，有「清而能容，光而不曜[三]，富文學，知變通。嚮朕在潛與之同處，何音容乍遠，冠履遽遺，殊用悵然」之嘆！居壽等以遭際聖明，顯異家教，其臨幸之榮，又為前代希闊之遇。顧惟丈室，罔稱淵躍，思丕御天之構者，念茲在茲，繼承詔住燕之齋宮，致有待而未遑焉。逮六代度師全祐既主法席，首以繼述先志為切，始克丕建，實至元廿三年丙戌歲冬十一月也。桓楹松桷，孔曼且碩，藻棟文榱[四]，龍鸞交映。內拱宸居，宸居穆穆！中闢應門，應門鏘鏘！玉宇開于前，方壺翊于後，蒼官鉅竹，儼侍左右。其宏麗靖深[五]，宛然帝者之居。望雲就日，奕奕動色。于以焚修頌禱，仰介萬壽無疆之祉，其於貯寵渥，廣敬恭，報恩德而圖不朽者，亦以勤矣！載顧載瞻，中外咸若。轔轔焉，如聽屬車之音；肅肅焉，若覩羽旄之美。千古而下，焜耀煒煌，何啻振碧霞之孤風，為郡國之盛事也。臣以為：自昔聖帝明王崇玄重道，以萬乘之尊求一言之要者，不過體尚玄默，企慕真純，載其清净，躋民壽域，擴充無為之化耳。如軒后訪道于崆峒，漢文受經于河上是也。以今方之，越光顯有加焉。異時史臣有鋪張洪休，揚厲無窮之美者，因蹟以求聖皇睿意之所在，其於斯宇，亦將有所取焉。至元廿五年戊子歲夏四月廿有五日謹記。

［一］維衛州太一廣福萬壽宫：衛州，文淵閣四庫本作「衛州府」，多「府」字。［二］儀享丈室：儀，文淵閣四庫本作「奠」。［三］光而不曜：光，文淵閣四庫本作「老」。［四］藻棟文榱：文榱，原作「文樓」，據至治本、文淵閣四庫本改。［五］其宏麗靖深：靖，文淵閣四庫本作「静」。

重修録事司廳壁記　至元二十五年六月

治有常處，則視瞻尊而政乃肅，此必然理也。維衛録事司，自辛亥歲州理復舊，凡百草次，其司事權寓於委巷間，逋舍靡有定所。厥後，官易雷氏私居，即為今署，然敗屋數間而已。頽垣四達，泮潦傍浸［一］，夏不足以障炎歊，冬不足以禦寒凍。公吏勃谿［二］，簿案委積。執事聽理者安於湫隘，踐居塵泥，與鼃黽混殽者，蓋有年於兹。逮上郡薛君來莅是職，顧惟若爾，耻狃故習，且有以需焉。治之明歲，衆務舉，下安教，條審其信而可使，乃與其監也鮮不花[三]、司判趙寓，起廢易故，將惟新是圖。上之府，允焉。於是作廳事，敞後閣，署佐幕，創架庫，下至吏廡門閭、誡飭之石[四]、胥靡之所，莫不畢具。僚友聽決，夏冬為適安；吏曹升降，次列有攸叙。中外具瞻，一司為齊肅。其材木之用，取辦廩餘，而甓石工役等費，願言趨事，有不期然而然者。經始於丁亥之春，畢工於是冬之季，凡為屋十有八楹。室既釁[五]，薛君暨其貳寓史湯瑪踵門來謁[六]，載拜而言曰：「文曜等不敏，猥有營治，固為瑣屑，不足以見於後，然恐迤久為有力者豪據，致虚勞民力，官失恒處，於人心大無所校。幸憲使惠顧，文本末於石[七]，將陷置廳壁，使觀者取重，知改作匪易，不致妄有異議。」予以有味哉斯言也！今之職州縣者，丁此繁劇，匪朝伊夕，惴惴焉奔命共事，惟恐其後。故往往翹足瓜代，知免責而去[八]。今薛君等能以從事餘力，改葺斯宇，且慮久有侵于[九]，可謂臨政不苟，重民力，敬王事，心公而慮遠者矣。後之來者，知政由是出，無匪王事，一以公道為心，越前政有光，又何患焉？苟公心不存，徒知居必日葺，以為觀美之具，非余之所敢知也。明年戊子夏六月記。

[一]泮潦傍浸：泮，文淵閣四庫本作「汙」。　[二]公吏勃豀：豀，原作「奚」，據文淵閣四庫本改。　[三]迺與其監也鮮不花：也鮮不花，文淵閣四庫本作「額森巴哈」。　[四]誡飭之石：誡飭，明修本作「誡勵」，文淵閣四庫本作「戒飭」。　[五]室既釁：釁，文淵閣四庫本作「成」。　[六]薛君暨其貳寓史湯瑪踵門來謁：寓

史，文淵閣四庫本作「屬吏」。［七］幸憲使惠顧，文本末于石：顧，文淵閣四庫本作「言」。文，文淵閣四庫本作「記」。［八］知免責而去：知，文淵閣四庫本作「幸」。［九］且慮久有侵于：于，文淵閣四庫本作「干」。

扶疎軒記　至元二十五年七月二十六日

余構春露堂之明年，循牆種木，思有以蔽於外而奥於内也。又明年，衆木鬱茂，布柯散葉，陰映雖微，葱蘢可悦，於是題其軒曰「扶疎」。四月維夏，露華湛滋，扶光疎翠，曄曄離離。健晚涼而層出，媚晴霏而自持。鳥交欣而有託，物争妍而見熙。我固知吾廬之可愛，過客睠焉，亦去之而遲遲。客曰：「今子取陶詩名軒，見於外者如是，其安於静而樂乎中者，不無意於其間，試為我道之。」予乃仰而思，俛而嘆曰：「客何見之晚也？秋澗叟積學四十餘年［一］，從仕其間［二］，亦嘗明其學而行其道於時矣。然方駕而尼［三］，盛行自拘。吾豈惡彼利達，樂此閑且寂也。天道盈虚，時有用捨，安吾所遇，委夫時運而已。嘗誦淵明『饑凍雖切，違己交病，心為形役，深愧平生』之語，大有契於愚衷［四］，良竊慨慕者焉。況復衰謝，不堪世用。有悟言一室［五］，嘯傲兹軒之下，迺所便爾。物來即應，客去讀書，遇事與心會，輒忻然忘倦。其或抽思雜著，旁搜遠紹，竟日忘返，蓋尋常焉。今又厭斁倦於作為，知饑而食，困而眠，蹣跚其迹，扶疎其心，任衰榮之無定，樂閑身於兹時。騁懷遊目，極夫吾之所好，斯亦適意壺觴，寓興於草木之意也。」客曰：「有是哉！覺吾清興翛翛，横陳於疏風秀樾之間者，且無邊際矣。」予乃賡之以歌曰：「庭下之木，日惟喬兮。封而植之，眷生意之浩兮[六]。軒中之人，日益耄兮。仕喜已愠[七]，無所關於抱兮。天運如此，孰敢咈此道兮。偉哉靖節，獨立物之表兮。今我何人，議論安敢到兮？願為擁篲，以備三徑之掃可乎？」客笑而去，於是乎筆以為記。至元戊子秋孟廿有六日書。

[一]秋澗叟積學四十餘年：積，文淵閣四庫本作「讀」。 [二]從仕其間：仕，文淵閣四庫本作「事」。 [三]然方駕而尼：尼，文淵閣四庫本作「泥」。 [四]大有契於愚衷：愚，文淵閣四庫本作「余」。 [五]有悟言一室：悟，文淵閣四庫本作「晤」。 [六]眷生意之浩兮：眷，文淵閣四庫本作「春」。 [七]仕喜已愠：文淵閣四庫本作「任喜與愠」。

萬壽宫方丈記

夫天下之事，得人則興，否則萎薾而不振，此必然理也。萬壽宫既易常然，丈室起清蹕行殿。越明年，作夏屋於新宫之背，蓋所以拱宸居而復師位也。方之舊制，一切充而大之，其傳度之位、賓友之筵、淵嘿之室，高明靖深[一]，燕處為超然矣[二]。既考室，乃以壁記來懇[三]。維太一教興於金初，始祖垂創，顧雖一事，而本而末，皆有次第，其植根豐末，濬源衍派，傳無窮於後者，惟恐其不弘且博也。逮重明嗣法，至創靈章、峻僊品，有充類至極者。大定一水，漂泛無幾。再傳而得虚寂，堂宇齋壇，刻期而復，貞祐之兵，燼為飛煙。四代中和仁靖真人，披荆榛，掇瓦礫，成難為易，不十年略見完具，其有俟而未侈大者，以傒夫後之肯構者焉[四]。然顯仁藏用，已胚胎乎其中矣[五]。貞常師持守成業，而光揚恢廓之志，規模未竟而奪之遽。今六代純一師感其如此，思有以大慰先志，俾有俟而未竟，既易而必葺者，八年之間，一新而改觀，誠可謂善維善述者矣。異時真仙偕來華表留語，曰吾之析薪也如是，乃今克荷者若爾其至，則知欣然顧提，蕩雲光於廣福，致醫墟于玉室者[六]，尚有重於此者乎！然道修為教[七]，有體有用，體雖具而用不彰，其為道也，亦以微矣。嗚呼！嗣音而來者，固當惴惴焉以思道生之本，使坐有所進[八]，則拱璧駟馬，未足為先後之光也。至於興建之方，資用之費，木土之工[九]，主治者會計之事，兹不復云。

[一]高明靖深：靖，文淵閣四庫本作「静」。　[二]燕處為超然矣：處，明修補本作「庭」。此句文淵閣四庫本作「顯敞誠超越矣」。　[三]乃以壁記來懇：懇，原作「墾」，據至治本、明修補本、文淵閣四庫本改。　[四]其有俟而未侈大者，以傒夫後之肯構者焉：文淵閣四庫本作「其有侈而未廓大者，以俟夫後之肯構者焉」。　[五]已胚胎乎其中矣：乎，文淵閣四庫本作「于」。　[六]致醫墟於玉室者：文淵閣四庫本作「致佑護於王室」。　[七]然道修為教：道修，文淵閣四庫本作「修道」。　[八]使坐有所進：坐，文淵閣四庫本作「更」。
[九]木土之工：木土，文淵閣四庫本作「土木」。

唐中書令贈尚書右僕射馬公祠堂記

至元二十五年十一月

予嘗道出茌平，顧視俗多闊達，膏壤夷曠，俯仰控衛，兼齊薄魯。海岱之所鎮浸，禮義之所漸摩，宜其鍾靈萃秀，篤生異人，有如中令公者。曰山東出相，亶其然乎？仍訪公陳迹，得遺祠於里之北，壞垣敗屋，大有不稱公聲華烜爀於蓋代者。適去職不遑顯圖，略致稽古象賢微意。今年冬，郡從事邑人崔君文，懇予書以揭公祠。他日持歸，將丕崇厥構，有來具瞻，式廓民僘，以為東人光。庶幾必恭敬止之義。其懷賢樂善，殊有屬予心者，就述中令公之出處大致，且寓夫予之所梗概者焉。唐既剗隋亂，治具畢，張公挺曠邁之姿，負詩書之業，痞瘵風雲，思立談以取卿相。及遭遇太宗，由布衣論天下事，飛章抗疏，展盡底蘊。一時劍履鏘翔，何翅百位，獨能婉孌龍姿，有密基命如房、杜，以佐命就列。先生以機務稱賢，至隆貞觀文物聲明之治，寵受之光[一]，前後有爀，卒全君臣始終相得之分，何其盛哉！然向非中郎何之賢心焉休休，越彥聖而達不違，則公之事業烏得施展，經綸如是其至者乎。《書》稱「邦之榮懷，杌棿其原」，實繫於此，信哉！故昔之以致澤存心進賢為職者，未嘗不眷眷於斯焉。「至想見二公風采，歆其餘光邁烈[二]，厲衰俗而激頹風者，亦以多矣[三]。崔君曰：「有是哉，吾子固當同稱並美[四]，大書特書而已也。」至元二十五年戊子歲冬十一月謹記。

[一]寵受之光：原作「龍受之先」，據文淵閣四庫本改。

[二]歆其餘光邁烈：歆，文淵閣四庫本作「欣」。

[三]亦以多矣：以，文淵閣四庫本作「已」。

[四]吾子固當同稱并美：并，文淵閣四庫本作「大」。

靈應觀世音記

以心感心。不然，神當求之於有無之間。　至元二十六年五月六日

新樂李氏藏觀世音像，蓋宋淑德尹后家物也。李世奉之甚恪，喪亂間失所在。一夕見於夢曰：「吾今寓某家擘塢中，可訪求以歸。」為物色之，獲焉。家人疾，乞藥，嘗得丹粒於杯案間，服之者即問[一]。於戲[二]！其可謂靈也已。釋有經曰觀音[三]，大約人罹厄難，持誦虔禱，世音以慈悲威力，能解脱諸苦。雖悍夫戾婦，莫不信然。吾儒者，釋之道初末之學，其善惡感格之理，且以吾之所得者明之。夫萬善生于心，而庶徵應於外。又嗜欲將至，有開必先，天之所以福善禍淫者，祇是以理或否屈而伸之也[四]。故一念善，則祥風和氣即在於是；一念惡，則妖星厲鬼亦在於是。彼疾痛率籲，而云聞聲應願，濟而度之者[五]，所謂以心感心，不入諸相，而氣志如神，廓然自應者歟[六]？不然，恐是聖賢立教，使人篤敬，速於背惡而嚮善耳。若乎誠不立，妄意虛想，亦釋氏之所惡也。昔有寶菩薩板者，重其道於筆也。今李氏世奉尊像如此，敬其神之靈也。既曰靈，有不敢以一概論者，如東坡外祖父程公遇蜀亂，絶糧，困不能歸。有僧十六人往見之，曰：「我，公之邑人也。」各以錙二百貸之。程以是得歸，竟不知僧所在。公曰：「此大阿羅漢也。」歲設大供四。公年九十，凡設四百餘供，然坡跋於尾云：或曰

羅漢慈悲深重，急於接物，故多現神變，儻其然乎？是亦自疑而不敢必也，幸觀者瑩鑒。畫年深，繒色黯昧[七]，筆法極精妙，非近代所可及。李伯母孺人王氏，今年壽九十一，聰明不衰，自少至老，供養尤謹，可謂孚誠立而不入諸相者哉。至元己丑歲五月六日，係先妣夫人靳氏明忌，書二本以薦冥福云。

（以上《秋澗集》卷三八）

[一]服之者即問：問，原作「間」，據文淵閣四庫本、王抄校本改。 [二]於戲：文淵閣四庫本作「嗚呼」。

[三]釋有經曰觀音：釋有經，文淵閣四庫本作「釋經有」。 [四]衹是以理或否屈而伸之也：以，文淵閣四庫本作「一」。 [五]濟而度之者：度，文淵閣四庫本作「渡」。 [六]廓然自應者歟：文淵閣四庫本無「廓然自應」四字。 [七]繒色黯昧：繒，文淵閣四庫本作「繪」。

全元文卷一七二

王　惲　六

重建衛輝路總管府帥正堂記　至元二十六年五月

汲之為郡，其來久矣。自唐初易而為州，歷五季、宋、金，率以防禦節度使來尹治之，故其公廨制度廣狹，視厥秩[一]，夷而不敢越。逮國朝中統建元之明年，陞州為府，前政因仍，不及改作，加以歲月深，土木弛，狹隘頹弊，朝夕視事，有不堪其處者。後二十五年，嗣侯答失帖木兒[二]、暨總尹耶律漢傑、判官常德繼軫來任，既而與相議曰：「維大府距河朔衝會，部二州四縣一司，治稱匪易。堂則乃赫焉具瞻之地，其承宣王澤，聽斷民事，齊肅禮容，號令約束，盡在於是。今狹陋若爾，殆非所以恪王事而儼官守也[三]。又以品秩等威視堂之隆殺，固不可與嚮也相類。於是張皇前規，構而一新。凡為楹三鉅筵，東西六尋有奇，南北邃三十有七尺，高爽靖深，公居儼稱，復作左右翼廳各三楹，及增崇儀閈[四]，俾與新解映帶相奂，仍扁其顔曰「帥正」，復舊觀也。凡三月告成，詢其費曰：「安取？」輟公稍以給之。越六月某日，命饗於新堂，會僚佐屬吏與郡之士夫，肅四方之賓旅，大合樂以落之。望之儼然，與飛雲傑構相雄跨矣[五]。故老嘆息，以謂百年來，方覩官府若斯之盛。吁！治其可忽也哉？而忽而治，只在公正從違而已。然則何為公？事不私之謂也，故公則生明。何為正？正己而正不正者也，故正則可大。天下之事未有不公而治，民未有不正而格，官孰有不順而穆者乎！于斯之際，當官者固未暇以清心省事為職，而守正從新[六]，何嘗有時不可之聞哉[七]！大凡人之心公而有恒德者，苟事有可為，必為之不怠，詎肯以歲月去留，容其心于間哉[八]？今斯役之作，惟其若然，故能於共億鞅掌外[九]，又復興滯補弊如此[一〇]，可謂賢也已。既卒事，來丐文於余，以邦大夫之賢者，方事之以相勉，況鄉國盛事，其敢以不敏辭，於是乎大書于石，庸告來哲，抑又知公等必葺之意云。至元廿六年，歲在己丑，五月日記。

[一]視厥秩：視，文淵閣四庫本作「規」。　[二]嗣侯答失帖木兒：答失帖木兒，文淵閣四庫本作「達實特穆爾」。　[三]殆非所以格王事而儼官守也：王，原作「正」，據至治本、文淵閣四庫本改。　[四]及增崇儀閈：崇，文淵閣四庫本作「榮」。　[五]與飛雲傑構相雄跨矣：跨，文淵閣四庫本作「誇」。　[六]而守正從新：新，文淵閣四庫本作「心」。　[七]何嘗有時不可之聞哉：之聞，文淵閣四庫本作「聞之」。　[八]容其心於間哉：文淵閣四庫本作「容心於其間哉」。　[九]故能於共億鞅掌外：共，文淵閣四庫本作「供」。　[一〇]又復興滯補弊如此：復，文淵閣四庫本作「能」。

郭氏挹翠樓記

至元二十四年正月十五日

共人郭子忠起書樓于所居之西市，以地形爽塏，高甫尋丈，而有縹緲飛動之勢。既落成，來丐名與記。予以共為邑，距太行東麓，連山疊阜，映帶回抱，矯首而觀，盡得西南林壑風煙之勝，因扁其顏曰「挹翠」。顧惟澮僻，仁智之樂，蚤歲有懷，嘗從諸賢讀書山房，灑灑然遂有所得[一]。如龍門、白鹿嵬、百家巖等山，皆左戒絶觀[二]，雖常歷覽而屢至，然蠟吾屐而踐其形，固未若支手板[三]，而當其氣之爽也。若夫積翠横空，一碧萬仞，空濛霏微，騰滋泛潤，眷我樓居，壼開碧供，而又秋雨霽，殘陽暮，夕氣轉佳，千鬟濕霧，主人於是詠「飛鳥與還」之詩，誦「煙光凝紫」之句，攬其秀則詩脾儘清，挹其輝則芳樽溢淥。至於野風吹來，江月引去，曾黎明而已集，喜虚懷之延佇[四]。吾想夫共之全盛時，愛山而起構者，若涌金之麗譙，公廨之危榭，太師張公之溪亭，丞相蔡侯之别墅，其餘臺亭觀閣，層軒曲檻，前後非一。雖昔人已非，而山川良是。嚮之挼藍潑黛，争妍競秀，為名家之奇貨，供騷客之珍玩者，一旦悉為郭氏奄去，不知一樓之勢之費其將幾何，乃為造物所偏而獨饗者，乃爾其富，宜乎釋然而樂，興有餘而樂無窮也。因念萬物盈於兩間，洪纖高下，固云不齊，要其氣體，物吾與也[五]。彼山之丕[六]，凝篤實發，光輝若然。由家之絫積善行，致慶流餘裕。今郭氏在承平時為衛之大家，世以藥石為業。乃若爾考爾叔，秉彝藴秀，稱鄉里善人，其翼其肯者，斯美具在。子今不失舊物，能擴而充之，齊其本而大其末，與霏霏微微者，日新於華構之上。俾後之來者，挹而注之，以膏其末光；霑而漬之，以衍其餘慶。安知方寸之木，不高於岑樓也邪！至元廿四年歲次丁亥上元日記。

［一］灑灑然遂有所得：遂，文淵閣四庫本作「如」。［二］皆左戒絶觀：左戒，文淵閣四庫本作「左右」。
［三］固未若支手板：若，文淵閣四庫本作「嘗」。［四］喜虚懷之延佇：佇，原作「停」，據至治本、文淵閣四庫本改。［五］物吾與也：文淵閣四庫本作「物與吾一也」。［六］彼山之丕：彼，原作「被」，據文淵閣四庫本改。

秋澗記

至元二十六年八月十五日

山之有澗壑，猶人之有量數也，苟夷隘以狹，人將無以自處，況能物之容乎？太行諸山，去郡西五十里而近，予嘗遠遊。西自百家巖，東盡靈山北崦。並山之麓，深溪鉅澗横斜交絡，折地而東騖［一］。秋水時至，萬壑溙澮，允猶翕合，咸就約束，滔滔汩汩，迤逦而去，或清或濁，無遠無邇，不擇細大，順受而併容者，此澗之量也。至於流潤决壅，激而為飛湍，旋而為盤渦，匯而為淵渾，束而為細流，巖屋以伏其怒，巨石以殺其勢，就泛長傾，順流遠引，溉平田而有秋，浮大木而出谷［二］，不致肆濫横潰，使一漫流害，注大川而後已者［三］，此澗之功也。及其忽焉收潦，千里一空，曾不少遺，用以自潤，縈紆盤折，沉深闊遠，漲痕在而流沫空，沙尾平而崖涘峻，紛兮交貫，曠兮長虛，水之去來雖有緩急，澗之吞吐初自若也，又類夫含章可貞，或從王事無成有終者，是又澗之不有其量之與功也。嗚呼！澗乎，其見用於秋之時乎？予嚮在京師，客有善推策者，嘗有所請。渠曰：「子非王秋澗乎？」予曰：「然。」客曰：「既云秋澗，致用有在，第未之至耳。然觀子之流行，異時當有東南遠役。大富厥覽，不特泛長江而觀七澤也。願子思存乎見少不自以為多可也。是則澗之量數不其容乃大歟！」余唯而退。至元廿六年己丑歲秋八月望日記。

〔一〕折地而東鶩，鶩，原作「鶩」，據文淵閣四庫本改。　〔二〕浮大木而出谷：木，原作「丕」，據文淵閣四庫本、王抄校本改。　〔三〕注大川而後已者：注，文淵閣四庫本作「至」。

堆金塚記

至元十九年十二月八日

國朝癸酉歲，天兵北動，奄奠中夏。明年分道而南，連亘河朔，衛乃被圍。粤三日城破，以州旅拒不即下，悉驅民出泊近甸，無噍類殄殲。初，星妖下流，淇上群兒氣吐成謡，閧歌里陌間，曰「團欒冬〔一〕，半破年，寒食節，絶人烟」之讖，尋罹厄，實貞祐二年春正月十有二日也。時太一度師蕭公當危急際，以智逸去。是年冬十一月，師自河南來歸，睨其城郭為墟，暴骨如莽，師惻然哀之，遂刮衣盂所有[一]，募人力斂遺骸，至斷溝眢井、攓蓬坡塞，掇拾罔漏。乃卜州西北二里許，故陳城內地，鑿三坎，瘞而丘之，仍設醮祭，以妥厥靈，游魂褫魄，薤露碁蒿，同歸一窆。其棘林暮夜之號[三]，陰壁枯血之火，熒沉啾寂，無復光怪，蓋因冥薦而脱異滯之幽，依道廕而復坤靈之厚，幽冥雖殊，存歿兩有慰焉。而師之掩覆仁心，於鄉梓之義極矣。今其封俗呼為「堆金塚」，言人骨久而化金石也。每岁清明後一日，邦人聚奠以信些孺，本宮为尸而祝之。六代师全祐，懇予文紀其事，以昭先德[四]。嗚呼！三代而下，以智力相角，其勢不干戈血肉而莫之已。何天地生物之仁，返如是其盭哉！豈周天之運，戹會有時，中來而不可逭邪？豈立極之道，仁義迹熄，自取陵遲而然邪？豈蒼茫兩間，初無關係，物盛而衰，自然而然邪？皆不可而必也[五]。第嘉師生平以道濟衆，力苟可及，不忍以一物失所類如此。初，師既葬，主柘之延祥觀。壬辰冬，大兵至城下，師懲前日河朔兵凶之慘，復以一言活萬家於鋒鏑之下，古稱「澤及枯朽，矧生人乎」？師之謂也。向使師遭時得位，其仁民愛物之功，豈如是而已耶？因併及之。師諱道輔，字公弼。甫冠，嗣主宗教，後加謚號「中和仁靖真人」云。至元十九年龍集壬午窮臘日謹記。

[一]團欒冬：欒，文淵閣四庫本作「練」。
[二]遂刮衣盂所有：刮，文淵閣四庫本作「括」。
[三]其棘林暮夜之號：棘，文淵閣四庫本作「深」。
[四]以昭先德：昭，文淵閣四庫本作「鳴」。
[五]皆不可而必也：文淵閣四庫本作「皆不可得而必也」。

霍岳肇祀記

至元十年六月二十七日

至元九年冬，朝廷以郡邑鎮山大浸載諸典秩者，所司三載一祀。霍岳在河東，實為靈鎮。故事，每歲以仲夏土極之日用信報禮，昭虔度也。明年癸酉夏六月廿六日，惲行縣，北走霍邑，前次洪洞[一]，雨不克邁。越翼日，抵趙城，適嚴祀省牲之夕，乃率霍州判官連漢臣、監縣事塔的、尹裴國用、主縣簿劉偉齊宿祠下。將事之夜，霧雨交作；既祀之朝，陰霾四開。三獻禮成，冷風肅然[二]，神峰驚嶺，軒豁呈露，雖韓潮陽之禮衡岳，孔廣州之祀南海，不足以喻其快也。陪祀者府兵曹解禎、縣佐吏高政、税監張承慶、邑人薛昌齡、獄廟道士李志真、興唐寺僧普光、執事者吏王庭玉等一十五人，遂相與饜飫神貺而退。承直郎平陽路總管府判官前監察御史汲郡王惲題記。從行者閻山張思誠、子公孺。

[一]前次洪洞：次，文淵閣四庫本作「抵」。　[二]冷風肅然：冷，文淵閣四庫本作「陰」。

表忠觀碑始末記

至元二十九年六月二十八日

至元庚寅冬，予自福唐得告北歸，前次臨安。客有以表忠觀碑為言者。字作擘窠大書，殊偉麗也！詢之馬御史德昌如所聞，云：「觀在龍井不十里遠，能一到其下豁，先覩為快何如？」予以長淮迫湅為謝。適鮮于生在坐，屬伯機他日打一本惠及足矣，曰「諾」，既而杳然。明年辛卯秋，吾友傅君士開赴官兩浙，仍託以取。逮壬辰夏六月，傅自杭特令人付來。其碑作四巨軸，裝潢如法，蓋亡宋故家物也。噫！坡書在霄壤間，忠義之氣鬱鬱然，秋色争高，雖片言隻字，不可遺逸，宜其世寶而力致之也。故心存夢想，求以三歲之久，跨越江湖，至自二千里之遠，一旦高堂素壁，如天球河圖[一]，弘璧琬琰，對越左右，誠可貴也。左山云：「古人不可復作，所得見者筆迹而已。」况公斯文關繫世教，令人讀之油然有忠孝之勸，烏可衹以翰墨為之論乎！然一一較之，蓋印印泥折釵股之法也。是月廿八日，書於春露堂之扶疏軒。

[一]如天球河圖：天球，原作「天珠」，據文淵閣四庫本、王抄校本改。

睢州儀封縣創建廟學記

道之大原出於天，以之脩齊治平、格非心而叙彝倫者，孔孟之教之功也。其為天下通祀，宜矣，况存神過化之地乎？儀封縣，金正大間割考、襄、東明三邑地[二]，立治于黄陵之通安堡，以古儀城在焉，故名。考之儀即春秋衛之邊邑，其為孔軫頓次、封人請見之處，諒無疑矣。兵後縣廢。歲壬子，國家經略河南，移理於通安南平城里，桑土衍沃，民俗便安。然官府初創，禮文之事有未遑暇者。吾夫子歲時假公舍而釋菜焉，其邑長盛君即議起廟堂於艮方，後為風雨攸壞。癸亥秋，裴滿君自陳留令來尹斯邑。既告謁，顧清廟如是，惴惴不少安，乃與監縣奥兀剌等謀曰〔二〕：「承流宣化，事神善俗，皆我之責。吾夫子政之本、教之宗也，嚮以濟時行道，轍環中國，以木鐸而徇衛者屢矣。千古而下，時移事在，雖眇邈聆遺音，而二仲楹奠〔三〕，車聲轔轔，肅焉來格，不侈大宮庭，將曷以發越奎光，致邑人觀感之深者焉？」遂與繼任火者赤暨僚屬各捐俸〔四〕，易爽塏地於東南陬，士庶聞風，亦翕然響應。於是定方中，繚崇垣，起禮殿，敞神闕，下至講堂、齋舍、庖湢之所，莫不完美。元聖素臣，黼座有儼，宏麗靖深，蔚為東南宮廟之冠。教諭張庭珪等實董其役。君既代之明年，尹程亮、簿劉楫嘉其謀作之勤，烏可使無聞於後，乃令學直李攀鱗持狀來丐文以紀本末。小子惲嚮提憲閩海，道出茲邑，親覩斯美，周行慨嘆，何有志成事也如此！是可書也。因重為告之曰：風化者致治之原，人材者為政之具。人材盛衰，民俗淳漓，一係夫學校之興替，故前人以庠序為國之元氣。誠知言哉！我國家以神武戡定區宇，至戊戌間，生聚甫集，首闡猷設科，擢賢雋，復户役。其所以開太平之基者，固權輿於茲矣。逮聖天子嗣，復張皇潤色，越先朝有光。如釋奠具儀，禁護著令，内而開國學，訓胄子〔五〕，庶幾成均遺法；外而勉郡縣鄉社，置師儒以揉鄙樸，擢用講明，條格甚悉，於明德新民之具，崇尚循誘之方，可謂備矣。而任師帥者，承宣贊理，以副上之所尚，宜何如哉！裴筮仕初以通國字，充胄子教授，宜其下車首議教基，敦風俗為本，可謂知所務矣。尹諱翼，世為遼右顯族，資明達，以廟學一節觀之，知其為能官者。某年月日謹記。

[一]金正大間割考襄東明三邑地：襄東明，文淵閣四庫本作「東明襄」。[二]乃與監縣奧兀剌等謀曰：奧兀剌，文淵閣四庫本作「昂阿喇」。[三]而二仲楹奠：楹，文淵閣四庫本作「行」。[四]遂與繼任火者赤暨僚屬各捐俸：火者赤，文淵閣四庫本作「和爾齊」。[五]訓肯子：訓，文淵閣四庫本作「教」。

義勇武安王祠記　至元二十八年五月五日

汲縣縣治即故尉司，公廨内舊有武安王祠，莫究其所始，而可見者，金泰和初信武將軍完顏師古重加修飭，昭然禱而答靈貺也[一]。兵後廢撤不存。有元中統癸亥，簿聶元擒詰强禦，未即厥事，假靈於神，已而如所願，遂即治左，復廟而貌之。癸未之水，又從而圮焉。至元丙戌，真定録判劉聚來主縣簿，以遊擊有功，田里頗安，不敢居其能，越神明是歸，遂以起廢為己任。星甫周，神栖像設，一切修而廣之，妥靈揭虔，中外交肅。既落成，來懇文以紀本末，仍表夫神之所以昭昭者。予乃為之説，曰：忠義者，天下之大閑；良心者，衆人之素有。惟夫超倫逸群之士，得時行道，毅然不拔，乃能見二者之用，而使後世畏仰愈久而愈不忘者，豈非公歟！公遭漢室傾頹，群雄血鬩，玄黄之際，識昭烈而翊戴之。紹延漢基，而明君臣一定之分。報效曹公，不為利訹，以决去就當然之機。至氣凌三軍，威震中夏，而擅國士之風者，此無他，不過擴秉彝之良心，信濟時之大義耳。公既没，其陰相餘烈加於生者殊多，豈豪傑英偉之氣無時而息，加以人心素有聚精於此，默相動盪，有不期然而然者邪！是則公為不没矣。嗚呼，其可不敬也夫！故百世而下，宫居血食，衮冕而王，宜矣。及夫世教下衰，禍福儌動之説興，淫祀妄禱，唯知曰「我祭則受福」，此豈理也哉！孰謂神顧而饗之耶？今汝等既新斯宇，當念夫神之所以致斯者，義而已。吾之所以感神者，能極夫義之所至，則幽明兩間，豈惟感格之理，名實俱得，將見簡簡穰穰之福降而孔那矣！俾刻諸麗石，以告來哲。至元廿八年五月重午日謹記。

[一]昭然禱而答靈貺也：然，文淵閣四庫本作「默」，王抄校本作「虔」。

勉齋記

人有不若之耻，天下事未有行而弗至者，況秉彝昭融，從容於循勉者乎！郎中杜君季明聞僕名而喜之，書所著《勉齋》等篇贈予。疾讀數過，其修辭行己，一以經旨為據，有味哉斯言也！誠信道篤，持志堅進，進而不晝者也。予乃為之説曰：夫聖人之道，體微而用費，辭要而理奥，雖聖賢有所弗知，故學之者不措也。充而至於極，愚必明，柔必强，《書》之「懋哉」，《詩》之「匪懈」皆是也。子思子因道述教，發越微奥，曰勉强而行之，信聖賢之善誘，致用自得之良規也。然乏粹美之姿者，不可得而勉；

無資深之志者，勉焉而未易得。二者皆具，無致用之位，徒勉一躬，俾兼善之功不及於物，斯亦君子之所耻也。故《傳》曰：「幼而學，壯而欲行之。」由是而觀，士志於學，不止徒善，乃為循勉之極。令君懿秉超卓，言慎行敏，挺身頽波，砥柱屹立。游公卿之門，當形勢之途，毅然以道義自任，不為外物所移，日廣忠益思，成具瞻之美，推轂多士，以伸兼善之心，正以負彊矯之姿，明當勉之理，自誠而明，由己以達物，其大者遠者還有功而立，致效也為不難。將見一拳之石，聳泰岱於目前；一勺之水，沛霖雨於天下。是則嚮之思而得，勉而中，從容中道，聖賢與同歸矣。僕壯年竊有志於世，已嘗少試於用，間或勉中思得，念天下之事莫此樂也。今行就衰謝，及聞伯夷之風，振衰激懦，耿耿有不去其懷者。因為長歌，揄揚吾子之勇，且寓夫余之感焉。歌曰：安肆日偷，衆情之常乎。黽勉日强，君子之志乎。施之有用，斯又古人之難乎。矯矯杜君，知耻近勇之倫乎。見諸行事，而復德日新乎。牙磋玉琢，殆起予者商乎。行雖衰矣，衷或誘其愚乎。雖佩玉長裾，尚足以利乎走趨也。於是乎書。

終南山集仙觀記

予自壯歲宦游四方，經涉河山大地，昔賢遺迹未嘗不彷徉臨望，富覽勝概而去。尚自視欿然者，獨欠秦中一游。每聞談關輔形勢，漢唐間風聲氣習，翹翹褰裳，夢寐長往。今年夏四月，有虚齊道人楊姓者，踵門來謁，拈香具體，磬折而前曰：「側聆先生名德久矣。自惟何幸，於焉得遇。」繼出一圖示余，指似云：「終南縣重陽祖庭西南甘源水，左由石砦入峪[一]，道即陡[二]，陰磴山行二十里而遠，抵望僊平[三]，得唐以來集仙庵故址。山中人傳云：昔有古僊人呂翁者嘗學道於此。近代有長生師劉公愛其崦曲幽勝，清泉灌木，陰湛連甃，乃結茅雲隱，略有興築。兵餘，雲荒石老，無復人迹，林光空翠，景氣長新。當時，貧道從三洞弘玄師真侍香重陽丈室。既而以法籙事辭師入山，結習修靜，遂步上甘谷東峰。不覺適喜曰：『此吾巢松税駕之地也。』乃與方外二三友道宣聰真輩，定居而建其所當奉壇場神室等祠。歲時清供，鐘磬之音隱然山谷間，如回嶺丹樓諸峰，漢洞神湫之境，雲烟動色，亦欣吾來盟。洞明真人祁公聞之，嘉其志堅，可與有立，給觀名曰『集仙』。至元癸未，皇侄永昌王易其額，有『玉清昭應』之號。經營未已，洞口有光，人迹踵至。復避喧趣靜，斂裳宵逝。東入商嶺，廬天柱峰，及漫川之青崖，往來逋止，將終身焉。居無幾何，悮為尺一喚去，待詔闕下，付以禱爾上下之事。自是齋居致敬焉，感召幽貺，呵禁不祥，扈從法駕，往還兩京者，凡二年于兹。癸巳春，蒙恩復以傳送還本山。將行，切自揆遭遇明時，莫大之幸，越玄門儘光。重念山齋寂寥，歸無片辭以勒巖石，使後之尋盟者，曷以見住山歲月、開先樓觀，而雲龕石室，亦曾睹鶴書赴壠、鳴騶入谷之賁哉！敢再拜以記文為請，且償先生平時所願言。」余嘗謂道家者流，以淡泊虚無為宗，以忘言絶俗為事。或者須人為徒，心存濟度，如三洞五雷、盟威正一等法，行符勑水，驅逐疾疫，鞭笞鬼物，使邪氣罔奸兩間，其於補助世教，有不得後焉者。方之與世相遺，歸潔一身，槁死山林，長往而不來者，為有間矣！故樂為書之。楊法諱道謙，蜀之銅梁人，號保光子，上世有以進士為巴西令者。某年月日記。

[一]由石砦入峪：砦，文淵閣四庫本作「碧」。 [二]道即陡：陡，原作「陡」，據文淵閣四庫本改。 [三]抵望僊平：平，文淵閣四庫本作「坪」。

彭澤縣創修二賢堂記

自昔宰彭澤者，其麗不鮮，獨二賢者，至今屋而祀之：在縣西市里者，靖節陶公也；其在東門內者，唐相梁公也。歲貌殘圮，揭虔斯在，蓋其高風義烈，上薄雲日，千載而下，大有關於世教者然也。總尹周侯，諒其如是，越到官之明年，既治廟學，遂遷二賢祠於神閣之右，作新宇以合饗之，仍榜之曰「二賢堂」。至元甲午春，侯會予於京師，迺以祠事相告，且曰：「二公皆宰茲邑，行己去就，有略不同者，先生試為錯言之。」余曰：「淵明以長沙世胄，起而弦歌，知其不可而去。及宋業漸隆，不復仕進，義熙而後止書甲子，明見恥臣於宋。豈惟隱居求志，抑且勵薄俗而明大義也，故《綱目》以晉徵士卒之[一]。梁公有唐忠臣，被讒遠謫，志在復辟。此隱忍就功，可久可速，藏器俟時之意也[二]。若二公者，考其迹則異，揆其心則同。孟軻氏謂禹、稷、顏回同道，易地則皆然者是也。一堂並祀，何嫌何疑。」周侯曰：「嘻，有是哉！不肖初心固不外此，特取正於公耳。今將謁諸公賦詩，合異同而萃全美，幸內翰以首倡題諸篇端，會歸付之邦人，俾刻石祠下，以告二公。雖云義起，烏可闕其說焉？」於是乎書。是歲三月望日記。

［一］故《綱目》以晉徵士卒之：卒之，文淵閣四庫本作「卒書之」。［二］藏器俟時之意也：俟，文淵閣四庫本作「候」。

克己齋記

御史中丞崔公，作新齋于私第中門之内，為朝夕見賓客、廣忠益之所，扁其顔曰「克己」。中外士夫聞而疑焉。蓋以公忠亮，簡在帝心，四方想見其風彩，勳名事業無愧於昔賢，方且孜孜焉，汲汲焉，致力於方學者所務。僕為之説曰：天之降大任於斯人也，俾經綸一世之事。其時政之得失，思有以論列之；生民之利病，思有以興除之。人材沉滯，賴之而薦舉；奸邪横恣，仰之而糾繩。況辨公私於事時不同之後，論紀綱於功利競進之餘。是恒處乎憂患之域，而踐乎艱險之塗矣。職臺憲者，可謂責之重而任之不易矣。自非材德備具，卓爾千人之英；志氣剛明，信乎萬物之表；偏蔽躁妄，力制嗜欲之私；視聽云為，釋發性情之正；厲忠直而靡他，無瑕疵之可擿；既正身而格物，先律己而治人者，詎能厭公論而服衆心，振清風於臺閣者哉！而公端本澄源之志，實有在於此，宜其於聖賢傳授心法，切要之理，默識心通，景仰取法有不能自已者。惟公歷事兩朝，久執臺憲，忠君愛物之念，若饑渴之於飲食。當其論列主宰之際，犯顔匪躬，挺然以直道偉論獨步一時，曾無顧忌退縮之私，固已循天理之至公，思復本心之全德矣。雖然，顔子入室大賢，得聖人為之依歸，夙承善誘，鑽仰篤信，猶不免違仁於三月之後，矧餘人哉！蓋天理人慾，祇在於公私一念之頃。惟致知是期，格物知至者，動静以察其變，朝昏以精其思，久蹈彝則，靡息厥修者，方造聖賢閫域。故衛武公年登九秩，作抑詩以自警；司馬文正存守一誠，終身不易。今公既循聖賢治心行己之要道，復如二公貞固自持，服膺勿失，日就月將，豈惟緝熙於光明，將見與昔賢同歸而不殊矣[一]。公以齋記見囑，僕年衰老，懶於筆研，敢直書臆見，姑塞雅命云。(以上《秋澗集》卷三九)

[一]將見與昔賢同歸而不殊矣：文淵閣四庫本作「將見與昔同歸而賢不殊矣」。

全元文卷一七三

王　惲　七

傳國玉璽記

粤皇王肇興，必有靈貺自甄，董生所謂天之所大奉使之，有非人力所能致而自至者，此則受命之符，如龜圖、龍馬、火烏之類是也。三代而下，視符寶為重，以守以傳，體用大著。維大元至元三十一年甲午春正月辛巳，御史中丞臣崔彧，聞故太師國王孫通政院倅拾得家，以窶甚出櫝玉，托憲臺象胥闒闒出者沽諸市[一]，以物制非常，竟不售，令取而視之，迺黝玉寶符。其方四寸，螭紐交蟠，四可邊際，中洞橫竅，其篆畫作蟲鳥魚龍之狀。即召御史裏行臣楊桓辨其刻文，曰「此先秦以藍田瑱追琢，受命璽也」。臣彧即持詣宮府，介鎮國上將軍都指揮使詹事丞臣王慶端，通謁投進皇妃御前，玉音慰諭，賜幣各有差[二]。翼日，二月壬午朔，金紫光禄大夫中書右丞相臣完澤等，率翰林集賢兩院學士，凡十有一人，詣宿閤入賀。有間，皇太妃命出斯寶，賜諸臣傳觀，精彩景氣，光動宮閣[三]。翰林承旨董文用等相與稱説曰：「斯璽也，自秦迄今千六百餘載，中間顯晦固為不常，今者方皇太孫嗣服之際，弗先弗後，適當其時而出，此最可重者。」蒙宣勸而退。臣惲復考其近而明見者[四]，按金《集禮》云：玉璽一十五面，俱得之於宋内，受天璽者，宋紹聖間得之咸陽段氏。當時命禮部翰林太常等官考驗，實係漢前傳璽，遂以禮祇受。金亡，莫究其所在。今之所進，其文章、制度、玉色，校《集禮》所載，即此璽也。昔晉見麟璽於江左，唐得賜寶於崔□，事出惝恍，傳疑後人。元帝猶藉之以中興，代宗尚因之而紀號，俱未若斯璽，實前代有天下者之鎮寶，應運呈瑞，不涉誕妄，非人力所致，而一旦自至，意者上天申佑，奉而大之，赫為新朝受命貞符昭昭矣。抑表夫曆數斯在，開邦家無疆之休者，光賁前古矣。稽首嘉嘆，於皇盛哉！臣惲自惟職叨詞館，獲睹非常，老眼增明，不為不幸，可無文于後，遂綴緝本末，用紀大瑞。翰林學士嘉議大夫臣王惲謹記。

[一]託憲臺象胥闊闊出者沽諸市：闊闊出，文淵閣四庫本作「庫庫楚」。　[二]賜幣各有差：幣，原作「弊」，據至治本、文淵閣四庫本改。　[三]光動宫闈：闈，文淵閣四庫本作「闕」。　[四]臣惲復考其近而明見者：文淵閣四庫本作「臣惲等復考其近而明見者」。

蔬軒記 并銘

安君世有，雲中人。父善甫，亦佳士。世有，前進士舜臣李公門情[一]，性姿善淑，言貌謙撝。早歲讀書，不樂仕進。壬辰後，徙家大燕，今居文明東里，有宅一區，軒楹外隙地寬閑，分畦種蔬，日以為樂。友人過而以蔬名軒，既以秘監新泉即楊武子。篆其扁，又求秋澗野老明其心[二]。因為之説曰：貧家蔬食當米秉之半[三]，此正詩書為業蔬淡自娱者也。傳有之，穀不熟曰饑，菜不熟曰饉。我有旨蓄，亦以御冬。蔬之為用，夫豈小補者哉！然夫子以吾不如老圃辭而闢須者何？蓋君子為學[四]，志其大者遠者，遲遊聖人之門，以是焉為請，失其志之所尚故也。大要士之處世，隨其窮達本末先後為得。昔汪氏以人嘗咬得菜根[五]，百事可做，胡康侯為之擊節歎賞。真西山謂大夫士不可使不知其味[六]，斯民不可使有此色。此固大人之事，但二公為之一轉語耳。又比年來，士夫例有別號，未免封己養高，鮮不以清美自衒，如以終南為捷徑，指少室而索高價者，往往有之，恬不為怪。至於飯疏飲水，曲肱自樂，庶幾顔氏克己之功，將何不可者哉！於是書以為記。乃為之歌曰：「翻翻庭蔌，雨露濡兮。秋高氣嚴，碧雲腴兮。夕擷朝烹，供吾用兮。日費萬錢，鼎食重兮。一蔬餬口，吾儕分兮，既不知食肉之多憂，余胡為之邅悶兮。咀嚼饑腸，出奇策兮，不致蒼生，有此色兮。」歌闋而去。

[一]前進士舜臣李公門情：門情，文淵閣四庫本作「門人」，王抄校本作「門倩」。 [二]又求秋澗野老明其心：明，文淵閣四庫本作「銘」。 [三]貧家蔬食當米秉之半：秉，文淵閣四庫本作「粟」。 [四]蓋君子為學，文淵閣四庫本脱「蓋」字。 [五]昔汪氏以人嘗咬得菜根：汪，文淵閣四庫本作「程」。 [六]真西山謂大夫士不可使不知其味：真西山，原闕，據文淵閣四庫本補。王抄校本作「涪翁亦」。

漢大司馬博陸侯霍將軍祠堂記

至元三十一年上巳日

蠡吾治城西北郊，有漢大司馬霍將軍遺祠，俗相承即侯之故封[一]。考諸傳注，博陸鄉名，職方載博野本蠡縣地，居博水之野，故名。終以陵遷谷變，疆理蒼莽[二]，有不敢摭實者。然以地形相度，今之博野，安知非漢鄉之博陸乎？廟權輿莫究何代，以信傳信，必有所自。至元十七年，予按部次州，來謁祠下，荒壇喬木，宛在目中，老屋庳漏，不障風日。過客惻然，心魄動盪，疇為神睨而顧之邪？因屬守以義起廢，具邦人瞻，吏諾而退。逮三十一年甲午，予承乏翰林，省左署郎官劉源郡人也，以東曹掾徐鳳來告曰：弊邑霍侯廟[三]，耆舊某輩，令易而一新，内翰幸不忘久要，尚惠一言[四]，庶免夫旌紀寂寥之嘆。蓋嘗論人臣以道事君，身名俱全，克始克終者，世難其人。三代而下，能膺斯任者，惟將軍為然。將軍諱光，字子孟。早以大忠至謨見知武皇，及其受顧命、付後事，至擁昭立宣，罔辜所托[五]。班固論贊：雖殷之伊尹，周之姬旦，初不是過。誠哉斯言也！所謂伊周者，為天立極，為生民永命，為萬世開激後賢，尸而祝之於社，況將軍乎？然神即人之心也，誠敬所在，乃神心之所在。今郡人業新斯廟，歲時虔享，因誠起敬，如見風采，其為神昭鑒也審矣。若曰修復故事，敬共神明，必獲禮於下執事，此則神當然之理，吾不當以是心徼之於冥冥也。至元甲午歲上巳日，翰林學士嘉議大夫王惲謹記。

[一]俗相承即侯之故封：俗相承，文淵閣四庫本作「址相仍」。　[二]疆理蒼莽：理，文淵閣四庫本作「里」。
[三]弊邑霍侯廟：廟，原漫漶不清，據至治本補。文淵閣四庫本、王抄校本作「祠」。　[四]尚惠一言：
言，原漫漶不清，據文淵閣四庫本補。　[五]罔辜所托：辜，文淵閣四庫本作「孤」。

趙州柏鄉縣新建文廟記

至元三十一年六月十九日

三代治民之具，隨時更易，百世而下，惟學校存而不廢。蓋所以明天理，叙彝倫，止民於至善之地故也。況在今日，有尤不可後焉者。維趙之柏亭，本漢鄗邑地，隋縣焉，宋、金以劇稱，板蕩來，官府生聚，日就完美，唯吾夫子廟宫鞠為茂草者，有年于兹。迨中統建元之明歲，監縣事茂都、令馮仲德、佐史路彧、教官范天祥等相與起廢，方經理間，或者謂廟基迫亭傳，雜民居[一]，囂湫卑隘，孰謂神一日居此乎？於是輟作徐議，至因循閲三十寒暑。當至元壬辰，新令劉君因前政經營緒餘，謀於僚吏暨邑中書宿，治城東南陬，作新廟而遷之，復構講堂於後，俾肄業者有常處。越是年秋仲上丁，尹率寮屬諸生釋菜而落成之，鐘鼓具舉，籩豆有踐，威儀升降，肅焉煌煌。邑人聚觀，拭目興嘆，僉謂吾尹起百年之廢，一旦頓還舊觀，勤亦至矣，其可使無聞於後？乃以某走京師，介國子司業王君構以學記來請，余以司民政者，能以學校風化為先，固喜聞而樂道之。嘗讀《漢志》論十五國之風氣，剛柔緩急、類雖不同，在聖人設教作新，必因材為篤，致諸中和而已。然精强多感者易為化，底滯不材者難為功。嚮嘗提憲朔南，屢至兹邑，觀其土壤瘠沮，且當南北衝要，民之奔走供役，勞止備極[二]。勞則思，思則善生，此人情之常也。況趙之風聲氣習，初不異於古。為守令者宜知其俗之易牖，乃從而振德之，則前日彈絲跕躧，悲歌慷慨之俗，將見强仁慕義，攸興而不自已者，皆是也。教基既立，道由是生。異時風俗丕易，人材輩出，而曰此權輿於兹，不亦善乎！匪然，司牧者以應上虚行為心，士子者不以進修為實務，其堵而宫之者，作餼羊告朔之所，吾不知其可也。至元三十一年歲在甲午夏六月十有九日謹記。

[一]雜民居：居，文淵閣四庫本作「民屋」。[二]勞止備極：極，原闕，據文淵閣四庫本補。王抄校本作「嘗」。

崇玄大師榮君壽堂記

先妣夫人靳氏，系出安陽永和里，不肖亦嘗提按兩河，相即臬司理所，故知鄴中人物風俗為頗詳。聞之姻戚間，女冠榮鍊師者，志行修潔，祭醮精嚴，以道價重一方。逮接際豐儀[一]，方頤烟目[二]，緑發童顏，風度飄飄[三]，有出塵之想。然性行敦實，言動温摯，虚誕荒唐無有也[四]。大德丁酉，予方供職館閣，師寄示西溪、紫山杰作，以《壽堂記》文見屬，且曰：「翰林先生文學名德，與二公伯仲間爾，儻遂所請，貧道藉之儘不朽矣。」二公之文，載四披讀，其稱揚與向所聞見而知者，脗合無異。今二公已矣，其文章氣節，尚可振衰懦而傳無窮，得篋名其列，固所願也，乃為筆之。師諱守玉，相之農家女，自幼貞静，視紛華泊如，聞道家言喜之。國朝甲午歲，中虚魏大師以全真學主盟彰德之修真觀，時師方齠齔，出家往事焉。既笄，經明行修，披戴為道士，復研精正一科式法籙，號稱習熟。至元乙亥，嗣主觀事。師淵默内修，聲光外著，一旦責當弘演，主張是者甚力。貴族豪宗，欲謝愆過而資冥福者，藉師修净，期於對越感通，故召請者無虚日。法契會合，風動遠邇，學徒踵至，信向者聿來，迺光昭先業，擴充增飾，截然一新。御史中丞西溪王公為述觀記，稱師興緣弘教，落落自拔，有壯夫不能及者。又蒙掌教洞明真人與進授之崇玄師號，年踰六秩，特構静室，於焉棲息。晨起理玄務，課學者畢，焚香垂簾，痛自滌除，湛慮澄心，審物理之自然，悟道體之不息，燕處超然而虚室生白矣。容齋總尹，夙承摩拊，仰挹真風，榜曰「信齋」。紫山憲使勒銘於石，表夫志道力行，終始不渝之確。其為名賢賞識如此，師之志行愈昭昭矣。大德戊戌，壽六十有八，乃營是堂，為他日復真寧神之所。道俗咸謂師山川炳靈，道德藉潤，振清風，開後學，纂懿流光，方期福壽未涯，何遽如許也！然人生而死，猶晝之有夜，寓形宇內，同歸於盡，此理之必然也。今師不為虛誕荒唐之說所惑，能以生死外形骸，追蹤曠達，以理自勝，較夫烹煉呼吸，期於飛升不死，昧理亂常，僥倖萬一者，可謂賢也已。年月日謹記。

[一]逮接際豊儀：豊儀，原作「千儀」，至治本作「平儀」，疑誤，今據文淵閣四庫本、王抄校本改。[二]方頤烔目：烔目，王抄校本作「烱目」。[三]風度飄飄：飄飄，原作「飄」，下闕一字，據文淵閣四庫本補一「飄」字。王抄校本作「飄瀟」。[四]然性行敦實，言動温摯，虛誕荒唐無有也：原闕，據文淵閣四庫本補。王抄校本作「蓋貞固内守，和同應物，以其道自任者」。

大都宛平縣京西鄉創建太一集仙觀記

大德元年九月十五日

金源氏熙宗朝，一悟真人蕭公以仙聖所授秘籙，創太一教法於汲郡。悼后命之驅逐鬼物，愈療疾苦，皆獲應驗，事蹟惝怳，驚動當世。一悟傳之重明。大定間，召住天長觀，嘗入禁中論道稱旨，寵賜甚渥。三代虛寂師，以道價凝重一時。泰和四年，太極宮初建，命師主焉。其四代東瀛子即祖房孫，諱輔道。師人品峻潔，博學富才智，士論有「山中宰相」之目。大元壬子歲，應世祖皇帝潛邸之聘，占對稱旨。上以有道之士，特隆禮眷，賜號「中和仁靖真人」，寶冠錦帔副焉。及登大位，中和已仙去，玄談粹宇有不能忘者，詔五代度師居壽至京師[一]，特建琳宇，勅額「太一廣福萬壽宮」，命主秘祀，其香火衣糧之給，一出内府。逮今承化純一真人全祐繼奉祀事，十載間，以受業者衆，國之經費日廣，堅辭廪料，至于再三。有司上議，禱祀重事，供給所需，不可闕也。全祐謙撝之請，亦不可違也。良田菓植隸大司農者，量宜頒賜，置為恒産，遂賜順之坎上故營屯地四千餘畝。復慮未臻豐贍，元貞改號[二]，歲七月載生明之二日，上御神德殿，平章政事領大司農臣怙哥等[三]，言宛平縣京西鄉馮家里隸農司藉，栗林叢茂，川谷間以株而計者約五千數，若盡畀全祐，庶幾資廣道蔭，永昭祀事。制可。全祐榮被恩賚，乃自諗曰：「吾道家者流，清心繕性，歸潔一身，何以仰答恩私？有廣開福田，朝香夕火，祈天永命，介求多祉而已。」明年丙申春，相栗林隙地，重崗環抱，主峰面其北，下毖寒泉，泓澄碧瀲，旁地衍沃，可引灌溉。既奠厥，居中搆正殿三楹，像事玄元九師，祖師真官。二堂位其左右，前翼兩廡，下至寮舍厨庫，莫不備具。四周繚以石垣，前啟玄門，榜曰「太一集仙觀」。工既訖，功以不肖[四]，猥同井閈，且承乏太史[五]，求文諸石，昭示來者。若稽載藉，如元魏之寇謙之、李唐之司馬子微，皆以道術昭著，顯蒙寵賚，史臣屢書特書，于以見山林處士，裨贊治化，延昌鼎祚，不以獨善為高；時君世主，欽挹真風，優加禮遇，不以崇高為大。千古而下，光賁簡册。今純一師操履貞固，精嚴祭醮，至蒙兩宮眷顧，而圖報之誠惟恐不及，是觀之建，特其餘事耳。其感遇之盛，與前世同談而共美者矣。是可書。大德元年九月望日記。

[一]詔五代度師居壽至京師：度，文淵閣四庫本作「大」。　[二]元貞改號：貞，原闕，據至治本、文淵閣四庫本補。　[三]平章政事領大司農臣怙哥等：怙哥，文淵閣四庫本作「特格」。　[四]功以不肖：功，文淵閣四庫本作「乃」。　[五]且承乏太史：文淵閣四庫本作「且承事太師」。

隆福宮左都威衛府整暇堂記　大德二年

元貞二載秋八月，隆福宮左都威衛府起堂於肄場中央，度宜面勢，不侈不陋，予以簡閲車徒，角較伎能，秉號令而觀威武焉。既落成，榜之曰「整暇」。佐幕張浹、盧愷奉威衛王公之命，以記文來徵。嘗聞公之選帥率府[一]，繕修戎政，桓桓赳赳，蔚有成筭。若夫營壘雲横，耕屯綉錯，儲廩實而豐饋餉，建警樓而謹朝昏。歲時都試，申明節制，旗旆精明，鼓角清亮，坐作進退，又為餘事。至於醫藥有局，更休以時，宣暢恩威，撫養士氣，以之宿衛宫闈，扈從巡幸，肅將斧鉞，中外辨嚴，其趨事赴功，士卒輯穆[二]，優劣得所，自非老臣宿將，謀畫素定，視若無事者，其能如是乎？可謂既整而且暇矣。顧老生常談，安能發越其梗概？然有文事者，必資於武備[三]；而武備者，所以昭乎文德也。僕雖耄，尚能效一辭於尊俎間。蓋天下之事，曰輕曰重，皆有體用。明其體者，必致於用。又古之君子，不足其已至，貴乎善推其所為，以極經濟之美。今公以重厚英偉之姿，膺爪牙委寄之任，罄殫忠勤，夷險一節。智慮精深，有古良將之風；砥勵廉隅，挺士君子之操。寓軍政於國容，迪師中之貞吉，宜其特蒙睠倚[四]，有謀猷克壯、曉暢軍事之喻，所謂明其體而得效用之實矣。推而廣之，兹惟其時，霈洪恩而釐宿弊[五]，只在從容一言之頃。俾内外諸軍汰冗濫，蘇彫瘵，極精鋭而伸鬱抑，咸若兹軍之整暇，輔助文治，固太平不拔之基，億萬斯年，實顒顒屬望。是則兹堂之構，豈特整暇一軍而已哉？雖晉楚名卿、賢大夫復出，優游戎幕，相事機而措時宜，恐不易吾言矣。使榮禄大夫塔剌海、資德大夫中書右丞王慶端、昭勇大將軍阿剌不花[六]、其貳武德將軍完者[七]、廣威將軍董守敬、武德將軍曲失帖木兒[八]、信武將軍張智榮實簽其事。詳書其僚佐之姓名者，見稗賓之勤，謹興造而重事功也。大德二載龍集戊戌謹記。

[一]嘗聞公選帥率府：帥，文淵閣四庫本作「師」。　[二]士卒輯穆：輯穆，文淵閣四庫本作「輯睦」。
[三]必資於武備：於，文淵閣四庫本作「乎」。　[四]宜其特蒙睠倚：睠倚，文淵閣四庫本作「眷倚」。
[五]霈洪恩而釐宿弊：宿弊，原作「宿敝」，據文淵閣四庫本改。　[六]昭勇大將軍阿剌不花：阿剌不花，文淵閣四庫本作「阿爾巴哈」。　[七]其貳武德將軍完者：完者，文淵閣四庫本作「諤勒招」。　[八]武德將軍曲失帖木兒：曲失帖木兒，文淵閣四庫本作「齊蘇特穆爾」。

青巖山道院記　大德三年三月三日

衛莫太行東麓，山形迤邐，自南運肘北闖，其間峰巒欻斷，如巨靈初闢[一]，望之儼然而嶢秀者，蒼峪也。循峪北騖，越蒼池[二]，山愈深，愈雄峻可愛，泉溜益清。而駃望東北[三]，行約十餘里，抵青巖山足，巖壑尤美。四顧皆崇山茂林，列峙環拱。其東南有洞府軒豁，層崖上，寬廣丈許，邃四五十步，其中泉水泓澄，深叵測。春仲二日，洞出光怪恍惚泓水，湧溢漂浮塵滓，潨瀉山谷間者一晝夕，歲以為信，俗呼曰「水簾洞」。山藉之以清，物資之以潤。清潤之氣，不特散而為烟霏翠靄，鬱而為良材靈藥，銅鏐玉石之美，必有卓異幽隱之士，炳山谿之英靈，增景氣之勝概。如廣施神志存隱卹，陰主蒼巖唐甄濟隱居茲山，至遠邇化服，分死完節，不污祿山。近則四仙清修道行，留頌委蛻，不謂之炳靈增勝可乎？洞側道院即四仙棲遁遺址，山空人去，石砦雲荒[五]，獨一殿巋存。至元三禩，為全真學者李志和始跧處石磕，以修復為己任。鏟崖堙谷，展拓庵地[六]，除梗補罅，夷為坦陸，重構玉帝殿洎東西兩廡，山靈位聚仙亭[七]，下逮庖湢門屏，以楹而計者三十數，仍改瘞四仙鎮府[八]。中統初元，太一五代師居壽奉命投龍牒玉簡，肸蠁之對[九]，以昭景貺。厥後闔境旱暵，郡長吏來禱，車甫旋軫，甘澍霶霈。逮志和修復增宏，郡民於水鬵沸日，少長畢集，顒伸瞻禮。酒盛為儲偫，人具醉飽而歸。於是蒼峪勝蹟，靈奕一方，而遊觀嬉樂亦復承平之舊。府僚豕韋國并君德常嘉師勤瘁，為主張資藉者甚力，及來京師，復以興建記文為請。予郡人也，不敢托衰老辭。切嘗讀《金華洞天記》，中土山林名勝，不載於仙籍者尚多，惟蒼峪為天脊左戒奥區，去郡里餘，一牛鳴地。危峰叠嶂，環繞郛郭，槃礴風烟，秘藏靈異，幽隱之士，代不乏人，亦《洞天》不載之一也。由志和擴而大之，其名固亦佳矣，然以遺跡考焉，尚有未盡者。今廣施有廟，四仙紀行，而甄公大節，雖傳卓行於《唐史》，發幽光於韓筆，在山中故事，獨乏旌記。子歸，能屋而祀之，俾後之遊居者灼知景慕，審夫出處，大義所在，以之勉志節而礪薄俗，則子與志和名跡附麗前賢，共兹山而傳無窮矣。□君曰唯。大德龍集己亥上巳日謹記。

[一]如巨靈初闢：闢，文淵閣四庫本作「擘」。　[二]越蒼池：蒼池，文淵閣四庫本作「蒼山池」。　[三]而駃望東北：駃，文淵閣四庫本作「駛」。　[四]陰主蒼巖：文淵閣四庫本作「陰生蒼烟」。　[五]石砦雲荒：砦，文淵閣四庫本作「老」。　[六]展拓庵地：拓，原作「托」。據文淵閣四庫本改。　[七]山靈位聚仙亭：位，文淵閣四庫本作「會」。　[八]仍改瘞四仙鎮府：鎮，原作「鎖」。據文淵閣四庫本改。　[九]肸蠁之對：肸蠁，原闕，據王抄校本補。

創建伊洛五賢祠堂記

大德二年十二月八日

大德丁酉春，洛陽薛君友諒即邵氏安樂窩故址起祠，屋中設康節、迂叟、明道、伊川、橫渠肖像，庸致歲時香火之奉，榜曰「伊洛五賢祠」，神嵩清洛，光動户庭。明年秋，來京師，屬不肖為之記。迺告之曰：「二帝三王脩己治人之道，待孔孟而後明，立極垂憲，貽則無窮。不幸厄於秦，雜於漢，歷六朝隋唐，雖有名公碩士間作迭出，其氣量足以恢弘至道，闢除異端，奈智識不能盡窺聖賢要奧，擇焉不精，語焉不詳，又局夫章句文辭之末，亂以功利禍福之説，故學者汙漫支離，莫知統紀。時則有衛道之士，而無傳道之儒。陵遲至於五季，其斲喪可謂極矣。伊洛諸公奮起百世，綰持道樞，探窮淵源，克紹絶學，內有以究聖賢規模之大，外有以備踐履節目之詳，故孔孟之教復明，斯文得歸於正，後學知所適從，蓋二百年於兹矣。然科舉利禄之習既久，遽未丕變，以極夫功用之至。伏遇我世祖文武皇帝，資挺上聖，運啟休明，崇尚儒術，尊禮賢俊。於是許、竇、王、姚諸公宗伊洛學，陳説孔孟立極垂憲之教，以致二帝三王所以修己治人要道，蓋已收明德新民殊效於中統至元之際。今內而贊助經綸，外而佐理政化，多前日執簡傳經之士，推原本自，則伊洛諸賢發明維持之功，不為鮮矣。雖配享學宮，天下通祀可也。況二程世家河南，康節、迂叟、横渠聿來胥宇，相從至數十年之久，聚精會神，推明訂正[一]，莫匪脩齊治平之方、性命道德之理。至於談笑遊衍，亦皆格物致知之餘。篤志力行，清修苦節，專以移易風俗、勉勵學者為主。今讀遺書，按故迹，其英邁純粹氣象尚可髣髴，復廟而貌之，俾向之景仰高風者，足以致其誠慤。今而後，瞻拜清光者，可以感其善心，尚何俟贅蕪陋於其間哉！敢以不敏辭。」友諒曰：「昔潮人修韓文公廟，東坡有碑；南雄起三先生祠[二]，晦庵作記。謹歲月以示來者[三]，不為無例。」曰：「若扳援昔賢，則不肖年迫衰老，懶於筆研，又瞠乎其後。」惟友諒先世為洛中名士[四]，其讀書慎行，名簉仕版，可謂不墜箕裘矣。前任常德府推，復九賢祠，今又創兹宇，庶幾有意於脩己治人者，非特徼取美名而已也，是不可不書。大德戊戌歲冬十二月臘日記。

［一］推明訂正：訂，原作「討」，據至治本、文淵閣四庫本改。　［二］南雄起三先生祠：文淵閣四庫本作「南雄三先生祠」，無「起」字。　［三］謹歲月以示來者：文淵閣四庫本作「謹著歲月以示來者」。　［四］惟友諒先世為洛中名士：洛，原作「治」，據文淵閣四庫本、王抄校本改。

汴梁路城隍廟記　大德三年十二月

汴梁之廟事城隍神，其來尚矣［一］。壬辰兵後，廢撤不存。河南路兵馬都總管劉侯福大懼無以妥靈揭虔，曰：「事神治人，守吏職也，可偏廢乎！」於是相新昌里爽塏地，西南二方界以通衢，劉侯私第鄰其東，北則抵居民萬氏。廣袤餘七畝，繚以崇垣［二］，中起正殿，像設有儼，前敞臺門，扃閟嚴肅，左右則環齋構室。敦請女冠孟景禮、向妙順、朱妙明輩相與住持，僉奉香火。景禮四元宗獻之女，童丱入道，以彤管之懿資，膺黄冠之妙選，享年八十有五，無疾而逝。妙順亦出名家，探賾玄理，解屬文辭，與孟同年仙去。景禮臨終貽屬妙明曰：「汝等祗嚴修潔、善守廟祊［三］，毋負劉侯付托。」妙明唯曰：「敢不敬承誨音。」歲甲辰，劉侯命侍人周氏、韓氏披戴禮棲雲王真人為師，訓周曰「妙元」，韓曰「妙温」，與妙明為徒侶。所需衣糧皆出劉侯資給。妙温、妙明俱壽臻期頤，相繼蟬蜕。既而劉侯第四子保定路總尹某卒，夫人徒單氏[四]，痛伉儷之中暌，感榮華之易歇，聿來棲跡，法號妙真，道俗咨嘆，祠宇為增重焉。妙元洎妙真罄刮粧奩資藉，刻苦撙節，遂重修正殿臺門，創建獻廡子孫司，及道衆寮舍、齋厨，輪奂一新。蒙洞明真人稱賞，加妙元以「純貞素德散人」之號，今年登七秩，日誦五千玄言為課，朝夕焚頌，祝聖人壽，願天下安。鶴髮童顏，精健不少衰。復慮興建本末，不能昭晰於後走[五]，耆幣京師，求記於秋澗翁。予宦遊大梁者屢矣，故國遺跡亦嘗周覽，今雖衰老，忍無一言載名其間？謹按祀典，陽氣升而天神降，地道肅而人鬼出，自邦國達於臣庶家，祭秩切近者，社稷五祀而已，城隍神初未載也。世説秦功臣馮尚，見夢於漢高帝曰：奉天帝命，與王知領城隍陰事。雖儻恍不可致詰，然自漢訖今，遂為天下通祀。社與五祀雖有常尊，當時用事，莫城隍若也。况汴梁為六代都會，四方湊集，城池盤礴，衢陌交通，人物號稱繁夥，精英之粹集，晝夜開闔，死生變化，幽明兩間，其有神為之主司也審矣。夫城隍，地道也，古人求神各以其類，今俾女冠主其祀事，宜矣。《傳》曰：「西子蒙不潔，則人皆掩鼻而過之。雖有惡人，齋戒沐浴，可以事上帝。」言誠潔可以感神明也。如景禮、妙明、妙元、妙真等咸出於詩禮名家，薰膏鼎族，清修道行、敬恭神祇，致廟貌完固，闔郡瞻仰。雖其誠篤致然，亦由神明有以護持者哉！而推源本自，不忘劉侯經始之勤，是可書。大德三年十二月吉日記。

[一]其來尚矣：尚，王抄校本作「舊」。　[二]緣以崇垣：崇，文淵閣四庫本作「重」。　[三]善守廟祊：善，文淵閣四庫本作「重」。　[四]夫人徒單氏：徒單氏，文淵閣四庫本作「圖克坦氏」。　[五]不能昭晰於後

走：走，王抄校本作「先」。

真常觀記

大都南城故宜中里真常觀，爲全真學者重玄子樊君所建也。惟全真教倡於重陽王尊師，道行於丘仙翁。逮真常李公，體含妙用，動應玄機，通明中正，價重一時[二]，可謂成全光大矣。重玄子自童丱受業，天資爽朗，嶄然已露頭角，由是日獲承侍，聽其諄誨，仰其高風，神志灑然[三]，春融蟬蛻，與之俱化。玄覽暇[四]，詩章篆隸，亦時習之。既壯，辭達體要，與事物接，無所凝滯，衆以不凡許之。真常師嗣主法席，委掌資用，出納明，會計當，己無私焉。師爲稱賞曰：「財賄衆所貪得，今遠疑怨，不爲行妨，吾將大有以畀之。」時朝家欽挹真風，所在宫觀相望。和林都會地，獨闕焚頌之所，乃選充道録，俾張皇教基，供奉闕庭。雖越在風沙數千里外，慨然命駕，曾無難色。至則潔己應物，通變無方，致宗風弘演，王公貴人爲之尊禮主張。蒙中宫賜金冠錦服[五]，俾降御香於燕都師真紀堂，殊光顯也。庚戌間，真常真人洎十八大師光膺寶冠雲帔，下至四方名德，亦獲紫衣師號之寵。改觀爲宫，周旋之力爲多。繼奉旭烈賢藩教旨，提點彰德路道教事。逮誠明真人嗣教，念其耆識，殊顧睞也[六]。晚節退休，與時消息。至元二十二載，易張侯故第爲幽棲所，榜曰「真常觀」，示不忘本也。崇堂爲殿，下至齋厨庫厩，修治完整，復置蔬圃一區，負郭田二百畝，資給道衆。乃灑掃涓潔，廣植花木，使境趣靖深[七]，日端儼丈室，炷香撫琴。客至問何為？曰「吾方疑神坐忘，與造物者遊」。凡往來者皆一時名公，如李敬齋，趙虎巖、翰林王慎獨、左轄姚雪齋、鹿庵王承旨、少傅竇公、冀國王公，愛其風度才識，締方外交[八]。太史公曰視友知人[九]，亶其然乎！元貞元祀正月五日[一〇]，師晨興，召門弟子齊道亨、劉道安，付以後事，怡然而逝。閱世四百五十六甲子，寧神於五華山僊塋。道亨純直有持守，祗承遺緒，朝夕惴惴，增節固執，惟恐失墜。掌教玄逸真人，與其進署宗門提點，加冲玄師號。一日，介劉道録文甫請述觀記。予僚契雷若齋與師昔同鄉校，夤緣有一日之雅，且重劉請，勉為件右。切有所感焉，乃為之說曰：二氣絪縕，五行儲精，長材秀民，無世無之。第學以致其道，行以效其用，功成名遂者，幾何人斯？當金季俶擾，綱常文物，蕩無孑遺，其時設教者獨全真家。士之慕高遠，欲脱世網者，捨是將安往乎？嘗究其說，不過絶利欲而篤勞苦，推有餘而貴不争，要歸清净無為而已。如重玄子扶翊道紀，綜覈玄務，公材吏用，藹然見於脱穎遊刃之外，其妙固翩翩而獨征，托遺響於高風者矣。然推本原，自信其良知良能，耿耿有不可掩焉者，不謂之長材秀民可乎！向使率性以明當然之理，務學以廣通變之方，列周行，握事樞，以投功名之會，樹立嶢絶，恐不如是而止也。撫卷懷人，為一慨惜。師諱志應，字順甫，出平陽汾西宦族，自稱重玄子，法號淵静通虚大師，廣陽之真常，麗澤之靈郁，皆别館也。仍為門人作望思歸來之篇，其辭曰：

瓊芝峨冠兮，青霞襞裳。遠引高蹈兮，與道翱翔。至人出世兮，化現無方。驂駕鶴馭兮，力振玄綱。仙遊有恨兮，門人涕滂。蓬萊東望兮，雲海茫茫！松桂輪囷兮，鬱鬱其芳！偃息有室兮，神遊燕處有堂。仙標彷彿兮，誨音琅琅。師今不見兮，莫知我傷！宗風通暢兮，羽流有光[一一]。神遊故山兮，陰儲吉祥。倒景遺照兮，土苴是揚。庶幾華表兮，歸來之章。

[一]價重一時：價，原作「賈」，據至治本、文淵閣四庫本改。　[二]天資爽朗：天，原作「焉」，據文淵閣四庫本改。　[三]神志灑然：志，文淵閣四庫本作「致」。　[四]玄覽暇：文淵閣四庫本作「玄覽之暇」。　[五]蒙中宮賜金冠錦服：金冠錦服，文淵閣四庫本作「錦衣金冠」。　[六]殊顧睞也：睞，文淵閣四庫本作「念」。　[七]使境趣靖深：靖，文淵閣四庫本作「清」。　[八]締方外交：文淵閣四庫本作「締交方外」。　[九]視友知人：視，文淵閣四庫本作「觀」。　[一〇]元貞元祀正月五日：正月五日，文淵閣四庫本作「某月某日」。　[一一]羽流有光：羽，文淵閣四庫本作「汩」。

故翰林學士紫山胡公祠堂記　大德五年

紫山胡公捐館之三載，彰德監尹脱里不花暨廉訪使完閭與郡士民詢謀僉同[一]，乃像公於治城西郭別墅之讀易堂，于以揭虔妥靈，致歲時香火之奠。諗不肖交款知平生詳，請書其事於石，酌量契義，不敢以衰耄辭。夫士有生無聞于時，潛德幽光，發越于後，蓋行義立言，曠世而相感也；亦有富貴薰天，振耀遠邇，卒然傾謝，磨滅無紀。豈德薄用鮮[二]、無可稱述而然邪？若夫其生也為人所敬慕，其没也致人所懷思，至銜於志慮，見於羹牆，非人品峻絶，事業顯著，盛德至善，感格人心，悦而誠服，有不可忘者，安能如是哉！紫山固名士才大夫，佐理於朝，讜言直論，不屈權貴；作牧名藩，吏畏民愛，治行為諸郡最；擢任風憲，擊奸發伏，褰衣具瞻，有風動百城之目。其臺閣之清規，幕府之公論固在也。曰并汾，曰齊魯，遺愛善政，亦不忘也。而於鄉郡未嘗臨蒞，今像而事之[三]，余初甚疑，既而得其說焉。金季喪亂，士失所業。先輩諸公，絕無僅有。後生晚學，既無進望，又不知適從，或泥古溺偏，不善變化；或曲學小材，初非適用，故舉世皆曰「儒者執一而不通，迂闊而寡要」。於是士風大沮。惟公起諸生，秉雄剛之俊德，負超卓之奇才，慨然特達，力振頹風，志大學，致實用，笑談議論，揮斥流俗，文章氣節，振蕩一時。其見諸容度事業者，皆仁義道德之餘。剛明正大，終始一節。追配昔賢，矯革時弊。故天下翕然想聞風彩，皆曰紫山學備四科，望高一世，真豪傑之士，爭先覩為快。況二侯與郡士民，執經傳道，質疑請益，獲親炙而為矜式者哉[四]。没而配社，尸而祝之，援例祀典，其誰曰「不然」？若以匹夫而作百世師，一言而為天下法，論之振衰激懦，屹砥柱之孤標，回狂瀾於既倒，清風之所激，德澤之所及，霑丐後學多矣！是則係斯文之盛衰與士風之輕重，非相人所得顓而私也。雖然，二侯出貴族世胄，樂道而自忘其勢，尊賢而能知所宗。昔鄒孟氏譏列國諸侯不能尊賢，迺曰「貴貴尊賢，其義一也」，垂訓深矣。後世之監牧，實古諸侯。今二侯取法聖賢於千載之後，行古昔所不能行，其賢於人也遠矣！豈止如是而已，後之讀斯文者，將有所興感而取法焉。公諱祗遹，字紹聞[五]，自號紫山，磁之武安人。自中書郎官歷河東山東按察使、濟寧總管，仕至翰林學士大中大夫。大德五年歲次辛丑清明前一日記。

[一]彰德監尹脱里不花暨廉訪使完閭與郡士民詢謀僉同：脱里不花，文淵閣四庫本作「托里巴哈」；完閭，文淵閣四庫本作「旺律」。　[二]豈德薄用鮮：鮮，文淵閣四庫本作「淺」。　[三]今像而事之：事，文淵閣四庫本作「祀」。　[四]獲親炙而為矜式者哉：獲，文淵閣四庫本作「或」。　[五]字紹聞：聞，原作「開」，據文淵閣四庫本改。

胙城縣廟學記　大德四年十一月十六日

國之將興，必有世德之臣，儷景風雲，戡定屯難，贊敷文德，共致太平。故孔子曰：「如有王者作，必世而後仁[一]。」鄒孟氏亦云：「所謂故國者，有世臣之謂也[二]。」信哉言乎！惟胙邑，金末城宜村，渡行河，平軍事以捍禦兵衝。既而國朝帥臣撒吉思不花監總五路兵[三]，蹙蹂餘燼，攻而拔焉。駐軍守據，迨金主東走睢陽，斫營夜閧，竟歿死城下。先是公父栅只禿魯花以萬夫長將選鋒[四]，圍困大名，中流矢而卒。迨金亡，朝廷追録載世忠藎，賜夫人楊氏世封，户於胙，孫普闌奚實嗣其後[五]。雖州遷而縣，其故家遺風餘俗固在也。當金末危急草創際，俎豆之事，有不遑及。國朝甲午歲，漕使宗亨肇建禮殿三巨筵，壯麗翬飛，為諸路冠。後三十五載，尹劉庭撤而新之，復起明新堂於後，其臺門賢廡，尚闕學舍，生徒初不論也。迨元貞改號冬，嗣侯普闌奚擢任本道廉訪使，路出于胙，首謁廟宫、覩其如是，曰：「欽惟詔條，責實在我。」乃敦諭尹張孔鑄以興修為任。尹承命經營有方，趣辨惟謹[六]。首建神閎[七]，擇師立學，縣中子弟來受業者日衆。侯乃出所藏經史數千卷，資藉講誦，尹復闢良田五頃，造祭器百餘事，供給二丁釋菜、諸生廩料之費。兩廡方締構，而及瓜代，後尹李君卒成其役，仍繪七十子諸大儒肖像于壁。胙之廟學，五十年間狼藉蕭條，始克完具。人知敬仰，俗興禮讓，仰副朝廷崇尚之意，皆由賢侯一言勉勵之誠，所謂「王者必世而後仁」，世德之臣，戡定屯難，贊成太平者，於斯可見矣！侯今由内臺侍御史，進拜行臺中執法，將南過鄉國，請書其事於石。乃為説以告之曰：惟孔子之教，推明至理，敦叙彝倫，裁成輔相之道，脩齊治平之方，本末具備，細大不捐，垂憲立極，萬古不易。孔子明其道而無其位，空言無所施。後世帝王必需崇尚，卿相守令所當奉行。雖無禍福之怵誘，而從違之間，有真禍福存焉；固匪利害之牽率，得失之際，有實利害係焉。惟其費不可闕，乃修而明之；審夫切而不可緩，故勉而勵焉。惟侯出貴種世胄，敦説詩書，好尚禮義，内剛明而外文雅，審事宜而達從政，立身揚名，已收功於踐履。今復以德施之鄉邑[七]，可謂善推其所為矣。然君子不安於小知，而期於大受，况天下之事，惟宰相臺諫，得言得行，擴而充之，正在今日。昔武元衡修治廳壁，柳子作記；孔道輔以直道進用，《宋史》有傳。侯姑欲我記胙邑廟學而已耶？《易》曰「苟非其人，道不虚行」，又《禮》云「人存政舉」[九]。誠能繩武贊文，光昭先業，克盡世臣之義，由一邑以達之天下，則道被均弘，俾秉事樞矣。僕雖耄，將執筆以俟焉。大德庚子歲仲冬既望，謹記。

[二]孟子原文為「所謂故國者，非謂有

[一]孔子原文為「如有王者，必世而後仁」。（《論語·子路第十三》）。

［三］既而國朝帥臣撒吉思不花監總五路兵：撒吉思不花，文淵閣四庫本作「薩奇蘇巴哈」。［四］先是公父栅只禿魯花以萬夫長選鋒：栅只禿魯花，文淵閣四庫本作「綽爾圖嚕卜」。［五］孫普蘭奚實嗣其後：普，原作「不」，本文後有「嗣侯普蘭奚擢任本道廉訪使」，故改。普蘭奚，文淵閣四庫本作「布呼齊」。［六］趣辨惟謹：辨，文淵閣四庫本作「使」。［七］首建神閟：閟，文淵閣四庫本作「閣」。［八］今復以德施之鄉邑：德，原作「得」。據文淵閣四庫本改。［九］人存政舉：原文為「文武之政，布在方策，其人存，則其政舉」（《禮記·中庸》）。

喬木之謂也，有世臣之謂也」（《孟子·梁惠王下》）。

宜遠樓記

大德五年十一月二十一日

奉聖甄君居敬，粵自父祖，謹身節用，保守恒業，以篤實稱鄉里。居敬尚文雅，喜交遊，襟韵灑落，義氣所在，略無凝滯。始來居燕都城，善心計而擁高資者甚夥，門廬服玩，例尚脩潔。居敬一旦以僑寓篷迹其間，不肯碌碌出人後，於所棲息，起構小樓，華而不侈，高而不危，雖處市廛闤闠之間，頓出車馬雜喧之境，于以合集朋簪，暢適幽懷。請名於予，乃取六一居士「天寒山色」之句，扁之曰「宜遠」。詢義何居？復語之曰：「樓之為用，便爽塏而向高明，必占據形勢之雄，坐得溪山之勝。予嘗登斯樓，憑欄四顧，金城千雉，青山三面，環繞拱侍［二］，嵐光翠色，令人顧揖不暇。朝暮陰晴，變態百出，或横脩眉於天宇，或出寸碧於雲間，雖呈妍貢奇於百里之外，不煩躡吾之屐，拄彼之笏，雙目以之增明，詩脾為之借潤矣，其於幽遠不亦宜乎！此特形於外者如是。其係於内者，又有大於是焉者。甄氏先世，既以篤實稱，其積累之厚，藴蓄之深，逮居敬而後發之。今既崇基構而勤丹雘矣，復能傳訓子孫，俾爲學止善，奉承罔替，則締構鞏固，傳示永遠，亦以宜矣。傳稱：『衛公子荆善居室，始有曰苟合矣，富有曰苟美矣。』又君子創立基業，必垂緒於後，其是之謂歟？」居敬跽而謝曰：「有是哉！問一知二，皆僕所未聞也。請書其詞，庸爲警戒，又何俟燕雀之賀成，請善禱於張老也。」大德辛丑歲十一月廿一日，秋澗老人記。

[一]環繞拱侍：侍，文淵閣四庫本作「峙」。

移忠堂記

王全州之子亢宗，敏願通粹，有麟趾雅厚，今爲魏府别駕。一日拱而言曰：「維先祖驃騎府君，起壠畝，際風雲，奮從戎列，收河朔於百戰之餘，以至出建大旆，入貳行臺，橐兜棨戟，總制魏師者四十餘年。維是一二堂廬，皆平昔所晏息，諸孫無所肖似，承藉德蔭，乃今有光，永言追思於維則者未也。幸憲使惠顧，念其貽孫之謀，燕翼之厚，爲題扁以示來者，俾子孫銜訓嗣服，蔚爲矜式，敢再拜以請。」余仰而嘆，俯而思，曰：「有是哉，何其孝子之純也！」夫人之行莫大於孝，孝莫大於顯親，顯親莫大於立身揚名，立身揚名莫重於以忠述事，蓋一致二極，臣子之忠孝也。《傳》不云乎，教之孝所以求其忠也。嗚呼！忠之爲用至矣。故居家則盡心於親，進官則竭力於上；與友交而言信，爲人謀而盡誠；莅政則有恪，戰陳則有勇。其見諸日用間者能是，一本夫愛之深孝之極也，舍是將何所取則焉？吾已見汝乃祖府君持心二極，屬搶攘之際，奮勇略爲先；迨分定之後，獵忠義爲本〔一〕。其殊勳茂績紀太常而勒景鍾者，可謂立身揚名之道昭矣。汝父嘉議君復能篤繼忠貞，勤勞王事。其振肅臺憲，拊循殊方，冠冕於天朝也，行有日矣，豈非由孝而忠，自忠而有立耶！將有煒前光，濟厥世美者〔二〕，責不在吾子乎？故題之曰「移忠」，蓋取孝於親則可以移其忠於君之義也。若夫親安而氣愉，家理而官治，友信而謀成，吾子行焉，綽有餘裕。尤當勉其所已行，而進其所未至，俾親顯而名益揚，身立而道愈彰，蔓爲百世無窮之傳可也。異時有登斯堂、讀斯文、慕樂昌之風而興起者，將見爲是堂一致二極之本，又何啻王氏之類也哉！於是乎書。

〔一〕獵忠義爲本：獵，文淵閣四庫本作「篤」。　〔二〕濟厥世美者：世，原作「出」，據王抄校本改。

遊東山記

至元十八年三月

至元辛巳歲春三月，余按部黎陽，霄澍連朝。明日夏孟丙寅朔，天宇開霽，大伾堆阜，景風明澮，畫如也。拉友人宋祺洎諸屬吏，囊筆載酒，來遊玆山。遂自西南騎而陟阻，抵岳祠下。既祝香，步上中層，至濛鴻亭址。讀刺史邊元勳亭記，文甚奇麗。稍北至中頂，頂勢夷衍，即李魏公中帳，蓋佀之絶巔也。山形再成，崚層石壇爾[一]。東北行不百步，陰崖崎嶇，扶腋而下，憩龍竇巔上。少焉，降觀西陽明洞記，開元間山人李真題名，筆勢飄逸，有焦山鶴銘風格。其上龍崖方廣[二]，天然而龕。上竅極大，盤旋若螺殼然，邃頂而去，窈不知其幾何也[三]。意者山澤通氣，此正大佀口鼻呛呀吐納之所，非有異也。宣龢以侯爵賜之，不幾於妄濫乎！盤礴久之，下山，適靈昌諸君繼至，尋前盟也。相與稽首彌勒尊像，其鐫鑿本末[四]，以寺石麟考之[五]，為高齊所造無疑。左右磨崖題識甚多，得魯元翰、張浮休賦詠各一。周覽既已，與客聯鑣東行，逾大河故瀆，入牽城，登紫金山，觀僊人拖裙石。石水蒼色，苔昏雨溜，雯華漬裂，誠若襞積狀者，其面有元豐政和題記，黥刻幾滿，皆奇筆也。遂探白金泉，瞰玉女洞口傍勒建安人徐閎中《泉眼銘》，雨蘚糢糊，略辨首尾。於是躋巔會勝。主人取軟脚例，開樽連酌，觴詠纔交，幽懷共暢，不知山蹊之迂、登頓之勞也。既而寒日下，悲風來，過北麓[六]，穿蒼城，按觀隋唐麋制，未刻入自北門，讌群賓於清白堂。酒數行，張、鄭諸君舉觴囑予曰：今日之遊，樂且有融，盍簪而來，似非偶然。第遷變已來，三山濯濯，等為丘垤，其能極宣城之賞、當子長之遊乎？然山以賢稱，境緣人勝。如赤壁，斷岸也，蘇子再賦而秀發江山；峴首，瘴嶺也，羊公一登而名垂宇宙。況茲山也，名載夏書，功存禹迹，關河大地，形勝依然。斯行也，垂橐偕來，稛載而去，幸吾子筆之，歸為兩郡光，且紀蒼烟寂寞之會，仍得箇名其間，為他年林下故事，非偶然者。不爾，甘逋客，迴俗駕，幾何不為疊嶂攢譏，山靈見謝也耶！

［一］崚層石壇爾：崚，文淵閣四庫本作「峻」。爾，王抄校本作「邇」。［二］其上龍崖方廣：上，原闕，據王抄校本補。［三］窈不知其幾何也：窈，文淵閣四庫本作「窅」。［四］其鎸鑿本末，鑿，文淵閣四庫本作「志」。［五］以寺石麟考之：文淵閣四庫本無「麟」字。［六］過北麓：過，原作「遥」，文淵閣四庫本作「遥經」，王抄校本作「逕」，此據至治本改。

唐建昌陵石麟記

至元十九年六月十九日

唐昭慶陵在新隆平縣南十有三里使相鄉正尹里，其石儀一十八事儼然具在。內二石麟，身首蹄鬣一與馬同。第題顛有觡突出，肉葳𩨅其端，所謂示其武而不用者也。兩膊雲豔，光拂鬖鬣，尾上揭，類牛而短。雖雨蘚模糊，雯華剥裂，而制度精絶可愛。《傳》曰：麟，四靈之瑞。麕身，牛尾，一角，五彩色備，王者至仁，則被應而出。又云：視明禮修。則至今刻像列諸陵闕，豈顯夫祖宗生有至德，殁備盛飾，以表其仁厚故耶！既而入東南招提，讀開元十三年縣尉楊晉所撰碑頌，蓋知為唐皇祖宣簡公懿王陵墓也。儀鳳元年，高宗追謚尊號，宣簡曰宣皇帝，陵曰建昌；懿王曰光皇帝，陵曰延光。仍配守衛者三千人，勑象成令，專知檢校，州刺史歲别一巡。其石儀之制，固當追尊崇建歲作也。寺即總章間立，額曰光業。由是而觀，其奮奉之嚴，守衛之盛，累聖明禋之禮，郊歌時薦之儀，固云極矣。今陵園夷滅［一］，無復所見，有荒烟野田而已。嗚呼！盛極則隨衰，藏侈則厚發，此必然理也。上世葬之中野，不封不樹，何模金暴骼之有？文質中判，古不能復，然則何為而可？漢之灞陵，其中制乎！至元十九年壬午歲夏六月十九日秋澗王惲記。

［一］今陵闕夷滅：夷，文淵閣四庫本作「湮」。

泛海小録

日本盖倭之别種，惡其名不雅，乃改今號。其國在洋海之東，所屬州六十有八，居近日出，故曰日本。國王一姓，宋雍熙初，已傳六十四世，中多女主，今所立某氏云。大元至元九年，上遣秘監趙良弼通好兩國，次對馬島，拒而不納。十七年己卯冬十一月，我師東伐，明年夏四月，次合浦縣西岸，入海東行約二百里，過拒濟島，又千三百里，至吐剌忽苫，倭俗呼島為苫。又一千七里抵對馬島，又六百里踰一岐島，又四百里入容甫口，又二百七十里至三神山，其山峻削，群峰環繞，海心望之，鬱然為碧芙蓉也。上無雜木，惟梅竹、靈藥、松檜、杪羅等樹。其俗多徐姓者，自云皆君房之後。君房，徐福字。海中諸嶼，此最秀麗方廣。《十洲記》所謂海東北岸，扶桑蓬丘瀛洲，周方千里者也。又説洋中之物，莫鉅於魚，其背鬣矗然山立，彌亘不盡，所經海波，兩坼不合者數日。又東行二百里鱶志賀島下，與日本兵遇，彼大勢結陣不動，旋出千人逆戰數十合者，凡兩月。我師既捷，轉戰而前，呼聲勇氣，海山震盪，所殺獲十餘萬人，擒太宰藤原，少卿弟宗資，蓋前宋時朝獻僧奝然後也。兵仗有弓刀甲，而無戈矛，騎兵結束殊精，甲往往以黄金為之，絡珠琲者甚衆。刀製長，極犀鋭，洞物而過。但弓以木為之，矢雖長，不能遠。人則勇敢，視死不畏。自志賀東岸前去太宰府三百里，捷則一舍而近，自此皆陸地，無事舟楫，若大兵長驅，足成破竹之舉。惜哉！志賀西岸不百里，有島曰「毗蘭」，俗呼為髑髏，即我大軍連泊遇風處也。大小船艦多為波浪揃觸而碎，唯勾麗船堅得全[一]。遂班師西還，是年八月五日也。往返凡十月。省大帥欣[二]、都副察仄[三]、次李都帥牢山、次宋降將范殿帥文虎，總二十三，南一十三，隋唐以來，出師之盛，未之見也。（以上《秋澗集》卷四〇）

[一]唯勾麗船堅得全：勾麗，王抄校本作「高麗」。　[二]省大帥欣：欣，文淵閣四庫本作「實」。　[三]都副察仄：仄，文淵閣四庫本作「呼」。

全元文卷一七四

王惲 八

南鄘諸君會射序

君子之學，貴乎有用。不志於用，雖曰未學可也。聖門之藝有六，而射為重。蓋射者，男子之事，志有事於四方也。近歲南鄘諸君，於二仲月肄諸射事，予雖不敏，亦從事其間。嗚呼！鄉飲廢而長幼之序乖，大射廢而君臣之義缺。今之去古也遠矣，欲人之知禮也難矣。茲射也，匪曰嬉遊為樂，將少長是序；匪曰僥倖為得，將心體是正；匪曰致遠為功，將中鵠為善。匪勝己是怨，反諸己為賢；匪酒醴是嗜，而辭養為恭[一]；匪多筭為能，而進退可度。夫如是，其於脩盛德，遠不肖，習威儀，復鄉飲而適世用，不由斯而有漸乎？若夫野曠天清，露禾棲畝，霜氣折膠，秋聲厲木，土氣充而耦同，燕角勁而弦裂，張侯去百步之外，揖遜務君子之争，得之心，應之手，箭如鴟叫[二]，羽若星飛。雖未敏及參連，神凝剡注，追騶虞牧野之風，致矍相堵牆之觀，庶幾繹己之志，張本乎四方之事，誠君子有用之一端也。

孔子曰：「飽食終日，無所用心，難矣哉！不有博弈者乎？為之，猶賢乎已。」矧君子正己之具也哉！因序其事而賡之以歌。歌曰：

古道下散文武歧，中原氣折兵塵飛。四郊多壘乃我責，誰云武事非吾知？不見東家矍相事，當年凜凜無全齊。丈夫況當志四方，射先祿後非吾欺。只今天地一射圃，國俗靡靡從風披。圖書束置奎宿黯，弧矢高射騰寒輝。冥冥天道既如此，智者相時行所宜。又不見臺城陷辱古所嗤，舞干不求高皇危。諸人清談不適用，晉室竟墮東門機。乃知六藝射尤重，世不可廢誠有為。寄謝一丁相誚子，恐人迂乃坐書癡。

[一]而辭養為恭：養，至治本、明修補本、王抄校本均同，文淵閣四庫本作「讓」。　[二]箭如鴟吅：鴟，至治本、明修補本、王抄校本同，文淵閣四庫本作「鴻」。

投壺引

至元八年六月十五日

古之人心正意誠之學，無或不在也。予於投壺見之矣。壺之義，三代之遺制也，自諸侯至於卿大夫，靡不行焉。或堂或庭，野外軍中，必設兩階，以明賓主之禮。置壺楹間，取其中也；北面受矢，尊其賓也；兩黨相嚮，比其誠也；弦以狸首，殺其等也；鼓以魯薛，節其事也；勝欲不勝，養弗能也；司射申誠，儆其慢也。若夫左右盍簪，臨壺荷矢，身跛倚，則壺不相直也；氣涣散，則志不能碇也；手不端，則矢弗能順也。必也心正意誠，神凝於内，坐與壺相當，扶與矢相應，故的然而中，無過不及之差，豈非誠心正己之道歟！且古之為學，怠惰之氣不設於身[一]，其或少焉，必有休息之具，曾不以奇技淫巧，令人心蕩而狂也。故壺之義，有足尚焉。然壺亦兵象也，與射禮略同。蓋兵凶戰危，人情之所惡；燕飲娱賓，人心之所欲也。先王因其所欲，而寓其所惡於其中，俾樂為之不厭，則平日之所尚，乃異時之所用也。且漢唐以來，博戲之事多矣，獨弈之技行于今不廢，然迹其用心，傾危抵巇，一着一機，司明以之眊亂，靈臺為之攙搶，必决其存亡而後已。《傳》曰：「性相近也，習相遠也。」術之不善擇也，如此，悲夫！予自憲臺秩滿，居閑不出者，動涉旬朔。時雨霽，堂廬清，停披之餘，無以休息，用此以佐雅歌之樂，庶幾動静周旋，其心一出於正，方之既飽而嬉，莫知所嚮者，其賢乎哉！其賢乎哉！至元辛未夏六月望日序。

[一]怠惰之氣不設於身：惰，原作「墮」，據文淵閣四庫本、王抄校本改。

遊洄溪序　至元五年四月十六日

夫燕遊觀覽，蓋所以增放曠而攄煩滯也，故君子所不廢焉。歲戊辰夏四月既望，時雨霽，景氣清，嘉苗濯秀，二麥含實。翰林先生拉二三子，聯騎出郭，由郡之西南，按轡遵隰，周覽物華。既而掉鞅東首，尋盟泂溪之上。於是步蘭臯，俯清流，蔭佳樹，藉碧草。鳥嚶嚶而遺音，魚躍躍以騰水，飛鳴潛泳，各遂所宜。悠然之思與淵流俱，而莫際其涯，顥然之氣與造物游，而不知其所極。先生曰：「吁！樂哉斯遊也。」於是談麈屑飛，朱絃聲渺[一]，從容質問，不覺前席。二三子怡然洽所歡，充然有所得，不知老之將至，日之云夕也。風乎詠歸，又何啻遺塵衽而攄壅鬱者哉[二]！因援毫為之序。

[一]朱絃聲渺：聲渺，原作「啈眇」，據文淵閣四庫本改。　[二]又何啻遺塵衽而攄壅鬱者哉：衽，原作「枉」，據文淵閣四庫本改。

帝王鏡略序

至元四年五月三日

東萊云：六藝之文，學者之大端也。其次莫如史。然史書浩博，自遷、固而下，不啻數百萬言，學者雖資禀精彊，至於極其致而得其要者或寡矣，矧童子初學者歟？近讀遺山先生《鏡略》書，所謂立片言而得要者也。其馳騁上下數千載之間，綜理繁會數百萬言之內，駢以四言，叶以音韻，世數代謝，如指諸掌，歷代之能事畢矣。然先生北渡後，力以斯文為己任，孰謂斲大材而就小室，抵和璞而輝丘陵者乎？是書之出，若為童蒙學習者之所設也。然《傳》不云乎，君子之道，孰先傳焉？孰後倦焉？循序而進，有不可躐等者。士人張敬叔貧而好學，家藏是書，今刊之以廣其傳，亦可以見其用心焉。爾彼初學者，一旦心志通達，由堂入奥，又且得博觀約取之法焉，是則一鏡之略，不為小補者也。至元四年歲丁卯重午前二日題。

王氏藏書目録序

至元四年七月

河南房扆王氏，為衛之著姓，百有餘年。祖宗以孝友相傳〔一〕，略無長物。逮先君思淵子北渡後，亦不治生産，怡然以閉户讀書為業，聞一異書，惟恐弗及，其弱冠時，先君氣志精强，目覽手筆，日且萬字，不十年得書數千卷。或者曰：「藏書如是，尚爾為？」先子曰：「吾老矣！為子孫計耳。有能受而行之，吾世其庶矣乎！世人知榮保其爵禄，不知一跌足赤吾之族〔二〕；知富寶其金玉，不知一慢藏已為盜所目也〔三〕，何若保書之為寶乎！若子若孫由是而之焉，為卿相，為牧守，為善人，為君子，上以致君澤民，下以立身行道，道其在於是矣。」由是而觀，先君立世之志，貽厥之謀，何其遠且大哉！嗚呼！先君去世將近二紀，不肖某今年四十有一，遺言在耳，遺書在櫝，感念平昔，不覺泣下。因復慨嘆仕不為進，退足自樂，蓋所恃者此爾。然置之而不力其讀，讀之而不踐其道，與無書等矣。《傳》曰：「遺子黄金滿籯，不如教之一經。」此誠先君之志也，可不懋敬之哉。至元四年秋七月，曝書于庭，與兒子孺校而帙之，則各從其類也，述書傳目録叙。

〔一〕祖宗以孝友相傳：孝，原誤作「奉」，據文淵閣四庫本、王抄校本改。〔二〕不知一跌足赤吾之族：跌，文淵閣四庫本作「失」。〔三〕不知一慢藏已為盜所目也：不知，原闕，據文淵閣四庫本補。

汲郡圖志引

至元三年九月九日

客有過僕而問曰：「子之經求衛事，纂集圖史，所嚮欲何為哉？」僕應之曰：「述先君之志也。」昔先子無恙時，嘗訓某曰：衛有圖經舊矣，北渡已來，百訪而不一見。世郡人也，生於斯，長於斯，宦學於斯，聚族屬於斯。由宋而金而皇朝，百有五十餘祀，不謂之遺俗可乎？且衛得天中桑土之野，北通燕趙，南走京洛，太行峙其西，大河經其南，河山之間，盤盤焉一都會也。及論其郡國之本末，輿地之因革，牧守政教之賢否，土産風俗之醇醨，山澤利益之隱顯，人物古今之盛衰，則藐然不知，責將誰歸？至如淇水名川也，而指為「李河」；銅關近防也，而曰「壁列門」；羑公顯號也，而曰「康叔塚」；殷溪明表也，而稱「太公泉」；共城伯國也，而曰「段天子城」；趙越太守也，而曰「越王墓」；淇口會亭也，而曰「衛新臺」。崗名博望而祀張騫，山號仙翁而歸葛氏，睎獲嘉而曰「故城」，以頓方而作「頓丘」、枋裏而為「枋頭」，而又汲水湮而無聞，金堤蕩而失據。其甚則白圭訛而為「鷄黑」，麓謬而為「鹿」。迷惑忘返，以至於斯，可勝嘆哉！是皆吾平昔欲正之而不忘者也。吾老矣，終當畢此一事，付之青箱。無幾，先君捐館，雅志罔就，嗚呼痛哉！中統建元之三年，予自堂吏來歸，閑中紬繹經史，得先人所藏遺書，涙灑行間，愾歎久之，曰精爽不昧，有繼志述事，庶少慰爾。於是聚書一室，研精致思，蟫蠹群言，外則訪諸耆宿，雜採傳記碑刻，復為按行屬邑，以覆其所得。噫！汲雄望也，自康叔迄今，幾二千餘歲，其幽光潛德，靈蹤盛迹，隨陵谷起滅，不可殫紀。徵文獻則墜簡已亡，懷舊俗則高年無幾。瞻言丘壠，旌紀寂寥，不肖何人，能發越其間哉？然先子遺教，不可墜也；良史所載，傳信後也。故特取其人物政教風俗關於治亂為後世之法者，群分而類聚之，復著辨論等篇，凡若干卷，題之曰《汲郡志》。曰郡者何？包上下而言也。書成，因自笑曰：「諺有之『家畜弊帚，享之千金』，其不肖之謂歟！然非敢示諸作者，庶幾來者志存肯構，其治梓作室，以是為樸，斲坦墉之始，丹雘塈茨之本，可乎？」客唯而退。時至元丙寅秋九月重陽日引。

會玉簪花詩序

玉簪，花之名品也，然唐宋以來，騷人賦客歌詠不多見，豈花之種昌於近代歟？較其繁昌，在京師為最盛，豈花之性喜凉，風土使之然耶？當其庭軒暑退，幽砌凉新，翠筵高聳，瑶花盛陳，湛露氣於碧霄，映仙姿於月户，素影以之輕盈，芳心為之容與。至若肌膚綽約，來姑仙也。緑雲婆娑，墜曉鬟也。幽香濃遠，眇不知其幾許也。其畏景便陰，低昂倚佇，意韻飄瀟，如欲輕舉。所謂玉華同駕，紛簪導以何翩，風標可人，占高秋而(下闕)。

南鄘王氏家譜圖叙

至元三十年四月

（上闕）所安神不為之餒，而敢告來者，能永遵儀法，不惟德歸於厚，有以見吾皇考繼述啟迪之方，祖妣承家守節，揚厲無窮之意也。至元三十年夏四月，翰林學士中奉大夫知制誥同修國史、裔孫惲百拜而為之序。

南陽府瑞芝詩卷序

天地之大，氣無不周也。其至和純粹之極，隨德感召而禎祥之。故應于上，則有卿雲景星；發于下，則有醴泉朱草[一]。芝為物尤瑞，然產之不恒，秀之而特異者，蓋不一二數焉。完顔公尹南陽之明年，有芝產於方城民家，凡四本，誠秀麗而殊常者也。其駢枝連葉，突如雲興，幢然蓋植，有累至十六七者，英華韡曄，顔如渥丹，可翫而愛。郡之吏民視履考祥，奔走庭下，咸謂公視事已來，行有以召之故也。如役使時而田里安，賦斂均而物情允，疲痡者為之息肩，方苞體者使之不夭，是慈祥愷悌之方，拊循惠養之實，浹洽備至[二]，感召休徵，物效靈光者也。公曰：「方今王澤下流，皇風遠暢。意者仁厚之化，行乎江漢，域者衣被草木[三]，昭回光而為開先之兆也，昭昭矣。予何敢以當之？」即篚置以聞。

衆復曰：「非常之瑞，歸美於上，臣分當然。弗産於鄰郊它邑，而呈祥於提封涵濡之下，不蒸於顛桁棟隆，而擢芳於陂澤野人之圃。亦由布宣中和，導揚德化，下克靈承之自也，是不可無聞於後。」遂繪彩靈姿，求太史紀瑞者屬之，俾上以頌天休滋至之繁，下以見郡守惟良之美。適余將事在申，因其請，樂為書諸卷端。

[一]則有醴泉朱草：朱，至治本、明修補本、王抄校本同，文淵閣四庫本作「芝」。[二]浹洽備至：浹洽，原作「夾洽」，據至治本、明修補本、文淵閣四庫本、王抄校本改。[三]域者衣被草木：域，至治本、明修補本同，文淵閣四庫本、王抄校本作「或」。

文府英華叙

至元四年七月三日

僕自弱冠時，從永年先生問學。先生以科舉既廢，士之特立者，當以有用之學為心。於是日就《通鑑》中命題，或有其義而亡其辭，或存其辭而意不至者，課之以為日業，雖云此何時也，然觀多事之際，斯文有不可廢焉者，小子其勉旃。及長年以來，綿歷世故，愈知先生之言為有徵。至元三年，予自魯返衛，居閑痛悼墮窳，日以書史振勵厥志，因覩古人臨大節，處大事，征伐號令，渙汗云為之際，含章時發，以之功業成而聲名白者，良竊慨慕焉。遂斷自戰國已上迄于金，取其文字粲然適用於當世，觀法於後來者，得若干首，題曰《文府英華》。非敢妄意去取，第類集以廣怡説。其或從事力列，屬辭比事，庶有效於時，寔自先生之教之中來也，是不可不序。四年丁卯秋孟三日引。

宋總尹母夫人慶八秩詩序

人與天地叁，所貴者生，所欲者壽，福全德邵，此又壽者之可樂也。予宦遊燕朔，接世家甚多，至於享高年之安，具五福之慶者，總尹宋君母夫人其一也。夫人姓魏氏，濟南人，出膏浸醲薰，世為名族。及歸處士，貞順儉約，被服僮僮。早夜以中饋是承，處士姿沖適樂易，以文儒重一時，為中令耶律公所知。喜賓客，樂施予，尊俎談詠，有承平故家風味，故軒車填咽、鶴蓋交陰於門者無虛日。夫人躬儉內助，壼儀有則，賓至，率擊鮮供具。佳肴名釀，齊潔嚴整，未常計家有無，俾不足於賓所也。處士嘗與客語久，夫人適帡户間有所聞〔二〕，客去即曰：「直諒易言，我雖誠，人則有愛惡焉。再思可也！」其順成輔佐君子至意類多此。子四，俱教之讀書。雖出就外傅，庭訓之際，以孝悌忠信為主。曰：「孝者行之源，悌者順之至，忠者臣道之極，信又朋友所須以成者，立身揚名，本其在於是，汝等敬之勉之。」古稱陰教有助，夫人之謂也。長曰漢臣，河南府路總管，忠勤長厚，不類今人。次魯臣，願而克家，恬於仕進。次唐臣，才碩有幹局，侍儀司法物庫使。次楚臣，博學多藝能，有處士風，上邸潛時，以琴阮侍左右有年，今以致養日嚴為事。夫人今年壽登八秩，康寧精爽，髮微艾，容睟然，飲啖如五六十人。歲時拜慶，子孫滿前，斑衣彩袖，鴈行玉立，其團欒香火之情，雍肅閨門之化，融融洩洩，萃於一堂之上，不謂福全德卲可乎？吾是知《召南》美化本於正始[二]，而有麟趾鵲巢之應；《洪範》之九五根於攸好德一言，而壽為五福之尊。禎祥有自，於宋氏概可見矣。求諸公賦詩歌詠其所貴可樂之美，屬惲而為之序。

[一]夫人適幈户間有所聞：幈，文淵閣四庫本作「於」。 [二]吾是知召南美化本於正始：召南，文淵閣四庫本作「二南」。

總尹湯侯月臺圖詩序

至元十四年正月十五日

蘇門山水明秀，為天下甲，蓋有東南佳麗瀟灑之勝，而無卑濕蒸炎之苦，誠中州之江南也。湧金門外，西南行三里而近，曰蘇氏別墅，中有大石月如，周列座鼓八，因得名曰「月臺」。其形勝大概，溪環竹外，山倚雲旓，空翠湖光，動盪無際，蒼煙白鳥，容與鳴集。渡野彴穿林篁而入，中鑿蓮溏，削方洲，構亭其上。青梅蒼檜，四面間植，奇花異卉，繡錯其下。牡丹臺、酴醾洞，又為東西別圃，春則醉其香，夏則清其暑，秋月可翫，冬梅可探而賞也。四時之景皆新，而其樂亦無窮也。暮春初，郡人遊歷，始于百泉曉翠，經柳湖、雙塘、梅溪，而南迄焉止息，故共頭月臺，實為一方首尾之冠。至元丙子春，予自晉東還，取道共城，友人於焉觴予，爲一日留，覩其廢磑修復，堰蹊高敞，雲烟竹樹，光賁疇昔。詢之，知爲府尹湯侯易而主也。是年冬，與湯會燕，出所繪《月臺圖》，且曰：「爲仕宦牽率，罔獲徜徉其間，以遂初心。今欲求諸公題詠，庶見其素藴。雖南北東西，時得展玩，猶一到其中也。吾子爲我序之。」嘗念天壤間佳境，幽人勝士樂之而不能有，豪宗貴族有之而不暇樂。三十載間，吾見此四易主矣。不知當時賓從輪蹄，凡幾往返，得窮雲烟魚鳥之趣。彼幽人勝士暢情適意，不以物之有無爲樂，而貴遊豪宗雖有之，能遂其樂，而樂方爲己有。雖然，今君以才術通顯，投功名之會，膺長沙方岳之寄，而能以此爲懷，豈他時倦遊知止之心，急流勇退之舉，將張本於斯歟！十四年上元日序。

博古要覽序

予性澹癖，無他嗜好，獨於古彝器愛而不置，雖造次必摩挲瞪視，辨其銘欵爲何代何物，間有所得，則悚然起敬，想見當時氣象，令人有不能已者。第所見不廣，究其義未詳耳。十四年春，余入翰林四十有七日，侍左丞相耶律公於玉堂，坐間出《宣和博古圖》三十卷示予，因假以歸，與院史趙復取《鍾鼎韵》，歐陽子、薛尚功《欵誌》，吕氏《博古》，李群舒《考古》等圖，參讀而節約之，觀其制作之精微，賜用之所以，篆籀之古而不苟，文章之雅而不迫，取物象形，垂儆萬世，其爲法深且遠矣。因念三代吾不得而見之，得見是器斯可矣。矧微辭奥旨，引據玫證，於粲昭著，生平所疑，前賢或闕而莫可致詰者，一覽而盡得，怡然理順，渙焉冰釋。筆削既已，從其類而作若干卷，題之曰《博古要覽》。客有過而笑曰：「子之學，棄俗尚，從寂寞，惟恐其不古也，其如適越而冠章甫何？」予應之曰：「不然，方今明天子御極，神聖慈武，撫四海而有之，禮器縟典[一]，將維新是圖。一日告功神明，郊祀饗獻之禮行，有每事而問者，據得所而告之曰：此鼎也，彝也，卣也，匜也，爵也，罍也，犧也，象也，如是而已！其於魯兩生間，安知無一日之長乎？」客笑而退，於是乎書以為序。

[一]禮器縟典：典，文淵閣四庫本作「興」。

書畫目録序

登崑崙之墟者，知宇宙之大；臨滄海之淵者，見魚龍之富。故達人大觀，必於物之所萃而致意焉，乃能窮古今之變，極天下之觀，否則與管窺等耳。若夫歷代之法書名畫，唐以太宗嗜好之篤，宋以徽廟沉湎之甚，搜訪百至，品第裝璜，比三代傳寶。至陪葬昭陵，閟藏内殿，仍置官典校，署之曰「秘省」、何其崇哉！當時自非寵錫貴近，賜觀諸王，思欲頓首一闚，胡可得已？且唐迄今五百有餘歲，幸而存者又無幾。唐亡而五季，宋殘而金源氏，金滅而國朝興，其間兵亂相繼，散亡劘爐，又不可勝紀。聖天子御極十有八年，當至元丙子春正月，江左平，冬十二月，圖書禮器並送京師，勑平章太原張公兼領監事，仍以故左丞相忠武史公子杠為之貳。尋詔許京朝士假觀。予適調官都下，日飽食無事，遂與左山商臺符叩閽披閱者竟日，凡得二百餘幅。書字一百四十七幅，畫八十一幅。恰然有所得，沖然釋所願，精爽洞達，滯思為一攄，所謂升崑顛而見洪荒之大，俯溟渤而駭光怪之多也。嗚呼！三光五岳之氣，緼絪槃礴，發於人為精華，傳於代為英物，以數百載萃聚韞藏之盛，積而為崇丘，滄而為淵府，一旦顒顒然拭目而觀，可謂千載一遇也。因念人與事機，其會與否，皆有數存其間。九年春，予一夕夢謁平章張公名易，字仲一，太原人。於府第之東堂。酒數行，發書一櫃示予，皆彩圖繪本，金文玉牒。今觀中秘所有，璀璨輝赫，與夢中所見者盡同，吁，亦異哉！《傳》曰：「嗜欲將至，有開必先。」信哉斯言也！作《書畫目録序》。

故翰林學士河東南北路宣撫使張公挽詩序

至元十四年秋

歲甲寅冬，先生被故經略史公召過衛[一]，惲以諸生贄文上謁，承顧睞獨異。逮中統辛酉，先生自河東宣撫改授翰林學士兼中書省參議，其秋，惲亦以都司就列。機務之暇，接論思殊欵。至元二年，公以前東平宣慰起復，簽山東等路行省事，適惲從事在魯，又奉閒燕者兩月。六年己巳冬，不肖應御史辟出真定，候公於頤齋，尊酒從容言笑竟日，因及西臺故事。時公精力未衰，慨然經世之懷尚眷眷不置也。厥後惲官平陽，飫聞公填撫時，政績章章在人心不去者甚悉。私念自甲寅迄壬申歲廿年間，與公會合者五，聯事者再，似不偶然也，故知公為頗詳。公資剛嚴，有經濟器業，遇事風生，果於斷劃。其庭議剴切，矯矯有長孺志節。至扶善良，嫉姦惡，又似夫王義方對仗時辭氣。生平素蘊，在河東展也盡至，今三晉間愛仰如神明，乃以霹靂手目焉。雖時致齟齬，其耿耿自信不疑者，氣終不少下。公歿後三年，甥王革來過，追惟疇昔，愴然動零落丘山之感，余亦為歔欷也。想遺直之不復，悼斯文之如綫，勉為哀挽，庶答顧遇知己之厚，且代封龍招來之些。魂而有靈，鑒茲哀悃。公字耀卿，姓張氏，太原交城人[二]。早舉進士，聲藉場屋間，既而以臺掾進。為人儀觀秀偉，山立揚休，望而知為正人端士。壽八十，終鎮州，頤齋其自號云，不書名，貴之也。至元丁丑秋謹序。

[一]先生被故經略史公召過衛：召，原作「至」，據至治本、王抄校本改。文淵閣四庫本作「委」。[二]太原交城人：交，原作「友」，據至治本、王抄校本改。

趙德明母劉氏慶八十詩序

至元十五年春

人皆以壽為樂，然使吾親壽壽而康寧，茲人子之至樂也。鼓邑趙君德明，予官晉府時幕從事也，每與之接，不下帶而存者，皆和氣愉色。其臨事行己，洞洞屬屬，若持盈奉玉，惟恐弗勝。予異之而不及問。戊寅春，會京師，稱其母劉氏，金進士都水監勾之女，穰縣簿耆德唐甫之妹，年雖高，聰明安健，紉縫在手，不持杖作箸力[一]。先懷遠府君不幸早世，三十年間，昶暨二弟靖、炳，頗試所歷。及有孫六人，女孫二人，重孫二，重女孫六，同居無間言，是皆母氏慈愛恭儉，陰教有方之力也。昶等不肖，愧弗能紆青拖紫，儋爵析圭[二]，以顯榮為養，用報劬勞之德。今歲壽開八秩，將南歸省慶，尚賴賢士大夫見之歌詠[三]，歸慰母心，以為閭里光。予告之曰：「壽福富貴，衆人之所欲也。若今之富貴似可求而得，唯壽與福命之於天，不可幸而致。彼高明家雖三牲日養，未免使親有顧慮可憂之感；崇高而安者，子孫多親不待之嘆[四]。今君職雖卑，禄雖薄，與仲弟輩怡然以志為養，其樂也融融，吾知案上一杯菽水，過於五鼎七牢矣。」時也恒山之陽，滹池之濱，風和而晝明，鳥嚶而華粲[五]。緑萱婆娑於堂背，舞袖斕斑於膝下[六]。朝而倚其門，夕而倚其廬，俟子之來歸。君其行矣，試以吾言語諸鄉人，而曾閔和樂之氣，將有聞風而興起者焉。至元十五年季春清明日序。

[一]不持杖作箸力：箸力，原作「筯力」，據至治本、文淵閣四庫本、王抄校本改。　[二]儋爵析圭：析，至治本、明修補本、王抄校本同，文淵閣四庫本作「錫」。　[三]尚賴賢士大夫見之歌詠：賢士大夫，原作「賢士夫」，據文淵閣四庫本改。　[四]子孫多親不待之嘆：待，至治本、明修補本、王抄校本同，文淵閣四庫本作「追」。　[五]鳥嚶而華粲：華，至治本、明修補本、王抄校本同，文淵閣四庫本作「葉」。　[六]舞袖斕斑於膝下：斕，原作「襴」，據文淵閣四庫本改。

潔古老人注難經序

至元十七年中伏日

醫之有《難》、《素》，猶六經之有《春秋》、《易》也。書雖盡言，言不極意，神而化之，存乎其人。潔古張先生，醫師之大學也，以是書注釋雖博，未免有仁智殊見，體用不回之間，于是研思凝神，探索玄奥，發遺意於太素之初，出妙理於諸家之表，使體用一源，得失兩判，復隨其疾證，附以禁忌方論，述經解廿四卷。先生高弟東垣老人，以其書授羅君謙甫。兵後文多墜簡，及得田氏口傳易水遺旨百餘條，苴補脱漏，遂為完書。予嘗觀其旨要，顧天下之事，未有不極其理而能臻於妙者，矧醫術精微，主司萬命，惟其至精，非一世之所能備；惟其至微，非一賢之所能窮。故軒岐開天，如大《易》之畫其卦[一]；越人撮要，猶三《傳》之贊其經。迨潔古講解古今之善，傳注之能事畢矣，誠生民之命脈，醫學之淵會也。嗚呼！醫固難事，學即能至。至於提挈造化，會歸一身，如秦扁闚五臟而洞癥結，察形聲而辨死生，推原本自，心融手應，坐收神聖康濟之功，要以理明學博，精詣其極，有不期然而然者。其功用之實，咸在是書，學者宜盡心焉。而太史公稱扁之術得於餌桑君之藥，飲上池之水，特以診視為名，恐未之思爾。謙甫將板行以壽其傳，求題諸篇端。予嘉其學術及物之外，能光昭師道如是，可謂知本也已。先生諱元素，易水人，潔古其自號云。至元十七年歲次庚辰中伏日序。

［一］如大《易》之盡其卦：盡，原作「晝」，至治本、明修補本同，今據王抄校本改。文淵閣四庫本作「書」。

宋東溪墨梅圖引

至元十七年立秋日

性之所得於天，有不行而至，不學而能者，况托物游藝，意存所寓者哉？總尹漢臣善寫梅，樂之終身而不厭，且梅以墨繪，黯淡枯寂，無聲色臭味可嗜而悦，盖性之所得，有不容自已者。余嘗踏雪過南塘，入東閤。主人開樽小酌，醉中出示所製溪雪春風等圖，亦以淡僻。故為把玩者久之，覺冷香疏影，動蕩於几案間［一］，令人翛然有孤山籬落之想。後考試洛陽，復與君會府署之梅花堂，庭之所植者皆是也。因舉觴相屬曰：「永南梅之淵藪［二］，又久官於此，殆將俾使君移船花光，臻超然之極致耶？」東歸悉以近作贐予，其風味之勝，瀟灑之工，又非向時昊下矣。及入汳解裝，盡為好事者索去。嗚呼！君今已矣，梅寧復得邪？其弟唐臣義夫輩，追憶風流，事亡如存，聯綴遺墨，求名士夫題詠，將昭大兄游藝之美，來屬引其端。漢臣於余，契久且敬，故知為人頗詳。君天姿誠悃，與人交有終始，於修身齊家孝友純至，一門之中融融怡怡，以及於政，是知托物寓意於歲寒三友之間者，不徒模寫形似，俾自得之趣冠時人而名後世也。十七年立秋日，秋澗序。

［一］動蕩於几案間：間，原作「門」，據《永樂大典》本、文淵閣四庫本、王抄校本改。

［二］永南梅之淵藪：

永，至治本、明修補本、文淵閣四庫本同，《永樂大典》本、王抄校本作「水」。

新修調元事鑑序

至元二十年六月十七日

士之有志於道者，當以聖人為則；有志於天下者，當以宰相自期。降是夫何言焉！然宰相者，輔天子，坐廟朝，經綸一世，豈偶然哉？是在彼者得之為有命，而在我者烏得而不盡之哉！況相之為任，正己以格君心之非，進賢以盡知人之鑑，理物以代天地之化，權宜以成天下之務[一]，尤需以學術而為之先。逮夫叔世多故，大學之道，不明於上，燮理化為權衡，論思變成機務，相之德業其所存而不亡者幾希矣！此《事鑑》之所以作也。嗚呼！三代而上，如禹益稷契，其謨猷德業，光極臣道，日星麗天，尚何議擬？故斷自殷周已來，終之近代，上下千有餘載間，其相之賢否，具列無遺，俾歷朝之用舍，一代之安危，前後鱗差，易於即見[二]。至若善或當與，詳其所可法；惡或可奪，書其所由然。準以夔契伊周之所行，斷以孔孟諸儒之正論，間以臆見附之，要本德學材識，公明正大，以道事君，為事業經綸之最至。如遭際聖傑，不善更化，祇以權謀功利為尚，雖濟一時而不可多得，終非鑑之所先務也。僕老矣，壯而所期見於世者百不能一必，故朝夕覃思是編，庶成一書，亦畎畝不忘之心也。俾後之君子有志於斯民者，識前言而明治體，稽往行而處事機，其於衮職，不無少有補焉。至元二十年歲次癸未夏六月十有七日序。

[一]權宜以成天下之務：權宜，原闕，據文淵閣四庫本補。　[二]前後鱗差，易於即見：文淵閣四庫本作「前後差易，咸集於是」。

顔魯公書譜序 至元二十年得伏日

古人以書學名家者甚衆，今獨取魯公而譜之者，重其人以有關於風教故也。魯公之書，上則闖三蒼之餘烈，中則造二王之微妙，下則極古今書法之變，復濟之以文章氣節之美，故後人作之，終莫能及。東坡云：「評書兼論其平生，苟非其人，雖工不貴。」昔莆陽鄭樵，嘗集公代有金石刻，得七十有五。予之耳聞目覩，洎有其名而亡其書者，得六十有二，備録家藏，實有五十有一。祇以憎僻酷愛，嘗求三十年之久，纔所得如是。念其嗜之無力，自非夤緣，物聚於所好，亦已難矣。嗚戲！公之書，今存於世者無幾，加之歲刓月嫩，有劘滅而已，可勝惜哉！若夫千金之璧，為世重寶，人能碎而不靳者，以求而可復有也。若公之書，寧復載得邪[二]？故余作譜，按公春秋與所書碑刻歲月官封，詳考而次第之，俾觀者知公之書，因物賦形，變態百出，其胸中忠義之氣，葱葱鬱鬱，散於筆墨之間者，至終老而不少衰，所謂止見性情，不見文字，令人想見當時氣象，有興起而不能已者，是不亦關於風教者乎？

譜既成，客有過予而問曰：「二王乃真行之祖，顏陳縱横，曾不逾矩，曷若即而為法乎？」余曰：「不然。孔子，吾徒之願學也，然升堂入室，固當有序，若即此而求臨池之妙，則思過半矣。」客謝而退。至元癸未得伏日序。

［一］寧復載得邪：載，諸本同，文淵閣四庫本作「再」。

衛生寶鑑序 至元二十年清明日

醫與造化參，學之精者為難。至著書垂訓，冀後世必然之用者為尤難。羅君謙甫，東垣先生之高弟，嘗謂予言：「初授簡席下，東垣曰：『汝將為為人之學歟？聞道之士歟？』請曰：『走雖不敏［一］，幸蒙先生與教，理之深詣，迺所願也。』故十年間，雖祁寒盛暑，親炙不少輟，真積力久，盡傳其私淑不傳之妙。大抵人之疢疾，不外夫陰陽變徵，我能參兩間會一身，推窮其所受根源，方為可爾。用是以所得驗於日用之間，如敵在目中，然後審藥為攻，未嘗不如吾之所必取也。因集為一書，題曰《衛生寶鑑》。曰辨誤者，證世之差謬，明其理之所自也；曰擇方者，别夫藥之精粗寒燠，以酌其疾證之宜否也；曰紀驗者，述其己之拯料與彼之深淺，見其功效之實也。僕平昔所得者如是，吾子其為我序之。」予聞醫之為學，古聖賢致知格物之一端也。軒岐已來，《難》、《素》、《靈樞》等書，累數千萬言，自非以醫為己任者，孰克而究之？若羅君者，可謂以醫為任而究其理之所自歟？昔王彦伯醫聲既白，列三四竈煮藥於庭，老幼塞門來請。彦伯曰：「熱者飲此，寒者飲此，風者、氣者，各飲此。」初不計其酬謝。今羅君亦以道心濟物，復能著書垂後，冀必然之用，其仁心普眼，當與彦伯同流，其誰曰不然？故樂為題其端云。至元癸未歲清明日序。王彦伯，《酉陽雜俎》云：唐人，為道士，善醫術。（以上見《秋澗集》卷四一）

［一］走雖不敏：走，諸本同，文淵閣四庫本作「徒」。

全元文卷一七五

王　惲　九

與左山商公論書序　至元二十年四月六日

嚮伏觀所類諸賢法書[一]，平生所未足，於焉盡償。公云：「如楊少師《維摩》等帖，天真爛熳，上法二王，下與魯公争衡，至縱心所欲，皆寓正筆而不踰矩，所謂出新意於法度之中，寄妙理於豪放之外。」知此，迺悟涪公云「余書不可學，學者輒筆愞而無勁氣」，似非虚語也。因復出坡公所書《寒食詩》一帖，方之在顔、楊兩間。蘇當為入域之賢爾[二]。嗚呼！古人不可作，所得見者，書蹟為最真。今吾左山商公，掇拾於二千載後[三]，剔去纖妍而留精偉，復始終條理，俾金聲玉振，以集大成。是又智者之事，諒非禪中有眼者，疇克辨此邪？第恨不得時時聽瑩[四]，以盡古今之變，會歸其極耳。然歸裝翩翩，已復捆載矣。至元二十年四月六日書于所寓壽宫之道室。

[一]嚮伏觀所類諸賢法書：伏，原作「大」，據至治本、文淵閣四庫本、王抄校本改。　[二]蘇當為入域之賢

爾：當，諸本同，文淵閣四庫本作「黃」。　[三]掇拾於二千載後：千，諸本同，文淵閣四庫本作「十」，疑誤。
[四]第恨不得時時聽瑩：第，原作「弟」，據文淵閣四庫本改。聽瑩，文淵閣四庫本作「聽教」。

上巳日林氏花圃會飲序

至元二十四年

四序言譏，氣有慘舒，不無哀樂，從違之間。維暮春元巳，物華澹艷，極夫舒樂者也。故昔之人，迓續維新，祓不祥於川流之上，其來遠矣。然例以三日為節，緣不克與己會者，蓋尋常焉。今歲人和氣稔，適與己契，又可重也。不揆援永和之舊例，嗣舞雩之清音，徵賢合友，禊飲林氏花圃。尋盟而至者，凡一十二人。於是登野彴，酹清波，折柳脱窮，秉蘭即宴[一]。歌絲間發，羽觴交獻。不數行，四座紛然，迭為賓主。酒既酣，秋澗老人繼以柳圈新唱，詠四者之來並，喜三樂之同集，揚觶娱賓[二]，傾冠倒佩，不知其不可也。已而客有稱於坐者曰：「昔會稽諸賢，禊集雖雅，未免因述梗懷，俯仰今昔，動終期歸盡之感。今吾與子一攄底滯，增暢老懷，顧知己而無雜賓，聆歌聲而免詩苦，以此方彼，疑若可繼，樂有所踰也。是不可以不志。」明日，弟忱輩來解酲，首賦佳篇，乃以其序屬予。余亦以會鮮離多，樂之不易再也，筆泚餘酣，率爾而作。時至元二十四年歲在丁亥甲午日也。謹序。

[一]折柳脱窮，秉蘭即宴：此二句諸本同，文淵閣四庫本作「折柳扳楊，袖蘭采藥」。　[二]揚觶娱賓：娱，原

闕，據至治本、明修補本、王抄校本補，文淵閣四庫本作「侑」。

編年紀事序

至元二十四年五月

史書浩博，殆藥山然，用之不盡，取之不竭，第掇之者不易區別。編紀之書，有不得不作者。然務博者或詳其不必書，從簡者至略其所當取，斯盖漫然中無所主故也。大抵觀史者，須當見其一代興衰之自，要本不出君與相好尚治忽而已。如賢否之用舍，治亂之所由生，刑政之寬虐，民情之所從易，安危之機，截若影響[一]，此理之必然也。是皆吾儒法之而為明時治平之具者，得不詳且備歟？若筆之而無所用，則上下數千載之事蹟，特斷爛朝報耳。廿一年，余解印西歸，休焉而無所事，日纘相務為業，編年者尤不可斯須而去手，遂與韓生弘[二]，因其舊編，增而廣之，事備於前，統明於舊，若夫世主之御天接統，輔相之登庸宅揆，前後繫屬，一不敢闕，所謂該天運之盛衰者[三]，則思過半矣。明年冬，既斷手，生曰：「增輯之意，不可不序諸篇端。」吁！吾年向耄，前日所進，今日不覺其忘，小子其秘之，于以備吾家藥籠中用可也。時則二十四年丁亥歲，夏仲日序。

[一]截若影響：截，文淵閣四庫本作「捷」。　[二]遂與韓生弘：弘，文淵閣四庫本作「宏」。　[三]所謂該天運之盛衰者：天，原作「夫」，據文淵閣四庫本改。

王氏易學集説序

至元二十五年二月清明前二日

先君思淵子，昔掾民部時[一]，尚書張公諱正倫，字公理日引一叟連榻坐，與之問辯甚欵，察之，蓋講《易經》旨也。每參署已，輒抱牘傍侍。張公曰：「汝亦樂聞斯乎？」曰：「唯。」自是日熟所聞，遂潛玩焉，造次顛沛，樂之而不釋也。北渡後，遇玉華王先生，復得窺其門牆而覃思焉。既而有問答理亂之説，玉華子訢然曰：「推是而進，何憂乎不造夫突奥也[二]！然專静之功，不可以不至，藏往知來，實本於此，吾子其志之。」既而家府屏遠人事[三]，取歷代諸儒所傳，探微賾妙[四]，日一卦為業。真積既久，静見之心遂大以肆，曰：「吾老矣！非述何以見於後，示子孫以大受也？」乃組節群言[五]，使如出一手，辭約而意貫，諸家之善，蓋無餘藴矣。嗚呼！《易》之為書，三聖人憂世而作也。其道有四，互為之用，然身外無可論之道，道外無可談之理，天理人事，不出乎日用行己之間而已。是書之集，四者具列，要以近人情為本，使學者切身以求用，易知而不雜，其於《易》道，庶彬彬然有煒矣。不肖今亦向耄，先世庭訓，墜泆無緒[六]，大懼夫不學而衰也。乃沉潛是編，冠倩述之意於篇首，仍題曰《王氏易學集説》，使後之來者知先君學道立世，其博文約理有如此者。小子惲復續所得，以綴于後，蓋先君所未見也，庶幾五十家之説，左右逢原矣。至元二十五年戊子春二月一百五日序。

[一]昔掾民部時：文淵閣四庫本無「時」字。　[二]何憂乎不造夫突奥也：突，文淵閣四庫本作「深」。

[三]既而家府屏遠人事：府，文淵閣四庫本作「居」。　[四]探微賾妙：賾，原作「頤」，據文淵閣四庫本、王抄校本改。　[五]乃組節群言：組，文淵閣四庫本作「紐」。　[六]墜泆無緒：泆，文淵閣四庫本作「失」。

送信生士達北行序

勾吴之分，豫章之野，有神物焉。雄雯陰縵，世不多得。佩而服之，可以檢非常而走光怪；礪而用之，可以決浮雲而開白日。當其鋒鍔翳昧沉鬱於幽圄之下[一]，然衝霄之氣，不自達於斗間。雖有精鑒博識之士，安得佩服提携，檢非常而神利用者哉！君子之仕也，上需志於達而後可以見於用；用則先其材之云何，而後其時之利與否也。逢乎辰而匪其才，何克應事機而成吾務[二]，負其才而艱厥時，吾固知攸往而終有所濟矣。故伊尹不以其時而有間於所行；孟軻氏不為齊梁不吾與而必意於速去。何則？天之所畀於我者如是，我烏敢自棄，不力其在我者焉。奚暇計其可否，俟彼有待，而後我為之應哉？士達少問學於予，嘗以政試於諸生間，唯士達知所以對，當時已異夫姿之敏、志之遠到也。厥後揚歷州郡，果在大受[三]，直罔怠其事者之列。及例歸河東，又見夫居養有得，器藏諸身，與時消息者，蓋素所蓄積耳[四]。斯舉也，又非底滯於下，求達於上，方試用於公卿之間也。顧時與仕，吾無所慮矣，然理有所當燭者，試以吾嘗從事於斯者告之。夫仕宦雖或巧拙，而其間有容力不容力者。彼自然之來，吾順受而安之，是則力之所不必也。吾分既爾，吾行足為，即其所受而充其義之所至，是則力之不可不勉而前也。所勉者何？用晦而明，以訥為辯。竭誠心於所事，見實用於當行。察其機而發人之幾，通吾滯以達人之滯[五]。不以資之微卑為嫌，不以與之依附為得。盤桓居貞，以俟夫君子之大受，何患乎聲名之不昭，事業之不顯而著也？於其往也，故書以為贈。

[一]當其鋒鍔翳昧沉鬱於幽圄之下：鬱，文淵閣四庫本作「靜」。　[二]何克應事機而成吾務：機，原作「幾」，據文淵閣四庫本、王抄校本改。　[三]果在大受：大，原作「夫」，據文淵閣四庫本改。　[四]蓋素所蓄積耳：蓄積，文淵閣四庫本作「積蓄」。　[五]通吾滯以達人之滯：人之滯，文淵閣四庫本作「人之事」。

禮部尚書趙公文集序

至元二十五年八月初一日

至元丙子夏五月，予考試河南，道出臨汝，館望崧樓者再宿[一]。歷覽後圃，總為塵迹[二]，所謂汝海虛舟者，於蒼煙老樹間，巋然獨存。因得防禦趙公亭記於壁間，倚杖披讀者久之，令人想見承平官府之盛，惜公遺文不多見也。後七年，予自齊還衛，日與公孫維弘杖屨倘佯，言笑者無時。一日，出《耐辱集》一編示予曰：「此先祖通奉君之遺藁也。」予請而讀之者數日，得辭賦、古律詩及雜著、樂府等篇若干首。其氣渾以厚，其格精以深，不雕飾，不表襮，遇事遣興，因意達辭，略無幽憂憔悴、尖新艱險之語，信乎太平君子，假樂有餘，而神明與祐者也。維弘遂以集序見屬。予曰：以遺山先生之論之詳，此固以為之足矣[三]。然士君子之學，文章德業，名為兩涂，其實一致，有以事業而垂世，有以文章而名家者。《傳》曰：「我欲載之空言，不如見諸行事之深切著明也。」吾儕孰不欲得時行道，使利澤施於人、名聲昭於代？蓋有幸不幸、遇不遇者焉。如仕宦利達，復擅文雅，以事業盛而揜其所謂文者，從其重焉可也。若文彩絺紩，竟不得以片善及物者，其或曰：「若何克為一文士而已？」此真為妄人，尚何知兩涂一致之理者哉？既為其序，且寓夫予之所感云。先生諱思文[四]，字庭玉，明昌五年進士，官至通奉大夫禮部尚書。初河朔雲擾，公流離兵間，挺身歸國，遂為德陵所知，故其仕宦通顯，而為兩朝名德、一世之龍門者云。至元戊子秋八月朔旦謹序。

[一]館望崧樓者再宿：文淵閣四庫本作「館望崧樓下經宿」。
[二]總為塵迹：總為，文淵閣四庫本作「縱求」。
[三]此固以為之足矣：以，文淵閣四庫本作「已」。
[四]先生諱思文：思，文淵閣四庫本作「斯」。

宫禽小譜序　至元二十五年八月

三百篇之作，風人多引物以比事，或托物以發興，其氣類情性，學者不可不識也，是謂致知格物之道。十一年，江左平，宫籞禽玩，畢達京師。戊寅夏，予待制在京師，獲覩諸禽于會同館之西位者，凡一十七種，誠有可愛而當識者。厥後珍禽奇獸，陸貢川輸，歲相望於道，彼隸鳥官入上林，集萬年之芳枝，蒙天顔之一盼，振羽和鳴，固有喙同而如瘖者矣。其為物不可為不遇也。因念九州風氣各殊，其所産常異，有無亦然，非遍遊歷覽，有終老而不識其狀與其物之情者，况來自閩、廣之遠乎？伏見近年求訪嘉士，車徵幣聘，歲亦不絶，其或抱負器業，谷耕巖隱，偶不及時賢之論者，未免阨窮遺逸，反不若斯鳥之採擇薦進，光耀如此之幸且遇也。至元廿五年戊子秋八月壬戌，偶逢江外鳥使，因追作《宫羽小譜》，叙其所觀而識者，今列于後：

秦吉了：狀如大鸜鵒，毛羽青黑色，閃閃有光。翅兩梢皆白翎耳。與人肖，耽腦上相答及。喙、距皆黄色。聲雄烈，善作人語。

蘋茄兒：形狀毛色一與白鸚䳇同，養者云性極乖戾。

尖尖帽：灰緑色，形如燕許，頂毛上鋭下豐，高約一寸，故名。

百舌兒：狀如鴿略同，毛羽蒼白花色。江南三月間盛作聲，今四月尚未鳴，蓋北方地寒故也。

白頭翁：狀如鳩，色純白，喙、距皆青，頂毛冗細，蓬蓬然上起，故名。

柳鶯：純緑色，甚嬌可愛。性靈如黄鶯，其狀差小。

切倉子：一名鐵嘴兒。毛純赤褐色，狀如雀，鳴聲啁啾。調之能頂負紙殼介胄人騎像，於一欄内分兩陣，作衝擊狀，甚馴狎也。

相思兒：灰赤色，狀小如雀。

白鷃鶋一：其大如梟。

玄鶴二：比常鶴差慘，極清癯。

金絲鷄：毛褐色，上有蒼班細文，疊積如鴇鷹[一]，尾翅末秀翠金雙團花，絶類孔翠。聞他鳥鳴，皆能效之。

水老鴉：形高大如鵁，體班爛，脩首如卵形，喙尖長，蜿蜒俛仰，絶與蛇類，爪掌則鴨也。疑烏鬼即此也。

花鷺鷥：褐色中白毛紛然間出，長喙，趾青緑，比鷄差小。又名白嘌。

小鸕鷀：純白色，黑喙，青足，但其頸骨狀曲折為一曲。

料哥：形毛全是鸜鵒，其光彩濯濯然。丹喙入耳，作梔黄色，耳後有黄眉兩抹，上連於腦，能作人語，喜則兩耳開聳。

烏鷄：骨與肉皆黑，其蒼者亦然。

[一]疊積如鴇鷹：鴇，至治本、明修補本、王抄校本同，文淵閣四庫本作「雉」。

送薛參軍北行序　至元二十五年十月三十日

承宣供億，莫司屬為切，然户鮮而居衡，俗囂而不知教，制於上而梗於下，誠有所特難者焉。又恒人之情，視難易為行，不乘初以取其名，即旁緣以徼利，苟安依阿，護養資歷，愒日以俟代而已。丹陽薛君彦暉，由藩府掾從事於斯者四十餘月。為人外簡樸而内廉能，供王事，理民訟，直而有方。雖當急遽，二者并行而不相遺，自始逮更，猶一日然。其邁迹尋常，立於能者之行卓矣。惜乎心盡公而罔間於易難，用有餘而不遑於風化，因念令便於亟行，化安於永久，苟使民知義方，其趨事赴功，有不待致期而然者。儻教有所未至，俗有所未醇，能者日鮮，不能者日衆，而供庶事，理政務，固不得一日曠，第恐物情治宜，兩有不自盡者。此昔人以化為先，而令次之。師帥者，又化令之本也，安得惟良如薛君者百有餘輩，俾用焉而顯靖嘉，治焉而有餘裕。我不以徒法為政，彼不復顧難易為心，事雖衡而亦辨，俗雖囂而可諄，方之亟便，特緩夫前後之間，然能使物情紓而政本固，官有儀而民不輕。民不輕，則吾之令行，將見如流水之源矣。不然，使韓、范復出，職思其屬處簿書米鹽間，雖終日無倦，亦且有所顧矣。薛君行來辭，飲之酒，再拜，以送言為懇，因書此以贈，庶幾條治宜者聞之，亦將有所領焉。廿五年戊子冬十月晦序。

贈日者張翱序

陰陽家者流，秦漢已來，如五行、堪輿、建除、叢辰、曆學、天人、太一等家，其目雖多，及臨事占決，各開户牖，吉凶得失，互皆不同。故漢人顓以五行主之。予因究其理而為之説曰：夫太極判而五行具，五行具而萬物生。一物而一五行也，纔有所闕，物不得為之物矣。静而體，動而用，剛柔迭制，而吉凶生焉。矧二氣良能，以不測為神，人於其間亦一物也，吾何以這其為術也？天人之際有未易知者，得之深者其理明，索之淺者其説近。又世道下衰，人不安分，以狂妄横于中，徼幸騖于外，貪者以苟得為心，狷者以速達為念。詢其命，曰：吾此去可亨？相其時，曰：吾今年可動。彼知其然，即順情悦主〔一〕，售其術而已。我審彼諛，竟沾沾自喜，圖一豁隕穫為愜。是天理兩滅而人欲肆矣。嗚呼！風俗之移人也如是，可勝嘆哉！有張生翱者，姿甚高，業是而志篤，語直而不隱，觸數知變。若夫誇嚴，苟售其術而已者，挾是遊行州郡，億焉而多中，故士子往往與之顧接，在翱固亦榮矣。雖然，吾將進翱於學。鑪其粗而造於精，資之深而遺其淺，不為世俗所移，不以虚高務悦，習其所已，知其所未至，其要安在？道其在於是矣。能此，將見聲光四白，義置百錢，坐來衆問，不愈於行而求其售乎？翱曰：「唯。有是哉？然行樸已具，敢扳康節之例，願先學於四方，可乎？」於是書以為贈。

[一]即順情悦主：主，文淵閣四庫本作「意」。

星丸漏詩序

至元二十五年六月入伏三日

司録判官趙寓到任之明年，置星丸木漏於衛之汲門上，仍繪彩為圖，携之來謁，再拜請題辭于後。予以為政有緩而似亟，事有微而實著者，更漏是也。雖因象制器，特挈壺氏一士之職也。然天地朝昏，我則司之；官民勤息，我則警之。上而日月運行於三百六十度之中，外而二氣渾淪磅礴於三十七萬里之表，使不出於五尺之幮，百有餘丸之數，非格物善政者，其能之乎？予嚮官平陽，亦嘗創此，其攷述測驗，知為匪易。今司録小秩也，首此為務，舉行廢典，其儀物有足觀者。是欲勤政率先，因器警民者矣。然年少氣鋭，當筮仕之初，能推廣是心，始終罔間，則張希顔以夜漏分明等數事，得稱為好官員者，恐他日不難至矣。至元二十五年戊子夏六月入伏三日題。

淇奥唱和詩序

心有所思，思而有所言，托物以永其言者，莫詩若也。曲山河君，尹南樂終，更將歸西山舊隱，以吾故遂税駕□□，鐏酒談笑，杖屨游從，日夕不少間。既老日閑，心無所運用，感物興懷，情有弗能已者，即作為歌詩以示同志，顧不揆乃相與賡唱迭和，累積日久，遂成卷束，總得詩大小凡若干首。曲山盧其散亂遺逸，欲命劉生琛第而為帙，且告予以為何如。予曰：「彼王公大人、羈旅草野之士，遇其志得意滿，與夫幽憤無聊，見於詞章者多矣，然未免有豪宕夸毗之意，幽憂憔悴之狀。吾輩不過道閑適、安命分、遣興寄、詠性情而已，又非欲示諸它人，俾後之來者，萬一視所履而踐厥迹，安知不有撞破煙樓者乎？」已而，客有謂：「吾等不以有用為心，而廢日力於此，為可惜也！」予應之曰：「不然，是將俾予守兔園之册耶？削汗簡之青耶？抑欲續太玄之經耶？」客笑而不答。於是乎書以為淇奥唱和詩序。

老子衍義序

至元二十九年冬

壬辰冬，予應聘至都。既館壽宫，嗣教玄逸張公與一杖者相陪來謁，鬚眉皓白，氣貌魁偉，敦兮其若樸。聽其言冲冲然，殆有所深藴，隨見所賦詩，顧非澹泊忘言者。尋西還求辭，方知君為重陽宫主玄學師也。既而，其徒執老子書請見，稽首再拜，為致師求序取重之懇。避席拱立，需命而退，因勉為説云：天下所謂聖人者，以其理之所在，治從而出焉，舍是何所望於著書立言者哉！然聖道溥博，該貫群倫，其為用也，為天地立極，為世主明道，要不過以静制躁，以簡御繁，以真黜偽，以樸還淳，以正息妄，以公去私，以理勝慾，以法防亂而已。惜也，老聃氏潛輝柱下，不出於文武周召之時，當王道中微，禮壞樂崩，仁殘義缺之後，萬僞並作，猝莫能觀其復。思遠駕流沙，高出物表，抉天機，體玄化，吐辭爲經，過爲奇橘憤激[一]，自成一家之言，庶幾廓清澆僞，再造堪輿之意歟？雖然，矯枉者必過其正。迨夫末流，仁智異見，户牖各開，曲暢旁通，肆爲駕説。養生者以久親爲心，尚玄者以清談爲樂。宜乎《晉史》譏王政之虧，知幾點河公之注。今王丈蜀産，皓首玄學，獨能拔出衆流間，索正歧根於治平者爲多。無乃見幾而作，由儒而逃墨者邪，固特樂而序云。

[一] 過爲奇橘憤激：奇，原作「音」，據至治本、王抄校本改。

玉淵潭讌集詩序

至元三十一年八月

都城西郊，佛官真館，勝概盤欝，其間有潭玉淵，盖丁氏故池也。柳堤環抱，景氣瀟爽，嵐煙瑞靄，霑漬襟袂，方秋是焉横陳，都人游觀，誠爲佳麗。財賦總管王侯明之，尚義好客，高出時彦。甲午秋孟，置酒潭上，邀翰林諸公，爲一日之娱。既而雨，不克成歡。是月晦，復折簡來召，用尋前盟也。簪舄既集，風日清美，紅幢翠蓋，間見層出，天光雲錦，瀲灧尊席，沙鷗容與於波間，幽禽和鳴於林際，若有以知野老之忘機，代清唱而侑觴也。酒肴饜飫，賓主胥樂，煩襟滯慮，頓然一醒，清適夷曠，綽有餘思。然賞心樂事，良難四并，雅會清吟，烏可多得。信口吐詞，不計工拙，諸公走筆賡和，咸有所得。殆山陰禊事之脩，幽情暢敘；笑金谷羽觴之罰，酒數何多！第以率爾居前，殊愧其秕糠也。八月載生明序。

易解序　元貞二年十一月

《易》文為書，廣大精微，範圍乾度，經紀世道，以一理而含萬變。辭雖有盡，理則無窮，故説之者吹萬不同，仁智各異。要以脩辭通變，近人情關世教為切。鍊師李公嘗為予言：監丞張君在河南為衣冠清流，多藏書，得前代以《易》名家者數十種。早治其學，精占筮術，北歸，以藝能得官，如支離覆逆、建除叢辰等伎，有不屑為者。於是廣詢博究，師心自斷，集《易解》十卷，予以抉聖心而明素志。駙馬高唐郡王、天資英明，雅好經術，一覽，偉其述作勤至，發題篇端，有正大純雅，本乎仁義，與經旨不殊，其於世教大有補益，命藩府板行，賜觀中外者，無慮數百餘帙，用廣發越，以表其志尚。義山來屬，俾序其事。予謂古之君子立言垂世，必藉王公大人為之主張，方能信其説而傳不朽。如曲臺《禮經》，由獻王而明遺制；毛公《詩傳》，得河間而置學官。今張君遭遇賢王，得成其美，將見與大雅不群之英，異世而同談者矣。至於淵源之傳授、辭理之深奥，讀者自當知之，又何俟見賣兔而設喻，遇偭人氏而致問者邪？元貞二年冬十一月謹題。

天德柴氏悦親圖詩卷序

昔四子問孝於孔宣父，雖因材而篤，所答各異。不過使親無所憂，怡順顔情為難。鄒孟氏復探源推本，論臻其極曰：「此身能誠，則親為之悦矣。」意者謂儻違於理，雖奉承之至，温□之勤，日養三牲[二]，猶為不孝。如其愛敬交至，氣和色愉，則菽水乃盡其歡矣。在孔孟時，去古未遠，垂教警俗，亦復如是。況天理斵喪，人欲横流於千載之後哉。天德柴氏，上世為邢臺堯山人，後遷絳之曲沃，遠祖有軍功，以鐵券賜其家。祖諱堅，金季仕至將仕郎、裕州葉縣尹[二]。生子懋，字秀實。以世故復徙居于豐。治家接物，廉慎有法。推其羸餘，尚義好施，鄉里以善士稱。今壽登八秩有二，配邢氏，壽七十有四，生四子，長曰伯瑛，次仲謙、仲玉、仲祥。伯瑛天性孝友，善治生。與人交，誠愨有終始，慈祥愷悌，見於顔間。清淡不樂仕進，惟致養二親、友愛諸弟為務，至一門之内，上下安宜，和樂且耽。憲司廉實聞于朝，榮加旌異。嗚呼！世之貪狠無賴，不顧父母之養，且貽親憂，與夫所争僅毫髮比，更相媢嫉，視同氣為寇讎者，聞柴氏之風，亦知其愧赧矣。雪堂禪師雖處方外，素樂君臣父子之懿，喜從吾徒遊，以鄉里盛事，乃繪諸圖畫，形容其歲時家庭拜慶之歡，將求館閣名卿見之歌詠，以序引為請。予為説以勉之曰：方今孝治光隆，仁風德教，洋溢海宇，臣民感格，理勢應爾。然雲朔之俗，素號雄勁，以氣義相許。今論其孝友之行，固當以柴氏為稱首。復能如孟氏所論誠之於身，詩人所詠不匱永錫者而致力焉，將見化儕類而美暢彝倫，觀人風者，簉名於史籍矣。以是為贊倡之始云。

[一]日養三牲：三，原作「二」，據至治本、文淵閣四庫本、王抄校本改。　[二]裕州葉縣尹：葉，文淵閣四庫本作「莘」。

清香詩會序

大德元年三月一日

道不同謀，咫尺兩間，渺隔千里；心有所會，上下八方，溥同一雲。法性三藏弘教佛智大師，江浙總統沙羅巴者，聞予名而喜之，不知於渠何所取也。一日，介應奉曹顯祖來約，以深香閑適，與同一會。於是開禪室，敞賓席，蒲團烏机[一]，列坐其次，佳釀數行，意甚怡悅。主人出寶薰娛客，温鑪回春，楮煤凝雪，牕日含暉，岫雲借潤。先之以青桂，繼之以緑洋，糅以熟結，加之都梁，棧融沉爇，氣鬱膏煎，黄雲作毬，碧務濛筵，吟佩未染，鼻觀先參。或袖籠而斂瑞，或心融而氣宣。於是健詩脾，却蒸濕，燕飲助其清勝，志慮以之冲粹，不知佛齊勃泥婆律，大食真臘占城，而相去幾何，通為一洞天也。衆客稽首向師曰：「今夕何夕，餘膏賸馥，沾丐如是，有不可思議者。第恐造物者訝其多取而饜飫也。」師曰：「庸何傷！且吾之為香者衆，而心香為最，曰戒香、定香、慧香、解脱香、解脱知見香，是為五分香。天之所賦於我者，如是而馨。解脱知見為妙用之極，即《詩》所謂『天生蒸民，有物有則，民之秉彝，好是懿德」也，貴夫能復其初，而為物之靈也。願此香雲徧滿空界，作為無量佛事，以奉五老香供，且合三百五十歲之壽祺。傅初庵七十五，雷苦齋七十三[二]，閻靜軒六十三，王秋澗七十一，賈評事七十。而為無盡藏說法，不以可乎？」於是衆賓讚嘆曰：「昔遠師以廬阜清勝，即於東林結社。絶塵清寂之士，不期而至者甚衆。諸人依遠遊止，獨淵明、范寧召而不赴，豈非有不屑者哉？以今論之，衆之殽雜，一也；心有所局，二也；香色執着，似累于中，三也。何若師心境雙清，賓主兩忘，不知我之為香，香之為我也，而以心香為主也。」師曰：「有是哉！」遂相與一盧胡而別[三]。大德元年三月吉日謹序。

[一]蒲團烏机：烏机，文淵閣四庫本作「烏几」。　[二]雷苦齋七十三：此句王抄校本作「雷古齋七十」。「七十三」、「七十」，均與「且合三百五十歲之壽祺」不符，似應為「七十一」。　[三]遂相與一盧胡而別：盧胡，文淵閣四庫本作「胡盧」。

送丁主簿南還序

至元三十年十一月五日

古人以良能並稱，欲以善而將其能也。不然，豈惟敗事，亦且有害于而身，此必然理也。丁生元諒主穀城簿之明年，以事抵衛來謁。有頃，避席而言曰：「弊縣僻在漢南，事雖簡，山甿獵户，氣甚鄙悍，思有以教迪之。」於是請書其廟學、殿堂、門廡等額，乃曰：「歸當辦茲一事，先此之作，用碇余初志耳。」遂授書，沾沾而去。後七年冬十月，復見吾于京師，曰嚮云而廟而學者，今已落成，且有加於前。及出馮雪崖所撰學記，讀未竟，不覺慨嘆曰：一簿力之專，乃致如是，非有志能然乎？兼雪崖吾熟其為人慎許可，記中件右，恐匪徒言。雖然，年少氣鋭，乘勢作事，似或不難，至於知喜其事而不虞其終[一]，顧其近而不思其遠，無後悔者鮮矣。況能保已成之功，而享有無窮之辭乎！又嘗聞士之當官，公心多而取名薄者，設有過舉，往往人恕而紛解。汝今此來，遇非常之恩，千百人不一二值，其為幸不幸，誠不敢必，所當念者，此心不使有一毫之私可也。丁生其勉哉！如以吾言可取，念之戒之，將見悔尤日寡，良能並著，何患乎禄秩之不吾至也？既行來辭，書以為贈。是歲癸巳仲冬五日序。

[一]至於知喜其事而不虞其終：終，文淵閣四庫本作「中」。

兑齋曹先生文集序

大德二年正月初七日

北渡後，斯文命脈，主盟而不絶者，賴遺老數公而已。僉緣蒙元、李諸公與進親承指授，唯貽溪兑齋未之見也。及調官平陽，私竊喜幸，雖不獲瞻拜履綦，而遺文得遂觀覽。逮識公仲子輗，首為詢及，謝以纂録未就，然徵文獻，論家世，而私淑諸人者，固已昭昭矣。先生父清軒公資豪邁，以文學起家，受知榮國高公、雷、李諸賢，交游甚欵。先生接迹詞林，幼知力學，早擢巍科。既而與遺山同掾東曹，機務倥偬間，商訂文字，未嘗少輟[一]，至以正脈與之。其奬藉如此。後居汾晉，閉户讀書，屏去外物，嚅嚌道真，及與諸生講學，一以伊洛為宗，衆翕然從之，文風為一變。後二十年，予在翰林，前長葛薄子輶持遺編來謁，屬予序其端，方得伏讀者再四，不去手者累日。因為之説曰：文章天下公器，造物者不私所畀，然非淵源有自，講習有素，力為之任者，未易與議。若先生之作，其析理知言，擇之精，語之詳，渾涵經旨，深尚體之工，刊落陳言，極自得之趣，而又抑揚有法，豐約得所，可謂常而知變，醇而不雜者也。所可惜者，古文雜詩僅三百首。蓋先生年方不惑，瞑廢於家，又為人慎許可，片言隻字，不輕付人。嚮使展盡底藴，大開文竇，極其所到，肆波瀾而侈光艷，則與元、李、麻、劉并驅為不難矣。異時版本一出，學者爭先快覩，俾中和之氣冲融粹盎，裕四體而適獨坐，如大羹玄酒，寄至味於淡泊者，庶幾知先生之所尚云。不肖衰老，懶於筆研，敢直言所聞見而知者，以塞其請焉。大德二年人日謹序。

（以上《秋澗集》卷四二）

[一]未嘗少輟：輟，底本及至治本，明修補本、王抄校本皆誤作「輒」，今據文淵閣四庫本改。

全元文卷一七六

王 惲 一〇

紫山先生易直解序　大德二年十月八日

紫山胡公年未强仕，應奉翰林，潔居官舍者幾十載。致力讀書，究明義理，期於遠大，取《易》卦辭，遍書屋壁。時不肖忝在言列，過而見焉，詢其故。曰：「吾朝夕洗心，將範模四聖人，庶幾言行適宜而寡尤悔焉，非特説夫言奇而法也。」識者已以通材有用許之。爾後郎地官[一]，佐省幕，總尹大郡，提憲外臺，平生藴藉，見諸施設，其至公正大之論，卓異特達之舉，固不可枚數。要之伸吾志，行吾道，不阿合取容於時，不俯仰勉從於衆，可行即行，不可即止[二]。又其晚節，脱屣軒冕，笑傲林泉，進退兩間，知命隨時，從容中道。蓋棺論定，皆曰紫山曠達英邁士也。稽驗疇昔[三]，諗其得於《易》者為多。初不知其有所著述，公没之三載，嗣子伯馳携所著《易解》，懇題其端。公與僕自弱冠定交，氣義契合，互為知己。今雖衰懶，撫其遺書，忍無一言發越潛輝。夫《易》，聖人憂世書也，純粹精深，通貫三才，理包萬彙，其用必須見於開物成務之實。然通其變，必當達其辭；達其辭，欲見諸用者，不於先覺躬行踐履之實迹而取法焉，未見能造其窔奥也。昔宋名儒劉斯立作《學易堂記》，但序日用常行事，而曰余學《易》矣，論者以為得體。况紫山踐履工夫，形諸事業，復推己所得，纂而成書，啟迪後人，可謂得聖賢忠恕之道矣。學者復能考公平昔操履，得其端倪，以之尋繹隱賾奥妙之旨，則思過半矣。大德二年冬十月八日謹序。

[一]爾後即地官：至治本、明修補本、王抄校本同，文淵閣四庫本作「爾即地官」。　[二]可行即行，不可即止：文淵閣四庫本作「可行則行，不可行則止」。　[三]稽驗疇昔：驗，文淵閣四庫本作「余」。

總管范君和林遠行圖詩序

大德二年十二月八日

燕趙自昔多豪邁慷慨之士，雖時移俗易，不復於古，而海山沉雄，通貫斗極，鍾靈孕秀，間亦見其人焉。和林迺國家興王地，有峻嶺曰「抗海答班」[一]，大川曰「也可莫瀾」[二]，表帶盤礴，據上游而建瓴中夏，控右臂而扼西域，盤盤鬱鬱，為朔土一都會。然去京師數千里，地連廣漠，氣肅玄冥，中土人聞話彼間風景，毛髮森竪，已不勝其凛然矣，况行役於其間哉。至元丙戌，詔皇孫晉王於其地建藩開府，鎮護諸部。燕人范君徽卿，早以湯液供奉。徽卿為人，讀書尚義，以功名自喜，識達時務，臨機果决，非特以方伎進也。凡侍行者三往返焉，所謂沙漠寥迥，風雪寒冱，險阻艱辛，備嘗之矣。其志益厲，氣益振，曾無退縮顧避之私。今人暫適數百里間者，輒有離別可憐之容，抱被入直省署，彷徨顧妻子，語刺刺不能休，較以徽卿之事，非豪邁慷慨者乎！宜遂雅志，掇美仕而收功於藥籠者，不止邯鄲故步也。友生尚藥長段鼎臣壯夫，為人擊節嘆賞之不足，復持所繪《遠行圖》，將求名公歌詠，庸彰其名譽，屬序其端。予謂徽卿志行，固可振衰激懦，為臣子忠勤之勸，復欲形諸歌詠，庶有聞風而興起者焉。大德二年十二月臘日序。

［一］有峻嶺曰「抗海荅班」：抗海荅班，文淵閣四庫本作「哈喇達巴」。［二］大川曰「也可莫瀾」：也可莫瀾，文淵閣四庫本作「伊克穆稜」。

易齋詩序　元貞元年十月十五日

予往歲需命延芳東淀，識供奉姚君於稠人中，儀觀秀偉，襟量伉朗，及聽其談論，灑灑有斷決，固疑其非建除流也。舜卿河東人，少博學，越法家為鼰門［一］，嘗從事憲司，以平反稱。用薦來京師，當塗者將處之秋官司平［二］。既而侍從官有以善占筮聞者，一日緹騎到門，以所詢上對，多徵驗，中事幾。由是待詔金馬，日承恩睞者，蓋有年于茲。四方稽疑問計者，須以正理示之，曰人事順，蓍蔡不吾戾也，皆知所止而去。然舜卿姿耿介，負才氣，思效用於明時者為切。顧是覆逆有不屑為者，足跡亦未嘗及權貴門牆，求展其所藴。賢士夫歆其志尚如此，樂與之遊從。嚴範泉嘗題所居曰「易齋」，率賦詩極口幽贊。近持嚴翰相過，屬題其端，且曰：「序吾平生，闕下十年幸詳之，過此非所知也。」予告之曰：「昔劉斯立記學易堂，但筆其宿昔日用常行之事，洗心工夫不一言及。論者謂得體。蓋《易》之為書，聖人之世為書人事作也。吾用既明，道固在其中矣。」嗚呼！舜卿胷中自然之理，善學不言之妙，與斯立其亦同然者乎？元貞乙未冬十月望日序。

[一]越法家為顓門：文淵閣四庫本作「起法家為專門」。[二]當塗者將處之秋官司平：塗，原作「涂」，據文淵閣四庫本、王抄校本改。

洪洞縣王舜卿敬親堂詩卷序

大德二年九月七日

昔賢論孝子之事親也，務為敬愛交至。恐其恃愛而怠慢生，故父子異宅而處，復慮孝愛簡而弗洽，迺有問搔痒痛之節，所以廣其敬愛也。然宣尼語孝之大經，以不敬其親，謂之悖禮，徒能養而禮法不足，又深警於言游。蓋明孝之用，固有愛、敬之别，究其本體，主一無適，與親之重、事之大，復何以加於敬乎？予官晉府者五年，得純孝之士曰王君舜卿。舜卿世居洪洞縣東陽里，自曾祖惠、祖誠、祖母張氏，繼享遐齡。子孫俱以善事聞。舜卿夙承家範，復知讀書勵行，增益其情文之不足者。奉其父伯玉君，恪供子職。謹身節用，惟恐甘旨之有闕也；氣和色愉，所期致志之樂也。孺慕情至，洞洞屬屬，如不勝而有所失，由是取信於朋類，傳美於鄉閭。僉曰：「舜卿，誠孝人也！」予嘗過其廬，扁曰「敬親」，庸表順德。後廿餘載，予在翰林，其友人中省東曹掾郭文卿相過而請曰：「舜卿自經翰學先生題品後，信道愈篤，家居教授，克終孝養，有司辟舉，辭皆不應，邑大夫泊士之能文辭者，咸歌贊之，然未免為一鄉士也。不肖交最款，將求詩什於朝士，庶播其清譽，幸念疇昔，賜以序文。」予謂文卿曰：「河東三聖人所都，平陽實放勳所理，其至德之所感格，深澤之涵濡，至今尚有存者。晉卿乃晉產之良，孝行既超乎流輩，隱居復求其志尚，自可追遺風而厲衰俗矣。昔唐董召南隱居行義，昌黎先生作詩發其潛德；宋徐仲車力學至孝，紫陽朱公特書卓行。二子之名因之昭晰。顧予衰老，其言豈能為人重輕哉！」文卿曰：「士志獲伸於知己，後生借重於先進，此理之必然，況嘗趨下風而接清光者乎！不然幽隱之士，烏能名于後世邪？」予曰：「有是哉！」於是乎書。大德二年戊戌歲，重陽前二日序。

雪堂上人集類諸名公雅製序

雪堂上人禪悅餘暇，樂從賢士夫遊，諸公亦賞其爽朗不凡，略去藩籬，與同形迹，以道義定交，文雅相接，故凡有營建游謁，或懇為紀述，或贈之詩引，三十年間累至數百篇，非好之篤，求之切，安能致多如是耶！迺自諗曰：綾標玉軸，藏之篋笥；銀鈎翠琰，列諸廊廡。焚香煮茗，玩味者有時；拂拭塵埃，披讀者有數。不若纂為一編，刊之板木，用廣其傳。遂詣秋澗翁以序引為請。予詰之曰：「夫浮屠氏，一生死，外形骸，百年斯世，電露起滅，事業功名，一歸虚寂而後已。今吾輩既以不朽計實其空，無復欲，申衍微義，其説何居？」師曰：「在吾教法中，凡嚮善積行，述贊偈為之證據。今某踵雁塔之故例，續千佛之名經，集群英，裒衆美[一]，期欲布恒河沙界等須彌盧，共傳為無盡藏，不求詞林大居士為表暴其端倪，鼓舞其宿緒，是猶以明月之璧、夜光之珠，無因而暗投，可乎？」予曰：有是哉！昔文暢、參寥子，愛仰昌黎、東坡名德，屢造門牆，二公以墨名儒行，特與其進[二]，至贈之序贊，雄深雅健，與時俱新，膾炙人口。由是後世知有二僧之名。雪堂其亦文暢、參寥子之流歟？至於行業風義，讀其文，頌其詩，自當知之，兹不復云。

[一]裒衆美：裒，文淵閣四庫本作「聚」。　[二]特與其進：特，文淵閣四庫本作「時」。

樂籍曹氏詩引

樂籍曹錦秀，緩度清歌，一日來為余壽。因詢之曰：「汝以故家人物，才色靚麗，風韻閑雅，知名京華，為豪貴招致，逞妙藝而佐清歡，日弗暇及，不知何取於予而得此哉？」曰：「妾雖不慧，頗解之無，猥以薄技，陳述古今興亡，閨門勸戒，必採窮所載記傳詩詠，掇採端倪，曲盡意趣。久之，頗有感悟，欲為效顰，願乞一言為發越，俾妾姓名得見於當代名公才士題品之末，庶幾接大雅之高風，一時增價，飲靈芝之瑞露，七竅生香，不同落花飛絮，委跡於塵泥間耳。先生寧無意乎？」曰：「予少有志於時，中年多故，每感事興懷，登高作賦，以攄其底蘊，由是頗以文字知名。今老矣，百念灰冷，有瞑目澄心，燕坐焚香而已。惟集賢翰林諸名勝，擅文雅而足才情，念芳温而餘蘊藉者，肩相摩而踵相接也。琢肝腎而製錦綺，因咳唾而成珠璣，模寫鶯花之狀，形容月露之情，衹在揮毫之頃耳。彼往求而得之，如杜秋娘之善謳《金縷》，薛校書之秀髮蛾眉，元相國、杜樊川皆贈寄詩什，語意清新，膾炙人口，自可因之以傳不朽，尚何俟秕糠之辭簸揚於前哉？」曰：「請即書此語，令妾持之以為先容，扣蓬萊瀛洲之境，而問津焉，不以可乎[一]？」

[一]不以可乎：以，文淵閣四庫本作「亦」。

磁州采芹亭後序

采芹亭者，前州倅劉藻之所建也。予自壯年宦游河朔間，每過滏陽更遽，必趨拜楊公而去。一日，先生率予謁州之廟學，指其廢而未理者曰：「此郡庠也。此頖池也。此頖之采芹故址也。承平時學校之盛，視數州為冠。吾雖耄，要當修完，庶復舊觀，據當時所存者，雖一瓦一石，俾保之勿壞。」既而先生下世。壬辰冬，予復過滏陽，所謂芹亭者，巍然如翚飛翼跂，宛浮波面，荷香藻影，曉風涼露，士子游息徜徉其上，沾濡芬霏，歌詠思樂，殆有登瀛之快。已而，翰屬曹生因求書其事，楊公疇昔之言，不覺蹶然於中，雖罔及施勞，使來者是心不匱，實先生有以錫之，我其可不念哉。先生名威，字震亨，承安人。姿剛直，有文章議論。少嘗以蕃兵為儒將，有功西夏。建元初年，中書嘗召為詳定官。已而言事，以星變勸大臣宜解機務，以避賢路，不然且有大咎。不聽，遂拂衣南歸，教授鄉里，壽八十終于家。逮至元五年，襄陽破，吕文焕出降。五月，北覲過磁，先生贈之詩云：「連陰六十日，平地一尺水。今朝與明日，淋瀝尚未止。此者天垂戒，其中有至理。降將吕太尉，飯畢行欲起。偶爾得會面，舍館接汝爾。自言鎮襄陽，於此今五紀。為惜萬人命，此來非為己。聖主錫深恩，高爵還故里。一飯尚有報，盡忠從此始。余謂我國家，萬方同一軌，得之與不得，東南一隅耳。向使君不來，宋歷能有幾？人生苟富貴，直筆一張紙。見説李陵生，不若張巡死。」吕為之斂衽而去。撫卷懷賢，豈勝感嘆！若能取孟亭例，祀先生於學宫，俾死而不忘，儲宫祝香回，灑汗而書。

雪庭裕公和尚語録序　至元三十一年十一月

至元丙子夏，予考試河南，由汝抵洛，崧前勝概，盡在目中，衹欠少林一游耳。東行擬取道轘轅，庶饜宿願，竟以事奪不果，耿耿在抱。至神遊洞閤，雨花繽紛，怳與真遇[一]。今年甲午冬，萬壽主僧圓讓，偕少林惠山來謁，因及山中物色，與嚮夢不少異。相顧一笑，乃有是邪？遂袖出一編，曰：「先師《雪庭語録》也。」仍合爪前請曰：「公山林清興雖未稱遂，幸題辭篇端，以為他日張本，寧無意乎？」予以事與心會，似非偶然者，按所具騰説，以應懇求。雪庭初參萬松秀公。萬松得法雪巖上人，縱橫理窟，深入佛海。至於游戲翰墨，與閑閑、屏山二居士互相贊嘆，為方外師友，其器業概可知已。師參禮閲十寒暑，獨能秀拔叢林，得根踞為奥[二]。遂出世，主奉福精藍，繼應少林，敦請招提禪刹，號中天名勝。板蕩後增崇起廢，頓還舊觀，緇徒具瞻，翕若海會。於是款龍庭而振舉宗風，敞五林而弘闡家教，因緣會合，傾動一時。以無碍妙辯，現當機應身，處統堂第一位者，蓋有年于兹。從是而觀，自非克荷佛乘，大異倫類，機鋒峻整，迥出物表者，能如是乎？今舌本已净[三]，真如迹空，學其法者，能鑽研故紙，即心印所在，求向上一着，恐不待夜雪横腰，而悟面壁西來之意。蓋有之矣，吾未之識也。是歲仲冬開扃前三日書。

[一]怳與真遇：怳，文淵閣四庫本作「恍」。　[二]得根踞為奥：踞，文淵閣四庫本作「據」。　[三]今舌本已净：舌，文淵閣四庫本作「古」。

孝節王氏詩卷序

傳稱夫有再娶之義，婦無二適之文，蓋天道之常經，人倫之大綱也。然風霜別草木之性，衰俗表幽貞之節，求之於今，王氏其人也。父振，北渡後，嘗為州權司，年耄無嗣，納州將劉六郎為門倩，得一子，甫半歲而婿亡。既而父以女年盛[一]，且無母氏，議復館甥於室。女聞之，跽父前而言曰：「家貧無嗣，世之常事，婦人再醮，奈名教何有？誓死而已！」父壯其志，遂寢。無幾，異母弟用國俗，欲行續媿。王氏出好言，置叔於姑前，以人倫正理折之曰：「寧守節而死，不失節而生。且夫者，天也。天不可逃。行違神明，天則罰之。」即欲自戕，賴左右救而免，叔亦感義烈而止。時劉帥歿已久，世業扶疎，諸子分居。其姑秦氏亦無子，孤影煢煢，空閨索處。王氏善組紃，以供日需，提挈子傑，歸養秦氏，以極孝恭。教其子至通習儒吏，致卓有所立。於是風動鄉閭，義激行路，耆舊士夫，交章舉保，蒙旌表門闕，曰「孝節王氏之里」。嗚呼，光顯哉！及秦亡，顧劉氏三代浮殯淺土，子孫游宦，力不暇及，遂獨營墓田，經理葬具，凡溝合者十餘竁。鄉人來觀，無不驚嘆曰：「丈夫見有不能辦者，何賢孝如此！」王氏處寡四十寒暑，言笑未嘗露齒，素髮盈簪，氣貌幽閑，所謂老而益堅者也。鄉里偉其徽美。一日，子傑來請文，因泚筆而序之，庶幾備采管彤，區明風烈者，演柏舟之義云[二]。

[一]既而父以女年盛：年盛，文淵閣四庫本作「年甚艾」。　[二]演柏舟之義云：義，文淵閣四庫本作「誓」。

雪庭裕和尚詩集序[一]　至元元年十月二十七日

禪以奧為説，詩以志為言。僧之以詩鳴者，見於晚唐，盛於前宋。前賢評論，固匪一致，不出才清氣勝，發蔬笋之餘芳，辭簡義深，調葛藤之奥語。就本法言之，以心傳心，推離還源，在用之恒寂而已，尚何文字之有？然出世演法者，儆悟群迷，不容忘言，假借聲光，發雷音之先奮[二]。□雪庭裕公和尚，蓋亦出世演法，慈渡見志者也[三]。其徒集師詩詠及雜體等篇為三卷，凡若干首[四]，嗣□□□熄浴髮[五]，惠山來求予叙引，以光師之志行[六]。雪庭，予素昧平生[七]，然嘗聞諸友人陳節齋談，師器局磊落[八]，通習吏用[九]，見諸行事，其在方外，實為不凡。今觀其詩，有以見當機應物[一〇]，信手拈來，吹花作霧，生於憂時，第衆登壇懸判[一一]，往往出言意之表者，可謂混儒墨為一家[一二]，擅叢林之手段[一三]，企慕高風，追攀遠韻[一四]，有山堂惠休之趣者矣[一五]。至元甲子冬十月廿七日，秋澗老人序。

[一]本文脱漏較多，文淵閣四庫本未收。　[二]發雷音之先奮：奮，原闕，據王抄校本補。此句至治本作「發濾黄之先湉」。　[三]慈渡見志者也：慈渡見，原闕，據王抄校本補。　[四]凡若干首：凡若干，原闕，據王抄校本補。　[五]嗣□□□熄浴髮：熄浴，原闕，據至治本補。全句王抄校本作「嗣法惠山珍藏之」。

［六］以光師之志行：之志，原闕，據至治本，王抄校本補。　［七］予素昧平生：予素昧，原闕，據至治本、王抄校本補。　［八］師器局磊落：落，原闕，據王抄校本補。　［九］通習吏用：通習吏，原闕，據王抄校本補。　［一〇］有以見當機應物：有以見當機，原闕，據至治本補。此句王抄校本作「理裕詞富，隨機應物」。　［一一］生於憂時，第衆登壇懸判：生、第衆登壇懸，原闕，據至治本補。此二句王抄校本作「其於憂時警俗，合同判異」。　［一二］可謂混儒墨為一家：一家，原闕，據至治本、王抄校本補。　［一三］擅叢林之手段：擅叢林，原闕，據至治本，王抄校本補。　［一四］追攀遠韻：遠韻，原闕，據至治本，王抄校本補。　［一五］有山堂惠休之趣者矣：休之趣者矣，原闕，據至治本、王抄校本補。

嘉善録序

刑者成也，一成而不變，民之生死，俗之慘舒係焉。故君子悉其聰明，致其忠愛而盡心焉。在唐虞三代之際，風俗淳，教化備，已有輕重適宜，欽恤哀矜之感［一］，况肺石雪冤、棘林夜哭之後哉！此《疑獄》、《折獄》等集所由作也。大都路總管府推官李君威卿，少習城旦書，以儒術飾吏事，復取經史子集，下逮百家之説，凡關於刑憲者，撮其機要，纂而從類。先之以歷代法令輕重沿革，著明其體，繼之以聽斷節目之詳，彰施其用，凡三十二門，名曰《嘉善録》。一日，携示秋澗翁，懇題其端。予雖衰耄，胸中耿耿尚在，士有好學而兼善者，迺喜聞而樂道之。自政教陵遲，獄辭繁閧，事至持難，手有未易措者，故職任推理，衆為抵諱。然協中輔治之具，雖聖人視之為切務者，孜孜焉存心而盡意，可謂超出於流俗之表矣。況有致知之資，居可行之職，當推鞫審決之際[二]，屬類比事，稽古準今，融會貫通，俾時有稱平不寃之譽，為不難矣。昔宋祥符間，有獄官張慶者，以矜慎自持，其囚徒飲食、湯藥、卧具，必加精潔，其後子孫奕葉登第，顯宦于朝。論者謂慶平昔重恤獄事，陰德致然。況延精覃思[三]，盡心於五罰五用者哉！威卿尚勉行其所學，善推其所得，而愛物兼善之澤，詎可量邪！

[一]欽恤哀矜之感：欽恤哀矜，文淵閣四庫本作「矜恤哀敬」。　[二]當推鞫審决之際：鞫，文淵閣四庫本作「鞫」。　[三]況延精覃思：延，文淵閣四庫本作「殫」。

西巖趙君文集序

西巖趙君，系出遼勳臣開府公後，遭時多故，家業中衰。西巖崛起畎畝，從龍山吕先生學。金自南渡後，詩學為盛，其格律精嚴，辭語清壯，度越前宋，直以唐人為指歸。逮壬辰北渡，斯文命脈，不絶如綫，賴元、李、杜、曹、麻、劉諸公為之主張，學者知所適從。惟虎巖、龍山二公，挺英邁不凡之材，挾邁往凌雲之氣，用所學所得，偃然以風雅自居，視李協律、趙渭南伯仲間也。雅為中書令耶律公賓禮，至令其子雙溪從之問學。由是趙、吕之學，自為燕薊一派。西巖受業，適丁兹時，探究其淵源，沉浸乎醲郁，加以立志堅篤，講肄不倦，宜紹傳遺緒[一]，最為知名士。捐館後十五年，子天民携所述《西巖集》見示，求引其端。乃為之説曰：文章天下之公器，與造化者争衡，為之甚難，故得其正傳者亦不多見，豈非天之降才不易，而人之器識亦有限量邪？惟就其材地所至，學問能就，以自得有用為主，盡名家而傳不朽。若必曰須撑霆裂月、碎破陣敵、穿穴險固者，方可為之，則後生晚學，不復敢下筆矣。如西巖之氣淳而學古，材清而辭麗，自足以攄平生之底藴，為後進之規模。異時有大辭伯出，如王臨川、元新興，纂李唐之英華，續中州之元氣，序文章之宗派者，則於是集恐亦有所取焉。

〔一〕宜紹傳遺緒：文淵閣四庫本脱「紹」字。

遺安郭先生文集引　大德四年春

關輔天下形勝，地有終南、太華，洪河涇渭為之襟帶。姬周之所積累，漢唐之所經營。雖時異事改，彼忠厚雄傑之餘風，山川英靈之萃秀，而在於人也，意其必有瓌奇文雅之士，生乎其間。僕嘗思一遊，求其人，與之縱奇觀，歷遺跡，羡河山之良是，嘆興亡之無窮，豁達界蔕，以忘吾憂。痞痳平生，未遂斯願。至元乙亥冬，猥判晉幕，夤緣迎謁，抵華陰東歸，殊悵然也。爾後每自秦雍來者，必為訪問，雖得其髣髴，而士之隱見，初不知也。大德庚子春，方謝事不出，有客扣門剥啄，自稱奉先郭良弼巖甫，携示先世遺安先生文集，請引其端。細為披讀，蓋信道篤，燭理明，攻詩文為顓門之業者也，豈非向所謂瓌奇文雅之士乎！雖未西遊，其山川人物，已在吾目中矣。奈何衰老懶於論載，請益勤，乃勉為之説曰：文章雖推衍六經，宗述諸子，特言語之工而有理者爾，然必需道義培植其根本，問學貯蓄其穰茹，有淵源精尚其辭體，為之不輟，務至於圓熟，以自得有用為主，浮艷陳爛是去，方能造乎中和醇正之域，而無剽切撈攘、滅裂荒唐之弊，故為之甚難，名家者亦不多見。惟周卿先生，天資冲粹，內守峻潔，自幼力學，為健舉子，中年流離，不易所業，故德望彌高，文學益富，致遠近尊禮。又少日，以外孫行接際蘭泉先生，所交麻、段、孟、李諸公，皆秦晉名士，其資之深、學之博，與夫淵源講習，可謂有素矣。故詩文温醇典雅，曲盡己意，能道所欲言，平淡而有涵蓄，雍容而不迫切，類其行己，藹然仁義道德之餘。孔子曰：「有德者必有言。」信乎其有言也！所可惜者，連蹇場屋，不遂一第，侍謀省幕，道弗大行。然化乎今者，不必傳於後，晦其始者，其終必顯。日顯與晦必時之待，楊雄氏所謂五百年必得其人。然寥寥四海，豈無知音者，恐表聖之言，乃為通論，况有賢子孫為之揚顯者哉！今文治蔚興，學者日衆，異時板本一出，有序關右之宗派、究蘭泉之命脈者，則於是集知所崇尚矣。

翁三山史詠序　大德四年

自伯魚趨庭，宣父訓以學詩，俾興起志意，通達事理，造夫大學閫域，由是後之學者，有以取法，知所適從。伊川先生嘗欲體詩，叙童子切務，令朝夕諷誦，發其意趣，蓋遵遺旨也。六經之外，其次莫如史，然載籍浩博，初學者欲遽涉獵，譬如算沙海上，成功何年？故前世有《帝王鏡略》、《小學史斷》、《蒙求箋要》等編，皆誘之易以覽誦，速收見效。今慶元路總判三山翁侯元臣，復廣克前人規模，取《通鑒》編年事跡顯著者，綴聯五言絶句二千餘篇，其歷代之隆替，君臣之得失，粲然具列。辭直而不晦，言簡而意足，使初學者讀之易曉而難忘，庸他日融會通貫之漸。或曰：牽合章句，破碎全史，不幾於篆刻雕蟲之弊乎？予曰：不然！聖賢進修，學有大小，傳有後先，子夏所謂「譬諸草木，區以别者」，為得之矣。況翁侯是作，特為童蒙所設，就其所成就而論，可謂祖聖訓，述賢傳，攄己志，惠後學，好古博雅者矣！大德四年月日謹序。

燕山王氏慶弄璋詩引

史館檢閲王生子憲[一]，自其先世，以篤行至孝，培植根本，子孫奉承，家致屋潤，復能尚義好禮，為名公賢士夫稱道。都城人物浩繁，由是王氏以孝義知名。子憲幼蒙訓誨，卓有所立，以良家子選侍閤門，擢直玉堂，謹願文雅，出色同輩，有光故家，所不足者，嗣續為念。大德庚子夏，佳氣充閭，璋裳呈瑞[二]，犀錢玉菓，已浴蘭湯，彩筆柘弓，載臨晬旦。以予在院中最為耆舊，來乞名。乃取先世積善而不近名，種德而不求報，命之曰「餘慶」。先儒有云：「善惡之報，至子孫而後定。」又云「賢者必有後」，王氏其有子也，宜矣！謝庭春好，羡樹玉之臨風；竇桂枝榮，望讀書而有日。徐卿二子，少陵有歌，嗣深晬日，涪翁伸頌。凡與往來者，皆宜作詩，用展光賀。

[一]史館檢閱王生子憲：檢，文淵閣四庫本作「簡」。

[二]璋裳呈瑞：裳，文淵閣四庫本作「輝」。

贈李達之詩序

李達，字達之，汳梁人，世將家。既長，遊燕，遂占籍焉。為人慷慨樂易，好閑便靜。以相術行於時，然不以藝自矜。與僧西雲相善，講主和一日以領宗門事為問，切語其徒曰：「汝師不數日遠行，尚欲何為？」不浹旬而逝。又同術者指一井工有坎阨，斃不出來日。達曰：「否！坎阨則無，將縊而死。」果然。南官程總尹以除目訪之，曰：「喜只在此夕[一]。」口未落而除下，其應驗若爾。僧龕禪榻，曾不惜朝鏡之蹉跎；醉袖笻杖，嘗歷遍春煙之巷陌。世味宦情，兩皆泊如。其兄顯道，以偏師戍瓜步，殊光顯也。書屢招不赴，或疑焉。達曰：「兄安，余無所希覬[二]，何往？」其安貧守分如是者。有屋數間，在崇仁東市門；田五頃，近潞水澮臺里。歲得租粟，自餬其口云。

[一]喜只在此夕：夕，文淵閣四庫本作「日」。

[二]余無所希覬：覬，文淵閣四庫本作「冀」。

義齋先生四書家訓題辭

大德五年四月一日

義齋先生姓石氏，諱鵬，字雲卿。父璧，自五臺東徙唐封，家焉。世傳儒業，中戊戌選，終保定路勸農使。先生早以文行師範一方。至元丙子，用辭科魁多士。資純篤，恬於世味，惟閉户讀書，務爲無所不窺，《四書》、小學，尤所致力，集其所得，遂至成書，沉潛玩味者有年，反復更易，初不去手。易簣際，屬其子承義等曰：「吾平昔精力，盡在是書，藏之家塾，詒訓子孫，吾世其庶幾乎！」承宗奉遺命，以叙引來請。僕憶提憲燕南時，按行屬縣，與先生有一日之雅。今雖衰耄，忍靳一言，庸慰存没。夫《四書》所載，性命道德之懿，修齊治平之方，道統所由傳授，學者所以修習，推明天理，維持世教，如水火菽粟，日用而不可闕。伊洛名公，後宋諸儒，集解纂疏，論之詳矣。近年，上而公卿大夫，下而一邑一鄉之士，例皆講讀，僉謂精詣理極，不可加尚。先生復能沉浸濃郁，含英咀華，發先儒之未及，附己意之所見，自爲一家之説，其學與志，可謂勤而知所務矣。蓋士生斯世，不可虚拘，出則行道濟時，隱則立言垂後。况性命之理，仁義之端，非由外鑠，皆性分之所固有，職業之所當爲，盡其在我者而已，初無先後淺深之間。故子貢曰：「文武之道，未墜於地，在人賢者，識其大者。」子夏亦云：「君子之道，孰先傳焉，孰後倦焉。」是則先生著述之本意也。若祇以篤信好學，修辭明志，遺訓子孫，啟迪後學，折中聖賢，則義齋之名，亦當傳聞于後。於是乎書。大德辛丑歲孟夏吉日題。

義齋先生小學家訓序

義齋先生補注小學書，藏之家塾，未嘗示人，治命其子承宗曰：「當携謁秋澗翰學，庶明吾志。」先生既没，鄉邑士人楊飛卿將板行焉，承宗致遺命，懇求序引。僕向游宦趙北，與先生夤緣私覿，款洽則未也，用是追念疇昔，敢攄臆見。昔晦庵朱文公既集注《四書》，俾大學之道，體用本末，昭然顯著。復慮童蒙之士弗知趨向次第，不能入德義之門，造治平之域，復述此書，俾為師者知所以教，弟子知所以學。雖曰小學，其文辭雜出於聖經賢傳，百家之書，言微行懿，顧老師宿儒，究竟踐履，有終身不能盡者。近年科舉不行，士趨實學，曰師弟子云者，專務講明，收功致效。舊有標注，未極詳備。今先生之注，究其淵源辭旨之奥，與夫品節度數之詳，隨其繁簡而具載焉。純直明坦，俾初學者觀之，易於省解，如陟高而得梯階，濟深而遇舟楫，其急先務，應時求，不為無補。先生諱鵬，字雲卿，自號義齋，保之唐縣人，隱居求志，潛心著書，不求褑襮，吾聞積善勤學，報施不及其身，而發越於後者必大。則是書之出，先生之志之學，光昭於時也審矣。

西溪趙君畫隱小序

大德五年七月二日

予既冠，受館於漕使周侯，因與門下士趙君子玉游，久之，熟其為人，資清雅而有幹局，心機巧而善繪事。其初家藏營丘遺墨，朝夕愛玩，不去其手，遂有所得。繼遇東丘畫工沈氏，指授筆法。又嘗西遊太行，窮巖岫之深峻，觀雲烟之變化[一]，當其情得意會，留連忘歸，動經旬月。由是於仁智妙趣，得其動静之理，及操觚染翰，覺心手灑灑無留思。嘗為廉右相、董承旨及僕作《廉泉》、《野莊》、《秋澗》等圖，景氣蕭爽，雲烟清潤，筆簡而意足。其寄興雲霞，放情林壑，有淡墨寫出無聲詩之譽。或譏懷材抱技，不沽價以求售，曰：「人物者，天地之幻化；圖畫者，又人物之幻影。彼功名烜赫，富貴薰天者，倏忽之頃，已歸磨滅。況韋布之士，欲取聲華於虚幻之餘，不幾於惑歟？然所以孜孜於此者，特遣興適懷，寫吾胸中之丘壑爾。」聞者為知言。大德辛丑夏，邂逅都城，為予臨楊息軒《緑野探梅圖》，髣髴三昧不傳之妙。復懇於予曰：「僕老矣，技進止此，幸惠顧序述平生，傳遺子孫。」乃語之曰：「昔曹霸樂藝而忘貧窮，郭熙頭白餘筆力，少陵、山谷為賦《丹青引》、《秋山歌》，攀附驥尾，名垂不朽。顧僕何人，敢望於二公哉！趙君趙君！其奈爾何？」子玉曰：「不然，前賢後賢，其揆一也。古往今來，各其時也。顧在中朝聞望[二]，老於文學者，孰出公右？言念夙昔，能無情乎！」既不獲已，乃援毫而識之。趙氏系出柳城宦族，當天兵南下，父通福以義勇附太師國王帳下，從定河朔，屢立戰功，壽終定武漕使。周侯以葭莩故，表其勞績，蒙先朝收録二子，仍復其家。仲列名侍從，後歷蔚、完、利等州州尹[三]。次曰澄，即子玉也，受中山三司使，晦跡管庫餘三十年，無毫髮點污。蓋其胸次脱灑，不為物欲所累故也。五子，秉仁、秉温，緣父好尚，亦馳譽丹青云。是歲秋七月上旬二日，秋澗翁謹述。

[一]觀雲烟之變化：觀，文淵閣四庫本作「視」。[二]顧在中朝聞望：聞，原作「問」，據文淵閣四庫本改。
[三]後歷蔚、完、利等州州尹：蔚，文淵閣四庫本作「尉」，誤。

崇真萬壽宫都監馮君祈晴詩序　大德五年七月二十三日

大都辛丑夏仲，暑雨大作，霖霪不輟，至五旬之久，泥塗坎埳，車馬不通，潢潦瀰漫，浸貫川澤，小民咨怨，農夫告病。崇真萬壽宫都監石泉馮君，乃謀於道衆曰：「吾輩奉正一法，以祈禳為業，睹其如是，雖不吾以，安可坐視而弗救耶？」於是致齋潔，肅儀物，籲告穹蒼，飛檄諸部，懇以七日為開霽之度。及期，果六丁斂虐，曦馭騰光，士庶獲覩天日晴明之快，免昏墊陷溺之苦。于是羽客儒流，咸作詩贊揚。湖廣儒學提舉戴月澗以序引見屬。戴交久情欵，有不能已者，迺題數語，姑塞其請。予嘗讀《洪範》、《九疇》，觀天人相感之際，隨所召禎祥災沴應之，吁，可畏也！故三代君臣，遇災知懼，固曰修己敬天為務，而禱謝禋禜、盡諸人事者，自不容已。逮漢静應張公，以神道設教，體含清虚，用周慈憫，為國家祈天永命，為黎庶祓除不祥，由是祈禳祭醮，自為一家之學，傳授科式符籙具在也。然得其人，則法靈而著效，苟非其人，道不虚行。《傳》曰「至誠感神」，又曰「至誠動金石」，道雖殊途，其致則一。若石泉馮君之祈晴有驗，其亦持守誠敬，祭醮精嚴，善於弘衍宗風者哉！諸君作詩稱美，不亦宜乎！其年秋七月廿三日，秋澗翁漫書。

紫山胡公哀挽詩卷小序

大德五年八月三日

挽章者，哀傾逝而寓夫所感之辭也。予於紫山，既哀之而復有以惜焉。紫山起諸生，進擢館閣，揚歷省臺，官至三品，壽幾七秩，順受委正，略無慊愧，於何嗟惜？所惜者，材超卓而不凡，氣正大而有養[一]，可以挺公論而勵衰俗，激清風而作士氣。一旦天柱峰摧[二]，少微彩晦，士林憔悴，失所景仰，不知乾坤純粹之精，山川英秀之蘊，幾世幾年，氤氳感會，復生斯人，此《黄鳥》之詩，《薤露》之歌，有不容已者。忝與紫山三世交遊，氣合情款，故其子典簿特屢徵鄙作，既序夫《易解》，復記其祠堂，今又以斯文為念，孝心追遠，誠宜嘉尚，顧筆力衰薾，奚能發潛德之幽光，倡作者之端緒？然眷懷疇昔，重以陳太常北山之請，敢攄平生所得於公而可深惜者，冠之篇首云。大德辛丑歲秋仲哉生明，秋澗書。

[一]氣正大而有養：有養，文淵閣四庫本作「不替」。　[二]一旦天柱峰摧：一旦，文淵閣四庫本作「邇日」。

朝儀備録叙 大德五年

至元辛未歲，大内肇建，始議講行朝會禮儀，蓋所以尊嚴宸極，辨上下而示等威也。然事出草創，不過會集故老，參考典故，審其可行者而用之。其後遇有大典禮，准例為式，祇取嚴辦。一時執事者，各司品節，其禮之全體，亦不能究其詳而通貫焉。逮侍儀舍人周之翰供職，乃纂述物色儀制之品，班次度數之則，曰朝賀，曰策立，曰開讀，皆具已行而可驗，復圖注以致其詳。皇儀縟典，粲然明白，目之曰《朝儀備録》，携示秋澗翁，求考辨焉。乃告之曰：汝外祖文康公，羽儀先朝，粉飾皇猷，號禮文稱首。汝父松窗侍儀，初事綿蕝，獲預選習。今汝從事於兹，又復有年，其見聞之久，講習之熟，可謂專門學矣。況禮之大經[一]，本乎天理之自然，節文儀則，出人情而折衷，不容强知妄擬，措私意於其間，雖聖人不過祖述既往，隨時去取，故孔子曰：「周因於殷禮，所損益，可知也。」其所以行之者，極乎敬慎而已。故曰：「其在宗廟朝廷，便便言，惟謹爾。」則是書纂述，非惟備豫考按，即事可行，若有集國禮而編會要者，亦將有所取焉。大德辛丑歲立春前五日，秋澗退叟題。

[一]況禮之大經：經，文淵閣四庫本作「綱」。

恕齋詩卷序

郎中李侯正卿，其先世佐金祖開國，子孫衍慶，傳嗣侯爵。易代後，軒裳蟬嫣[一]，猶為燕雲鉅族。正卿資明豪，疏財樂善。有子二人，俱教之讀書，勉勵資藉之者，惟恐不及，與古人愛其子，教以義方之説吻合。衣冠修整，僕馬鮮明，喜交遊，遇事慷慨，與物無凝滯，蓋有志於富貴利達者也。人爽約以負之，量廓然而能容。或非禮以相干，但理遣而不校。尚恐其守之不堅，行之不力，乃榜其宴息之所曰「恕齋」。又為未盡也，質之於秋澗翁，將求諸名勝題詠，庸勉其不逮。乃告之曰：夫人之生，稟精五行，有情有性。仁、義、禮、智，主之於中[二]，所謂性也；喜、怒、哀、樂、愛、惡、欲，感之於外，所謂情也。聖賢存養樽節，求合乎中而已。其恕云者，既盡夫存養之功，復推而為應物接人之道，故曰「推己以及物」、「己所不欲，勿施於人」，蓋由内以達乎外。自漢以來，不能體認聖賢求諸己意思，遂以「恕」為寬容之稱，雖范忠宣之賢，亦有「恕己恕人」之説，是徇外以遺内也。何不揣其本而齊其末哉？今夫己之善推以及人，其不善弗加諸彼，則物之應於我者皆善，自無出悖來違之戾，尚何寬貸容恕之有？今正卿既識其用，復能明其體，由末以達其本，日就月將，緝熙光明，則違道不遠矣。雖然，比之貪冒無厭，黷於貨財[三]，較班資之崇卑，計利害之得失，不至傾陷攘奪而不止者，為之猶賢乎已。某年月日，秋澗翁叙。（以上《秋澗集》卷四三）

[一]軒裳蟬嫣：蟬嫣，文淵閣四庫本作「蟬聯」。　[二]仁義禮智主之於中：主，明修補本同，文淵閣四庫本、王抄校本作「生」。　[三]贖於貨財：贖，原作「覿」，據文淵閣四庫本、王抄校本改。

承華事略序

臣惲嘗讀《文王世子》、《賈誼保傅》篇，二者教養太子之方盡矣。第去古逾遠，其典禮有不復行於今者。又伏念殿下春秋鼎盛，以天挺英睿之資，復有不待學焉而後能者。故臣愚慮，敢述其切時近用，可舉於今，庶有補於來者，著而為篇。然事有先後，必循序而進。竊謂孝者德之本也。唯天子之孝，以寧親敷教為大，故首之以廣孝。愛者孝所生也，惟孝友于兄弟，故繼之以立愛。孝愛既立，亟當正者，國之本也，故繼之以端本。本雖端，非學無以成其德，故繼之以進學。學不無異端之害，故以擇術謹習次之。教尊德成，必取正於官，非聽政無以驗諸用，非達聽無以周其知，故方其聽政，即以達聽繼之。國政之外，兵戎為重，故以撫軍次之。軍國事殷，舉措之間，恐涉僭誤，故以明分次之。文武並用，長久之術，故繼之曰崇文。尚文之實，親賢為本。然不可不辨其邪正，故親賢後繼之曰去邪。正人之言，無匪弘益，故繼之曰納誨。雖聖人不能無過，諫而能改，善莫大焉，故先以親之幾諫，次以己之從諫，思互為儆省爾。至若仁民愛物，非德澤何以加？故預之以推恩。德加於民，而儉約逸豫，居上者尤所當尚戒。天下之事無大小，官得人則治，故以審官終之。自廣孝至審官，凡二十篇，釐為六卷。篇有圖，俾見古人當時事蹟之偉，後有説，以致愚慮循序近用之義，且易於按觀焉。題之曰《承華事略》。臣不自揆，消埃之微，何足以益崇深之海嶽？猥以惓惓愚誠，庶千慮一得，或可仰裨儲闈萬分之一，蓋臣素願也。臣王惲謹序。（以上《秋澗集》卷七八）

中堂事記序　至元二十四年九月七日

余自稺歲讀書，頗有志於世，甫及壯年，彈冠應聘，適際夫風雲慶會，千載一遇之時，荷囊載筆，從事其間，以至密邇論思，酬酢吏務，霑香紅藥之階，接武雲龍之地，若有所遇而大有以為也。不圖爾後蹭蹬於仕途者廿餘年，回視嚮之鴈行而請署者，川泳雲飛，觸目皆是，比量薄分，蓋有無非命者。況今日就衰謝，百念灰冷，有求田問舍，躬耕種樹而已。然覺吾胸中耿耿者尚在。及閲故書，復得當時直省日録，觀其與諸賢聚精會神於一堂之上[一]，所以開太平之基、播無疆之休者，斑斑可見。因略為修飾，題之曰《中堂事記》。庶幾有閲是編者，知予生長明時，雖無寸補，亦嘗饜邦家之光，為閭里之榮也。藏之篋笥，固不敢以千金享之，異時有索野史，求史臣中舍之所遺逸者，不無一得於斯焉。至元二十四年丁亥歲秋九月七日，前翰林修撰同知制誥兼國史院編修官左司都事秋澗老人謹序。（《秋澗集》卷八〇）

[一]觀其與諸賢聚精會神于一堂之上：與，原闕，據文淵閣四庫本補。

烏臺筆補序

至元改元之五年秋七月，憲臺肇建，于以配肅天德，用昭太微執法之象，詔前平章政事塔察公為御史大夫，曰中丞，曰殿中侍御史，以帖赤木八剌撥灰貳焉，曰侍御史，曰治書，曰監察御史，純用漢人。一切事宜，率循舊典。其裏行十有二人，令各舉所知，以充員數。侍御史太原高公，乃以相人梁貞、前翰林修撰左司都事惲俾膺遴選。方朝廷嚮治，思有以重之。其監察到臺，特詔庭見，以肅其氣，優禄稍以厲其嚴。朱衣象板，雖以七品就列，秩望清峻，天下事無非所當言者。其出使四方，佩金符，分屬掾，馳馹傳，中外具瞻，凛然聳綉衣直指之望。至有恨其崇資不得與之同事者。內則號下臺，通論駁，設六察，畫坊廂，縱游詧小大事，月限以數。於是騰章抗狀，紛番迭作，霜逐簡花，風聲動臺閣矣。僕假厠裏行，頗收薄用比受，更九三十有二月。尸素既久，具藁紛然，併以外臺所言一二，凡得臺綱書記、事狀、時務等篇，總一百五十餘章，釐為五卷，題之曰《烏臺筆補》。客有覽而誚予者曰：「昔人諫草，往往削而去之，子今是舉，不幾於自用昭晰，以章時事之非乎？」予曰：「客何見之晚也！裏行，言責也，人與言雖卑而微，其見於此者，皆本臺已行底至而不遺者也。故書之策，正欲表夫朝廷寬忌諱，重臺諫，顧惟蕘言，曾不少棄。見乎微，其至可知已[二]。至於政貴有恒，辭尚體要，予雖不敏，中

或有一得焉。是又不可因已陳而廢之也。」客唯而退。於是乎書以為序。(《秋澗集》卷八三)

[一]其至可知已：文淵閣四庫本作「則其至者可知已」。

玉堂嘉話序

至元二十五年冬

中統建元之明年辛酉夏五月，詔立翰林院於上都，故狀元文康王公授翰林學士承旨。已而，公謂不肖惲曰：「翰苑載言之職，莫國史為重。」遂復以建立本院為言，允焉，仍命公兼領其事。時不肖待筆中書兩院，故事凡百草創，經營署置，略皆與知。其年秋七月，授翰林修撰同知制誥兼國史院編修官。方帝澤鴻厖，賚及四海，誥命宣辭，頗與定撰[一]。再閱月，蒙二府交辟，不妨供職兼左司都事。自後，由御史裏行調官晉府，秩滿，復入為翰林待制。時則有若左丞相監修國史耶律公[二]、承旨霍魯忽孫安藏、前左轄姚公、大學士鹿庵王公、侍講學士徒單公、河南李公、待制楊恕、修撰趙庸、應奉李謙，不肖雖承乏幾於一考，其獲從容侍接，仰其祖宗對天之鴻休，聖訓無窮之睿思，皆聞所未聞者。至於文章高下，典制沿革，朝夕饜飫，所得亦云多矣。今也年衰氣耄，盡負初心，因紬繹所記憶者凡若干言，輯而為八卷，題之曰《玉堂嘉話》。其成燈火茆堂之夜[三]，尊罍心賞之間，吐嘉話於目前，想玉堂於天上，鳴息有時，盛年不再，良可嘆也！然昔人有宅位鈞衡，不得預天子私人為恨。顧惟此生不為

未遇，用藏家櫃，以貽將來。至元戊子冬季二日，前行臺侍御史秋澗老人謹序。（《秋澗集》卷九三）

［一］誥命宣辭，頗與定撰：此二句文淵閣四庫本作「誥命辭頌，咸與撰定」。［二］時則有苦左丞相監修國史：苦，文淵閣四庫本作「若」。［三］其成燈火茆堂之夜：成，文淵閣四庫本作「或」。

全元文卷一七七

王惲　二

日用

講究義理，其用有三：體認明白，臨事能施為出，一也；道義傳受，必托於言辭，筆頭發明出來，二也；其或諸生請益，發藥啟迪，化若時雨，三也。至若都曾經歷，只為目前，不曾專心理會，又不能記誦，乍了若無，使此心茫然如道傍空舍，諸物得去來住持，不敢認為己有。又學既不固，及人説着，才方省記，終了自無所得。前賢力學，須先除去此病。攻苦食淡，不為一毫外物移動，屏墮氣，收放心，一主於敬。不雜觀，不過分。此或未畢，輒復它務，纔作復輟，今日已過，而有明日，管得無時。定志帥氣，如下硬寨，確乎有不可拔之勢。一物一事，不輕放過，窮理盡性，至於命而後已。性與命只是一個理而已。若有所得，即極力存養，晝見之於行事，夜驗之於夢寐。使真積之功，日新一日，不使頃刻間斷，不恤乎時之利不利，不問乎人之知不知[一]，將所樂自喜，專以推崇天爵為至。古之學者，無不盡其極者，恐不外是。不然，困而不學，生而為斯民之下，不知所以學，老而為乾没之人，良可哀也！此皆予之錮疾，遂書以自訂，非敢示諸他人。

〔一〕不問乎人之知不知：問，原作「悶」，據文淵閣四庫本改。

書太極圖後

嘗觀宋一代道統傳授，獨推濂溪元公為首，及究其功用，有渙然冰釋者。蓋先生始明太極陰陽、五行性命之説，以開萬世沉迷之惑，明一出於中天故也。夫太極者何？曰有物混成，先天地生，以一而含三者也。老氏所謂「一生二，二生三，三生萬物」者是已。為太極判而有天地，乾坤既位，然後萬類育焉。故理可見，而道由是而生。道者，循其理之路也。其性之與命，尤坦然明白。性者，理之所從出。理也者，只是純一四端而已，固無有不善。命者，氣之所從來。氣也者，變化錯糅，有清濁、厚薄，參差不齊之間，曰賢愚，曰壽夭，曰貴賤，曰富貧，一隨所遇而禀之者，更無旁入曲生之理。濂溪先生以前，秖為先儒，不曾尋出氣質性來，雖有混然上、中、下三品之説，終是不無窒礙，學者又不致思，或求而不可得者，往往溺於邪説，未免隨人作計，以至迷惑，忘而不返，可哀也哉！若先生之圖之説，其有功於聖門，惠夫後之學者，可謂大且深矣！抑使輪回宿習，荒誕不可致詰之説，一掃而無餘，此所以尊居圖首，為道統之宗也。若以作一個分陰分陽之圖說了，是齊其末而不揣其本也。

體認　至元二十五年四月十一日

從古至今，止是這些人情，止是這些事理。聖人裁量，備具六經，罔有不盡[一]。後之學者學此也，既能通曉厥理[二]，正要行己臨事之際[三]，觸類相應，以較其己之具合與否[四]。若事務之來，既不能體認前言往行，以酬酢其變[五]，此與不曾學者何異？是最吾儕大病。既不能踐迹，將何以造其室乎？亟當思體認之方，從何而入可也。戊子夏四月十一日，晨起偶書，小子其志之。

[一]罔有不盡：盡，文淵閣四庫本作「具」。　[二]既能通曉厥理：厥，文淵閣四庫本作「窮」。　[三]正要行己臨事之際：要，文淵閣四庫本作「心」。　[四]以較其己之具合與否：具，文淵閣四庫本作「相」。
[五]以酬酢其變：其變，文淵閣四庫本作「而應變」。

氣志

人志不定，只是氣為之亂，氣既亂，却為動靜無常，於中互相奪爾。若安命順處，不以我之所當得，而易其彼之所不當有者，人無日而不自得也。如是，則何患志之不安、理之不明、氣之不充者哉！或曰：所當得者何？即天之所命於我者是也，不當得者，即天之未嘗付於我者，此君子之所以亟當知也，故曰知命。不然則謂之不受命。不受命是之謂逆天。故孔子責子貢而貨殖焉者是也。

天人爵

天爵，志清明而壽；人爵，氣濁亂而夭[一]。或天或人，能壽而不亂者。唯素有所養者能之。曰養者何？至公無私而已。

[一]氣濁亂而夭：夭，原作「天」，據至治本、文淵閣四庫本改。

孤立

至元二十五年五月

人生天地間，立甚孤特，賴有四端在我，然後迺有所倚。如伊尹之恬於放甲，西伯之安於羑里，周公之坦於東征，孔子之泰於厄陳，武侯之必於復漢，蓋倚是理為用，而後大有所立者焉。故《傳》曰「君子獨立而不懼」，其是之謂乎！不然，一身心之微，其何以禦不測無窮之變乎？戊子夏五月甲午，積雨開霽，晨起書於露堂西序。

孟莊不相及　至元二十五年九月八日

予嘗疑孟與莊皆同時間人，終無一言一事相及者，恐是孟、莊閉户著書，罕與世接，迨身後其書方出。適讀陳氏輯語，陳名應童，字景雲，三山人。大意略同，説當時無人宗它，只是於僻處自説[一]，然亦止是楊朱之學，但楊氏説得大了，故孟子極力排之。戊子重九前一日書。

[一]只是於僻處自説：僻，文淵閣四庫本作「無」。

自得

誌者，發其心於内，故納諸壙印以告化者。碑者，表其德於外，故植諸神道以鑒來者。又曰：誌者，紀其心之跡也；碣者，揭其事之著也。

朋友

朋友列於五典，其所以為重者，志同而義在也，故粲然有文以相接，驩然有恩以相愛。不然，其與走者類聚而同遊，飛者群分而並集[一]，蓋幾希矣！詩人以伐木廢，特表夫友道之缺。深有旨哉！

[一]飛者群分而並集：並，文淵閣四庫本作「共」。

五常

五常之道，仁為體，而四者為用。義與智，陽中而含陰；禮與信，即陰之一定者也。曰陽中而陰，蓋運動離合有吉有凶者焉故也。

陰陽之道 至元二十五年十一月十八日

《易》曰：一陰一陽之謂道。九峰曰：陰陽以氣言，道者陰陽之理。余曰：理者，氣之所以明，所以幽，所以生，所以殺，所以舒，所以慘，所以為君子，所以為小人，世之所以治，世之所以亂。戊子冬十一月十八日戌鼓作，燈下偶書。

讀孟子或問

《四書或問》，獨鄒書多設疑詰難，何也？孟軻氏終是去聖人一問，辯論之際，其言英氣發露，不無激切輕重之異，故文公於此頗詳，講明折衷，要使不詭於理，先後一揆而後已。何則？温公，大賢也，猶有《疑孟》等篇，况解之云乎？此晦翁惓惓於是，亦臨川翼之之意也。入伏後三日，課讀此書《或問》偶書，晚學小子題。

恩多怨深

此余平日事也。或者曰：君土命人〔一〕，生物者土也。物既長，不得不克制其土，自然理也。此陰陽家論，似亦有理。然不若以人事評之，謂如我以禮待人，人不見答，未免有所不平。不平，則彼則乃有怨意〔二〕。我當夷其不平，以恕心待之，寧人負我。

［一］君土命人：土，文淵閣四庫本作「上」。　［二］不平，則彼則乃有怨意：文淵閣四庫本作「不平之，彼則乃有怨意」。

雜著

聖人之道，如長江大河，人人得以飲之。然飲之者有多有寡，為江河者，不能使之一一均同其量，任其自然而已。不然，恐造物者亦太勞矣。余謂師授學者以道，亦當如是。既以自警，且示韓、陳二生。八月二日偶書。

分絶　至元二十五年十二月八日

伊川先生云：常思天下君臣、父子、兄弟、夫婦，有多少不盡分處。況今所為親戚、故舊、昆弟、友朋四者，天理當然之分，廢將無遺，可哀也哉！祇是計較於我善惡有無相益為事，與之離合耳。靜言思之，物則既蔽，近於飛走，人既與非類相雜處，幾何不傷而夷也？可不慎言謹行，凡事點檢，以先周身之防，而存遠大之謀哉［一］。至元戊子歲臘日書。

[一]而存遠大之謀哉：謀哉，原缺，據文淵閣四庫本補。

無　音

萬物受氣於天，音者情之所由發也。以政有得失，而音有乖和。雖極亂極困，未有情不宣而音不作者。如幽、厲之世，雅固遏密[一]，變則不無也[二]。至於當有絶無，豈困而不暇作，伏而不敢出，其或善不足以法，惡不足以戒，亦若天變之無所見乎？三者必有一居於此矣。於是感而書之。

[一]雅固遏密：雅固，文淵閣四庫本作「正音」。　[二]變則不無也：此句文淵閣四庫本作「變則不能無也」。

得　失

至元二十六年六月

人之得失，一係夫命之通塞。若得，則既不當過恩于其所舉[一]，揣其己才如何耳；失，則又不當致怨于其所沮，亦當量己命之如何耳。若恩有歸，是人憐其不才而私之也；怨其沮，是我妄為言而不安其命分也。何益哉？己丑歲夏六月，客退，偶書以自儆。

[一]若得，則既不當過恩于其所舉：文淵閣四庫本作「若既得，則不當過恩于其所舉」。

黄鳥三良説

觀坡和陶三良詩[一]，反復詠味，似責三良之不當死也。當時從死穆公者，百七十七人，蓋康公從先君亂命，迫而納之也，三良之不死得乎？若專責康公可也，分謗三良，豈忠恕之道哉！祇以坡之議論英偉，辭氣縱橫，讀之者愛其如此[二]，故不覺白璧之有微瑕也。若晦翁之《詩》説，可謂盡之矣。

[一]觀坡和陶三良詩：陶，文淵閣四庫本作「同」。　[二]讀之者愛其如此：其，文淵閣四庫本作「無」。

文辭先後

文之作，其來不一：有意先而辭後者[一]，有辭先而就意者。意先而就辭者易；辭先而就意者難。意先辭後，辭順而理足；辭先意後，語離而理乖。此必然理也，學者最當知之。

[一]有意先而辭後者：而辭後者，文淵閣四庫本作「而就辭者」。

讀淮南子　至元二十三年十月二十三日

《淮南鴻寶》書出，大山等徒所述，在藝文言，掇百家之緒餘耳。特變其文而為小大異同之論，然自得者鮮矣，讀之者不無所益。至於陰陽造化之機，治道興衰之理，正有吾六經與信史昭在，又親於其身為不善者[一]，雖著書立言，君子有所不道。予所以讀之者，取其事實可訓[二]，及漢文近古，三代之氣有凝而未散者。至元丙戌歲十月二十三日題。

[一]又親於其身為不善者：於，文淵閣四庫本作「以」。　[二]取其事實可訓：實，文淵閣四庫本作「有」。

鸜鵒食蝗　至元五年

秋七月，螟生牧野南。無幾，有鸜鵒自西北踰山來，方六七里間，林木皆滿，遂下啄螟，食且盡，乃作陣飛去。予考漢《五行志》，貪人尸禄，猶螟害穀，故感而生蝗。夫鸜鵒北方之鳥也，其嘴距有搏啄之利，又數多。如是意在位者不肖，將有因貪抵法而敗者，不然何食之既邪？紀之驗它日之異。時至元五年歲戊辰也。

魚嘆　至元九年九月六日

至元九年春三月，余自燕南還，前次淇右。逆旅主人條桑徹土，束藁作炬。詢其故，曰：「此取魚之具也。」既而，主人置條圜淺水中，外以石擁之。夜向寂，風息波平，炬火起岸側，群鯈趨明，争集其中，回旋往復，千週百匝，睬其條為罟之大綱，一不敢出越而游去。主人俯掇，如拾地芥焉[一]。王子喟然嘆曰：「班生有言，山林之士，往而不能返；朝廷之士，入而不能出。士乎士乎！冒昧行險，趨利而不知止者，曾何異於斯乎！」是歲重九前三日，寓平陽牙城官舍之待旦軒，坐聽秋霖，耿不能寐，追思所見，作魚嘆云。

[一]如拾地芥焉：拾，原闕，據文淵閣四庫本補。

非分説　至元五年五月二日

甚矣！非分之不可求，猶鴆毒之不可懷也。鴆毒之殺人，世知避忌；非分之存心，其禍有不可測者。有人於此，小智有材[二]，行險僥倖，以濟其慾，一旦濡首染指，攫取公餗，是知厥指之可染，不知首領之不可保也，奇貨之可居，不知其禍之不可脱也[二]！既而以敗聞。抑柳子云「立身一敗、萬事瓦裂」者，其是之謂乎？夫鳥俛而啄，仰而四顧，猶懼夫物之為己害也。可以人而不如鳥乎？今日方食，聞府吏籍其家，案上一柸藜藿，重於五鼎七牢矣。至元戊辰夏五月重午前三日，遺安堂書。

[一]小智有材：智，原闕，據文淵閣四庫本補。　[二]不知其禍之不可脱也：其，原作「奇」，據文淵閣四庫本改。

鏡　箴　至元八年十一月十三日

王子醉，墮馬傷額。既愈，日引鏡自照，色黶如凝鬱者旬餘[一]，因愀然曰：昔樂正子春下堂足傷，追悔不踰閾者累月。蓋聖人以毁傷髮膚為深戒，必全而歸之為至孝，矧陷身非義，一敗瓦裂之酷哉！是以墨子悲其絲染，馬遷痛其刑餘，柳州悼其躁進也。惟其居易俟命，不行險，毋苟得，從容中道，乃為合理，吾知免夫。至於游居食寢，則體安而氣平。不然事變之來，少有蹉跌，又何翅髮膚之毁傷、物議之輕重者耶？嗚呼！小子孺其戒之慎之。於是乎書。時至元辛未冬十一月十有三日也。

[一]色黶如凝鬱者旬餘：黶，文淵閣四庫本作「黷」。

簪導玉飾辨

統軍府從事李良貴，上計來燕，過予，出示華玉一方，長寸許，廣如之，狀類方勝。然其文章昭回刻卧蠶，中間髣髴粟粒隱起，上作蟠螭，闖首左顧，前足去左，其下穴方孔甚邃，玉色皦潤，殆凝脂然。余曰：「魏晉已下無有也。」李曰：「然，此陽夏壙中物也。」余時方讀禮書，而此物適會，因考其制，蓋大冠橫笄之首飾也。古者笄長尺二寸，諸侯以玉，大夫士用象。其為神明之器，斷無疑矣。何以知其然？《禮》云：「瓦不成沬，木不成斲。」「有鐘磬而無簨簴。」其曰明器，神明之也。」故闕其足之左[一]。於乎！魏晉去秦漢未遠，茲物也，視之猶可仿像一時禮文之盛，古人嘆三代吾不得而見之，得見漢魏斯可矣。蓋文獻之傳，尚足徵於當時者耳。於是乎書。

[一]故闕其足之左：闕，文淵閣四庫本作「開」。

興平閣本說

古今名臣畫像，皆曰興平閣本。興平，京兆縣名，而曰閣本，予初不解其旨。近襄陵吉仲和過予，睹壁間李衛公、東坡等像，此正興平縣學所臨者。嘗聞諸進士武公張徽君美云：金大定間，某人自秘書郎出宰兹邑，悉取平日竊模秘府真像而圖形焉，故有閣本之目云。

崇德堂説　至元十三年清明前三日

余貌不揚，寫之者未得盡肖，逮賈君一貌[一]，而見者皆以為余，且曰：「仲器為人不止技稱，其於奉親事嫂，以孝友聞鄉閭[二]，殊侃侃也。」既而求名其堂，且叙其世家。賈係出襄陵，今汾東有塚巋然曰賈相者，乃遠祖也。從傍居民同族氏者，尚百餘家，有圭田三百畝，耕穫者主其年之守祀，終而始焉，奉為故事甚恪。考夫傳記，蓋賈豫州逵之壠耳。豫州在魏晉以鉅儒名卿顯，宜其世祀至于今而弗絶也。今觀仲器氣質温粹，孝友純至，似非丹青馳譽者，豈豫州之澤淵流而未央邪？故以「崇德」榜之，且用篤其所已至，勉其所未盡者焉。至元丙子清明前三日題。

[一]逮賈君一貌：逮，原作「建」，據至治本、王抄校本改。　[二]以孝友聞鄉閭：閭，原作「間」，據文淵閣四庫本、王抄校本改。

讀唐徐有功事蹟

周革唐命，艷后煽虐，任威刑而絶異議。遂起麗景等制獄，縱周、來之徒，誣搆陷置，膏流節解之禍，莫有捄止[一]。大者以剪夷宗子希旨，下者以告密上變徼功，鬼朴滿朝，中外股慄。時有功以司理之微，秉公恕之心，扞折凶鋒，守死不撓，至辯明冤抑，竟賴全宥者甚衆。嗚呼仁哉！公固知上含容孤直，庸示公道，然人慾肆裂之際，天理有不可泯滅者。彼中橋突犯清蹕，釋之辯於漢文，慎罰之初；威衛悞斫陵栢，仁傑諍高宗於受諫之日。以勢以時，司刑為尤難。及拜西臺，至頓顙流涕，有鹿挺懸庖之請。何感動自悼若此？豈體存正大、明哲保身之方，非權無以濟之邪？

[一]莫有捄止：止，文淵閣四庫本作「之」。

紀　異　至元十四年四月

至元十三年夏六月，王按察立夫，同在汴梁試院中，告予云：「前年冬十月，益都路總管于也孫觧，以髀瘡卒於官。初，病卧踰浹旬，遽召左右具儀從及鷹犬櫜鞬者列堂下，徐曰：『吾今日晌午逝矣。」家人問何往，曰：「將赴達官某人府。」言畢據銀椅而終。達官者，故監真定路郡沃魯外五赤也。蓋公自微時薦擢于朝，以致顯達，皆公力云。俄有樂安縣吏來云：「日晡時，三十里外，遇公騶騎甚盛[一]，從者呼某至馬前，喻之曰：『汝歸當告吾家，若車徒西還，凡過水，當以金錢投之。』」初不知公捐館矣。翼日，又有自濟南來者，亦見公獵道左而西，如平生然。」明年丁丑夏四月，與公之子某會燕，以向所聞審焉，不少異，因念余向在省署，識公於稠人中，軀幹魁偉，望之一雄傑也。立夫云：「公為人忠謹誠慤，歷事三朝，多為上所倚注。世為燕之香河人，壽五十有幾。」又聞吏部尚書太原高公，亦臨終區處後事，神志灑灑不少亂，問：「騎從具堦下否？」曰：「具！」如期而逝。嘗聞聰明正直者，生有所自來，歿有所自去，如傳說上為列星，韓柱國死作閻羅，信有據而然也。因併筆以記其異。

[一]遇公騶騎甚盛：騶騎，至治本、明修補本、王抄校本同，文淵閣四庫本作「騶馳」。

讀魏相傳

《周書》有云：「論道經邦，燮理陰陽。」道者何？以正心誠意為體，仁義禮樂乃其具耳。以此出治，陰陽自和，萬物咸得其理。舍是，非復有調元之術也。今觀相之燮理，至區區建議，舉四人各主一時，使衣服禮物，朝祭百事，一切法而行之，時至，明言所職庶政玉燭之祥，何不思之甚也。嗚呼！西漢去三代殊邇，相於中興為有聲，其經綸器業，惜乎不出乎正心誠意之大學，而牽於五行附會之小數，豈見道未明，權衡機務之心有所偏溺哉。

御書銀盒事

客有云：道陵朝，二近侍以功名利達由天命人事，因私相論詰，甲曰天，乙曰人。上聞之，取銀盒中批曰：「可去者某官。」遂授乙者，使赴尚書省。既出，衄血大作，不克往，適與甲會，以君命不可緩，即就付焉。其人拜官而去。由是而觀，雖云君相造命，不知造物使之然耳。近一名士甚為聖上所重，當軸者力薦以為同列，將謂旦夕輔政。及上聞，喜其奏而徐之，既而病卒。因記客談，併書其事。

紀肉芝等事

天興初，荆王府第中庭產肉芝一株，高可五寸許，色紅鮮可愛。既而枝葉流津濡地，視之皆成血，臭不可聞，剷去復出者再。遇夜，房榻間有物作聲伏其中。燭之，群狐滿床。逐捕，失所在。未幾，曹王訛可出質，王妃蕭氏向予談其事。妃，尚書貢之孫，今為黄冠師，居衛。

先友牛講議國瑞

牛天祥，字國瑞，澤州陵川人。通天文、武經、占筮、風角等書。正大間，嘗為恒山公府議事官，兵後居衛東白皇渡。既而，著軍前中書省詳議[一]。辛亥秋八月，應東諸侯聘，客死聊城，壽五十有七，葬汲縣郭村東鄉清水之南[二]。

[一]既而著軍前中書省詳議：著，王抄校本作「署」。　[二]葬汲縣郭村東鄉清水之南：之南，原闕，據王抄校本補。

鎮州風俗　至元十六年十二月六日

鎮人以七月六日為七夕節，蓋其避王鎔失國之日也[一]。迄今四百餘歲[二]，俗以為常。何恩德感人心也如是，五代稱趙據五州[三]，當時四鄰交争併起，惟鎮之人士，輕裘緩帶[四]，遊嬉燕樂，安王氏之無事。彼懷思不忘，愈久而愈著者[五]，豈非是歟？則知文忠公筆削，真實録矣。至元己卯十二月六日[六]，按部次新市縣五夜燈下書。

[一]蓋其避王鎔失國之日也：「失國之」、「也」四字原闕，據王抄校本補。　[二]迄今四百餘歲：「迄今四」三字原闕，據王抄校本補。　[三]五代稱趙據五州：「五代稱趙」四字原闕，據王抄校本補。　[四]輕裘緩帶：「輕裘緩」三字原闕，據王抄本補。至治本「裘」作「衣」。　[五]愈久而愈著者：「久而愈著」四字原闕，據至治本、王抄校本補。　[六]至元己卯十二月六日：「元」、「十二」三字原闕，據王抄校本補。

僮喻

秋澗翁自幼讀書，疏於生事，處則知涉古今、攷治道，以自驗平時所得於日用間[一]，庶伸微志。故從壯歲忝沾恩列[二]，舉家仰食廩禄，未省飢凍切身者，二十有餘年矣。雖然，纔閑即無以資生。顧貧乃士之常，不敢略有他鶩，以覬苟得，非惟不解[三]，亦且耻出諸口。汝等轉藉翁庇，各蓄妻抱子，日嬉温飽，奔走承侍外，心則無所苦也。汝翁且自己卯秋，移官燕南，忽復四禩，以理將去，乃有維揚之命，僉緣投獻，遂致祉止，重叙一官，良為匪易，其倖與否，汝等朝夕所親睹也。及南還滹上，復需後命，今又數月矣。適饑旱相仍，食艱口衆，事勢牽率，有進退維谷者。况汝翁行年五十有七，自惟疏拙，與時齟齬，加之筋力衰耗，百念灰冷，静退之心，日往來於其懷。嘗謂秩，天秩也，不肖者無久當之理；禄，天禄也，衰老者無恒竊之方。躬田力穡，本吾家素業，税駕壠畝，固分所宜。然行止有命，又非吾之所敢必也。此淵明所以有心形相役、口腹交病之嘆，盻盻一稔，斂裳宵逝[四]，切嘗慨有感焉。今日炊煙晨冷，庖人告乏，計口而食，月得粟五釜可足。時斗直鏹餘二千，是旬月所縻，須六萬三千錢耳。其賓客之奉，慶吊之禮，鹽醯葷茹，薪爨芻秣，僦舍之費不在焉。諺所謂「百指無糲飧，食倒黃流灘」，諒非虛語。噫！官時來則為，筆耕之潤又非所恒，幾何不相胥而困也。今日夏至，聞東郊穫麥，天倉廓開，招拾遺秉，不為無益，汝等其往哉毋忽，且令汝知田功之艱，一餔之不輕獲也。暮歸得新麥斗餘，僮奴輩既飯放啜，頓失菜色，為一快也。又念位雖下近伐冰之家，尚爾窘迫，在閭閻細民，不合釜而坐餒者幾希矣。因援翰作僮喻，會有餘思，不足為暴殄之戒，且廣訓儉之遺意云。

[一]以自驗平時所得於日用間：以自，原闕，據文淵閣四庫本補，王抄校本作「出則」。　[二]忝沾恩列：沾恩，原闕，據文淵閣四庫本補。　[三]非惟不解：解，文淵閣四庫本作「為」。　[四]斂裳霄逝：霄，文淵閣四庫本作「宵」。

魃妖

余行陽穀道中，農人有以魃言者。余告之曰：周宣王詩云：「旱魃為虐。」是魃非今見，從古有之，此蓋旱妖之氣感人變所娠而成耳。《神異經》云：「魃生南方，肉體長二三尺，目在頂上，走行如風，見之處赤地千里，執而投之溷中即死，旱氣乃消。」又云：「魃字從鬼，鬼魅之物，所生非唯南方也。」且古者娠婦不使食邪味，聽淫聲，覩惡色，恐遂所感而化。余故曰：「孌元娠而成妖耳。」

哀辭後　至元二十五年八月八日

衛自壬子歲迄今，邑中子弟不三十而夭者，凡八人，如程翰、季武、王範、陸□□輩[一]，皆雋秀有望，翩翩而佳者也。吁！百蛇墮地，一或能龍。既玉汝之，輒復奪之，不知造物者果何意也？余故以咄咄怪事為言，然以理揆之，雖一家之凶變，亦斯人有自致者。嘗記一士人問於先君子曰：「粵惟金初已來，衛之文秀者極罕，間有之，多秀而不實。」先君曰：「衛地濱河沙薄，豈其氣疏弱故也？若使水環州南，或城居水西，氣或可盛。」時不肖尚穉，聞之不存諸心，又弗請問其所以故，雅意所在，每念之而不明了。以今觀之，其言固為有徵。何則？如東平，汶出府南；阿邑，濟經縣東。且以東阿較之，在金一代，由進士而位卿相者幾二十人。鄆則不須論也。然「魯無君子，斯焉取斯」，使衛師有經儒人，問學而知義，則薄者可厚，愚者可明，夭者可壽也。此雖以人事臆度，若有補於世教，聞之者庶不惑於邪妄之說云。至元戊子秋八月八日書。

[一]如程翰、季武、王範、陸□□輩：如程翰，原闕，據至治本、王抄校本補。陸，原闕，據王抄校本補。

盧氏墳石泣

大都玉馬坊耿氏石獅，猛水出如霧。予時為御史，目睹其事。山陽長流村盧氏墳石表，水出如泣者連日。耿、盧二人，皆出微賤而遽當台鉉，此驟得不祥之極也。蓋善惡以類應，故陰沴將至，兆見於石如此。予因曰：此石泣也。二人尋皆被誅，然泣者非憫之也，悲乎不知其量也。吁！

龍墮農民王家　至元二十年六月

至元二十年癸未夏六月中，大雨，河西鄉農家王氏，甫夕，黑霧四塞中庭，窗户間寒凛不可勝，視之，有蒼龍蜿蜒在氣中，起而復墮者再。時王氏女已笄，下堂趨室，驚而絶於地，救乃甦，問所見亦同。欻霆震霧散，失所在。明日視其地，鱗鬣印泥，尚宛然也。王氏世居水上，其下潭渦，殊深黑可畏。

雜著　至元二十五年秋

太宗英文皇帝，天容睟表，一類釋迦真像，仁厚有餘，言辭極寡，服御儉素，不尚華飾，委任大臣，略無疑忒，性頗樂飲。及御下聽政，不易常度。當時政歸臺閣，朝野懽娛，前後十年，號稱廓廓無事。臣向過平陰縣，𡌦校尉陳某所談如此。陳早年蓋先朝控鶴近侍者云。前宋時有日者，肆相國寺東，一日而識四相，謂韓魏公、范文正公、王沂公、張齊賢也。自後術不一售，竟窮悴而死。近年畫師覃人孫某，奉詔追寫太祖聖武皇帝與睿宗景襄皇帝御容，及奉進上，顧其惟肖，至泣下沾衿，宣賜甚渥。孫歸及家而歿。二人術雖不同，其於發藏泄秘則一也。《傳》曰「人之患莫大知人之機。」況神明不測者乎。戊子秋，目疾後書。

鶻嘆

至元二十五年九月十日

昔有漁於河濱者，見一鶻搏一禽於沙渚間，禽逸而鶻不起。良久，漁者往視，鶻已死矣。彼念之曰：「鶻之鷙，擊性也[一]。一舉而坐空拳，遂憤而斃，有志士之烈焉。夫士懷才負氣，求用於世，倘時不我合，人不我知，則納履而去之。豈若小人之求之也，不以無恥為恥，專以患失為事，千思百計，阿匼取容，雖僇辱在前而不顧，期於必得，老死而後已，豈不貽伊鷙之忸哉！」余聞其説，甚有合于吾平日之所行者，遂著之篇，以見微意云。戊子歲重九後一日書。此係石蓋正之説。

[一]鶻之鷙擊性也：擊性，文淵閣四庫本作「急性」。

齒射

竇竇，翟姓[一]，內鄉農家子，史侯都督江漢時散卒也。為人疊齒多力，挽弓幾六鈞，發無不中。少嘗射隼，并貫于木，竇登而取之，木折與墮，碎其臂骨，治無法，肘已下斷去。自是馳獵，以齒控弦括羽，左手托月滿，逐獸皆應聲而斃。史侯異之，上達後，授校秩。振古以能射名家者，多未聞以齒而決者。然付之翼者，即兩其足；與之角者，必去其齒。蓋懼其全而過為物害也。又唐李客師善射好獵，每出，烏鵲逐之翔噪，時人呼為烏賊，亦惡其物之多取也。今翟一手尚爾，斷其右，殆為天所劓乎？弟忱說如此。故書。

[一]翟姓：翟，文淵閣四庫本作「瞿」。

畫虎

先君嘗告某曰：王氏在前金時，家魚行里，曾祖府君氣方嚴，於土障畫一虎，甚獰。意者，取陳力就列故也。後八十餘年，當至元己丑，偶於樹塞，復圖此獸，追念前言，有常警懼者。《書》云：「德明惟明，德威惟畏。」今雖頓還舊觀，其於惟畏惟明，萬不一逮爾。又諺曰「生子如狼，猶恐如尪」，曾之意[二]，豈復在此邪？小子其志之。

[一]曾之意：文淵閣四庫本作「曾祖之意」。

先子善書[一]

[一]原版脱漏一頁，此篇僅存目，無文。

燭嘆[一]　至元二十三年八月二十五日

（上文原缺）可以辟之者，乃命僮道求鱔。得大小四尾，從其法而用焉。明日開户視之，几案書帙拭如也。嗚呼！物類之相感也如此，何其驗且速哉！余因推其蛀之所致，蓋木斬不時，非經雨露浸漬之久，又任其滋而楝焉，濕與氣相閼，故生。噫！蛀者，木所産也，而為木之賊；政者，民治之具也，而為民之蠹。若上焉者治之而昧其方，下焉者忽之而不知畏，故害無小大，有吾無如彼何者。能一旦修其政，得其法，固雖四凶之方命圮族，群弟之流言畔國，從容可辦，曾不知其艱也。至元廿三年丙戌歲秋八月廿五日夜，適良醞在壺，欣然引大白者再，命童子執燭，記予之作。

[一]原版脱漏一頁，此文前半段闕。文淵閣四庫本未收。

紀夢　至元二十四年八月

二十四年八月乙丑，夜夢予遠行，過一城市，當莊嶽間，一達官解鞍卓歇[一]，過焉呼予，回視之，蓋參政飛卿也。寒暄外，高曰：「別雖久，食頃不忘也。」予曰：「彼此彼此。」握手間，予乃曰：「聞吾友參政以來，多有施為。」高曰：「傳者妄矣。參政者，參知雜劇，見做不行，何施為之有？」予答曰：「渠於此見打野呵兒[二]，胡為做不行也。」遂寤，聞夜漏踰四鼓矣。古人云：至友神交於沖漠間，殆謂是歟？次日聞吾友南來，論其氣類與同，亦夢應也[三]。因書此以贈。吾三人者相會及此，當捧腹大為一盧胡也。

[一]一達官解鞍卓歇：卓，文淵閣四庫本作「作」。　[二]渠於此見打野呵兒：野呵兒，文淵閣四庫本作「野呼兒胡」。　[三]論其氣類與同，亦夢應也：文淵閣四庫本作「論其氣類亦同，與夢應也」。

紀夢　至元二十五年二月

二十五年春二月十七日，夜夢朝帝於端門内彤墀上[一]。聖上椅坐東北，惲於墀西南角俯伏。上問條支國事，惲對以其國甚遠，出犀牛革，為甲甚良，號曰黄犀甲。上喜甚，因寤。明日，撿《通典》六，條支國去陽關二萬二千一百里，在葱嶺之西，城居山上，周四十餘里，下臨西海，水環其南。後漢和帝時乃通，地暑濕宜稻，産五穀果菜，出犎牛[二]，孔雀大卵如瓮，有桃拔、師子、犀牛。桃拔一名符拔，似鹿，長毛，一角。或為天鹿。師子似大蟲，正黄有髯音髯耏音端。尾端者毛大如斗，《爾雅》云狻猊是也。

[一]夜夢朝帝於端門内彤墀上：帝，原闕，據至治本、王抄校本補。

[二]出犎牛：犎，王抄校本作「犂」。

記夢　至元二十五年八月

至元戊子八月十三日夜，送真定姬仲實上路，就枕熟睡，夢在一雪後亭榭，尚書夢符、宣慰信雲甫、御史王子淵三人來訪，坐間話及向在東平時遊燕等事。夢符衣一素練衫，當膺畫名士像，自遺山已下數人。余即題詩祝上云：「不惜千金買東絹，丹青難寫是精神。」因大噱曰：「此衫甚佳，但到處是長負一軸諸公行神也。」遂蹴踏砌雪而覺。乃自占其夢，復作一聯云：「恐是隆江方大用，故將賢彥貯胸中。」

詩　夢　至元二十五年十一月

十一月七日，與兒子輩祓除回，就枕熟睡，近四鼓，夢與姜君文卿會歷下亭。酒半酣，姜歌《鷓鴣曲》壽予，聲甚歡亮。已而，以遺山新舊樂府為問。余曰：「舊作極佳，晚年覺詞逸意宕，似返傷正氣。」姜以為然。予因賦詩以贈，既覺，頗記其一二，因足成之。其詩曰：畫戟清香敞燕居，分明夢裏到庭除。恩醲故里懸車後，錦爛秋鷹斂翮初。細棹觥舡浮酒海，暫停銀管合纍珠。賞音千古遺山曲，堅意高歌要壽予。既而，復夢至一大城府，遇老人邀予，入王氏邸肆，其主即曰：「汝非王秋澗邪？」予曰：「然。」因口占二句云：「此生難道無餘幸，海上人争識姓名。」仍詢曰：「此何處？」曰：「兹贛州也，地在洞庭湖南七百餘里。」予曰：「東坡八詠何在？」曰：「石刻去此又三百里外。」其老人又推予賤庚，曰：「誰謂中州無人乎？」未及問其行藏而寤。時二十五年戊子歲也。

十一月十二日夜夢

四鼓時，夢入一重修大佛閣，有鉅蛇長約三丈，自閣壁西北而下，僧徒以杖擊之，不中，内一僧揮鍤中斷為三段。予稍前視之，其蛇首似獸，有雙角若羚羊者，膏血淋漓，赫赫然尚能舉動。次夜，復夢人以羽矢一大房，若今之韃者，挂于中門。

記夢中題人手卷　至元二十六年二月二十一日

娶為無後，有子而嗣有餘。老為致養，子孝而養不闕[一]，其嗜慾或有所未免，而年已及於耄[二]，而於三者，吾子將何擇焉？擲筆而覺，因卧笑曰：「夫子自道也。」於是起而書以為儆。至元二十六年歲在己丑春二月二十一日辛未夜也。予時年六十三，明日會亡友中丞王君葬於正尚里。

[一]子孝而養不闕：闕，文淵閣四庫本作「嗣」。　[二]而年已及於耄：於，文淵閣四庫本作「夫」。

夢解

予平日夢頗異。自今年夏多夢疾厄凶喪，或纏綿墟墓，間及故交久歿者，與之宴遊談笑，如西溪贇拜殿授王中丞需騎而作，且知其彼死時，又不省在痞寐中爾。覺，意甚惡之，因自解曰：「此無他，乃一身陰陽消長之漸也。」醫家有云：「男子四十，陰氣自半。」況行近八八之數乎？雖然，氣有盛衰，人不能皆然，若有餘，尤當惜養，不至耗竭可也。陽為舒為暢，陰為慘為凄，慘多而舒少，故神才交而魄為之勝矣。調此二者奈何？有絶嗜欲，少思慮，檢行己，安傃分，息形神而植定力，旦則以此理坐進，夕則以夢相驗，一或有差，立為除治，其病庶少瘳矣。昔夫子向衰，稱不復見周公於夢，只是老克自持，不願乎其外之意也。若不量力，不安分，凡百營為返勝於昔，將見有不任我勞，從中躍出辭而去之者矣，可不畏慎也哉！故曰：知之者强，不知者老，其是之謂乎。作夢解。

紀風異

至元二十九年九月

余年十七八，往蘇門讀書，至古城東十里外，有旋風自西南截泉水北來，望之圜圓約六七里大，其高入天，聲勢如甲馬迅馳，黑氣蓬勃，吹拔草樹，飛卷半空。余走不及避，乃瞑目倚棠樹悚立。須臾，覺寒凛氣斂束而過，別無它故。今日偶讀《筆談》，見元豐間武城縣旋風殺傷人甚衆，因念予幼多災阨，追想往事，有可怖者，故書以為來者之警。壬辰秋申月巳七日記。

喪紀

古之人以送終為大事，故即是而察禮者多矣[一]。如孔氏將葬，燕人來觀；滕文居廬，吊者大悦。今觀雷、白二家祔葬，甚有關於風化，而出於常人之表者：一則衰絰纍然多從古制；二則寢苫枕塊，卒哭後日飯蔬食；三則不徇俗，而用二家；四則穿治壙右，製為壁藏，土周於棺，略不施甓；五則直壙下窆，同穴異棺，乃北其首；六則墓記從實，略無虛飾。至於容色之慼，僻踊之數，又見夫固所自盡之道，以致會葬者皆嘆息有得而去。因念唐為衣冠盛代，至祭不焚冥錢，唯顔魯公、張司業家。又伊川先生居洛下，治喪不用浮屠法。雖風動一時，止一二家化之。予行年五十有九，宦游四方，其於慶弔，固云不少，然由德風而偃者，所見亦姚、許與是三家而已。嗚呼甚哉！禮之難復，俗之不易化也如是。述喪紀以寓予感。雷則祔其母夫人侯氏，白則葬其父頤樂先生云。

［一］故即是而察禮者多矣：多矣，原闕，據王抄校本補。下句首「如孔」二字同此。文淵閣四庫本作「重之也」，下句首無「如」字。

紀夢

至元十七年春，某官真定，夢先祖敦武府君親告某曰：「今濟源縣宋宰相陳堯叟碑文内王其姓者，即王氏遠祖也，汝其識之。」廿年正月，在燕與懷州劉節使相會，問及陳相石刻云：「濟源見有陳堯叟讀書堂故碑，但不知有無王姓者。」筆之以志異日求訪。

紀夢　至元十九年八月

至元十九年八月二日夜分後[一]，夢行通衢，見大井中一異狀人，跨青色鉅蛇，躍出地，長約丈餘，身廣闊與尾等，修鱗濯濯可數。若將前迎而復去。余俯視井中，水波皆成五彩丹色，殊焕爛也，内中至井滑與所經，遺水濡濕，尚淋漓然。余逐蛇前行，相去數步外，因取碎甓擲之者再。既而余入一團焦避之，蛇復來集，其首已化為馬。又有數異馬飛舞，環余而立。初甚惕息[二]，至此無復怖矣。尋登一紫閣，少頃從閣之西道木陛下降，乃寤。

[一]至元十九年八月二日夜分後：夜分後，文淵閣四庫本作「夜於醉後」。　[二]初甚惕息：惕息，文淵閣四

庫本作「惕然」。

月異　至元十七年十一月

庚辰歲十一月十一日長至日，日出三丈許，月現東北丑位間，去日約百餘丈。其上數丈，陰魄團團，略無虧欠，至寅方，移時乃滅。因念月與玄象經緯空際，太陽既出，自掩而不見。今太陰於陽生之朝晝見，與日並光，又未嘗月出東北方者。吁，亦異哉！

劍戒哀梁子也　至元廿年正月十一日

梁奉議仲常與予聯事於憲司者凡四年。十九年冬，同在京師，乃告予曰：「僕有一劍，頗古而犀利，自落吾手，每臨静夜，屢聆悲鳴，比復作聲錚然也。且聞百鍊之精，或嘗試人者則鳴，世傳以為劍戒。」予疑焉，曰：「此金孽也，非戒也。」既而，梁以事南還陳留，到家四日而卒。吁，亦異哉！因念張華授干將而告凶，鄭逵得吼劍而怪至。夫金鏞木鐸，中隱大聲，若無因而自鳴，則為不祥之金。梁以劍異告予，至其死時，僅四十九日，得不為劍之孽乎？梁諱秉常，燕人[二]，性機警，持事峭急寡讓，得年五十有三，金尚書梁肅裔孫，見所藏世譜云。至元廿年歲在癸未端月十有一日，王惲書。

〔一〕梁諱秉常，燕人：文淵閣四庫本作「梁諱秉，常熟人」。

鹿庵先生卒日　至元三十一年四月五日

至元三十年癸巳冬十二月廿二日，鹿庵先生壽九十二歲，無疾而終。先是，公静坐間，忽張目仰視屋廬，曰：「我於此居得箇月旬日間爾。」及薨，適滿其數。氣比絶，呼家人令具鞍馬，曰：「可與兄去矣。」隨有大星隕於寢室東山，其光芒炬然。曰兄者，蓋同母兄文勉先生也，愛民榜進士第，嘗為某縣令，終恒山幕官。明年二月，其婿李惟賓，葬東平府須城縣。三十一年四月五日，李野齋説如此。

家府遺事

先君思淵子，通天文，又善風角。辛亥夏六月，憲宗即位。明年壬子秋，先子以事至相下。九月初，客鶴壁友人趙監摧家。一日夙興，見東北方有紫氣極光大，衝貫上下，如千石之囷。時磁人杜伯縝侍側，指示之〔一〕。杜曰：「此何祥也？」曰：「天子氣也。」杜曰：「今新君御世，其應無疑。」曰：「非也。十年後當别有大聖人起，非復今日也。渠切記無忘，第老夫不得見耳。」至元十五年，予過滏陽，與杜相會，話間偶出元書片紙相付，且嘆其先輩學術之精，有如是也。

[一]時磁人杜伯縝侍側指示之：杜伯縝，文淵閣四庫本作「杜伯鎮」。

國朝奉使

大元太宗朝奉使宣撫王公諱楫，字□□，豳人，有文武才略。金季舉進士不第，以武弁降太祖聖武皇帝，即授宣撫使，佩金虎符，時年三十。至太宗朝丁酉歲，假御史大夫，持節使宋議和，雖往返十年，有皇其華，風義言言，竟從我議。不幸使軺北還，前次荆南，疽發背，卒，年六十一[一]。時癸卯秋也。道號紫巖翁，有文集并《使宋録》，藏於家。元貞改號，六月十日，偶過其家，孫元德因出示公秘閣畫像，介胄弓劍，姿颯爽，蓋儒將之偉者。元德風彩甚肖其祖。及觀楊紫陽、楊西庵、吕大鵬、張徽、商左山祭文、畫贊、題跋等篇，又説公比卒前數日，夢一青衣童子，傳王溪東館主人來召。既抵其處，宫觀甚麗。止公俟門屏間，少頃出報曰：「公旬日後當主是館。」吁，亦異哉！又觀馬雲卿所畫人様，吴粧五星，迺奇筆也。其金、水二女，形皆散髮。金主殺，故杖劍。水持筆者，或謂水官主録過。木捧蟠桃。火四臂[二]，上擎飈輪散火，下操弧矢，當前一大星旁射。土則扶虬杖而已。

[一]年六十一：一，原闕，據文淵閣四庫本補，王抄校本作「七」。　[二]火四臂：文淵閣四庫本作「四臂火」。

六帖説

白樂天作類書名《六帖》。《通典·選舉門》載唐制曰：開元中舉行課試之法，帖經者，以所習經掩其兩端，中間惟開一行，裁紙為帖，凡帖三字，隨時增損，可否不一，或得四，得五。得六者為通。此《六帖》之名所從起也。《六帖》云者，取中貼之數以名其書，期於必遂中選也。

金制

金人立國，作制頗詳，雖服御飲膳，皆有法以維之。然化敝則奢麗，奢則嬌，嬌則弱，弱則萎薾而不振，恐亦取亡國之一端也。今日因餟粥糁不可對齒，偶思穆若卷如之事，為感而筆之。

冠冕始制

或者以金人盤領上服與西域素積尖冒，皆出本俗。余以謂盤領，漢之曲領；尖冒，古弁之制也。今晨讀《戴禮·冠義》，得鄭氏冠禮起早晚之説，稱周公對成王云：古人冒覆而勾領，謂三皇時以冒覆頭，勾領繞頸，皆以羽皮為之。至黃帝則有冕弁。又云：帝造火食旃冕，而用布帛代其羽皮。乃知二物皆三皇已來之遺物也。又如山東民家，至今亦以長幅皂繒蒙纏首髻。西域人用紿絺纏繞其首，及金齒人冠絳氈[一]，以冒頂髻者，其亦本於此歟？嗚呼！禮失於中而求之野，富哉言乎！

[一]及金齒人冠絳氈：金，原作「食」，據至治本、王抄校本改。

裴中立不引韓愈共事

至元廿五年十一月一日

昔裴晉公授鉞平淮，辟韓愈為司馬，自以度為己知，然終不引愈共天下事，至作田横墓文，微露其憤[一]，時貞元十一載，公年始踰壯矣。予嘗思而不得其所以，今乃悟此何異魏公之抑蘇軾也。大抵才盛學博之士，加以年少，未免有軒昂莫降之志，卒之臨大事成大業，有不當如是者。乃知二公厚而惜之，非畏而忌之也[二]。欲使澄治客氣，明夫大學之道，懿蓄其文德，以就夫晚成之器耳。嗚呼！君子愛人以德，復有重於此者乎！戊子歲冬十一月朔，晨起偶書。

[一]微露其憤：憤，文淵閣四庫本作「意」。

[二]乃知二公厚而惜之，非畏而忌之也：惜，文淵閣四庫本作「恤」，畏，文淵閣四庫本作「長」。

賤生於無用說

萬物盈於兩間，未有一物而不為世用者，況人乎？人之為物，得氣之全，而靈之最者也。苟自棄自暴，不為世之所用，非惟返不及物，而賤之所由生也。彼牛溲馬勃，敗鼓之皮，物類之極賤者也。然一旦與用適宜，顧惟毫末可以愈奇疾、應時需，即與玉札丹砂、赤箭青芝並芳而同貴，貴生於有所用故也。彼衣敝緼袍，并夫華簪盛服之士，貴賤固有間矣。其所以秉有靈彝、物備於我者，則不殊也。故為士者，烏可惡其居貧處賤，戚戚然世之不我用也？要當明德志學，思求其致用之方可也。世之所謂學者多矣，有有為之學，有無用之學。窮經洞理，粹我言議，俾明夫大學之道者，此有用之學也。如分章摘句，泥遠古而不通今，攻治異端，昧天理而畔於道，是皆無益之學也。士乎！士乎！於焉而不擇其有用，而致力乎無用，及其志與年邁，悲嘆窮廬，尤其世之不我用，亦足惑矣。衍賤生無用說。

庭芝評郝奉使文

李庭芝見郝奉使文字，謂陳月觀曰：「陵川固才高學博，但出入韓文，未甚熟耳。」余嘗度之，韓文世所重者，其要非一。今李之於郝所以云云者，正以韓豐而不逾一辭，約而不失一字，郝之返是者極多，不然，是擇焉不精，明理未至，雜以非聖之言故也。

崔公厲鬼事跡 大德二年八月五日

故榮禄大夫平章政事御史中丞領侍儀司崔公遺言曰：「人秉四大假合而為生，踐履五常而為用，有偏於學佛者[一]，溺於儒書者，各執其一偏，所以學者兩不得其全。雖聖人性命之學，備載方册，而學者多以尋行數墨為務，及其遇一事，决一疑，皆不能自省。愚於七月上旬，腦後病瘡，初不以為意。會車駕幸大都，跋涉從行，瘡益舉發。廿三日，問醫者麻監丞，曰：『此為腦疽，其源發自五臟，急之不可，緩之不可，當以漸治之。』自是，日詣麻行館求治，後至白海，而瘡勢益大，形疲力瘁，心神不寧。以此自思，蓋無他故，病之所作也[二]。然所恨者居無良醫，行不能扈從。一日，近侍官伯勝等以愚病聞，奉旨留麻監丞於白海治之。拜命日，赧汗浹背，伏思平昔，略無報國殊勳，致感今日聖恩如此，由是覺瘡疾頗回。然於夢寐間，每為厲鬼所憑。竊謂生死是苦樂，我心既定，何從不可？八月二日，從其醫鍼者三處，覺心舒意暢，神志帖然，視天地之氣，月白風清，霜露溶溶，萬物各得其所。而吾之清氣，其静者混然同於表裏。方就寢，而厲鬼又見於夢，且曰：『世間多少難了難行之事，相惱百端，向之治功皆不復見，而疼痛比前尤加。』夢中恍惚而覺，坐而思之，非厲也，以我所見不定，得乘其便耳。若吾身獲安，即與天地萬物混融同一和氣，彼厲鬼安能浼我哉！且天下之事，不可不辨於早；

人之生死，不可不識於先。我既能悟此，白日黑夜，自有定數，彼厲鬼何預？」因記其夢，以俟知者詳焉。時大德二年八月五日也。（以上《秋澗集》卷四四）

［一］有偏於學佛者：偏，文淵閣四庫本作「溺」。［二］蓋無他故，病之所作也：文淵閣四庫本作「蓋無以知，病所由作也」。

全元文卷一七八

王惲 一二

遷固紀傳不同説

余讀宋儒論項羽紀、傳不同説，以謂遷之意，秦有天下五載而後楚，楚五載而後漢。方秦已亡，漢未立，天下莫有攸屬，不可一日無君，况封建王侯，政由羽出，舍羽孰主哉？作紀所繫天下五載之權也。立之傳，班固意不過羽不可以抗漢。因斷之曰：皆非也。正以二史之體不得不然爾。在遷不得不紀，在固不得不傳。設使固取遷而紀，是天有二日，民有二王也。其書將載之漢代之首乎？次於高紀之下乎？其為稱號曰楚史乎？曰漢史乎？若以封建繇項氏出，五年而後漢，天下不可無君，乃屬之羽，曾不察首入函谷者，高祖之義師也；授降軹道者，秦民之真主也。天命人心之屬漢，明已兆於秦十月五星聚東井之時也。胡不考虞芮之質厥成，西伯受命之基也，當陽之不馳去，昭烈得統之年也。若籍者，正炎漢之一驅除耳。矧纔封已叛，旋取復失，安得為一日繼統之主哉？若又曰：固之意，羽不可以抗漢，故傳。而遷漢太史也，獨可紀羽而肩漢乎？余故曰：子長之所以紀，筆削歷代之史也，其意蓋以歷年相承，不可中斷，猶存夫以月繫時之法也。孟堅之所以傳，先漢一代之史也。余故曰：二體有不得不然者矣，若宋儒之論，恐求之太過耳。

讀史

余讀《留侯傳》云：沛公入關，見秦宮室之盛、帷帳狗馬之富、重寶婦女之美，欲留居之。樊噲進諫，子房固知其不聽，此正教之使先耳。蓋良以沛公有為而多慾者也，至此天理昧而人慾肆矣，非驟能一言回也。若己諫不入，則莫之繼也，故先之以樊卿，使抑遏橫流，少殺其方張之勢。繼以苦口逆耳之言，警懼啟沃，使默識其神器所在，何眷眷於此耳。高帝能無從乎？此乃晉隨會諫靈公，三進及霤，然後以趙宣子繼之之義也。不然，噲沛之屠狗者也，安知夫漢之為漢張本於此，亟當力諫，以成高帝之業哉。

對張中丞説

或者以張巡守睢陽之事為非，曰：古之人，行一不義，殺一不辜，雖得天下不為，況食邑人以為守乎？余以謂不然，昔李翰表公握節死事，與夫造唐之功、嬰城之志，亦云詳矣，然尚有所未厭者。翰特以功利為言，未極夫臣子當然之理，行而宜之之義也。昔伊川有以武侯所喪弘多，亦以不義不幸為疑者。先生曰：「若殺不幸以利一己，則不可。奉天之命，討天下之賊，殺戮雖多，理固無害。且陳恒弒君，孔子請討。夫子豈得討恒時保不殺一人耶？蓋誅弒逆之賊，有不得顧焉者。」余亦曰：此中丞之素心也。公以一郡守之力，横制百萬日滋之寇，公豈不審夫彊弱存亡之勢哉，正以與城存亡，効死不去，當然之理也。若無巡則無睢陽，無睢陽則無江淮，無江淮，則唐之為唐，未可知也。由是而觀公之心，利一己耶？為天下耶？夫武侯控全蜀之力，燃未灰之燼，陳恒以穿窬之盗，竊一隅之齊耳。彼禄賊者，豨突之頃，九縣飈馳，三精霧塞，萬姓以之塗炭，大駕為之蒙塵，其棄城圖存，望風崩赴者，又何啻廿四郡哉？俾唐祚中微，禍亂接踵，卒至於亡，安史階之而已。是迺周公所必膺、武侯不兩立者也。論者不處公以大誼，祇擿以救不至而食盡，食盡而及人為非，不知李司徒、郭中令河朔之舉、安陽之役，屢戰屢北，紛紛藉藉，草野被血者幾千萬人，能必其事事合誼，人人得罪於唐室者乎？若又曰：上以政荒失國，乃殘民以復，民何罪焉？是則李、郭亦不義之舉耳。《傳》不云乎，臣民之於君，猶子弟之於父兄也。君父有難，臣子奔救，餘有不暇顧者。若大義既正，安得徇夫區區之小節哉？不然，則石碏不得為臣之純，而王陵乃賊恩之大者也。

讀張籍書

予讀籍遺文公書，大率稱公材識明睿，當任著書之事，又曰不以此時著書，待五六十後而有所為，或有不可及，曷可追乎？然公之志，豈忘夫著述哉。《原道》不曰：「斯道也，堯舜禹湯傳之文武周公，周公傳之孔子，孔子傳之孟軻，軻之死，不得其傳焉。荀與楊擇焉而不精，語焉而不詳。」又曰：「小醇而大疵。」意二子者，雖云升堂，終未窺其突奧也。」豈公之心繼孟而下，任夫道統者邪？何籍之識，必待公屢書而後悟哉？而伊川亦云：「公之見道，固因文而發耳。」嗚呼！公五十七而歿，若假以數年，其見於後世者為如何哉？夫五百歲而後命世者出，造物者固云靳矣，而奪之遽何邪！予不得而知也。彼藉之戚戚而恐公不及者，竟如所言，非有見於公也，特以陽一陰二之理而言耳。道之難明也如此。噫！

犬相乳説

轉運楊公家有犬生子而斃，求哺無所獲，嗚咿咿殊可憐。有斃犬之母，性甚獰，既老，乳久絶，走而顧睞，彷徨躑躅，即其棲附而乳之。既乳而乳真有，遂盡活所棄子。噫！犬之畜也，非有慈祥不忍之性，特感於所畜者如此，然老而復乳，此亦異之大者[一]。楊公，北燕人，世為鉅族，盛年以勇毅從事兵間，其活人捄物，釋難解紛，功亦多矣。雖揚歷州郡為顯宦，其友愛之情，日篤一日，事姊如事親，敬兄如敬長，以致弟念天顯，兄鞠子哀，一門之内，兄兄弟弟，怡然而理順，曖然而氣和，若棣華之相承，手足之互為用耳，何其偉哉！《傳》曰：「國之本在家，家之本在身。」蓋一家之隆替，繫一身所行如何爾，其善惡感召，殆影響之應形聲也。昔北平王道行於家，有猫相乳之兆；董召南孝且慈，有雉哺其犬之祥。今楊氏大感於所畜，極不忍棄其後之意者，表公樂於為善之心，油然生乎其中也。其乳絶復生，意者見公福禄將老而未艾也。已棄之物遂獲生全，意者勉公故舊之恩，所當復也。世之人以犬之悲嘷為不祥。非犬也，殃自人召也。是犬也，持性於不忍，為姑乳之，亦非犬致然也，福開有先也。夫富貴福禄，人之所大欲也，故韓子有云：「得之之難，未若持之之難也。」得之於功[二]，或失之於行；得之於身，或失之於子孫。今吉祥止於楊氏者如此，其厚而陰有所積也必矣，宜乎有犬相乳之報云。嗚呼！楊氏其善持之。既談其事，懇予以叙，故書。

[一]此亦異之大者：文淵閣四庫本作「此亦犬之異者」。　[二]得之於功：此句文淵閣四庫本句首多一「或」字。下「得之於身」句同。

磔犬者説

王子遊於市，見群犬逐一叟，號呶而不去。詢其故，曰「屠犬者也」，於是乎有感。夫人之為不善，禍從而磯之，亦何以異於是歟！且犬之吠逐，非有見於物也，特為氣所感而已，至若雷霆之威人，有叛父母、褻神明者，或下擊而斃之，豈造物者區區環域中特索夫若人而斃之邪？故先儒有言：迅霆者，天地之怒氣。無良之人，其凶戾與天地之氣自相感激，遂震以死。此略無疑者。彼犬之見逐，雖小大不殊，理固然也。從是而觀，人之方寸，胡可萌一毫不善之念哉？微則至於物怒而見搏，大則至於天威下罰。故横浦云：「一念善，則祥風和氣在於是；一念惡，則妖星癘鬼亦在于是。」可不敬畏之哉！是知天氣下感於人，人氣上通於天者，尤昭昭矣。因筆此，有以明夫感應正理，不眩惑於鬼神怪誕之説云。

鈍　説

至元九年二月九日

夫器之為制，小大輕重適厥用而已。然以銛鋭拙鈍、用之多寡，故有成敗壽夭之異焉[一]。趙君仲器，博物多藝能，喜筵而絶市道，觀化而樂誘人，古所謂不居朝廷，而隱翳卜之中者之流也。一日，愕然以所感告予曰：「適過梓人氏，顧雋削之器，縱横前陳，例乏完好，因詰之曰：『操幾何而致然爾，豈材質劣弱，鍛礪弗精而然邪？』匠者曰：『不然，彼斧斤刀鋸之屬，銛乎其鋭者也。特以朝夕從事乎削、斲、雋、刮，或半歲一易，或旬月一易，遠者不逾期年，比更新而無孑遺矣。』因指其輳輪之錘曰：『是置於吾祖，用於吾父，今傳於予，惟其碇然樸鈍，用寡而無所損益，故能壽於彼，而若是其久也。』僕因曰：『豈獨物乎，人則亦然。進鋭者退必速；任重者道能遠。是輕鋭者不若堅鈍之為愈也。夫木訥之仁，樸魯之忠，外視之若癡絶而緩於事，及其臨大節，處大政，守固密而罔疏，挺剛健而不奪，亦何異兹錘之輳圜輪，納疊拱，劃蟠根，隱錯節。支離者周比而無間，倔彊者妥帖而端平。由是而觀，可謂宣力弘多，收功攸厚者哉。彼世之人，衹知利之為利，曾不悟鈍之為利，廣且博而壽且久矣。』」予聞其説而韙之，吾將藏吾器，養吾鈍，斂吾圭角，息吾氣機，引重致遠，俟時而動，以利天下可乎？趙君曰：「嘻！子其得用而不括，出而有獲，語成器而動者之道也。」於是乎書。至元壬申二月九日題。

[一]故有成敗壽夭之異焉：敗，原作「之」，據文淵閣四庫本改。

服色考

陳節齋祐以宣聖像設既素而繪，仍以服色為言曰：冠服之制，所從來尚矣。然自三代之世，變易去取，其義有不同者。某雖不敏，試請而詳之。夫冕平而旒，笄衡而紘，上衣而下裳，垂紳而履舄，繫而帶，佩而綬，此三代王者不易之制也。今宣聖其紘，其芾、其純、其舄皆丹乎質，唯服之色尚玄，何也？考漢、晉志書，天子以袀玄皂繒為大祀之袍服，於孔子服色，非可據而明也。謹按《大戴禮》云：「有虞氏皇而祭，深衣而養老。」逮乎夏后氏，王以水德，色尚黑，易而玄端玄裳，故「收而祭，燕衣而養老」。又諸侯以天子燕衣為視朝之正服，有殷氏以金符德，色尚白，易而練衣縞裳，故「冔而祭，縞衣而養老」。及周有天下，以烏火王，色尚赤，宜乎以赤為養，乃曰「冕而祭，玄衣而養老」。何居鄭玄云，周則兼二代而用之也，若夫四代之禮，養國老於膠序，蓋天子師而學之也。唐孝明皇帝尊師重道，爵孔子以王，列弟子為素臣。至於冕服之制、亞次之秩、廟宮之法、饗獻之禮，講明論議[一]，亦云極矣。今之制實開元儀也，其義正襲鄭氏之説耳，故冕服尚玄，用夏禮也；朱芾斯皇，示周制也；錦紳素質，兼祖法也。彼領袂緣飾，又復純赤，何也？《詩》「素衣朱襮」者是也。襮為領，諸侯之服也。據《爾雅》：黼領為襮，黼綉為領，丹朱則其緣也。又范曄云[二]：天子祀天地宗廟，釋奠先聖，皆服袀玄，緣領以絳。漢明帝以紗為中單，或者疑此乃中衣表而出之，非緣也。予以褻紅紫為非，後之賢者加諸乎。夏后氏云其色赤，則示赤心奉神明而已，茲槩祭服而言也。在吾夫子則不然，特又明夫周所尚之之義也。蓋孔子帝者之師，禮王者之後，以天子燕衣為之御，周大夫士私朝，朝玄端，夕深衣。孔子以時，則周人也；以臣，則魯司寇也；以後，則商之孫子也。其道，則堯舜禹湯文武周公；其法，則禮樂刑政。而後王報功報德，有罔極焉者，曰公、曰侯、曰師、曰王、曰帝可也，宜乎用三代服色，而兼備於一躬此蓋漢猶有被之者，故朱勃也，尤昭昭矣。又有曰方而心者當乎膺，曲而領者施於朱襮之上，何也？此蓋取諸乾坤。逌晉隋唐以來，天子有事乎郊祀，衣方領能矩步，乃學者之服也。其象則圜上而方下，蓋取諸乾坤。冠通天冠，束白假帶[三]，方心曲領，猶存乎前代之制耳。其十哲服色大同，而章有降殺之異，下至七十二子，佩服皆青，士子父母具純衣以青[四]，體少陽而致敬也。其帶則縞，有受道之質也。夫諸子乃以士從父師而學者也。《詩》不云乎「青青子衿」！殆學者之常服云。

[一]講明論議：論議，文淵閣四庫本作「議定」。　[二]又范曄云：此句文淵閣四庫本作「范蔚宗云」。

[三]束白假帶：白，文淵閣四庫本作「帛」。　[四]士子父母具純衣以青：士子，文淵閣四庫本作「事」。具，文淵閣四庫本作「其」。

鸞刀説

余往歲客汴梁，陳君達夫出示玉刀，長二尺許，鋒首斜削，廣餘五寸，玉水蒼色，極光潤，扣之聲清越以長，其拊容握，末有環，背通刻柷敔，狀端有竅圜徹。陳曰：「亂後，入太常官舍得之，不審何物，於何所用。」予曰：「此省牲之鸞刀也。其端之圜竅，蓋用繫鸞，末所施環，即着和耳。」《傳》曰「鋒有鸞，環有和」是也。《禮》云：「割刀之用，鸞刀之貴。」貴其義也。端有鈴，取其奏刀中節，聲和而後斷。環有和，取其斷非和則劌，和非斷則牽。天以秋肅物，和之以兑；聖人以義制物，而和之以仁。鸞刀以和濟割，此其義也。《詩》云：「執其鸞刀，以啟其毛。」又曰：「鸞刀以封。」何休亦曰：「鸞刀，宗廟割切之刀。」然孔氏有古刀、今刀之異。古刀遲緩難用，宗廟用古刀者，修古故也。由是而觀，今刀古刀，其實皆以金為之。此玉也，其何能割切哉？豈漢唐而下，三代之禮實亡名存者非，一刻玉為刀，郊祀之際，執以示古儀乎？至於去質從華，亦由近代用金玉為匜爵、代越席以皐比也。恐未盡，惟彦伯太傅詳覽。[一]

[一]惟彦伯太傅詳覽：彦伯太傅，文淵閣四庫本作「彦博太伯」。

涿州移置考

至元八年秋九月，予以省覲來涿，因拜謁孔子清廟，遂讀唐貞元中使持節都督幽州諸軍事彭城劉公《建孔廟碑》，乃知州治本幽州盧龍軍屬邑范陽縣也，至代宗大曆初，詔始分范陽、歸義、固安三縣為涿州，治范陽涿郡，即涿郡故地為名。按《輿地廣記》，漢初，高祖始立涿郡。魏文帝改范陽郡，其地左碣石，右督亢，南控鄭城百里而遥，北連幽薊百里而近。唐已來，中間控制蕃戎部落甚衆。又河流縈帶，前後有林麓陂池之利，周廣磅礴，鬱為雄藩。及辨讀遼統和廿八年州刺史廣陵高公《移廟碑陰記》，云舊廟本在南城東北隅。是年，刺史高公移置南城東南隅康莊之左。因復悟今州城南北若連環然，意者置州時，展築南城而廣大之，今市中隔門，本故縣城南門也。觀此前後，證據甚明，無可疑者。噫！予往來幽、涿間，蓋十年于兹，嘗以隔門之制為惑，詢訪土俗，莫詳其故。且方物之辨，一事弗知，君子耻諸。不圖聞一得二，使數年之疑，一旦涣然冰釋，亦可喜也！特表而出之，敢貽涿之好事君子，以俟更攷云。

締觀説

吾鄉黄冠師房公，體鴻厖，貌古而心通，讀儒書，喜營治。嘗作吴殿於棣華庵故址。締構日，予與亡友季武子文往觀，見工人數十附立楹顛，方納拱駕梁為事，其枘鑿縫縮，有略不相認者。衆工争左右，睨材分繩墨，曰不少繆，即絙驅鎚按，呼號半空，彊以力相下，良久，終無奈木何。一工者舉手招衆曰：「聽，無譁！」衆瞪目東北向，率弭耳受嗾。予二人從所向顧之，見一老道士傴僂擁敗絮，曝日坐短垣下，俛其首捫虱，略不一仰睞，第抗聲騰言，以手畫空而已，云：「東西行若干寸，南北起若干尺，此蹇傲者，彼之所枝撑也；彼拗捩者，此之所走側也。」上工即如教，欻衆材軋然作聲，若相尋而契，果安貼停穩，不踰若所料。予問道士於房，曰：「此始謀畫宫於堵，斵手載名其上者也。」予因有感於中，廼知天下之事有大有小，人之材有能有不能。俾細大不捐，區處適當，此宰相之職也，君人者何憂乎不治？苟明大者反知其小，任小者反負其大，是上下錯謬，冠履倒置，欲求功成理定，難矣哉！持衡者曾梓人體要者之不若也。師啞然曰：「筆之可也。」於是乎作《綌觀說》。

屏雜說

嗚呼！雜之為學，其害道也甚矣。麴蘖雜醴，齊為弗醇；享飪雜鼎，美為之變味；宮商雜音，奏為之沾滯，君子之所不取而不由也，況學乎？學而雜，心則交錯而貳其行，言則叢脞而昧于理，動則拂亂而失其宜。至于文章翰墨，一糅于雜，偏駁不振，尚何理之能著，家之可名乎？謂為道尤判然離而曠且遠矣。故《傳》曰：「攻乎異端，斯害也已。」又曰君子耻一事之不知。然博我以文，多學而識之。能無雜乎？蓋聖賢為學，必務其大者，而使小者從焉。其所以務之為者，明理，致知，收放心，格庶物而已，四者既主存于中〔二〕，雖諸子之說、百家之言日至于前，猶衆川之流朝宗而東，常我之主，孰能雄而長之，撓而濁之者哉？況約之以禮，詳之以說，為之澄滓于其後者非一，如是則何患乎問之該洽，學之博雜者哉？戊子夏六月庚伏有七日，發藏曝書，得雜文百餘帙；睨而視之，皆予稚歲所閱習，多曲學小道，廢日力不少。不覺喟然曰：「兩漢而下，學無師傳，安宅曠而弗居，正路舍而弗由者，其我之謂乎？使吾老而困，困而無所成者，職此之由，務于初而害其大之為也。」於是命兒子輩屏而絕之，板為三夾，束置高閣，且誓之曰：「今而後，非有命，不得發而妄閱，以蠱惑其心目。」大抵中人以下之性所偏者多同，而特達者或鮮。吾今是舉，正以己之所偏，且正汝之或失也，是吾不忍以誤我于前者，而又誤汝等于其後也。天其或者果汝之賢，而有全經全史在焉。溯流探源，採剥其華實，咀嚼其膏味，少有所得，以之修身齊家，推而及于物，將見終身有用而不克盡者，尚何以他為哉！小子其服之無斁。作《屏雜説》。

［一］四者既主存于中：主，文淵閣四庫本作「生」。

答客問　至元二十一年正月

至元廿一年春正月，予有中省郎曹之命，既而以事不果行。或傳予抵燕，視其有不可而歸者。嗚呼！誠身之未篤，不為所信也如此。作《答問》以自見。其辭曰：

客有過秋澗而問者曰：「子不旬時而被旌招者三，將謂趣裝有期，反柅其輪而脱其轙者，何也？方今王者無外，四海一家，渴於得賢，以光國華，有片善者無不録，效寸長者靡不嘉［一］。故有立談而致卿相，略而不及其他。士或韋布，進無資涯。名不登於仕版，何得挂銓曹之齒牙？子今幸蒙見招，未為不遇。官列郎曹，名都省署。切近論思，周旋宰輔。設或有為，澤及黔庶。曾若無聞，又復何顧？豈子志願未充，班資尚卑，重有所覬，其行遲遲？」予仰而嘆，俛而思。人各有宜，孰不自知？越分而行，有乖無隨。予方以再命而傴僂，尚敢以鋭進而為期也。客曰：「豈子欲信猶屈，道行未隆，甘於泥蟠，以固其窮？然聞聖哲，席有不腰，援溺捄焚。」予曰：世之康濟，固自我化。道之隆污，蓋有不為命者。然墨突不黔其炊烟，孔轍幾環於天下，雖遑遑於救世，亦觀時而取捨。予且何人，敢妄為之駕也。客復曰：「子豈年近耳順，歲月向邁，心智雖强[二]，膂力弗逮？」曰：若不肖齒髮雖微，未為衰暮。顧嘗攬轡外臺，峨冠憲府。從事有年。艾服頗素。其責固重，即其心則安，道可行，雖一日不去。故黽勉盡瘁，不遑寧處。通其考則為四，百其月則去五。予亦知力之有所不及，蓋嘗以明時可惜，憤功業之不顯著也。客曰：「伊懷既然，子何見其一而二之不睹？投會是機，進退餘裕。忖其不可，即以他務，尚不失邯鄲之故步，不猶愈於刻舟求劍、守株而待其兔耶？」乃若而然，客轉談之誤也。今有司以是召我，其行或否，理之所當喻也。若顧量可否，以跂圖為舉，是先以不誠，自將上欺君父，以幸為利，取便己故，是又義之不敢與也。客曰：「然則子之志向，果云何而可哉？」《傳》不云乎：「士有二道，出處為大。進退無常，惟義所在。」又曰：「可久可速，其行其止。」蓋平日所素學，不容以彼而易此。今吾子堅欲推挽，抶之使前，是茫洋徑涉，趣入於無涯之淵。設若有為，徒勞勉旃。至於出處之道論之，誠君子之不然。此吾之所以不果執宣父之鞭也。故為可為於可為之時，則從而寧；為不可為於不可為之時，其咎即徵。果其可之與會，客何勞於觀徼？吾年雖耄，自顧矍鑠，尚或堪於一行。客唯而退。於是筆之以自銘。

［一］效寸長者靡不嘉：寸長，文淵閣四庫本作「一長」。［二］歲月向邁，心智雖强：文淵閣四庫本作「歲月將邁，心智日强」。

謗解

予作《謗解》，夢人以壞木寓蠹見示，意者謗由我興，非外至也。然謗之惑人深矣，公孰與制，私無以勝，其説至肆行而不少憚。以陰擠而為陽助，被之者鮮克自處，欲弭之而無術也。嗚呼！世教下衰，友道日壞。私好惡者，愛之者欲其生，憎之者即其斃，口溢金蘭，心包鬼蜮，謹其藏已射其形，亟為防已螫其毒矣。輕則噂沓背憎，浸潤膚受；妄生事端，横造異議；忘我大德，利彼小私；傾良惠姦，傷公害義；認為憸人，坐擅形勢。苟淺之為量者，不自返而縮，徒恚夫此胡為而致焉。思其稍達，藉勢投畀，使恩讎兩明，以泄其忿懥，恐非君子以直而報之義也。夫聖人所以列朋友於天倫者，示其當重而親，匪大故則不容棄也。又讀《小雅·何人斯》篇，彼暴之譖蘇公也，至獲戾失職，亦云極矣，略不見聲色於辭氣。何三代教化、和平忠厚，成士德也如是？至好歌忠告，反以不忍遽絶為言，其亦審夫天倫為重，枉為小人之為也靜言思之，大有契予心者。予雖愚而懦，受人侮者不少，然天之所畀於我者似不薄矣，矧諺曰：「禦寒必須重裘，弭謗莫若自修。」大率常情之所未免者，其疢有十［二］：處己之不恭也，御物之不誠也，嫌與疑不擇也，毁與譽肆行也，或以己長格物，或以剽義沽名，或出戲言犯衆，或侍口給陵人，責人太重，而以驕吝自矜。審先去此十病，無瑕可摘，謗奚自而生哉？而復守之以敬慎，將之以忠厚，以蘇公之心為恕，以中庸之教自處，其或有作於上，力易斯弊，上以格憸人之非心，下以殄讒口之罔極，建中子民，歸之以厚，俾欲校欲報者[二]，亦不得賊其衷而發之。如此，我之所謂疢者而或有瘳，彼之所謂謗者亦庶幾其少熄矣。作《謗解》。

[一]其疢有十：疢，文淵閣四庫本作「疚」。　[二]俾欲校欲報者：俾，文淵閣四庫本作「彼」。

對魯公問　後村云：思保歲寒之節，徇國家之難爾　至元二十五年八月二十日

顏魯公，唐一代鉅臣。論者當明其心，求其迹則非也。公始終王室，死而後已，蓋素所蘊也。不幸值唐中衰，以孤忠大節，立于傾朝，死覬一言有補於國，至於老不退休。大率朋友之交，遭罹患難，尚有相死不輕去之義，況君臣乎？及盧杞當國，見其嫉賢亂政，公復以正言折之。既憎公直，重忤杞意[一]，至遜辭為謝，終不少解。已而，有宣慰之命。每讀至此，未嘗不掩卷而興慨也。于時公豈不知一入賊庭，橫噬虎口？意者，比之使杞奸計媒孽其罪，啣冤入地，靄而不可明[二]，是不若履忠蹈義，明死於使華之命，尚或摧沮逆謀，以激忠義之士，而愧夫天下後世亂臣賊子之心。是乃不以李鄭勸而不行為得，而以死於義命為安也，要令千百世後，義烈言言如嚴霜畏日，有不可尚已者，此公之心也。

嘗以忠義者，國家之元氣，世當顧護靳惜，使信其已往不泯之志，勵夫將來至薄之俗。而為天下之大閑如公者，誠不可例與具臣者論其進退之跡也。若專以老不致事為嫌[三]，是又失見危授命之義也，況唐人之於致政，初無定體。至元戊子秋八月廿日，晨起，偶記往年對翰長之問，特為筆此，且發所潛之幽光云。

[一]重忤杞意：重，文淵閣四庫本作「復」。[二]靄而不可明：靄，文淵閣四庫本作「曖」。[三]若專以老不致事為嫌：事，文淵閣四庫本作「仕」。

儉訓

人之生於天壤間，分所當得者，陰有日料，涪翁謂「一飯先書籍」者是也。未老前，固不應空乏凍餒而死。如其暴殄過度，以旬時之用為一朝之費，促之而不給者，信有之矣。故諺云：「茲焉不足，往則太過。」此言雖微，可為永喻。昔李文饒相，而後當飫羊十萬，數未充而被斥。蓋已用者過侈故也。此非明驗，可不鑒哉？今余一家二百指日所費，以酉中計之，且約五貫文。是須千八百餘緡，可支一歲。其於慶吊、賓客、差徭之數又不在內。顧余生事，四民之業，一無所營，而終歲所耗如此，造物者斡旋供億，亦已勞矣，吾何德以堪之？復欲終日望望然致室之完美，此心斷不可萌。至量其所入，度其所出，如且休接𪗋之説，此念不可疏也。予今年六十有二，向之所謂心焉而志、學焉而力者，日趨於衰微，安坐待哺外，餘無能為，秪有以勤儉律彼，使猥承家事而已。《傳》曰：「家當克儉焉，邦當克廑焉。」又曰：「生則在勤，勤則不匱。儉為德恭，侈惡之大也。」此雖聖賢垂教格言，不可斯須離逖，然孰不念而知之？但齒年未至，不經其事之艱難者，鮮不忽而略之。是自遠其恭德，昧夫寧固之理，可乎？逮其已困，歎彼之豐，傷己之窘，方思節約，以補其不足，不亦晚乎？汝等其勖哉毋替。作《儉説》。

遺山先生口誨

至元廿五年十二月五日

遺山先生向與頤齋張公諱德輝，字耀卿，終河東宣撫使。自汴北歸，時從史相請，為皆吉秃滿作碑[一]。過衛，先君命録近作一卷三十餘首為贄。拜二公於賓館，同志雷膺在焉。先生略扣所學，喜見顔間，酒數行，令張燈西夾曰：「吾有以示之。」先生憑几東向坐，予二人前侍，披所獻狂斐，且讀且竄，即其後筆以數語，攤其非是，且見循誘善意，而於體要工拙、音韻乖叶，尤切致懇。每篇終，不肖跽授教，再拜起立。夜向深，先生雖被酒，神益爽，氣益温，言益厲，覺泉蒙茆塞，灑灑然頓釋，如醉者之於醒、萎者之於起也。説既竟，先生復昌言曰：「千金之貴，莫逾於卿相。卿相者，一時之權。文章千古事業，如日星昭回，經緯天度，不可少易。顧此握管銛鋒雖微，其重也，可使纖埃化而泰山；其輕也，可使泰山散而為微塵。其柄用有如此者，况老成漸遠，斯文將在後來，汝等其勖哉！毋替。」坐客四悚，有惘然自失、不覺嘆而發愧者。既而鼓動客去，先生覆衾卧，予二人亦垂頭倚壁熟睡。及覺，日上，先生與客已觴詠久矣，於是胠篋取一編書，皆金石雜著，授予曰：「可疾讀，吾聽。」愜其音節、句讀不忒，顧先君指而謂之曰[二]：「孺子誠可教矣！老夫平昔問學，頗得一二，歲累月積，針綫稍多，但見其可者，欲付之耳。可令吾侄從予偕往，將一一示而畀之，庶文獻之傳，罔隕越于下。」先君起拜謝不敏曰：「先生惠顧若耳，何幸之如[三]！王氏且有人矣，敢不唯命，期以明年春，當見先生於西山。」時歲甲寅春二月也，後三十五年戊子冬十二月臘節前三日，小子再拜追述。

[一]時從史相請，為皆吉禿滿作碑：「從」字原闕，據至治本補。此二句文淵閣四庫本作「時史相請，為實圖美作碑」。　[二]顧先君指而謂之曰：指，原作「字」，據文淵閣四庫本改。　[三]何幸之如：之如，文淵閣四庫本作「如之」。

政問　至元廿五年七月初二日

至元九年春，予以御史滿秩，除平陽路判官，過辭諸公，以臨民處己之教為請。右丞相史公曰：「汝讀書年長，久在朝行，今官外郡，寅奉之心，當常若在朝廷時[一]。至於事機變轉，不可預料，臨時制宜可也。」翰林學士鹿庵先生曰：「長次不睦，及首沽虛聲，今天下之通患。推讓有終為上。《詩》云：『靖恭爾位，好是正直。神之聽之，介爾多福[二]。』況人事乎？餘何言。」祭酒許魯齋曰：「臨政，譬之二人對弈，機有淺深，不可心必于勝，因其勢而順導之。同僚間，勿以氣類匪同而有彼此，或有扞格，當以至誠感發，無所争矣。」其後，總管萬奴來尹，亦請訓於開府。史公曰：「今判官王某，性純直[三]，頗諳事，儻有所疑，當與可否。」至於左丞姚公、吏部尚書高公諱鳴，字雄飛，每以事使晉府者，必有言顧慰。至秩竟，僚屬友愛，以理而去，時十有三年春三月也。不肖今年六十有二，老不能用，追思往事，如此等格言，有不可遺逸者，因特書云，且寓夫强仕之不可復也。是歲戊子秋七月丙戌初二日也。

[一]當常若在朝廷時：朝廷，原作「朝野」，據文淵閣四庫本改。　　[二]介爾多福：多，《詩經》作「景」。
[三]性純直：純，文淵閣四庫本作「既」。

醫説贈胡君器之

醫者，精微之術也。又曰醫者，意也。得於中而可以應諸外，通乎微而後可以達其變，此必然理也。予素有中脘疾，二十年間凡三舉發。初得於燕也，醫袁以玄胡劑療之，法既緩，再宿而疾乃已。在趙，藥以神寶名者，攻其中堅，瞑眩搜索，上痛方厲，而下動大作，猶一敵未退，而復生一敵，物雖去而泄不止。予頹然而卧，力不勝而氣已憊矣，間日而氣始平。其作於邢也，陳氏亦以類趙劑者投之，而為苦與先尤加劇焉。今者蹶動，感似輕而痛則一，上閧於中州，旁刺於兩脅，後延於膂膹[一]，撞搪衝拉[二]，頭岑岑而氣翕翕，求少寐以休吾煩，且不得也。胡君器之亦探藥之粒如者[三]，曰朱砂圓下之。予顧其劑微於先，疑為力更峻。器之曰：「無慮為，第下嚥，覺腸間少鳴而微痢，則痛隨止矣。」已而果然。繼以厚樸湯調之，忽醒然而寐，如釋重負而濯清風也。師寤，日高三丈許，予體中已平，曾泄之不復作，而氣之不少憊也。器之天資高，業顓而學博，識明而善斷，出新意而不泥古，知其常而通其變。嘗曰：「人具五行，稟之者不一；天有六氣，感之者無常。病雖名同，而證實有異者，苟以一概治之，吾未見其能也。」故證之壞者，往往濟而獲安。昔霍嫖姚行師，少衄多勝，正以不至泥古兵法，顧所遇吾應之者為如何。且予於器之亦然，作醫說以貽之。（以上《秋澗集》卷四五）

[一]後延於膂膹，膹，原作「賔」，據文淵閣四庫本改。　[二]撞搪冲拉：搪，文淵閣四庫本作「擔」。
[三]胡君器之亦探藥之粒如者：粒如者，文淵閣四庫本作「粒如珠者」。

全元文卷一七九

王惲　一三

題戒　至元二十四年三月

仲希出金源世胄，少以孤兒隸羽林宿衛者有年，為人慷慨，尚風誼，善馳射。北渡後，折節讀書，樂與士夫交游，賙急解紛，空㯳裝槖[一]，奔走風雨，不少顧惜。至於識名馬，善隼羽，知常通變，談笑一世，翩翩為佳公子也。如遺山先生，一代鉅公，雖泛愛無間，翰墨之作，初不輕與，至于君，題其居曰「元齋」，繼其德曰「吾弟」，復有篇贈，稱道其志。向非尚友重義，得如是乎？自是完希之名，軒翥於河朔者三十餘年，非不顯也。予既冠，與君傾蓋於酒壚間，一言定交，伸眉吐氣，歡若平生。及合好議采，曰夷貊之道[二]，吾不取也[三]。此又拔出流俗，義之所可重者。嗚呼！君没世已遠，撫卷懷人，不覺增嘆，然義之所在，猶耿耿也。汝曹固當思其所尚，求其所當重者，充類至義之盡，昭然使身名齒録於賢士夫之行，曰此則某之孫也，則某之甥也，是則汝外祖姻於吾家之意也。不然，得衛公故物，知其賢而不踐其迹，徒以服器為世家傳嗣之寶，非所望於汝曹也。作《題戒》。廿四年丁亥三月，伯父秋澗老人書畀侄阿宜，其聽之毋怠。

［一］空壓裝橐：此句文淵閣四庫本作「空厥裴橐」。［二］日夷貊之道：夷貊，文淵閣四庫本作「風雅」。

［三］吾不取也：不，文淵閣四庫本作「所」。

名王氏子説

中統五年五月十五日

王氏子嘗以小學從予，一日來求其名與字。因得讀張戸部復亨所撰其祖墓碑，廼知王氏自遠祖已來，以文章儒行世其家於保者也。小子，今吾語汝：汝曾祖在承安間，擢巍科，為一時名卿，明昌初，官真定録事參軍，政聲藉甚。汝父遭罹世故，以孤身卓爾自拔，見知於漕臺周侯，騰揚仕版，若有所為，而不幸蚤世，良可嘆惜。然人有陰積者，必有陽報，苟不在乎身，必及其後人。如汝高祖教授君，志竟不遂，厥類錫於爾曹。今汝父復罔克所紹，而止於斯。而汝也今亦孤童子，方保持門戸為事，長身如此，所當願而恭，柔而立，操惟危之心，念肯搆之戒，日切一日，吾見王氏之慶未艾，昭然之報將不遠，而復可不勉旃也哉。故用構名汝，以德基字之。中統甲子夏五月望日書。

忽治中名字説[一]　至元九年秋

予官御史時，聞尚書工部郎中、今治中別乘合剌思[二]，憙功名，樂善言，而與士君子游。某嘗望君於稠人中，飄然有玉立雲飛之舉，欲願交而未暇也。至元壬申秋，得同僚平陽，相接如平生歡。共事既久，愛其材識通敏，廉介有守，處心臨政，多中事宜，殆與曩聞無異。一日，請名於予，且求其説。予曰：上古之民，林林而生，系出一本，聖人見其厥類蕃庶，惡夫無別，於是因官因封，或勳或守。王父之字，賜姓氏以明之，立名諱以識之，表德業以貴之，又以性有剛柔、進退、好惡之異，而寓抑揚與奪之義焉。君姓忽氏[三]，蓋父字也，世為唐瀚海軍都護府人，其國郊於乾兑之間，據雲天之雄，故其人多沉潛剛克，内明而外毅。今吾子秉彝奇特[四]，超拔倫萃，表著於一時，豈非能明其初德而光揚於外者乎，《傳》曰：「德明惟明。」其是之謂歟？故以德輝名君，而英甫字之。蓋英者，德之光發見於外者；甫者，男子之美稱也。吾子以為如何？迺書以贈。

[一]忽治中名字説：忽治中，文淵閣四庫本作「呼雅治中」。　[二]今治中別乘合剌思：合剌思，文淵閣四庫本作「海拉蘇」。　[三]君姓忽氏：忽氏，文淵閣四庫本作「呼雅」。　[四]今吾子秉彝奇特：今，原闕，據王抄校本補，文淵閣四庫本作「若」。

李氏子名説　至元十年六月十一日

故河東連帥李公，以忠勇佐征伐，建殊績，受封河東，蓋三世矣，有孫一十四人。一日，元孫萬户某，率諸弟相過，雁行玉立，映照前後。與之語，挺然有燕雲遼碣之勁氣[一]。吾知其先代之澤，淵流而未央也。次五弟，因求名於余。予以謂李氏世以武顯，繼武而善可守者，其惟文乎？故名之曰嗣文，以文叔字之。《傳》不云乎「文武之道，未墜于地。在人賢者，識其大者」？莫不有文武之道焉，李氏子其服之無斁。至元十年歲癸酉前六月十一日，予自河解北還過絳，書于園池之華萼堂。

[一]挺然有燕雲遼碣之勁氣：碣，文淵閣四庫本作「鵪」。

王氏四子字訓

中丞王兄子初，一日因子名而告予，曰：「人之生世，貴善良而材用，譬夫羊豕性馴而乏可用之資，虎豹材逸而無可馴之理，唯牛與馬乘服耕播，性馴狎，大有濟於世。故弱息四人，取其義名之曰犄、犆、犳、犅，吾友其為我字之。」予即訓曰：「德騂、德駼、德騵、德騄。雖然，牛不駕習則有破車之暴，馬不調御則有泛駕之虞[一]，士不學習至跅弛而無所用。四子尚涵養其德性，修治平聲其才學，異時任重道遠，無以襟裾貽誚，茲汝父之志也，其勉旃毋忽。」書《字訓》以貽之。

[一]馬不調御則有泛駕之虞：調御，文淵閣四庫本作「控馭」。

温總管字説

古人制名與字，本以假代稱道，因其材而進退之，非欲求勝而滋美也。温生世將家，容止雍雅，殆素閑於詩禮者。嘗攝從戎事，及兄之子衣甫勝，即以職畀之，時人多其讓。一日踵門來謁，載拜而請曰：「初膺，字仲傑。傑也者，智過萬人之謂。竊意聲聞過情，君子耻之，且於名理又弗類，假而稱之，誠有所未安者。願先生易厥初，得因名衍義，可用以自儆者為偁，則所貺多矣。」予嘉其情實而辭遜，卑牧而不自矜也，廼以大賢之事告之。昔顔氏子得一善，則拳拳服膺而莫之失。服膺者，能持貯心胸，以為終身之行，用是夫子至興其殆庶幾之嘆。予因為之説曰：「人心虚明而廣大，衆善畢具，惟其人慾净盡[二]，則道心孔昭。道心者何？四端用中而已。雖然，仁為體，三者乃仁之用，而敬者又禮之實，克己復禮，庸焉而入德，尤在視聽言動之先。惟其善擇能守，從容中道，則此心弗曠，既有物而且有則矣。《傳》曰：『甘受和，白受采。忠信之人，可與學禮。苟無其質，禮不虚行。』況乎天姿温粹，樂善而克恭者焉！故敢易「傑」曰「禮」，以仲敬字之。庶幾因名衍義，用以加修者歟？然前賢致恭，不以聲音笑貌為事，欲誠著于中而蘊篤實之光，氣發於外而粹安和之色，道見于用而極靖嘉之方。其事上則忠，戰陳則勇，與人交則信。將見名實兩得，禮容偘偘，與大賢同歸，異時詩書謀帥，豈唯投壺雅歌而已哉！吾子以為何如？」膺曰：「意中事，先生能言瑩如是，敢再拜受教。」於是書以為贈[二]。

[一]惟其人慾净盡：净，原作「静」，據文淵閣四庫本改。

[二]于是書以為贈：贈，文淵閣四庫本作「則」。

張掾史名説　元貞二年九月九日

元貞建號之前歲，丞相伯顏公受開府儀同三司太傅知樞密院事，許開幕置屬，於是選擢材儁，以崇時望。主安定簿張楚者，以掾史進，一見即蒙眄睞。是歲，公以疾薨謝于位，嗚呼哀哉！楚追感殊顧，懷思不忘，至圖公像奉之，懇集賢、翰林兩院題贊，俾昭蓋代。亦來叙哀徵辭，言念勛德，辭情慷慨，義形于色。因知楚河東九原人，少失怙恃，養於外家徐氏，孑然以孤童子從許公度學，氣貌修楚，早負幹局。甫冠，先生以楚訓名，是用勉夫修習，俾趨于成。今以事為所著者論之，可謂樂事大賢，知恩所自，以義圖報，有始有終者也。其在衰俗，誠可嘉尚。予乃悚然而器之曰：「楚，今當作礎矣。」既而來求其説，廼告之曰：「古者制名，皆存義例，有像其類而命之者，因其材而篤之者，或審其剛柔而抑揚之者，或察其氣熖而取與之者，非徒觀美誇大而已也。今予以汝美在其中，用見于外，篤實輝光，有不可掩焉者。若夫氣志堅凝，如鉅石出霧，洞達無隱，既敦固其材實，復砥礪其廉隅，方嚴正大，奠夫鰲植之下，而收任重持久之效者，是正汝之責也。《易》曰：「介于石，不終日，貞吉。」其是之謂乎？嗚呼礎乎！其聽之無斁。」二年丙申重九日叙説。

儒用篇

士、農、工、賈，謂之四民。四民之業，在士為最貴。三者自食其力，能傃所守，時雖弗同，固不失生生之理。唯士也貴賤用舍，繫有國者為重輕。蓋其所抱負者，仁義禮樂，有國者恃之以為治平之具也。國不為養，孰樂育之？君不思庸，孰信用之？不幸斯道中微，我玄尚白，阨窮遺逸，隨集厥躬，此士之所以遑遑於下而可吊者也。幸有連茹為引用為主張者，曰「鄙儒俗士，烏足有為也」。切嘗惑焉。謂有用也，時不見其所用；為無用也，一為時用，卓越宏達，莫可企而及者，烏可以時偶無用，概有用悉為無用之具哉？國朝自中統元年已來，鴻儒碩德濟之為用者多矣，如張、趙、姚、商、楊、許、三王之倫，蓋嘗忝處朝端，謀王體而斷國論矣。固雖聖神廣運於上，至於弼諧贊翼，俾之休明貞一，諸人不無效焉。今則曰「彼無所用，不足以有為也」，是豈智於中統之初，愚於至元之後哉？予故曰：「士之貴賤，特係夫國之重輕，用與不用之間耳。」嗚呼！國之所以為國者，有其人也。今天下之心同然而深惟者，天統大開，六合同軌，及其選一材，取一士，舉目茫洋[一]，無所於可正。孔子稱杞、宋二邦無足徵證，蓋傷其賢既不足，文典之傳有不可强而為者。復以時務論之，今選行於上，材乏於下，是最有國者之所當病[二]。故唐取士之法，歲萬人為率，猶三十年可盡，况法未備而無所取哉？又老成先進，文學經制之士，舉海内而計之，不三數人耳。故州郡所謂學校勉勵修進之方，從而無實，掃地何有？嗚呼儒乎！其微至于兹乎！斯文在天，無可絶之理，是恐不止不行、不塞不流之意耶。然士不用則已，如或用之，固非一朝可就，必須廣學校，禄師儒，振士氣而勃興，設衆科而肆取，故得人材輩出，以膺文武之選，以成久長之業，斯則適其時矣。任是責者，庶聞之油然有蹶於中。述《儒用》篇。

[一]舉目茫洋：茫，文淵閣四庫本作「望」。　[二]是最有國者之所當病：此句文淵閣四庫本作「是有國者之最當病」。

吏解

甚矣！吏之不學，取之無術也。紛紜苟且，自進自退，據其名則正，較其實則非，而官之形勢，衆之情偽，習不相遠也。故諺曰：「畫地為圄不可入，削木為吏期不對。」此蓋傷其持心，近鄙之之辭也。然非吏之性也，勢也。今夫一縣之務，領持大概者官也，辦集一切者吏也。簿書期會之所交錯也，利害督責之所相須也，鍛煉酬酢，日復一日，大體細行，有不違顧者。少或蹉跌，輕則窘折困辱，重則榜責退黜。吏之為役，賤已極矣，安得不持其事而逾急，欺其心而後語哉！或不經事，昧於自信，聞其名則憎，見其人則易，意復少忤，至忿嫉訾毀，不以禮貌相接，非也，是皆不澄其源，而責其流之濁也。若使上之人能清心省事，一其法政，簡而不擾，雖有傑黠苛刻、急劇苟且之心，將安所施哉？余故曰：非吏之性也，勢使然也。若從其流而責之，所可鄙而傷者甚矣。今天下之人，干禄無階，入仕無路。又以物情不齊，惡危而便安，不能皆入於農、工、商販，故三尺童子乳臭未落，群入吏舍弄筆。無幾，顧而主書[一]，重至於刑憲，細至於詞訟，生死屈直，高下與奪[二]，紛紛藉藉，悉出於乳臭孺子之手[三]，幾何不相胥而溺也？以至為縣、為州、為大府，門户安榮，轉而上達，莫此便且速也，人烏得不樂而趨之？嘗閲近代吏之出身難矣。然後考試有司，寸步不遺[五]，設法既嚴，百不選一，猶恐中非其人，害於而政。由州而吏員，由吏員而部掾，法律刀筆[四]，人材行止，舉明有官，否則結罪。然後考試有司，寸步不遺[五]，設法既嚴，百不選一，猶恐中非其人，害於而政。以今觀之，其可鄙而傷者，當如何哉？且兩漢之世，丞相御史，下至三槐九棘，蔚為名臣者，多吏也。固必學之有素，進之有道，初不若此紛紜苟且。嗚呼！弊極而變，變則通，此必然之理也。然非持衡者，孰為立法而與革之哉[六]？作《吏解》篇。

[一]顧而主書：主書，文淵閣四庫本作「生奸」。　[二]高下與奪：文淵閣四庫本作「高與下奪」。　[三]悉出於乳臭孺子之手：之手，文淵閣四庫本作「之口手」。　[四]法律刀筆：刀，原作「乃」，據至治本、王抄校本

[六]孰為立法而與革之哉：與，文淵閣四庫本作「興」。

改。　[五]寸步不遺：遺，文淵閣四庫本作「移」。

田訟

民之致訟者多矣，未若田訴之未能决也。自井地散而為限田，限田變而為無法，此事端之所由興也。又以兵農勢異，兩有相犯，各持其是而不相下。治兵者曰：「吾軍力之所自出。」親民者曰：「吾征賦之所由辦。」居上者若是，為下者將安適從？至官諉吏而搏拏，吏賕賄而與奪，牽制蔽欺，卒無定論。幸有齋兩造而克荷者，情裁臆斷，明同仁一視之公，釋累歲積年之弊，往往迫於形勢，顧後患，亦因循而莫之問。故僥倖者睹其如此，又以彼弱易欺也，詒冒攰攘，靡所不至，甚者損衆益己，閧一方之訟，必被擾而後已，以致乖戾抑滯之氣鬱積於上，烏得無水旱之異哉？水旱之來，又弱者所先苦，欲政能行民之不困也，難矣。余嘗讀《大雅·綿》之詩：「虞芮質厥成，文王蹶厥生。」蓋言二邑訟田，往正於周，及入其境，履其庭，禮讓之風無或不在。二君感而中愧，生其固有良心[二]，相與罷歸，棄所爭為間田。自是，歸周者四十餘國。先儒以是為西伯受命之符，宜矣。孔子曰：「能以禮讓，為國何有？」其是之謂歟？嗚呼！三代而上，教有餘而法不足；兩漢而下，法有餘而教不足。教不足，法猶足治也。矧教與法俱至闕然者乎？民不險而訟也，又難矣。施於今者宜若何？曰：惟有明其教，一其政，立其法于其上，然後擇官宣化，守其法于下，庶幾民志日定，而訟者少為之熄矣。述《田訟》篇。

〔一〕生其固有良心：良，文淵閣四庫本作「之」。

黄石公説

至元廿一年五月

秦惑李斯之説，燔書坑儒，以愚黔首，故一時豪傑之士醜厥德而耻食其粟者多矣，如蓋公、盧敖、倉海君、商山皓〔二〕，皆是也。若黄石公者，後世獨以鬼物為疑，非也。觀圯上一節，公蓋逆知其炎劉將奮，非良無以輔成漢業。雖然，顧狙擊吕政于博浪沙中，良之氣固以為盖世雄傑，惜有其材而未至者，學耳。及一旦相值，輒令取履跪進，旬日間，往返三至，先折以禮，繼稱其可教，特重夫師道之傳，抑使動心忍性，徵於色，發於聲，而後喻也。兼奉執履杖弟子之職〔三〕，非有儻慌可怪之事〔三〕，而班固亦以非有贊焉。設若良欲神其所遇，不過使高帝異其非常，平時智計，皆自神異，復不輕其所授教而已，使是公果有其石〔四〕。我已之語〔五〕，亦不過。古人事了徑去，剗跡韜光，令千載而下仰其高風，可聞而不可詰也。又嘗讀公遺書，皆明哲警抑之道，殆黄老氏之精英者也。不然，胡自托於荒丘磽确，而為是傣隱行怪之舉哉？由是而觀，東坡稱公為秦隱君子，可無疑矣。距祠東里許，有阜曰黄山，下有孔穴，其巔巨石嵬立，土俗相承，云公出於此，尤為不經云。至元甲申歲夏五月，余覆災祠下，顧瞻山川，慨焉興感，書是説以辯云。

[一]如蓋公盧敖倉海君商山皓：君，原作「若」，據文淵閣四庫本、王抄校本改。倉海君，至治本作「倉晦者」。

[二]兼奉執履杖弟子之職：文淵閣四庫本作「兼使執履効弟子之職」。　[三]非有儻慌可怪之事：儻慌，文淵閣四庫本作「惚怳」。　[四]使是公果有其石：其石，文淵閣四庫本作「黄石」。　[五]我已之語：我已，文淵閣四庫本作「即我」。

筆說　至元二十三年六月三日

燕之筆，霜雪穎也，勁而莫為屈；楚之毫，炎蒸之毳也，柔而易為書。勁與柔何俟多論，獨念夫用之有難易也。余以心無所用，近集三代已來輔臣相業，述調元事鑑，筆為日課，資間中一樂。機格間，燕、楚之材皆具。柔和者易於得字[一]，腕不知勞也；勁挺者艱於如意，手指既據，致牽其臂而為困。然不數日，燕鋒方練，布畫愈精，顧楚產已敗，而不任吾用矣。予於是乎感焉曰：此何異於相之用人也？昔霍將軍子孟欲顓事權，利其庸鄙者相，故李蔡、石慶、王訢、楊敞，使之充位而已。霍終不聞讜言，其族隨敗而無餘。唐相蕭嵩亦以韓休柔易而薦之，及其當位，持議方剛，殆不少撓，至有「不意能爾」之嘆，而開元之政蔚有可觀。後之君子居於人上者，正當毋友不如已者可也。苟專以庸鄙便己為心，其如邦家何！作《筆說》。至元丙戌夏六月三日也。

[一]柔和者易於得字：字，文淵閣四庫本作「手」。

龜蛇説　至元二十六年十月三日

己丑歲秋八月癸亥，有玄龜丹蛇見于太乙宫之書院。煉師范君再拜，以禎祥來請。予為之説曰：蛇虺在所有，而玄龜不常見，一旦蹣跚蜿蜒並出而偕行，此又睹之罕也。二者化精水火，玄武衷甲以自壯，靈蛇摇毒以螫人，故古者師征，圖形旗旐，用先啓行，加招摇於上，俾急繕其怒，以示禦侮毒暴之戒。今六代純一師，奉命醮斗，積有歲時，豈精誠感格，當進作之際，堅勁衆怒，俾御侮警暴，陰為之祥邪？然禋于彼而見於符籙所在者，豈祭法從出，昭其教之本邪？不然，昔昭應宫因二物畢至，靈宇斯建，抑亦壽宫將欲復增光舊物，此為有開之先兆邪？吾不得而詳也[一]。作龜蛇同出説。冬十月三日書。

[一]吾不得而詳也：詳，原作「祥」，據文淵閣四庫本改。

牛生字説

全閩鐵官屬吏曰牛生者，東平人，世儒家，尚氣義，好刀劍，或欲之，雖千金不恡。聞余名甚喜，通謁來拜。予曰：汝非文星者乎？唯而不敢當。吾自壯歲亦以論文説劍為喜，今雖耄，氣習未除也。遂與談古今劍器雄雯雌縵者數品，至有所未鬭而未見者，若欲吐燕趙勁氣，而來吳越之清風也。已而，跽請曰：「星之表字，走有所未安，幸憲使與易而淬礪之。」因謂之曰：維北有斗［一］，不可以挹酒漿，然經緯昭布，天之至文也。昔龍泉下湫，紫氣上鬱，張雷識之，得二者於幽囹之下。嗚呼！一物之靈，有如是者。《傳》曰：「文武之道，未墜於地。」在人，賢者識其大者，不賢者識其小者。」莫不有文武之道焉。夫物猶能以氣而上達，人固當以文而致昌。其以文昌字之可也，牛生其勖哉！毋怠。於是書以為贈。

［一］維北有斗：北，原為「南」，據文淵閣四庫本改。

米少尹名字説

至元二十七年九月十二日

人之性，有生而即敏者，有學而後明者，要之生而開敏者為上，習而成性者次之。劍倅米君燕産，世為西域人，性開敏，樂於為善。嘗憶其兄中丞丁多故際，衆無異議，中外稱其善良。予過劍浦，米來求名，因訓之曰：闓闓者生其善心，顯其可踐迹也。内不先開，英何為而發？故字之曰英甫。兼汝年方壯，功名鼎來，若能以乃兄為法，篤其良心，踐其善迹，是不負天性幼成訓夫闓之之義也，英甫其勉旃。庚寅九月十二月，書於南劍廳事。

孫鞬郎名字説

至元二十九年九月十二日

六藝以射為重，三代所以觀德而貢士也。故男子始生，懸弧矢於門，俾射上下四方，示有事于他日也。元孫鞬將生之夕，總戎晉人杜侯以竹簳五十遺余，侯甫去而鞬生。其開先慶璋，名逐生來之兆，為不偶然者昭昭矣。今生十有八歲，姿妍静，學習頗嚮。方訓名象德，不即開先之祥而用之，將何求？故以笴名之，而以君貢字焉，亦因饋命鯉之義。廼告之曰：雲夢之竹，天下之美材。其采而貢之者，將達之於王庭，備夫射宮大用，以明擇士之道，其為物豈不重哉！然矢之為矢，必須辯陰陽，相博勁，矯揉以端其紆趚，文彩以焕其羽筈，堅鋭以利其鋒鏃，而後可以洞遠而捷鵠。不然，雖公佗、養由之伎，且將不吾取矣。於戲！笴，王氏由農而士，嗣志讀書，迨於汝，蓋五世于兹。吾老矣，其所以望於汝者，端重持其中，和易接於外，不使一毫怠墮之氣設於而身，以之效用致遠，而光大先世之業。小子笴其服之，毋斁。至元壬辰秋九月十二日，少中大夫祖父秋澗老人訓示。叔父後谿題示：訓汝諄諄意，奇文見廼翁。洞堅威可大，棲鵠體須中。既應開先兆，當知矯揉功。遠期遺近效，羽夾看摩空。

樂全老人說　至元二十九年十一月一日

昔太史公傳貨殖，以素封而名家甚夥，然富而好禮，享所有而全其樂者蓋亦鮮矣。林氏係蘇門望族，君玉雖治産時逐，處心遠大，資之以發其身者，良有足取。爲人志明而氣鋭，樂賢好客，教子孫讀書，顧一事不肯屑屑出人後。通都大邑居奇貨，儈贏羡，掉臂於陶朱、猗頓間，千金之産，有過而弗觀者。至親近名士大夫，風雨寒暑，奔走不避。如鹿菴、顒軒二大老，愛其疏通知變，皆欵與其進。遂資藉子仲先，爲時聞人。故好事之名，高出行輩，達官時貴踵接於門者無虚日。家則藏書有閣，圃外思親有亭，植佳花，釀名酒，客至則擊鮮爲具，賓醉而後已，窮年而不厭也。今年七十有五，視聽聰明，行步加健，飲啖如五六十人。既富而壽，壽而安，安而能享。承家有子，純孝而特達；釋負有孫，善繼而克荷。歲時讌喜，朋簪四盍，兒孫滿前，奉觴拜壽，樂融融也。一門之中，百順坌集。何其秉之厚，樂之全，且見其禮義之生於家也。予以世姻故游最狎，因舉曾有慶，謂子仲曰：「若廼父克享所有，以齒以德，扳古人之例〔一〕，宜易名以顯異之。若等以爲何如？」曰：「謹唯命。」遂以樂全老人目之，異時瞻喬木，禮高年，使誥雲絢彩，爛焉盈門，是將望於若子若孫者，未必不張本於斯耶！已而，子元來請其説，於是乎筆以爲贈。歲壬辰至元廿九年履端日書。

[一]扳古人之例：扳，文淵閣四庫本作「援」。

劈正斧辯　至元三十年三月廿六日

斧，斵蒼玉為之，長徑九寸有幾，鋮之刃，滿六寸。頞下略齟齬之，中堅厚二寸强。龍首呀胳[一]，刃噬于口，作兩段，吞答腦，與刃通，以柯貫之，上以雙蟠螭冒其端，下以玉束瑁承其轂[二]，華潤緻密，無微疵可擿，神兵凛肅，真秘寶也。且斧者黼也，黑白二色相次，故以水蒼玉象之。三代之制云：兵刑喪祀用之，飾怒以賜殺，執之以就列，示威以啟行而已。今則天子正衙朝會，命冕執中立，以劈正為義，莫究所從來。然法物變易，多自孤隋[三]，李唐因之，有不能廢焉者歟？又制度追琢，以近代工較之，非隋唐莫之能作，豈劈正之論權輿於二代間邪？嗚呼！斷之為德至矣。昔孝成以優游不斷，漢鼎遂傾；憲宗知惟斷有成，淮西克平。是既綉於裳，繪於扆，織于箅[四]，畫于罿。今復植立，以肅正朝，古之人納君於正，去邪勿疑，寓德威於物，以將其果毅者，俾無或忽也，垂戒之義深矣。至元癸巳春三月廿六日，因閲實偕御史商琥、修撰魏必復。觀於侍儀法物庫，偶憶近歲夢先師命予賦朱干玉戚詩，今日乃與神物會遇，所謂嗜欲將至，有開必先者也。作《劈正斧辯》。

[一]龍首呀胳：胳，原作「勿」，據文淵閣四庫本改。王抄校本作「吻」。　[二]下以玉束瑁承其轂：束，文淵閣

四庫本作「為」。　［三］多自觚陊：觚，文淵閣四庫本作「陳」。　［四］織于篺：篺，文淵閣四庫本作「箔」。

王氏冬藏圖説　至元二十四年十月一日

夫出處語默，君子固由其中，然造物者不無意於其間也。適事殷之時引之静處，使遠其咎，人意若中有所惜，我可忽其所事哉。曰事謂何？静而積學，以俟夫動而有為也。《傳》不云乎：「居則曰『不吾知也。』如或知爾，則何以哉？」况苒苒而來，我悠悠而過，心放而不思其求，學雜而不至於穀，坐靡光景，日就衰謝，則曰「人不我知，時不吾用，其為惑也」，亦已甚矣。今將收放豚，以入其笠，屏吾雜以絶其害。朝焉而經，暮焉而史。經則所以端吾體於中，史則所以驗吾用於外。旦為夕之所不能，夕補旦之所不足。要本先定力以固窮，終精思以求道，貫夫六藝之旨，而酬酢乎事變之來者，如斯而已矣。至於無益之談，不切之務，昏息之氣，過分之思，合俗徇情，徼逐挑達，一日三秋之戒，廢日廢身之喻，又見夫左箴右銘，儆其敬之未莊，心之所不力也。嗚呼！昔孔宣父稱顔氏子其殆庶幾，豈非三月不違其仁，乃優入聖域之要也歟？予嘗求是心渾然無間於一時之久者，無他，政自敬與義夾持，動與静交相養故也。若夫冬者，歲之一時，猶夜之所當息也。又《易》曰：「艮其趾。」時止也，雖止，止不終已。而須其所止者，蓋成於終，而後有以成乎物之始。此《冬藏》之所以作也。至元廿四年丁亥陽月朔日云。

度曲説　至元二十四年十月八日

敬齋李先生，晚年以歌酒自娱，既耄，雖不復，而情猶獨至。每興來，輒持空杯，令門人酈生放聲長歌，以導歡暢，或不如指，先生以己之所得教之，遂戟其手而高下之，使視焉以諧其節奏，雲起雪飛，窮要眇而後已，公亦醺然也。丁亥冬十月八日，飲李氏新篘，偶及分忖歌節，信主士達仍為發此，冲冲然殊有所適。昔孔宣父與人歌，善，必使反之而後和焉。又漢人例蓄聲樂，唐之士夫皆有音學[一]。由是而觀，歌之為藝，亦未可輕也[二]。先生以材德主盟斯文六十餘年，予纔得一拜履綦。及過元氏，先生墓草已宿，何先賢風流蘊藉，不容多得也如是，可勝嘆哉！吾特書此，異時會與苘之酈君，相值於光風霽月之前，拊掌談笑，中郎之文采風流，不無髣髴於眉睫之間也。士達其志之。又從而為之辭曰[三]：

我觀夏禮，杞固不足徵兮！吾道綫如，賢獻日已零兮！斯文未喪，其將孰為興兮？噫！

[一]唐之士夫皆有音學：學，文淵閣四庫本作「樂」。　[二]亦未可輕也：輕，原作「人」，據至治本、王抄校本改，文淵閣四庫本作「少」。　[三]又從而為之辞曰：辞，文淵閣四庫本作「辭」。

中說

至元二十五年五月五日

聖人垂教，千言萬論，獨以中為天下之達道者，天體如是也。且天地周圍三百六十五度，而南北二極，揆上崧高，乃天之中心也。故定極焉，然後天地位而萬象則其法焉。故過則為差，不及則氣不能成歲，折而中半，二九一十八，則度之數，又稱停不偏矣。人出入於兩間[一]，受其中以生，是謂之理。理者，仁、義、禮、智之謂。由是觀之，聖人之為教，所以因其材而篤焉，舍是何以為物？何以為則？故董子有言：「道之大，原出於天。」其斯之謂歟！於是述《中說》。至元戊子端午日，雨中書。

[一]人出入於兩間：人，原闕，據王抄校本補。此句文淵閣四庫本作「人出于兩間」。

命說

至元二十五年八月

姬仲實者，名思誠，真定靈壽人。幼業儒，兼該陰陽氣數之學。今年四十有九，以耕稼歸隱孤虛，取名非本志也。至元二十五年，自趙過衛，將還裕之方城縣合河鄉之新居，為予作一日之留，得略談三命之理。知姬之所得，絶與衆人不同。其法大抵取先天二氣五行，萃合一處，以盛衰偏枯，克陷扶助，就其胚胎，截長補短，互相乘除，度其造化虚實得中與否，然後斷其衰旺成敗何如耳。且謂予身自乙巳至甲辰，兩運極安静，得壽垂老，若無疾恙。予莞而謂曰：所獲多矣，尚何冀云。又云：人不富貴者，若有學問，即與享用者同樂。又曰：品秩入格局者極難。因説賤庚，即今大運見在乙巳，巳中闇戊，人皆以破丁官者戊也，然戊居巳，若無力，不妨。姫曰：「不然，只為戊字居已無力，故官氣不旺，何則？日居丁卯火，取月壬子為水，丁之官子却為卯相刑尅，使壬子散漫，卒不得用。若戊土建旺。即成涯岸，其水自可浮舟楫，潤物類。今年歲君雖是戊子，戊旅寓於子，非土之正位，亦不克助喿。開歲己丑，用神戊辰皆土，恐却得扶藉，作内作外，皆獲助益，蓋上下氣體皆順故也。」又以六壬占得一課，其名見幾，初傳功曹，次傳從魁，末傳天綱，中間所有動静，不涉虚妄。其占云：「功曹者，官府之吏長，起發其事者也；從魁，氣母之杓，斟酌與奪，是大人之主斷者；天綱，即斗之標係，從而贊輔者也。謂如杓有挹用，柄自然來隨，將來所應，多是武秩文用。在今歲窮臘，來春孟仲間，其事可驗。門下自來占決，無似此課，皆順無逆，有成不妄也，幸切記勿忘。」時歲八月十二日甲子未刻事也。因念遠凶近吉，君子之恒心，故數占而不厭；惡直喜諛，世俗之常態，多願聞而受愚，至有求其所不可得，避其所不可免，中無蔽志，一聽於卜，神亦不為之占矣。且不測者，陰陽之神也，孰為細人寡聞者可得臆而度？思彼妄意受愚者，是特疏釋一時之隕穫耳。苟非理之所在、義之所當行者，其抒憤警俗、虚高務悦之説，君子雖聞之而弗由也。然所以見其彼之云云者，試以吾之所在而當行者，且念夫彼之殊異於衆人之所謂者，果孰得而孰失哉？作《命説》。

金從革說

予嘗侍坐於丞相史公昭文先生，談歲序攙搭之說。不爾，四時不續，歲功不成。開府以未之聞而喜甚，繼以鼓鑄事語予曰：「汝知夫金之從革乎？工人摶沙為範，力甚疏弱，以金熛烈之氣，寫而就器[一]，彼樣度之圓方，文章之緻密，顧雖絲髮之微，其脈胳縱橫，莫不克滿，爛然可觀，有非人力所能然者。何則？方金之在鎔也，猶氣之氤於範圍間也，彼熚熚融融，揚彩委質，既為之氣，蓋有無不肖者[二]，所謂氣無不周者是也[三]。」予以晚進學淺，尊卑勢殊，有所聞，不敢質其所從來，後乃知據《易》說《莊》解而云，其敷言甚覼縷也。以今思之，為予而發者多矣。予平生疏直强項，氣少不人下，而於世每奇而不耦。先生以不屑誨之：蓋先說，欲學者紬繹其道，貴夫造之深也；後一說，以變化氣質為先，欲澄治粗厲，俾就夫氣之中且和也。此豈唯予益，實於世教有補，惠夫後學者深矣。因追録前言，述從革說。馬氏子處禮，世治家，氣清而志學，來求予訓辭，特書此以貽之。

[一]寫而就器：寫，文淵閣四庫本作「瀉」。　[二]蓋有無不肖者：肖，原闕，據文淵閣四庫本補。　[三]所謂氣無不周者是也：無，原闕，據文淵閣四庫本、王抄校本補。

古今文難易不同説

訓誥誓命等，文體固不同，要本聖賢以彝典明天理、本人情、統群心而已。然古今辭文，有難易相反者，先儒論難，終未明了。以予度之，書之為策，須史氏潤色隱括，既出衆手，性異好尚，學有深淺，才有高下，筆有强弱，而辭有澀易故也。九峰疑其勝女口傳者，偏記其難；孔壁後得者，返為平易。反覆究説，似遠而泥。謂如尹之訓賢君也，當深而易；庚之誥民庶也，當易而深。又《周書》五誥，㢧牙詰曲，叮嚀委曲，有不易曉者，此無他，一繫夫當時人情，勢有不得不然者。更值夫史氏之尚奇者，一向艱澀，韜其幽光，以成噩噩灝灝之體耳。蔡氏復以紀實難工、雅詞易好為辯，是亦主其措辭為言，然不碇此[一]，恐杜後來者詳説，使學者躍如，求于耳目聞見之外也。

[一]不碇此：不碇，文淵閣四庫本作「不辨」。

商魯頌次叙説

韓、陳二生問魯繼周頌、商次魯頌之後何居。余曰：三百篇皆周詩，魯則列國，盖周之胤裔[一]，僖公又魯之賢君，天下無王，蕩蕩板板，而周禮盡在於魯，故孔子曰：「如有用我者，吾其為東周乎？」賢諸侯不與將疇歸，恐亦《書》終以秦誓繼之之義也。若商頌次之魯上[二]，殷周之先代前後不叙，意者孔子殷後，又當斯文之主[三]，《那》等樂歌，皆成湯高宗盛烈，其聲其靈，赫赫濯濯如此，為子孫者删次之際，偶得是篇於大師，可忽而不録？仍附于後，以終其弦誦之意，恐或然歟。

[一]蓋周之胤裔：胤，文淵閣四庫本作「後」。　[二]若商頌次之魯上：上，文淵閣四庫本作「下」。　[三]又當斯文之主：文，原作「友」，據至治本，文淵閣四庫本、王抄校本改。

百獸率舞説

「百獸率舞」，先儒皆無明文。所以然者，豈上世四靈在郊，樂與天地氣應，故幽則神和於上，明則物和於野，正緣史官形容四靈等瑞，以見其氣和之至。且如唐明皇舞馬，止是一時教習，即能驤首振鬣，銜杯上進，應樂節不差，況聖人教化極和，感發動盪，上下同流，信及咸若，有自然而然者。予故曰：獸之率馴，蓋實有之，非溢美辭也，不然，則「鳳凰來儀」亦可為疑了。

雹　説

陶晉卿説：獲嘉縣今年五月初，雨雹為災，其大如杯拳[一]，桑棗皆戕折無餘，及多拔大木，有提去百步者，如此凡一十八村，其可畏也。予曰：天地間無别物，只是陰陽二氣交感而已。雨露霜雪如常者，天地和恒之氣也。唯其弗和，致有此異，蓋陰沴乖戾之氣從中脅而成之，其大小即隨所感輕重而然。木拔與去，此是伏陰搏陽，而奮木適與值，遂突而出之耳。氣盛物微，吹而去之，氣散自墜于下。予二十歲時，行共山道中，望羊角風自西南來，蓬勃方數百畝，吹駕大梼于塵坌上者數十株，正此同耳。申豐云：雨雹，山有冰不藏，藏無棄餘所致。且一歲山谷間陰積不釋者，若一一藏之，庸能既乎？又《夷堅志》説[二]，有人雨過山行，觀大木忽拔，至聞其陰靈用力過而自絶倒者，是皆齊東野人之語。

[一]其大如杯拳：此句文淵閣四庫本作「真大如杯棬」。　[二]又《夷堅志》説：夷，原作「遺」，據文淵閣四庫本、王抄校本改。

士當教子説

予嘗疑士大夫多不教子，求其情而不得，乃臆為之説曰：儒家者流，博而寡要，勞而少功，學者有牛毛麟角之嘆，其成難也如此，豈謂是歟？且以己況之，攻苦茹辛，焦心勞思，積數十寒暑之勤，僅得猥列士行，否者將何所冀哉？故往往多不以所難强其所不能，寧從彼好，使易為立身耳。然蜾蠃，最蟲之微者[一]，尚能負螟蛉，振羽而祝之曰「類我！類我」！況人乎？彼或不賢，為父兄者，固當擇其師，課其力，誘之掖之，俾極其所進之方。果鞭而不前，然後隨其所樂，以畢父兄之責，此吾儕當然之理也。然自非下愚不移，天下無不易之俗，人無有不變之資，衹在夫發藥者如何耳。為子弟者至此，日當愧耻無地，心憤口悱，勉立志節，人十之，己百之，人百之己千之，若恐不及，為心又使昏惰之氣，不設於其身可也。先君亦嘗有言，四民，士為重。學有成，高出一世；如其無成，不衆人若。委而棄之，此何足以有為？是則賢不肖，其間不能以寸，孟軻氏之言責，固不為過矣。又父兄不能久視長在，一旦衰謝，覩彼之子孫若是之高，我之門户如此之卑，家聲日替，世業一空，幾何不嘆息而悒悒于斯也！近一素宦，以家學授其子三，俱有所立，尚以未登仕版，至告人曰：「吾死目且不瞑矣。」父母之心，天下一也，況其所業未就，學幸得而不自强，才可進而乃自畫，其為父母者，安得其心不佽困者哉！作《士須教子說》。

[一]最蟲之微者：文淵閣四庫本作「蟲之最微者」。

周景王大泉説　至元二十四年七月

世之嗜古者，多尚鼎鍾。鼎鍾往往僞出。古而真者，莫錢若也。焨簿晉卿好古泉，而得大泉五十者，考之譜籍，蓋周景王所更大錢，大夫單旗諍之，以為不可者是也。其形徑一寸二分，其重積十二銖，今則半兩也。以歲月計之，自景王迄今，幾二千年矣。其文與周郭肉好，精緻堅凝，略不為之嚙蝕。信哉！前代制作，後人有不可企及者。嗚呼！陶子其寶之無斁，安知無被箴杖策、踵門而來丐者乎？昨日歸卧春露堂，既覺，適筆研在机，偶為書之，覺體中不佳，拂拂然從筆端出去矣。至元二十四年秋七月丁酉戲題。

賣兔説

伊川先生見賣兔云：「此亦可以畫卦。」或者曰：「何謂也？」余曰：物盈天地間，皆從氤氲一氣中來，所謂萬物一太極也。卦之畫，一陰一陽而已，兔亦具其二者之氣耳。見兔亦可以畫卦，蓋謂有此理耳。故又曰不特龜馬之顯著者焉。

二馬圖説

明昌初，西夏國母病，章廟遣尚醫往治，愈之，獻名馬回謝。一日進御，以試良德，即旋焉，上怒，命太僕驅去，窮日力斃之。未夕，往返馳五百餘里，歸望天廄，振鬣長鳴，若無事然。自是以一骨當御。今觀此二馬，毛骼駭異，黄門飛鞚，迅若游龍，豈非當授轡之初耶？嗚呼！馬，臣類也，食三品芻豆，直立内仗，一鳴則黜之矣。其或猥靡為心[一]，取媚於上，以速見知，皆非馬之德也。然則馬之為馬[二]，如之何而可？曰：有受策服勞，不有其力，以報芻秣之恩[三]，庶幾或從王事，無成有終之義也。作《二馬圖説》。

[一]其或猥靡為心：為，文淵閣四庫本作「於」。　[二]然則馬之為馬：馬之為馬，原作「馬之為」，後一「馬」字，據至治本、王抄校本補。　[三]以報芻秣之恩：報，原作「服」，據文淵閣四庫本改。芻秣，文淵閣本作「芻豆秣」。

稼齋説　崔文，字文卿

稼齋者，府從事崔君之自名也。求余以隸書冠於卷首。余曰：「渠年少氣鋭，方馳聲膴仕，以調議理務為事，何以稼為？豈起家隴畝，揭焉而不忘其本邪？豈食貧口衆，禄不足以代其耕邪？豈仕不為貧，動久而思其静邪？」曰：「崔氏世居茌平[一]，薄有田廬，近在郊遂，與城居不殊，其静僻，殆谷耕林隱也。往歲自海上罷官西歸，脱煩鞅，謝人事，郊居者數月，沖然大有所適。方夏之初，三農在田，耘耔底蹟。予開軒卧治，觀良苗之懷新，有田畯之至喜，及夫多稼雲如，薿薿彌望，庵觀銍刈[二]，偃然覩崇墉之積，賡豐年之歌，動高廪之詠，田里熙熙，物情交暢，以己之樂而為衆樂，因衆之安而為吾安。是乃平昔明農，私有所得於此也，其為稼也，不亦宜乎！」余曰：四民之分，各有攸業。而進莫榮於仕，退莫安於農。仕則思吾所當安，而明夫學之用也；農則安吾所當遇，而樂其身之適也。若當仕而農，將貽「老農吾不如」之鄙；當稼而仕，恐涉大《易》「知進不知退」之譏。然進而懷静退之心，不猶愈於退而存不已之念也歟！崔君其艾服官政，進進而能先[三]，求其所當安而安之，而後思己之所安，是亦先憂其所憂[四]，而後樂其所樂之意也。作《稼説》以貽之。

[一]崔氏世居茌平：茌，原作「茬」，據文淵閣四庫本改。
[二]庵觀銍刈：刈，文淵閣四庫本作「艾」。
[三]進進而能先：文淵閣四庫本作「而於進進能先」。
[四]是亦先憂其所憂：原作「是亦先其所憂」，前一「憂」字，據文淵閣四庫本補。

李郎中二子名説

郎中李侯正卿有子二人，俱教之讀書，從劣孫問學，其勉勵資藉之者甚力。其長資頗篤厚；次則似涉輕俊，然奉若父命，周旋唯謹。一日，請訓名字於予，迺告之曰：古人立名命字，取義多端，俱不若酌其才性優劣，就為教誡而抑揚之，最為親切。夫篤厚者，必藻之以才華，所以彬其文質也，故其長用質命名，而字之華甫。輕俊者，須濟之誠實，所以備其材德也，故次者名之以俊，而誠甫字焉。嗚呼！二子今而後，當克制其偏勝，涵養其不足，以造夫中庸之域[一]。他日立身行己，不致有過不及之差，庶克荷汝父平昔提誨之責，尚佩服之。毋斁。

[一]以造夫中庸之域：域，文淵閣四庫本作「極」。

祁氏四子名説[一]

汴梁士人祁佑之治生而不求富，樂善而不近名，尊賢者，使教子讀書，意在亢宗起家。介司計楊敬夫求名字其四子。予謂為善好學，積累能久，則協氣感發，其興也勃然，如水之淵渟匯滀，一旦泄溢，騰而為雨霧，降而為川流，有不期然而然者。祁氏子誠能勉力進脩，則於立志成美[二]，其庶幾乎？故其名與字，皆以水命意焉：澤字潤甫，淵字濟甫，源字湜甫，濤字浩甫。嗚呼！小子其聽之，毋忽。

[一]本文文淵閣四庫本未收。

[二]則於立志成美：立，原闕，據王抄校本補。

王從事季明子說[一]

今□□□兵馬指揮，即前世執金吾職也，其從事王季明父□之□之故人也，以通家好，出拜其子，詢夫小字□涉而□即其命意，以連僧易之。因求訓誨，迺告□□：□祖少從西庵楊参政學，蒙丞相忠武公辟，充新中縣尹、莅官行己，不凝。□□□樽俎士大夫間，風流蘊藉，以通才稱。惜乎竟□□□。汝父夙蒙中丞王西溪提誨，持身從政，不失□□，□命不偶，優游常調，然在相衛故家間，屈指可數。若家世之隆替，繫子孫之賢否，欲其才賢，讀書修業而已。在我者既盡，達則身立名揚，光昭世緒，窮則□□為善人吉士。此理之必然。小子其服之，毋斁。

[一]本文文淵閣四庫本未收。文中部分脱漏，據至治本、王抄校本補。

石抹氏子名字説[一]

□□□□□□□□□□□□□□□□大德庚子冬，秋澗翁步入文殊東院，主僧量示予木鏤瑞像一龕，何精妙也。詢其孰作？曰：「汝南監郡石抹君□□」也。為人端整白皙，辭語灑灑有章。天性機巧，不待師授而能。今年三十有三，始筮仕入京師。」既而介僧印來謁，言辭容止與向聞脗合。□□□□□□□資何出之晚耶？答曰：「叔父國用從□□□□□□四年母老侍疾持服，□□年兹皆家□□□□□□觀光上國，而名字未立，□何以稱呼□□□□□翰先生顧卹，為之訓誨。曰勉夫志之□□□□□□命名，用世亨字之。夫雕鏤刻畫，特潤身□□□□□志其遠者大者，《傳》曰：貞固足以幹事□□□□□亨。誠能貞，正以固其德，幹敏以運其德，□□亨衢光昭先世之業，廼所以望於吾子也，其聽之。毋忽。(以上《秋澗集》卷四六)

[一]此文文淵閣四庫本未收。

全元文卷一八〇

王　惲　一四

故真定五路萬户府參議兼領衛州事王公行狀

中統三年九月二十九日

曾祖諱某。祖諱某。父諱某。滄州某里王某六十三狀。

昔王延州有云：「君子有惠政而無異政，史臣傳循吏而無能吏。」故班孟堅序龔、黄、鄭、召諸人曰：「生有榮號，死見奉祀，禀禀德讓，君子之遺風矣。」德既肆乎循，政復極乎惠，求之今人，其惟王衛州乎！公諱昌齡，字顯之，姓王氏，滄州人，世雄于財，以孝義著稱鄉里。公少穎悟不凡，業儒學，嶄然見頭角，故大父臨終嘆曰：「王氏之宗，善積有素，嗣續弗绝必矣！然起吾門者，在此子也。」貞祐初，滄景被兵破，公以孤童子，能依彊濟難，間行歸汴，抱負奇節，時人未之知也。正大末，京城戒嚴，北面元帥府以材幹辟公，授帥府經歷官，積勞遷明威將軍、陳州防禦判官。適今中書大丞相政總兵民，撫鎮河朔，開幕府，舉良能，恢弘父兄之業。用薦者，起公參議幕府事，公遂悉心畢力，知無不為，故得感同風雲，合若符契。方國朝有事東南，城攻野戰餘二十年。公籌畫戎幄，應變機權，無戰無之，以至冒矢石，輸忠力，作士氣。雖一時輔佐，有不克負荷者。初，王師次安陸，負險之民盤結山谷間，備禦完固，艱於力取。公慨然以降集請行，時人危之。既抵壁，宣示恩信，喻以禍福，竟招降而全活之。歲丙申冬，天兵次光州，時餉道不繼，主帥命公率十餘人，乘桄入焦湖督運，中流遇賊甚劇，衆怖亂，桄傾，身没於水者半。公獨神色益壯，持兵殊死戰，賊潰，護所運以歸[一]。軍士賴之大振，遂取光州。凱還，丞相嘉公伐謀制勝之略，遂留公居守。公遂撫新附[二]，安反側，市肆不易，按堵如故，幾於一載。及策勳盟府，主帥累公之績以聞，朝廷褒寵之，而後奉命北覲，通名於天朝者數矣。每以生民休戚、軍國利病為己任，而風雪冱寒，往返之勞，略不之卹，于今良法善政守而不失者，多公所請云。辛亥秋七月，先皇帝即位，正封邑，錫勳舊，復以汲胙共獲新中山陽六縣之地，封中書大丞相，若古采地然，昭其功也。時朝廷以汴、洛、荆、徐畀丞相經略之，以衛乏人為憂，且曰：衛當四達之衝，民疲事劇，非得二千石之惟良者[三]，無以剷夷積弊，涵養瘡痏也[四]。既難其人，特命公領其事。公下車以來，敬以奉上，恭以執事，巨細不遺，知所後先。哀民之困於繭絲也，均徭平賦，以畜其力；痛政之極於污染也，治官汰吏，以清其源。并容細民，不擾市肆；懋遷有無，以通舟車。楗堤防以捍水災，課農桑以抑游手。尊王人，則修飾館舍[五]；免病涉，則平治橋梁。勵薄俗，扶善良，禮賢俊，贍貧乏，衍郛郭，廣居廛，通商惠工，興滯補弊。民不見吏，而無吠警之虞；士格所耻，咸有聞知之懼。蓋公之治化，謹身帥先，居以廉平，不至嚴而已。衛自亂餘以來，民耕植居郡東者多，而泉水自鄘城而下，崖岸平，流駃如掌上[六]，稍東復與淇水合，秋潦時，至涇流之大，南際漢金堤，田廬為之一空。公為堤黑蕩陂以禦之，遂絶横潰之患，清水出山陽白鹿嵬，公乃度原隰，創溝澮，溉田餘數百頃，其興起洑利如此。朝歌介邶、鄘之間，地迫山麓，灌莽極目，盗闖出没，越人於貨，行者苦之。公乃建議於漕臺周侯德甫，州而縣之，驛亭平襄，南接頓丘[七]，於是淵藪之患息，馹騎之力紓焉。而德之波及鄰土者又如此。既而，丞相材公之為，酬公之功，以其子復充同知衛州節度使事，遂有撫卹軍民，均平差役，勸課農桑，裁决詞訟，治效極多之諭[八]。誠以八年之間。熙然而春，鬱乎其文，樂國多士之風，還舊觀矣。己亥春，例上計行臺，恇怯苛猛[九]，公不忍甫息之民，横被侵暴，遂乃道巴峽，抵忠渝，哀鳴相府，中有以彌綸之也。雖獲所請，竟以憂勞致疾東歸。以是年冬十月廿日，卒於虢縣之斜坡里，春秋六十有三，越十一月，葬於汲縣王尚村之西原。送喪者餘萬人，攀號祖奠，凝慕不已。其貴官名士，若闊闊左丞、姚司農、張左轄、參卿王仲禮、宣撫張子敬、耆德孫元輔、段季昌，咸遠道致祭。衛人思之，如戴父母。明年，相與起祠宇，立遺像，植豐碑，壽遺愛，歲時香火之奉，其嚴如生。公資明良安雅，德量無涯涘，風鑒表表，口不出臧否，飾吏以儒[一〇]，外彪中弸，慈祥愷悌，喜愠不形于色，務明大體，悃愊無譁，持論深長，操守匪石，其待人御物，純以至誠感發人心，諄諄訓導，若嚴師慈父，有銘骨不能忘者。初，京城被圍[一一]，友人某以罪逮捕，抵公，為舍匿之，竟以獲免。篤制徒單雲甫，肥遯鄰邑，聞公之典衛也，幡然來歸，為治堂黌，極賓禮，選子弟之開敏者從而師之。自是，郡之文風，尤為熠興。又曹盯齋通甫[一二]，由趙來依，疽發背，自病至終，公醫拯殯送，曲盡友義。北渡後，元遺山號稱一代士林之宗，愛慕高義，乃有「今而後，寒士知所歸」之嘆。每自公退食，盤饌稍盛，必撤去之曰：「無暴殄天物。」及宴樂賓客，供具豐腆，盡于慇厚，曰「儉於人則不可也」。餘暇則閱書史，接文士。晚年尤喜作詩，歌詠風流，不知老之將至。至雄章傑句，間見層出，兼善尺牘行書。嘗謂下客王惲曰：「吾少業儒，以時艱罔卒所志，然胸中緒餘之氣，勃勃然日新矣！」其好學又如此。愛其子，擇師而教之，因訓之曰：「我不願若富貴，能儒素起家，弊廬饘粥，生養死葬足矣！」故於諸生獎藉作成為尤至。所交皆天下豪傑，其推賢讓能而升諸公者，如中山楊西庵，盧龍盧叔賢，河南鄭子周，陽夏董端卿，皆一時材大夫也。公之歿，丞相墓祭而哭之曰：「昔公勤勞我家，三十餘年，事無巨細，咸仰決焉，豈其天奪之速而至於斯！俾予煢煢然在疚，至有失目折肱之喻。」哀號之聲，感動左右。其為賢主人所惜如此，不可謂不遇也！不可謂不達也！故論者評公之惠愛類鄭子產，忠貞類漢王常，智周事悉類蘇令綽，襟融望雅類謝安石[一三]，其忠於所事類劉穆之[一四]，其樂於為善之心，又如饑渴之於飲食也。苟推而行之天下，其功烈豈止是哉！夫人姓陳氏，齊樂安人[一五]。生子男一人，諱復，少負鑒裁，富於問學[一六]，通達政體，用丞相廷薦，宣授衛輝路同總管事，其綸章諭之曰：「故參議王顯之，才行相輔，政恕中行。俾治衛輝，民安事辦。今子復，良有父風，以繼述之事考之，誠無愧負矣。」孫二人：曰雪山，曰鐵山。女孫一人，曰幼安。嗚呼！公生平事業，智名勇功，囊括無迹，恐蕪類之辭，不足發越盛德之萬一，敢以區區聞見，播在輿訟之實者，勉為具述，託立言君子而圖其不朽焉。中統三年秋九月廿有九日，門下王某謹狀。

［一］護所運以歸：歸，原闕，據至治本、王抄校本補。文淵閣四庫本作「濟」。［二］公遂撫新附：撫新，原闕，據至治本、王抄校本補。文淵閣四庫本作「附」。［三］非得二千石之惟良者：之惟，原闕，據至治本、王抄校本補。文淵閣四庫本作「循」。［四］涵養瘡痏也：痏，文淵閣四庫本作「痍」。［五］則修飾館舍：館，文淵閣四庫本作「官」。［六］流駛如掌上：駛，文淵閣四庫本作「駛」。［七］南接頓丘：接，文淵閣四庫本作「棲」。［八］治效極多之謫：謫，文淵閣四庫本作「譽」。［九］恇怯苛猛：恇怯，文淵閣四庫本作「惟法」。［一〇］飾吏以儒：飾，文淵閣四庫本作「飭」。［一一］京城被圍：被，原作「厥」，據至治本、文淵閣四庫本改。［一二］又曹耵齋通甫：耵，原作「取」，據至治本、王抄校本改。［一三］襟融望雅類謝安石：襟融，原作「權□」，據至治本、王抄校本改并補。謝安石，原闕，據王抄校本補。［一四］其忠於所事類劉穆之：除「事」和「之」外，其餘字原空缺，據王抄校本補。［一五］齊樂安人：樂，原闕，據至治本、王抄校本補。［一六］富於問學：富，原闕，據王抄校本補；問學，原作「間母」，據王抄校本改。全句文淵閣四庫本作「無所於問」。

太一二代度師贈嗣教重明真人蕭公行狀

師諱道熙，字光遠，本姓韓氏，其先汴州人。五代祖銀青榮禄大夫壽，自唐季來隸于衛；曾祖奕山，舉茂材；祖渤，進士第；父矩，隱德不仕，度師其仲子也。師為人英偉，眉目疏秀，豐下美鬚髯。三歲識字，六歲能書，棲心教法，儼然注蕭門二葉之望。金正隆間，始祖一悟真人，以神道設教，上動人主，所在翕然從風。韓氏舉族清修，師母閻尤極信心，深入法海，既孕苦病，父請禱於真人。真人曰：「汝韓氏素植善根，當産異人，且昭陽報，然將來必佐吾法門，可服吾丹書，以安胎息。」久之，母感異夢，既寤師生，果稟奇相，充閭之氣肅如也。纔免懷，留養道宮，受度為道士，復先訓也，再命而受清虛大德之號。大定六年冬十有一月，真人羽化於萬壽丈室，師縗絰哀慼，如喪考妣。於是相宅兆，具葬儀，及殯，整整有法，綱而不紊，觀者咸嗟異之，時師甫滿十祀耳。既窆，師乃陳寶籙法物，具香火升堂，以二代嗣事諭衆。有門弟子芉道省、劉道固等，思有以大厭衆心，稽首求頌，且問師：「它生云何賢聖？」師即走筆批曰：「明月清風大德，頗訝愚人未識，忉忉詢吾為誰？只是從來太一。」衆遂讋服歸心焉。九年，朝廷歆其行異，勅立萬壽額碑於本觀。是後，聲教大振，門徒增盛，東漸于海矣。初，真人謂靈章寶籙，率天神持護遺命，起臺中央，上為壇屋，鐵作户牖，庶幾神靈游居，有以妥安之。師乃擴充真訓，尊光圖籙，締構層閣，制極壯麗，揭以靈章寶藴之名，歲時醮祭，為衆生進階之地。復建朝元觀，為祖師墳原道場，仍植豐碑，表襮景行，不數寒暑，内外修治，輪奂中度。師直以德教感化，曾聲色不動，門人子來，如趨父事。十一年，時師始十有四臘[一]，門人鉅鹿李悟真者造請「何為仙道」？師曰：「做仙佛不難，只依一弱字便是。《經》曰：『弱者[二]，道之用也。』」悟真既授旨，辭還，師曰：「可速還，汝當遷矣。」明年，李不疾而逝，殯七日，形色如生。及壙，舉棺蔑如，開視之，從中一白鶴飛去[三]，餘衣衾而已。衆始悟師旨「當遷」者，即仙也。其慧悟如此。一日，師曳杖逍遥，謂左右曰：「吾旦夕欲馳四方，可趣治行裝。」已而，世宗詔求海内名德[四]，宗主天長觀事，師遂幡然應詔，不閱月，户外之屨滿矣。師密削疏聚精，以備儲乏。既而秋旱，京師物涌貴，提點陳公者，請行化畿内。師曰：「君休矣！吾已辦之。」或者疑焉。不數日，陸輦川舟，坌集於門下，衆服其幾沉物先，德博而化。時大定十四年也。明年春，辭還鄉里。後四年，復住趙之太清觀[五]。適境内大旱，衆禱雨於師曰：「今蘊氣隆蟲[六]，願垂慈請命上帝。」師曰：「若等宜先竭誠徧走群祠，不應，當以吾法行之。」越三日，不雨，師乃書飛雷救旱符一道，張淨几上，復呪法水數石，令州將已下人酌水沃符畢，雨即來矣，行未竟，雷電，雨且尺，歲賴以熟。迄今趙人能道其事。廿二年[七]，興陵夢師冠履上謁，寤思之，遂徵至内殿，問以攝生之道。對曰：「噓噏精氣，以清虚自守，此野人之事，今朝廷清明，陛下當允執中道，恭己無為而已。」聖躬為之興禮[八]。及還，寵錫甚渥。廿六年秋，師忽思棲真巖壑，因密謂蕭道宗曰：「吾門衆萬數，試經具戒者，完顔志寧、王志冲而已。然志冲特純精廉潔，可屬後事。」遂設大醮，告禰廟，畀之傳代秘籙曰：「君太一第三祖也。」及銘所付法具云：「有德輔德，天孰可欺？慎之敬之，永保教基。」居無何，棄几席，謝去。或問安所之。曰：「吾將遍禮名山，與心君作天遊耳。」遂去，後不知所終。師風儀蕭爽[九]，德宇冲粹，博學，善文辭，動輒數百言。樂與四方賢士大夫游，談玄論道，造極精妙。書畫矯矯，有魏晉間風格。嘗自題畫像云：「來自無中來，去復空中去。來去總一般，要識其間路。」其明達又如此。生平好振施[一〇]，養老卹孤近百人，人以鏹伍千，月給為率，死乃已。貧者喪不能舉，衣被棺椁，為俱具之。至於持行法籙，捕逐鬼物，風聲肅肅，除治户庭間，殆古之能吏然。精一之誠，貫達幽顯，降度之功，洋溢一世矣！師之玄孫某，以貞常温裕為五代人天之師，服膺先訓，追遠盛德，心藏不忘。越乙卯春，具大招之禮，葬衣冠於祖塋之側。今皇帝登極之三祀，光崇玄化，貞常師以祖德範圍，請謚於朝，追贈嗣教重明真人。噫！道家者流，其術固以多矣。而太一之法，輔行世教，有不可勝言者。其鴻靈幽秘，變化叵測，通徹神明之功，幾於上下天地，把握陰陽者矣。然苟非其人，道不虚行，一傳而至推廣悉備若真人者，可謂弘衍博大[一一]，繼志述事之善者也。翰林修撰兼國史編修官王惲狀。

[一]時師始十有四臘：始，原作「殆」，據至治本、王抄校本改。　[二]經曰：經，原作「爾」，據至治本、王抄校本改。　[三]從中一白鶴飛去：白鶴，原作「曰錫」，據王抄校本改。　[四]世宗詔求海内名德：德，原作「僧」，據至治本、王抄校本改。文淵閣四庫本作「師」。　[五]復住趙之太清觀：住，文淵閣四庫本作「往」。　[六]今蘊氣隆蟲：蟲，文淵閣四庫本作「鍾」。　[七]廿二年：文淵閣四庫本作「後二年」。　[八]聖躬為之興禮：禮，原闕，據文淵閣四庫本補。王抄校本作「慨」。　[九]師風儀瀟爽：風，文淵閣四庫本作「豐」。　[一〇]生平好振施：振，文淵閣四庫本作「賑」。　[一一]若真人者，可謂弘衍博大：原作「若真一人，弘衍一博大」，據至治本，王抄校本改。

故金吾衛上將軍景州節度使賈公行狀

曾祖鑑。祖璋。父政。

公諱德，字克仁，姓賈氏，景州蓨縣從教鄉劉卿里人，其系緒見學官王鼎所撰衍慶碑。賈氏，前宋時，出行管都團練使用威府君之後。曾祖鑑，志操高潔，耻襲蔭，不仕。家素饒財，以周急賑乏為事。祖璋，性勤儉，專事農務，故貲益雄鄉里。父政，事親孝，處昆弟間，無間言，宗族以純至稱。生二子，長曰贇，早卒。次即公，資秀穎，在垂髫時，舉止如成人禮。既冠，慷慨有遠志，樂施予，不屑屑拘小節。嘗與鄉人處事，談辯雄偉，無出其右，衆屬目異焉，曰：「興賈門者，必此子也！」自是，事有疑，率質成於公。貞祐初，燕不能都，德陵南幸汴，群盜蠭起河朔，在冀部滋甚。澒汹囂混，兇焰所灼，里陌為蕭條。公慨嘆壠首曰：「大丈夫生世，不能除暴薙亂，建勳名于時，掇取富貴，戴履兩間，寧無愧怍？」群俠少壯其言〔一〕，恃其勇，往往依附為用。州將材公為，且知衆素所推服，自白衣署公為故城縣丞，專徼巡事。於是設方略，窮桹株，破機牙，擒捕招諭，不數月，寇難盪平。尋國兵入中夏，太師國王營屯，彌亘原野，聲勢火烈，震掀河岳。元州將某舉城降。無幾，宋將李益都全乘隙西略，甲戌歲，州遂為全所取，盡質官屬妻子以東〔二〕。太師聞變赫怒，擁盛兵為屠域之舉。公白於州將曰：「反復際明以力不支，故至此。况天道人事，嚮背皦然，詎能以智計免哉？不早為所，禍將噬臍，願躬詣軍門請命！」遂間行至深州帳下，太師察公忠誠，慰諭殊渥，許其請，闔城賴以全活。太師承制拜公定遠大將軍，賜金符，提控本州兵馬事。丙戌歲，太師帶孫郡王南略晉衛，明年復東徇魏齊，皆從以行。其破上黨、馬武、大名、濟南及信安水柵，與三齊勁兵[三]，鬨穆陵歷山下，俱獲大功。英威騰奕，冠諸將列，益為太師郡王所知。遷鎮國上將軍、節度副使兼右副元帥，仍改佩金虎符。時江陵齊東寧晉與益都界犬牙相入，賊李鑾奴寧主簿者，引海寇不時侵軼，為百姓患。公連戰破之，東鄙遂安，壐授金吾衛上將軍、景州節度使。歲丙申，以蓨縣東光阜城吴橋故城隸焉。歲丙申，六太子復命以分地，所入江陵齊東寧晉八城，俾公總治其事。公為人恬退，每物盛為戒。丁未歲，年五十有二，即致政閑居，日課家僮輩，躬樹藝事[四]。澤車欵段，優游田野間，人不知為故侯宿將也。至元十一年甲戌秋七月廿八日，以疾終於劉卿里私第之正寢，享年八十有三。公臨政剛明有斷，僚友間容辭謙讓，急於持吏，惠以養民，卒之畏而愛，威而不猛，循循然有古良吏風。初，州將以甫離搶攘，人心轉側，頗任刑立威，所犯有事重而情輕者，有情連而力嚇者，公為祈理營救，多所昭雪，以從輕議。又同列馬侯子趙君，妻男幼女，彈壓宋其氏者，被虜，胥靡營幙間。公傾槖資購而良之。其輕財重義，類多此。生平喪祭為尤重，嘗謂宗屬曰：「兵荒來，上數世殯淺土，德又早失怙恃，其於大葬之禮，非竭力盡心，罔極之恩，何所圖報？」遂大治塋域，表敘昭穆。封植林丘，而安而措，禮莫不備，復樹豐碑紀世德，以見夫祖宗陰積所致之厚，一郡有光焉。性喜修潔，裘馬鮮整，自少若素宦然，稍涉書傳。善左右騎射，矢不虛發，時輩無與之比。公八秩時，往譩從教別墅，二兔起田間，飛鞚回射，獲焉。其精力老不少衰蓋如此。夫人高氏、蘇氏、魏氏、劉氏魏氏，以賢配稱。夫人粱氏、施氏、張氏、馮氏、王氏、李氏，亦俱有淑行。如夫人者三人，楊氏、趙氏、張氏。子男一十八人：曰茂，宣授金虎符，昭勇大將軍，左翼侍衛親軍都指揮使，行淮東左副都元帥府事，謨勇忠謹，以良將稱，善射，蓋家法云；曰著，前宣差景州管民長官；曰莘，未仕；曰芳，樺車弩千户；曰蔚，未仕；曰英，宣差滄州節度同知，性方直，有從政才；曰仲温，前景州課税所長官，廉能有幹局；曰毅，前河間路諸軍奥魯總管[五]；曰萍，前征行千户；曰僖，曰蕙，未仕；曰玉，前征行千户；曰芝，未仕；曰蒿，前景州勸農提領；曰彬，曰仲信，曰進，曰璧，俱未仕。女一人，嫡夫人高氏所出，適侍衛親軍千户張琬。男孫四十九人，茂之子乃滿歹[六]，宣授金牌，侍衛親軍千户。重孫一十人。兄賓子一人，曰榮，前景州奥魯千户。榮之子三人，重孫二人。嗚呼盛哉！十四年丁丑春，元帥嗣侯茂，暨弟仲温，介參謀趙君禹卿、提點李煉師子玄來謁予曰：「先都帥祔葬，墓木巳拱。比年國朝方平一江左，不肖忝居戎右，用是其表見神道者未即樹立，以慰下泉霜露之愴，不遑寧處。今將託立言君子圖其不朽焉，敢再拜以事狀為囑。」遂勉為次第之。

[一]群俠少壯其言：俠，文淵閣四庫本作「俊」。
[二]盡質官屬妻子以東：質，文淵閣四庫本作「絷」。
[三]與三齊勁兵：勁兵，文淵閣四庫本作「動」。
[四]躬樹藝事：樹藝，原闕，據至治本、王抄校本補。
[五]前河間路諸軍奥魯總管：奥魯，文淵閣四庫本作「鄂囉」。下同。
[六]茂之子乃滿歹：乃滿歹，文淵閣四庫本作「奈曼岱」。

故蠡州管匠提領史府君行狀

至元十五年三月三十日

府君諱忠，字良臣，姓史氏，蠡州博野縣孟家里人。曾大父暨祖，世在博野[一]，俱以伯仲稱。父諱成，繼業耕稼，善因地利。自高祖已降，昆弟宣多，至府君，凡五世同居，藹然以孝義渢一鄉。君兒時，日庤錢鎛為戲，及長，資純厚，與人交不妄言，謹身節用，致桑土滋殖，然慷慨有顧慮，料事多合情得宜，里人推其識直[二]，凡所疑滯，必諮焉而後行。貞祐初，國兵入中夏，蠡被圍，太守鐵哥嬰城自固[三]，民懍懍崩角，莫知所屬，欲鳥獸散。公約衆合謀曰：「金駕而南，委河朔去州，又自顧不暇，事勢至此，吾輩將安所托？正有畏天順時，得全性命，為計之上，不然，何為束手俟死！」衆以君素有畫，可仰聽焉。遂率孟莊鐵千兩河夏村等老稚百餘人，持牛酒詣太師國王，行帳投附。王矜其情，許焉，命公前慰諭者良久，且給符約，遣各歸田里。尋州破，鄰鄉多被屠掠，唯孟莊、兩河等里得按堵如故。兵後，歲饑疫，公惻然興感曰：「家幸贏餘，胡可坐視鄉人轉死溝壑？」即出蓋藏粟五百餘石，計口而惠之，賴安活者甚衆。其散而復業者，往往力殫具乏，公為假牛畜耒耜墒種。有因疾田蕪不克治者，公迺倡結義社相救助[四]。於是秋獲皆有得，家具酒食勞公，以謝其德。公曰：「患難相卹，人之常道，奚謝為？第比年來，仰荷天休，稍即溫飫，不以禮道維持，群居雜處，未免侵犯爭鬭之事[五]。」衆對惟君見訓，俾終厥惠。君雖不經見聞，遇子弟必申以孝悌[六]，父兄則勉以恩愛。聞順而善事者，必需之飲食，以蓄其良心。彼游墮自安，狎于不順者，即畏以官府，使知懲戒[七]，於是田里安集，不知出喪亂之餘，而有讓畔敬饁之漸。每冬夏[八]，設粥瀋於路，以濟行人，其周急濟物類如此。聲稱傳播，時人有義門史氏之目。州總匠王公興秀賢其為，曰：「吾嘗聞居家理，可移治於官。」遂薦于行省劉公，署工匠提領。府君感其見知，盡心所事，於是配能否、均程課、革舊弊，皆有條次不紊。及考工器，率堅良精緻，且合時度，不為巧虛，積料餘，徼幹局稱，又未嘗竊徒工治己私以自腴。總匠每稱能以勵其餘。某年月日，以疾終于家，享年八十有五，葬孟莊北原先塋之次。識者謂公德純行美，效官及物者甚廣，其儲祥萃慶，不在其身，而子孫將有勃然興者。娶同里某氏，柔順勤儉，克配公德。生二子：長曰伯祥，次曰伯福，幼承訓導，俱孝而友。或以襲父職為言，伯祥曰：「吾家世服井畝，以孝悌相傳，逮吾先人，輕財重義，表率一鄉，雖遭罹世故，所立挺挺然，大先業為有光。今予昆弟二人，無所肖似，繼守田廬，負薪之責，惟罔克是惕，第知勤敷菑、修疆畎，寒耕熱耨，濬源培本，使先世之澤，渟蓄汪濊，霑溉後人，俟其可以起史氏者，乃所職耳！」聞者嘆其志遠而有所見也。及子弼長，性謙謹，寡言笑，顏赫然，軀幹魁偉，孔武有力。年十六七時，耕牧田間，午憩桑蔭下[九]，父往饁，遥睨有玄虺穴其口。父大駭，趣呼之，寤，問焉，曰：「無所覺。」自是，手力愈若神助，遂精習梃槊，又善左右騎射，赳赳然負干城之氣。總匠王公子前潼關使彥弼，異而妻焉，舉於左丞相耶律公，一見奇之，得給事省府，適考工上新製鐙弩，力逾十鈞，近臣有言弼材勇，善挽此者。即召見，試有驗，命列名扈從，仍賜白金御驃[一〇]，以壯其勇。不一二歲，譯語、國字皆通習之，嘗奉旨數軍實于邊，營岳祠於雒，精簡而敝去，壯麗而費省，由是廉幹之稱聞于朝。上知其可用，至元己巳，命佐帥臣劉整南伐。轉戰江漢間，若鏖峨眉，掀松陽，拔樊城，下襄陽，飛渡大江，併圍維揚，率內簿先登。及論功，每在諸將右，寶鞍錦服，寵賚殊渥。始自漢兵總管，授金虎符、懷遠大將軍，行軍萬户，加定遠、安遠，升昭勇大將軍、淮東大都督，改揚州達魯花赤。今由鎮國上將軍進中奉大夫參知政事，行黄州路宣慰使。既拜命，乃謀於婦翁奉直曰：「弼自惟起身壠畝，遭際風雲，被沐恩遇，以汗馬微勞，不十五年間，致仕將相[一一]，其於史氏，其榮極矣！茲蓋祖宗勤苦純儉，累積攸厚，一旦發越於藐焉之躬者，如是丕顯，可不知其所自哉？欲報之德，有懇求懿筆著信於後者，論述陰積，表樹丘壠，而傳不朽，庶幾顯揚之道。」奉直曰：「宜矣！」遂托樞相贊皇趙公及關使王君，以事狀求屬，因勉為次第之。中奉大夫之父，今年六十，母夫人某氏，若干壽，皆享有全福。叔之子曰輔，管軍千户；次曰翊，未仕。中奉之子，曰蠡奴；女一人，曰燕哥。至元戊寅三月晦日謹狀。

[一]世在博野：博，原闕，據文淵閣四庫本補。　[二]里人推其識直：直，文淵閣四庫本作「量」。　[三]太守鐵哥嬰城自固：鐵哥，文淵閣四庫本作「特格」。　[四]公乃倡結義社相救助：倡，原作「侶」，據王抄校本改。　[五]未免侵犯争鬬之事：鬬，原作「閲」，據文淵閣四庫本改。　[六]遇子弟必申以孝悌：悌，文淵閣四庫本作「義」。　[七]使知懲戒：知，文淵閣四庫本作「其」，王抄校本作「之」。　[八]每冬夏：冬，文淵閣四庫本作「入」。　[九]午憩桑蔭下：憩，文淵閣四庫本作「枕」。　[一〇]仍賜白金御驃：驃，原作「驃」，據文淵閣四庫本改。　[一一]致仕將相：文淵閣四庫本作「仕至將相」。

太一五祖演化貞常真人行狀

至元十九年十二月廿一日

師姓李氏，諱居壽，字伯仁，道號淳然子，衛之汲縣西晉里人。生有淑質，沉默寡言笑，自幼喜道家之學。年十三，拜太一四代祖中和仁靖真人為師，旦夕給侍左右，進退應對，容度詳謹。中和知其可教，甚善待之。戊戌歲，受戒為道士，命典符籙科式等事，籙文部帙，靈章寶篆，仙階顯職，稱號廣博。師裝繕嚴整，銓次詳明，大稱所委。壬子歲，聖主居潛邸，駐驆嶺上，以安車召中和真人於衛。既至，燕見之次，薦師才識明敏，志行淳和，請傳嗣為五代祖。仍從誓約，易姓為蕭，即蒙允可，賜號貞常大師，仍授紫衣。其年冬，中和謝世。中和人品道價，高際一世。師嗣挈玄綱，以簡重堅潔持守成規，洞洞屬屬，若恐失墜。及其張皇道紀，酬酢事宜，其應如響。由是徒衆厭服，聽約束惟謹。前人之光，曾不少佚。時衛大旱，守官致禱于師，即書太一靈符，浸巨盎中，騰呪未畢，雲葉膚合，澍雨霑足，致德譽日廣，上聞於朝。己未春，上南巡，駐驆淇右，重師之請，幸所居萬壽宫，悵真仙之倏去，喜付畀之得人[一]，周歷殿廡，詢慰者久之。師敷對誠款，允協睿意，眷顧光寵，於焉伊始。明年庚申，中統建元春正月，命師即本宫設黄籙静醮，冥薦江淮戰殁一切非命者。迎奏際，陰風凄凛，若有趨赴慘泣之狀。秋九月，詔赴闕下，上親諭修祈祓金籙醮筵，翼日，特賜號太一演化貞常真人。二年冬，上命禜斗於厚載門，親詣祝香，仍賚錦紋綾帔。四年秋，遣近侍護師，頒香岳瀆等祠，仍賑濟貧乏。至元三年，以京師劉氏宅賜師，為齋潔待問之所。六年春，皇嗣請師禱祀上真，用介繁祉，受釐之餘，遂賚師金冠錦服，玉佩付焉[二]。八年，螟蝗為災，命師即岱宗汾睢，設驅屏法供，秋乃大熟。十年正月，就上都大安閣，演金籙科儀。時春寒，賜黑狐裘、貂帽各一。冬十月，奉安真武神位於昭應新宮，禮畢，中宮衣以異製綾道服。大内青宮肇造之初，皆詔師按太一符法[三]，禳鎮方所。十一年，特旨於奉先坊創太一廣福萬壽宮，中建齋壇，繼太保劉秉忠禋六丁神將，歲給道衆粟帛有差。十五年，奉旨祭七元星君於西府鐘室。啟告之初，期以風動所樹幡標為神君格思之驗。既而，儲皇親臨炷香，冷颸颯至，幡影飄颻，從官劍佩鏗鏘，肅然為起敬。明日，具陳其事，上甚喜。越明年，以事辭結遁壇，命易七元斗位。聖上、儲皇以師積年致禱，精誠多獲靈應，前後賜與如玉尊像、寶粧劍、安車龍杖、金銀器皿等物，不可殫紀。師爰自傳嗣以來，奏謚始祖曰太一一悟傳教真人，二代祖曰太一嗣教重明真人，三代祖曰太一體道虛寂真人，四代祖曰太一中和仁靖真人，焚黄昭告，典禮華縟，存殁有榮焉。至元三年，以重修祖觀殿宇告成以聞，蒙勅辭臣製碑，鋪敦教基，具紀本末。復奏，受保舉師張善淵真靖大師，教門提點監度師高昌齡保真崇德大師，高弟李全祐觀妙大師，范全定希真大師，及欽承璽書，護持玄門，其弘闡宗教，殊為光顯。師以至元十七年七月廿六日，羽化於西堂方丈，享年六十有一[四]，治命令觀妙大師李全祐嗣主法席。訃聞，上嗟悼久之。儲皇賻楮幣三十定，仍諭中書省給威儀相送。其年十月，遣使護喪，歸葬衛州汲縣四門村祖塋之次。師豐儀秀偉，清修有操行，謙虚篤實，不事表襮，混然與物無忤，而胸中風鑒，殊皓皓也。與人交，誠款有蘊藉，所談率以忠信孝慈為行身之本，未嘗露香火餘習。生平問學不斯須離，如饑渴之於飲食，其《易傳》、《皇極》、《三式》等書，皆通究其理。晚節德量，弘衍博大，不可涯涘。宜其為聖皇挹真風，屬秘祀，留宿宫禁，參預庭議。師素以憂深思遠，理或未暢，形於顔色，故因方便而霈德澤之厖，即詢訪而裨時政之闕，横覆道蔭，成敷錫之美者多矣！惟其玄默不出，叵得而詳。論者謂師雖方外士，其至誠上感，蓋有君臣慶會之契。古人稱上士學道，輔世主以洽好生之德，師其有焉。既窆之二年，嗣教真人將以師言行請於朝，植碑神門，揄揚追報，以慰華表歸來之想，以不肖惲與師義同里閈，交且款[五]，知師為頗詳，以事狀見托，謹按綱首楊某等所具行實，勉為件右，庶幾太史秉筆者得以採擇焉。至元十九年十二月廿一日，中議大夫、治書侍御史、行御史臺事王惲謹狀。（以上《秋澗集》卷四七）

[一]喜付畀之得人：付畀，文淵閣四庫本作「十界」。　[二]玉佩付焉：付，文淵閣四庫本作「符」。　[三]皆詔師按太一符法：法，原作「云」，據至治本、王抄校本改。　[四]享年六十有一：有一，原闕，據至治本、王抄校本補。　[五]交且款：款，文淵閣四庫本作「久」。

全元文卷一八一

王惲 一五

大元故宣武將軍千户張君家傳

君姓張氏，諱思忠，字正言，盧龍永清人也。曾祖衍，大父德輔，世業農。金百年來，支屬蕃息，居不異爨，至今以義門稱燕朔間。父諱仝，資沉粹，少以易業起家為志。大元甲子，天兵南略，以良家子從軍，隸都元帥史公戲下，以武幹見稱，凡意料且與公契。及公鎮守真定，得專擢拜，以功監領左軍，充唐山邑宰[一]。既而開府忠武，公紹襲閫職，首以鎮撫授君。歲壬辰，以千夫長從公略地河南歸德，禦堅猝不易拔，君鼓勇先士卒登，且以戎鎧鮮異，為大帥速不觧所識[二]。及賞犒，以功讓所善高信，由是信拔出行伍，致身顯達。遂轉戰密之西山。民避兵，匿洞窟中，往往縱火燻逼，君言諸主帥禁焉，賴全活者甚衆。其後，從戍陽夏，開邊屯，受成整暇，兵有餘力，而民懷風愛[三]。繼移鎮入鄧，凡百草創，都督史侯皆擬易治一新，君依前以鎮撫供職。於是招流散，復田廬，治渠堰，整屯戍，謹斥候[四]，咸領辦有方，不大聲以色，人至以佛張鎮撫目之，其慈祥為可知。丙辰春，壽六十有一，遘疾，終鄧之官舍，葬真定縣臨濟里域。夫人趙氏，後公十九年歿，生子六人，宣武君即其長也。宣武幼不好弄，嘗聚嬉里門，能威重自居，指顧群兒，不異官府，識者已稱其不凡。及知學，穎悟不群。既長，有謀略，善騎射。大都督一見，與語奇之，命日侍鈐下，庸玉汝之幾，冠嗣父職。適有事江淮，風雲交會之際，宣武年少英發，夙夜聽恭，不遑寢餗，氣益厲，志益明，事益辦。時軍府有疑獄，久不能決，命審鞠之，略不加威而窮姦直枉，兩造情露，闔府與其明察。至於繕城壁，建樓櫓，使號令精彩，一軍增雄，雖謀出於上，其所以廣益於下者，多君之力焉。丞相忠武公奏降銀符，真授都督府鎮撫。至元五年，朝廷命帥會諸道兵，攻取襄樊，為上流破竹之舉。宣武備列戎行，首建戍白議曰：「淯澮于漢，宜亟據要害，築堡戍，使遏宋人泝流以資寇盜，不然彼或先之，豈惟奪志，吾無如之何矣！」從之，分兵壁其會，宋人為氣褫。時餉道不繼，行省以君有畫能幹，即擬充唐州、新野等處提舉糧漕使，淯行崗阜間，淺深不常，艱於綱運，君遂揵數堰，平水勢，隨造江軸車餘千兩，兼速陸運，復設防戍，絶去途梗，舟車通便，軍餉為不乏矣。樊城小而堅，為襄之扞蔽，省議取之，翦其臂翼，君率先貔虎，既登，中流矢，戰不輟。丞相伯顔公壯其勇[五]，止之。以勞宣授行省都鎮撫，其職掌大概上承大帥方略，指授諸將，諸軍有所關白，必因以上達，與夫訓練、調遣、巡邏等事，皆所領治。當時諸軍大小四十餘壁，每翼鎮撫一員，號之曰接手，日聽將令於都鎮撫，武弁佩刀弭爾於雲麾之下，蓋肅如也。其倚重，漢比軍司馬、唐都虞之任。君感其知遇，誓以捐軀報國。至元十年春二月，襄州破，第功上聞，至蒙弓矢、鏐鞍、綉衣之賜。明年秋九月，詔丞相伯顏等，水陸並進，鄂渚渡江。師次郢，宋人以艨艟鬬艦，橫鎖漢面，扼之不克前。責君辨之。君按視對江堡北，有枯河可三里許，連接一湖，湖匯與漢通。君喜曰：「吾事濟矣！」遂拖舟由港中盡達于湖〔六〕，舳艫蔽江，順流而東，無復橫草之虞矣〔七〕，大為丞相嘉賞。時主帥從偏裨百餘騎，行視郢嶮，天大霧，不覺抵壁下，彼潛出兵，圍之者數匝，衆相顧失色，君奮槊突擊，殺數十人，為解去。因建言於相府曰：「郢據漢為池，東南又有沙陽等城，傍為掎角，宜乘鋭先破之，則郢乃孤矣。」韙其策，即命君督精甲潛往，不移蔭，掀沙揚石，掇新城，降沔陽而去。隨與諸軍併力破夏貴兵於陽灑堡，以清江道，我師飛渡，駐軍武昌矣〔八〕。時朝廷策諸將，始加散秩，以功最授宣武將軍。師既東，前阻鄱湖風浪，君力督水師，浮梁而濟。其敏捷赴功類如此。宋相賈似道罄國力〔九〕，結陣丁家洲，塞江路，俟與我師鏖決〔一〇〕。丞相公命君督諸軍前陣，君鷹揚致師，出入行間，指授方略，意甚暇也。一再合，而宋人敗績，遂入建康。丞相阿木即分兵趣瓜步〔一一〕，回擣維揚，擇勇而有謀者偕往。君首膺其選，丞相公惜不遺，令將策勝一軍，權充萬夫長，聞于朝。其為二相倚重者若爾。命未下，竟以勤勞致疾，以是年夏五月，歿金陵之軍幕，得年三十有九。丞相公聞之驚悼〔一二〕，以馬箠擊地，有云亡孰繼之嘆！遺屬將祈祐護其轜歸。張君為人美鬚髯，氣量宏，事親孝，撫諸弟以愛，與人交有終始，不一言忘，盡心所事，國爾忘家，若饑渴之於飲食。其趨事建功〔一三〕，臨機制變，志慮出人意表。拊循士卒，與同甘苦，皆樂為之用。故其燕趙勁氣，所向披靡，樹駿功為尤多。初渡江，凡軍中俘士人為獻者，君與求親屬悉資遣之，其或願留依庇者，事甫定，一皆縱還鄉里。夫人房氏，唐相國梁公裔，内助有法，配君德良稱，先君歿，生子男四人：長曰用道，嗣君職；次用和；用康；用章。女四人，適名族。繼室史氏，太尉忠武公之次女，生女寧哥。孫男四人，女孫三人。贊曰：張氏三世在野，純積既久，固所發攸厚[一四]。若父鎮撫。君起壠畝，奮棘矜[一五]，致身偏裨，亦云顯矣，其施若猶未也。逮君遭乘機運，奮發志勇，以投風雲之會，惜乎功名垂就，不享其報，使英資茂績，有鬱而未盡者。今嗣侯以破静江[一六]，討江西逋寇等功，進武德將軍、行軍總管，風姿文雅，延譽士大夫間，殊藉藉然，蓋將衍夫遺澤，而大其世業者耶？用道與内弟□游交甚款，以家傳見屬，遂直書其事。至於筆削其間，以俟夫學《春秋》者焉。

[一]充唐山邑宰：宰，文淵閣四庫本作「事」。　[二]為大帥速不觧所識：速不觧，文淵閣四庫本作「蘇布赫」。　[三]而民懷風愛：文淵閣四庫本作「而民風愛懷」。　[四]譴斥候：候，文淵閣四庫本作「堠」。　[五]丞相伯顔公壯其勇：伯顔，文淵閣四庫本作「巴延」。下同。　[六]遂拖舟由港中盡達于湖：拖，文淵閣四庫本作「挽」。　[七]無復横草之虞矣：草，文淵閣四庫本作「格」。　[八]駐軍武昌矣：原作「駐武昌軍矣」，據文淵閣四庫本改。　[九]宋相賈似道罄國力：似道，原闕，據文淵閣四庫本補。　[一〇]侯與我師鏖決：侯，文淵閣四庫本作「晉」。　[一一]丞相阿木即分兵趣瓜步：木，文淵閣四庫本作「珠」。　[一二]丞相公聞之驚悼：之，原闕，據文淵閣四庫本補。　[一三]其趨事建功：建，文淵閣四庫本作「赴」。　[一四]固所發攸厚：固，文淵閣四庫本作「故」。　[一五]奮棘矜：矜，文淵閣四庫本作「荆」。　[一六]今嗣侯以破静江：静，文淵閣四庫本作「靖」。

盧龍趙氏家傳　大德三年七月

孟倅穆尋墜緒，纘先猷，持懇太史王惲通述一傳，庶幾溯川流而遠紹淵源，溉根本而敷榮枝葉，以衰謝辭者載，請彌堅[一]。謹按趙之得姓，肇自周滿[二]，策造御勞，胙土受氏，子孫蟬嫣，代有聞人，時藐譜逸，茂克論次。所可知者，當唐世遠祖，諱少陽，生子簡亮。亮生元遂，宦游于燕，家焉。因為盧龍人。遂生子思温，字文美，資英粟，拳勇絶人，尚氣任俠。五代初，燕帥劉仁恭壯其才武，署為偏將，晉王存勖來問罪[三]，公率所部挺身逆戰，目中流矢[四]，為統帥周德威所擒[五]，晉王聞其驍勇[六]，義而釋之。數蒙指蹤，逮與梁人戰於莘野，陷陳深入，斬戮不勝計。第功最，加金紫光禄大夫、檢校尚書左僕射使、持節平州諸軍事、平州刺史。神册二年，遼太祖遣元帥擁大兵來攻[七]。城中糧盡援絶，公審形勢之攸歸[八]，察輿情之去就，遂款附。太祖素知其才勇可倚仗[九]，寵遇殊渥。東伐渤海，俾將漢軍[一〇]，充都團練使，既抵扶餘[一一]，率敢死士十餘輩，突戰先登，立拔其城，身被重傷，太祖親調藥以敷之。武帝即位，論愾敵功，檢校太保、保静軍節度使[一二]。天顯十一年，石晉起義并門，來求援，命公出師風憲間，掎角之，敬塘賴以克濟。加特進檢校太尉、中書門下平章事、燕京留守、盧龍軍節度使、管内觀察處置等使。明年，進階開府儀同三司，兼侍中，封天水郡開國侯，食邑一千五佰户，仍賜協謀静亂翊聖功臣，兼雲應朔奉聖等道採訪使。時方兵後，彫瘵未蘇，政舉綱條，維宏寬簡[一三]。轉臨海軍節度使。會同元年使晉，行册禮還，檢校太師，兼侍中，進開國公，加食邑伍佰户。二年春，有星隕於庭，俄薄疾，以三月廿日薨，享年五十有八。上聞，震悼奠祭，賻賵有加，贈太師衛國公。葬昌平縣五華山之陽，敕集賢大學士張礪銘其神道。公事親孝，奉上忠，出入行陳三十年，大小百餘戰，勳業烜赫，身都將相，備極人臣之貴，而謙撝自牧，退然若無能為者，宜其以功名終。初，遼祖殂，后述律氏智而忍，悉召大將妻諭曰：「我今寡處，汝等豈宜有夫？」復謂諸將曰：「可往從先帝於地下！」有過者，多殺於木葉山墓隧中。公後以事忤后，使送木葉山，辭不行，曰：「親寵莫后若，何不往？」曰：「子幼國疑，未能也！」廼斷其一腕以送之。直公而不殺。平昔守正不屈，類如此。配太原王氏，贈鄭國太夫人。繼室清河夫人張氏，陽翟夫人翟氏。子十有二人：長曰延照，永清軍節度使，侍衛親軍事，特進檢校太尉、同政事門下平章事、開國公，食邑一千伍百户，賜號推忠奉節毅勇功臣。十一世孫昞，山北遼東道廉訪使，今居鄢陵。次曰延祚，燕京留守、檢校太師開國公，食邑一千户。十一世孫咄，肥鄉三務使，今居燕。十二世孫天民，遼陽省都事，今居平灤。曰延卿，竭節匡邦保義功臣、大同軍節度使，檢校太師開國公，食邑一千户。曰延構，供奉官，東西班都點檢。曰延威，推忠佐命翊贊功臣，保靜軍節度使，特進檢校太師開國公，食邑一千户。十一世孫明，今任兩浙運司知事。曰延晦，飛龍院使，檢校尚書左僕射。曰延誨，保静軍馬步軍都指揮使。曰延光，順義軍節度使。曰延玉，彰國軍節度使。曰延昫，點檢。曰延紹，同州兵馬使。曰延旭，内庫提點。女十四人：長適泰安州刺史傅知實，次適天雄軍節度使、檢校太尉兼侍中韓巨美，次適弘農楊氏，次適竭誠奉國翊贊功臣、東平軍節度使、特進檢校太師兼御史大夫、上柱國、南陽郡趙國公、尚書令、判三司使韓德樞，次適榆州刺史張彦英，次適彭城劉氏，次適左林大將軍張美，次適宣徽南院使、天平軍節度使、檢校太師、同政事門下平章事、判三司韓勣，次適清河張氏，次適博陵崔氏。其開府太師、衛國公第五子特進府君，即穆之十二世祖也，葬建州永霸縣白羊峪，有乾統七年夫人馬氏所樹銘幢。特進府君生二子：曰匡舜，左千牛衛大將軍，生子四人；曰匡禹，臨海軍節度使，生八子，第七子為翰，仕至保遂州團練都統使，始葬大興穴窩別墅，即睿智皇后賜田也，生三子。相之生五子，第三子湝，生六子，第二子公為嗣，兼管内觀察使，一子鎔，官鎮國上將軍，一子居常，驃騎衛上將軍，七世并襲遼世爵。相之府君弟進之，永豐庫使，尚之生子沿絶。進之一子瀆，寧昌軍節度使，贈金吾衛上將軍。三子，仲曰公謹，龍虎衛上將軍、静江軍節度使。四子，孟曰興祥，賢而多材，仕金海陵、世宗兩朝，以德望門地，致仕途顯赫，官至開府儀同三司、左宣徽使、太子少傅、中國公，封鉅鹿郡王，葬良鄉回城劉李里蔡家凹，迄今以趙大王墳目之，翰林待制趙攄所撰神道碑在焉。驃騎府君生五子：曰柄，天姿孝友，博學，克守世範。曰挺，邃星曆術，金初任靈臺司正郎。曰機，留心軒岐書，伎精良，選充尚醫，侍宣宗，官至保宜大夫。曰梅，善貨殖，致屋潤，積而能散，貧乏者多沾其惠，興陵因遊畋宿其家，聞富而好禮，賜銀燭盤二，鄉梓榮焉，嘗監謝邨鎮酒。曰植，字景道，穆之曾祖也，姿情淑，有操行，力學，務為無所不窺，工作詩，嘗舉進士，不偶，輒拂衣去，易名質，隱穴窩別墅，教授為業。別墅東二里許，即金建春離宫，明昌間，道陵春水過，聞絃誦聲，幸其齋舍，諷詠壁間所題詩有「折脚鐺中烹白薺，打頭屋底看青山」者久之，尋召至行殿，賞其志趣不凡，命之以官，固辭曰：「臣僻性野逸，志在長林豐草，金鑣玉絡，非所願樂，況聖明在上，容巢由為外臣，可乎？」道陵益奇之，特賜田十頃，復之終身，士論烜燿。自是不呼姓名，皆曰「建春徵君」，號其鄉曰「崇讓」，尊顯之也。終於泰和二年三月乙丑，享年八十五。配李氏，生子玫。司正府君之子曰侃，字和之，穆之伯祖，儀觀秀偉，學識該貫[一四]，尤長於音律儀制。章宗時，用閥閱子弟，試太常禮樂科，中承安二年登歌甲首，由是，於禮樂愈覃精，為專門之學矣。積勞自工師副正，轉協律郎。貞祐播遷，禮樂散失不完，命楊禮部雲翼，馬太博千里詳定，府君以掌固得預，節文所不備、條理之未暢，咨其論説，補罅為多。累官定遠大將軍、大樂署直長，權知太廟署事。金末南遷，校量鐘律，獨黄鐘抑而不揚，既至汴，林鐘復爾，雖更鑄尚然。竊自嘆曰：「八音與政通，陰陽消長所在，可以卜時之治忽，中興其不竟乎！」既而金亡。嘗會飲市樓，樂甫作，語所知曰：「革有狠戾音。即去之。」果有酗而鬭死者。其沉機先識如此。壬辰北渡，隱居鄉里，未嘗一日忘其素業，迺編集郊祀所記憶者，為《祀典樂志辨》，凡三十卷。或譏曰：「若子所學，與時豈不背戾？」答曰：「文武迭用，世道之常，今向平治，以是備他時求訪之具。」聞者嘆其資深而慮遠。歲戊戌，襲封衍聖公孔元措，薦府君於朝，攝大樂丞，乘傳偏歷四方，搜訪前代禮官樂師祭器圖集，備預製作。中統建元以來，文物郁然，君有力焉。壽八十一卒，時己未夏四月廿七日也。配金吾李氏。一子守忠，正大間策論進士，仕至承德郎、管勾尚書省承發司，前君没。娶王氏、桑氏。孫五人：柔、原、圭、秀、義。曾孫繼祖、榮祖、興祖、顯祖等八人，曾女孫十人，玄孫男三人。保宜府君之子曰璧，字國寶，穆之叔祖，資沉雄，有才幹，涉獵經史，中武舉第，官廣威將軍、宣宗麗妃位奉事，卒於戊午歲九月十九日，得年六十五。配史氏，麗妃兄之女，生三女，俱適時族。建春府君之子玫，字文玉，穆之祖也。資長厚耿介，不妄交游，學問淹貫，工辭翰，藉門資調遵化三司使，易代後，僻居研窮理學，申明家法，勉子孫興門户為務，自稱「貽齋居士」，壽八十五，終於戊辰三月九日。配良鄉李氏，母儀婦道，光範中表。生子鉉，字仲器，幼孤，藉伯考定遠君翼誨，及長，雅淡喜讀書，不樂仕進，邃《易》學，好古多巧思，音律占筮咸詣其精妙。太宫肇造鐘鼎祭器法物朝儀，以先生家學精思罕匹，命之監視。或以方技上聞，適營建新都，俾灼吉兆，基命丕作，蒙賜白金五十星，重幣十襲。相臣因欲官之，辭不可，止。其言人榮悴，雖察五行盛衰，必配合道義，廣示勸戒，名公朝士歆其學識，來質疑請益者無虚日。焚香煮茗，間出三代鼎彝法書圖籍，傳觀披玩，論辯皆有證據。及談遼金故事，揮麈緩頰，使聽者忘倦，慈祥愷悌之色，津津溢眉睫間，有承平遺老氣象。晚節號鈍軒，逸皓諸賢，贈遺詩文，無慮數百篇。嘗於祖竁側構亭，為春秋奠祀所，承旨王文忠公扁曰「遺安」，樞相商左山為之記，其為名勝稱賞若爾。今年登期頤，康寧順適，壽祉未可量也。娶李氏，生子穆，性純孝，早傳家學，善篆隸，以敏慧延譽搢紳間，得從事翰林，出倅孟州，轉刑臺尹，超授承務中山府判官。穆之子遹祖、述祖、迪祖、遵祖，孫遷安。於戲！趙氏自五季迄今，三百餘年，子孫蕃衍，幾於千人，忠傳學繼，世濟其美，越不事宦游者，學術行義，亦昭晰於時，與韓、劉、馬共稱為燕四大族，至比唐、李、鄭、崔、盧。由開府太師衛國公，忠毅奮發，捐軀為國，敦篤大本，君子之澤，其流淵長，亶其然乎！惟延威特進府君第五房，一傳而二，再傳十二人，三傳至廿八人，四傳四十五人，五傳而六十四，六傳八十四，七傳九十二，八傳當建春府君行，群從數幾滿百，本支子姪廿有八。然遭壬辰喪亂，存者僅三人而已，非賴穆之訪緝譜諜，則後人無由知其祖考之所自出，宗系之所自分。今復揚豐功之盛烈，發潛德之幽光，傳載無遺，垂鴻不朽，俾趙氏來者，觀感景仰，克念無忝，是亦顯揚之一節也。《傳》曰：「慎終追遠，民德歸厚矣。」又曰：「惟孝子善繼志述事。」若穆也，可謂有志追遠述事者也。大德己亥秋七月，翰林學士中奉大夫知制誥同修國史王惲述。

［一］以衰謝辭者載：載，文淵閣四庫本作「再」。［二］肇自周滿：滿，文淵閣四庫本作「穆」。［三］晉王存勛來問罪：罪，原闕，據文淵閣四庫本、王抄校本補。［四］目中流矢：流，原作「走」，據至治本、文淵閣四庫本、王抄校本改。［五］為統帥周德威所擒：擒，原作「推」，據王抄校本改。文淵閣四庫本作「擒」。［六］晉王聞其驍勇：驍，原作「驤」，據至治本，王抄校本改。［七］遼太祖遣元帥擁大兵來攻：遼，原作「為」，據文淵閣四庫本、王抄校本改。［八］公審形勢之攸歸：攸，原闕，據文淵閣四庫本、王抄校本補。［九］太祖素知其才勇可倚仗：倚仗，原闕，據王抄校本補。文淵閣四庫本作「重任」。［一〇］俾將漢軍：漢軍，原闕，據王抄校本補。文淵閣四庫本作「全師」。［一一］既抵扶餘：抵扶，原闕，據王抄校本補。文淵閣四庫本作「至旬」。［一二］檢校太保保静軍節度使：前一「保」字原闕，據至治本、王抄校本補。［一三］維宏寬簡：宏，文淵閣四庫本作「從」。［一四］儀觀秀偉學識該貫：秀，文淵閣四庫本作「修」。該，文淵閣四庫本作「通」。

開府儀同三司中書左丞相忠武史公家傳

丞相史公天澤，其先燕之永清人，世以族茂財雄，號農里著姓。曾祖倫，祖成珪，繼有純德，百年來潤涵淵寖，匯而不發。逮父尚書府君秉直，讀書尚氣義，為一方嚮服。生三子：天倪，天安，公其季也。國朝癸酉歲冬十月，太師木花里以王爵帥天兵[一]，南略中夏，雷砰霆激，震蕩無前。府君審興運之會歸，一群疑之去就，倡率義從，迎降軍門。王炤其誠，數千人賴以生，仍令府君統降主漕。繼從王攻北京，下之，以勞授行部尚書。淵流騰潤，千載之會，實開於此。及金將武仙以真定降，王命公兄天倪充河北西路兵馬都元帥，即鎮守，俾仙貳焉。時公年二十有三，身長八尺，音吐鐘鈫然，善騎射，拳勇絶人，屬櫜鞬署帳前總校。明年乙酉春，護母夫人北歸，仙尋叛，都帥遇害，府僚王縉、王守道追公及燕，曰：「變起倉猝，部曲散走，多在近郊，即回旆，當不招自至。」公毅然曰：「不聚國之讎[二]，死亦當往。」遂傾橐易仗，南還，以圖報復。行次滿城，得士馬甚衆，餘兵四集，牙將毛□等即推公攝行軍事，遣監軍李伯祐言狀於王，就請兵濟討。即命公紹兄職，仍以國將笑乃㝵統精兵三千為援，合勢進攻盧奴。仙驍將葛鐵槍八主簿擁萬衆來拒，公撤圍逆之，奮先將士，灑血馳戰，呼聲殷地，無不一當十。葛氣褫，會日暮，退依泒水為阻。公料其墮歸，敵必宵遁，果然乘之，衆大潰，主擒鐵槍，資其器仗儲偫，軍威大振，遂下中山，略無極，拔趙州，進駐野頭。仙懼，奔西山之抱犢砦。其年夏六月復真定。

德，公與諸軍會睢陽，同僚撒吉思欲薄城背水而營，公曰：「若敵來犯，我進退失據，此豈駐兵地日大軍至，內外夾擊，敗走蒲城，公尾其後，金將伯撒所將兵尚八萬，我殺掠殆盡。金主以單舸東保歸赴，比至，已合圍，奮戈突抵城下，呼守者韓帥曰：「汝等勉力，援兵繼來。」復躍出，敵愕眙為披靡。明柘縣、瓦崗、睢州，追殺守帥慶山奴於陽邑[三]。金主東播，復自黃龍崗來襲我新衛，公聞之，輕騎馳渡河，詔公以兵由盟津會河南，至則睿宗皇帝已破合達軍於三峰山，乃命公略地京東，遂招降太康、繞出敵後，挺刃橫擊，敗一都尉軍。既而，復與大軍合攻，仙逸去，復取衛州。明年壬辰，太宗由白波圍武仙於汲，小大凡十餘壁，金將合達以衆十萬來援，鋒始交不利，諸將乘虛一時奔北，公獨以千人方選三大帥分統漢地兵，上素聞公賢，詔為五路萬户，以真定、河間、大名、東平、濟南隸焉。庚寅冬，仙之巢穴也，不即揃覆，則終遺後患，隨攻下之，仙鼠竄而去。繼又取相衛。太宗即位，公入覲，朝議苦，與衆共之，於是招流散，拊瘡痍，披荆榛，掇瓦礫，數年間，官府民聚，以次完治。然高公抱犢諸柵，力爭，良久，乃悟而全釋。公乃繕城壁，除武備，明號令，守禦以方，為不可犯之計。歲荒食艱，捐甘攻勦焉，以示威。公曰：「是皆吾軍民，我力不能及，一旦委去，不幸為賊脅制，今殺之何罪？」弗聽，復應，遂反其城。公跳走藁，守帥董俊以全軍授公，復與笑乃㝵破走仙，主帥忿民之返覆，驅萬人出，將以鐵騎蹂之，斬義斌戲下，自是義勇之名，軒襮燕趙間。後數月，仙潛納諜者，匿大曆寺，夜斬關為內固，主帥問計於公，曰：「賊衆山扼，自陷圮地，此易破也。」遂令監軍孫□提鋭卒五十，公略其後，繼無幾，宋將彭義斌陰與仙合，又圖竊取。公同國將禦諸贊皇，扼仙軍不得進，義斌勢蹙，嬰火炎山自耶？」公争不下，以其事赴汴，比還，全軍皆没。其圍蔡也，當懸瓠北面，潛涉汝險，出入壘中，血戰者連日，蔡兵大衄，汝水為不流。金亡，公還趙視師。自乙未版籍後，政煩賦重，急於星火，以民蕭條，倅不易辦。有司貸賈胡子錢代輸，積累倍稱，謂之羊羔利，歲月稍集，驗籍來徵，民至賣田業，鬻妻子，有不能給者。時兵民未分，賦役互重，復遇征戍，則趨辦一時，中外騷屑，殆不聊生。公憫焉，詣闕併奏其事：民債官為代償，一本息而止；軍則中户克籍，其征賦差貧富為定額。上皆從之，布告諸路，永為定制。迨戊戌己亥間，仍歲蝗旱，復假貸以足貢數，積銀至萬三千餘鋌。公度民不可重困，乃先出其家資，次及族屬，官吏均配以償，遂折其券。監郡忙哥撒兒[四]，以國兵奥魯數萬口，散處州郡間，營帳所在，大致驛騷，伐桑蹂稼，生意悴然，公騰奏太后，悉徙居嶺北，由是軍民肩息，田里遂有生之樂。迄今真定兵甲民數勝於他郡，由公牧養其根本故也。國朝自金亡已來，歲有事於宋，公未嘗不在戎行，棗陽之役，城小而堅，主帥忿其攻久不拔，命徑乘其城，公率馮、程二拔都[五]。國朝語謂勇猛士曰「拔都」。先諸將登，太子闊出壯其勇[六]，惜其材，傳呼止之，公戰愈力，克焉。其攻襄陽也，宋以舟師數千陳峭石灘，掎角以綴我肘，太子以城不易拔，可趣利舟楫，命公往，以陳、翟二校自翼，驅猛士兩舸，直前擣之，彼氣既奪，奮槊盪決，覆溺者萬計，獲焉。及取光化，復引絙首上，立陷其城。復州之役，敵盛以鬬艦三千艘，鎖湖面為栅，公進説曰：「栅破則復當自潰。」遂募勇敢士四十輩，親鼓而前，壞蕩無遺，復懼而降。其攻壽春也，公獨當一面，宋人以我圍遠，勢分緩急，首尾莫應，賊乘夜果來斫營，公單騎逆戰，手格殺數人，戲下繼至，悉驅賊入淮水。至於掀滁州，蹂盱眙，掇寶應，瀕江渚，且破且降者二十餘所。雖會諸道兵共事，其伐謀制勝，愾敵樹功，未嘗不在群帥之右。及策勳盟府，推讓行間，雖寸長不掩，故諸將屈盡其智能，士卒樂出死力，論者謂公智信仁勇，堂堂有古良將風。壬子歲，公入覲，憲宗察其忠勤，特加顯異，遂以衛五城封公為分邑。方今聖上龍潛，極知河南困弊[七]，請分治培植，為異日包舉殘□之本，許焉。遂奏公充經略使。公以河外虛耗日久，封豕存食於內，邊寇日侵於外，非大與祓濯[八]，則不可去之，舉賢能，汰冗濫，抑豪强，均賦役，信賞明罰，訓農勸兵，列堡戍以絶寇衝，實屯廪以給邊餉，凡政之不便及民所欲而未得者，率更張而立行之。睢州長楊興，封丘簿董□，極横恣不法，暴其惡，肆諸市，萬口稱快，明日閭閻間有畫公像者。不二三年，方數千里之間，行於野，民安其樂郊；出于途，商免其露處。觀善俗[九]，既庶而有教；察軍志，則又知夫怯私鬭而勇公戰。威行惠布，陽開陰肅，内外修治，略無遺策，河流遠潤，衛亦復承平之舊，宋人為禁其北門矣。丁巳春，詔左丞相阿藍旦兒勾較諸路財賦[一〇]，性苛刻，鍛鍊羅織，轉功為罪，上下例遭凌辱，公以勳舊獨見容假。公請曰：「經略事，我實主治，是非功過，理當我責，今舍焉而罪餘人，心何能安？」怒叱去，公不為動，堅請者數四，用是翼蔽賴釋者甚衆。戊午秋，扈憲宗西征，明年夏，駐合州之釣魚山，秋疫作，方議回鑾。宋將吕文德帥艨艟千餘，蔽嘉陵江來犯，逆戰不利，上命公禦之，乃分軍為兩翼，跨江列陣，文德軍至，截流縱擊[一一]，敓鉅艦數百艘，追至重慶，三戰三捷，遂班師而還。又明年庚申夏六月，是為中統元年，皇帝御極，首問公治國安民之道，遂具疏以聞，皆時所急務，上嘉納之。旋命公撤江上軍還，授河南等路宣撫使，兼江淮諸翼軍馬經略使，制辭有：史天澤自太祖皇帝命木花里國王開拓漢地，卿兄都元帥已有佐命殊勳[一二]，又扈從朕之父兄，勤勞王事，文經武略，於國有功。綏撫河南，民懷惠愛，有功高心小、夷險不移之旨。明年夏五月，由江淮經略使。進拜中書右丞相。公既秉鈞衡，細大之務，知無不為，然言必慮其所終，行必稽其所敝，不强時之不能，不禁民之必犯，體時順勢，通變制宜。於是清中書以正紀綱，分六部以綜名實，設撫司以肅州郡，退貪殘以簡賢能，霈恩澤以安反側，頒禄秩以養廉節，禁賄賂以絶倖門。又定省規十條，董正其機務。憲宗初年，括户餘百萬，至是諸色占役者强半，悉奏還為民籍，以紓疲瘵。論思之際，處國相儒臣間，調諧彌縫，必使情通理得，期於事集功成，澤被生民而已。自是上下交孚，帝載熙緝，中書無留務矣。故中統初元，文物休明，階太平之治者，公之力為居多。秋九月，扈從北征，次昔木土與阿里不哥遇，命線真為右軍[一三]，公為左軍，仍合大勢蹴之，北兵潰遁。三年春，璮賊陰結宋人，以益都叛，上命親王合必赤總兵討之[一四]，兇勢張甚，詔公往視，聞璮入據濟南，公曰：「豨突入苙，無能為也！」至則進説於王曰：「璮多譎而兵練，不宜力角，當以歲月斃之。」遂環以深溝高壘，奔軼應援之計，略不能肆。四月，軍潰出降，生擒璮，公力主斬於軍門，誅同惡者數十餘人，悉縱歸，傳檄東下，為璮守者皆降。及陛見，悉歸功諸將，乃以擅殺自劾，上察公忠誠，亦不之罪。初臨軒授鉞，付公覷征，諸將皆聽節制，迨卒事，未嘗以詔旨示人。三齊平，首奏兵民之權，不可併居一門，行之請自臣家始。史氏子弟即日皆解紱而退。初，公既相，即辭其封邑，凡三請，乃許，其謙遜密勿類如此。至元改元，加光禄大夫、中書右丞相如故。三年，皇太子燕王領中書，兼判樞密院，以公為左丞相樞密副使，遂議建三衛及留兵寓農之策，不一二三年，國容軍實，蔚然可觀。六年，朝廷營取襄漢，詔公與駙馬忽剌出往經畫之[一五]，賜金幣甚渥。至則相要害，起一字城，聯亘諸堡，貯兵儲，絶聲援，示以久駐必取之基。既而以疾還。明年，進開府儀同三司、平章軍國重事，仍令右丞相安童諭旨曰：「中書省、尚書省、樞密院、御史臺，或一月，或浹旬，大事卿可商議，小事不煩卿也。」十年，宋將呂文煥以襄陽内附，聖天子赫然有掃清六合、混一車書之意。明年秋，與右丞相伯顔總大軍，行臺荆湖，自襄州水陸並進，趣鄂渚渡江，中道病不能進，上聞，遣使賜葡萄酒勞公，仍慰諭曰：「卿自朕祖宗以來，躬擐甲冑，跋履山川，宣力者多矣！又卿首事南伐，異日功成，皆卿力也。勿以小疾阻行，便為憂勞，可且北歸，善自調護。」公還真定，上又遣其子杠與尚醫馳視，及賜蔘糖等物，因附奏曰：「臣大限有終，死不足惜，第請天兵渡江，以殺掠為戒。」言訖而薨，略不及其家事，年七十有四。訃聞，上深震悼，遣近侍致奠，賻白金若干，贈太尉，謚曰「忠武」。仍勑辭臣製碑，表其勳德。公忠亮有大節，出入將相近五十年，其元勳碩德，柱石四朝，師表百辟，殆古社稷臣，而氣貌循循，若無所為者。及臨大事，論大政，夷大難，毅然以天下之重自任，要以竭忠徇國、尊主庇民為心，一以至誠將之。其視富貴權勢，斂然畏遠，若將有浼於己者。其善始令終，世擬之郭汾陽，而器量涵弘，識慮明哲，又根於天性粹然。故累朝賞公忠勤，龍光稠疊，前後賜賚，不可殫紀。公初進大拜，制下之日，朝野交慶，公門闃蕭然，若無所事。有面説公以威權自張者，公因舉唐周墀為相，問於韋澳曰：「力小任重，何以能濟？」澳曰：「願相公無權。」墀愕然不知所謂。澳曰：「爵禄刑賞與天下共之，何權之有？」又曰：「其緣汗馬，頗著微勞，餘將何有？今眷倚如此，正以軍國事體，猥多歷練，老夫有通譯其間，為諸公調達耳，相則吾何敢當？」言者悚服而退。至於開誠心，布公道，集衆思，廣忠益，用人齊家，訓勵子侄[一六]，又有大過人者。當歸德城潰，脱李大節於白刃，俾參幕謀，留務無巨細一以委之，參卿王昌齡代公治衛，亦以聽其注措，其裨贊籌畫，則王守道納合松年四人，推誠委寄，雖骨肉莫能間，故真定治效，高視他郡，四方為之訓。北渡後，名士多流寓失所，知公好賢樂善，偕來遊依，若王滹南、元遺山、李敬齋、白樞判、曹南湖、劉房山、段繼昌、徒單顒軒，為料其生理，賓禮甚厚，暇則與之講究經史，推明治道，其張頣齋、陳之綱、楊西庵、張條山、孫議事，擢府薦達，至光顯云。初，武仙既害都帥，公紹其職，及兄子楫長，即奏請於朝曰：「臣始遭家難，黽勉承乏，以雪讎耻，今侄楫等皆可勝任，願以職歸之，畢臣宿志。」太宗曰：「但聞争官者多，讓職者鮮，卿之此舉殊可嘉尚，朕自有官俾之。」即詔楫為真定路兵馬都總管，後又奏次侄權充唐鄧軍萬户。公因以疾乞退曰：「臣無大功報國，一家處三要職。恩寵踰等，敢昧死固請。」上曰：「卿奕世忠勤，有勞於國，一門三職，何愧何嫌！」竟不允。憲宗駐六盤也，詔發民為兵，敕使擬公子為帥，公曰：「吾昆弟三人，大兄之子俱顯，仲之子未也，幸先之。」使者嘆服，竟以侄子樞充新軍萬户。初總衛鈞魚也，有邊將蒲察琚者隸焉，日有言，偃蹇不為下[一七]，公含容之。明年，渾都海平，行臺上功相府，獨琚名闕，公問焉，或以前事對，公曰：「聞平夷隴右，若功最多，其可後哉？」即命具完文以進，遂均賞賚，其忘過記功，又如此。嘗集子侄輩戒之曰：「史氏起龍幹[一八]，際風雲，德凉效薄，今身名顯赫，宗族昌熾如是，何以答乾坤大造，累朝之恩私乎？若以王事歿邊，裹馬革，歸葬吾素願也，汝等異時策名委質，盡忠所事，以圖報國。」

又曰：「惟孝與義可有立於代，汝等謹服此訓，苟違吾言，與暴吾丘墓等爾。」公年四十，始抑節讀書，酷嗜《資治通鑒》，真積力久，義精理貫，諷誦略皆上口，至成敗是非，往往立論出人意表，雖老師宿儒，有不加詳者。至矢謀廟堂，運籌戎幄，良法美意，契合融會，見諸行事者，誠無愧於古人云。八子：格，中書右丞；樟，前新軍萬户；棣，中山知府；杠，提刑按察使；杞，前衛輝路總管；梓，澧州路同知；楷，終南陽府同知；彬，御史中丞。孫男一十六人。不肖惲猥登公門者有年，及與諸子游，故聞公言行頗詳。以家傳屬筆，故勉為譔述，異時太史氏勒元勳於帝籍，贊畫像於凌煙，庶幾有所考焉。贊曰：

忠武公當草昧患難之際，憤發義勇，收合散亡，卒之芟群雄，定河朔，開國承家，光昭父兄遺業，其功烈已不世出，然一時佐命，儷景同翻者多矣，唯公歷事四朝，恩遇眷倚，始終不少衰，復能斂百戰之威，雍容廊廟，以道事君，為時賢相，高名完節，爛然獨著，福禄永終，慶流後裔，豈偶然致哉？蓋由勳德兼備，忠智兩全，君臣之間，有以感召故也！若秖以遭際期運，依乘風雲論之，是豈真知公者哉？故推其生平行己大節，為後來之法云。（以上《秋澗集》卷四八）

[一]太師木花里以王爵帥天兵：木花里，文淵閣四庫本作「穆呼哩」。　[二]不聚國之難：聚，文淵閣四庫本作「共」。　[三]追殺守帥慶山奴於陽邑：慶山奴，文淵閣四庫本作「慶善努」。　[四]監郡忙哥撒兒：忙哥撒兒，文淵閣四庫本作「蒙古薩里」。下句「奥魯」，則作「鄂囉」。　[五]公率馮程二拔都：拔都，文淵閣四庫本作「巴圖爾」。文中小字注中「拔都」同此。　[六]太子闊出壯其勇：闊出：文淵閣四庫本作「庫楚」。　[七]

方今聖上龍潛極知河南困弊：龍，原闕，據文淵閣四庫本補。極，文淵閣四庫本作「即」。［八］非大與祓濯：祓濯，原作「休濯」，據文淵閣四庫本改。［九］觀善俗：原「俗」字下闕一字，王抄校本作「美」，今從文淵閣四庫本。［一〇］左丞相阿藍㝵兒勾較諸路財賦：阿藍㝵兒，文淵閣四庫本作「阿勒格爾」。［一一］跨江列陣文德軍至截流縱擊：「跨江」下原闕七字，據文淵閣四庫本補。［一二］卿兄都元帥已有佐命殊勳：「都元帥已」四字原闕，據至治本、王抄校本補。［一三］昔木土與阿里不哥遇，命綫真為右軍：阿里不哥，文淵閣四庫本作「額埒布格」。綫真，作「沁津」。［一四］上命親王合必赤總兵討之：合必赤，文淵閣四庫本作「哈必齊」。［一五］詔公與駙馬忽剌出往經畫之：忽剌出，文淵閣四庫本作「呼喇珠」。［一六］訓勵子姪：勵，原闕，據至治本、王抄校本補，文淵閣四庫本作「教」。［一七］偃蹇不為下：下，文淵閣四庫本作「愜」。［一八］史氏起龍幹：龍幹，至治本、王抄校本作「壟畝」。

全元文卷一八二

王 惲 一六

蘇門林氏家傳

林氏其先兖州曲阜人，唐季有官閩中者，後復徙家文登，至遠祖府君翰，蓋五世矣。翰，宋初用貴贈率府，率子諱文，受知熙陵，官至崇儀副使、淮南路提點刑獄[一]，贈領軍衛將軍。生子永，終屯田員外郎、御史臺推直官，累階贈光禄卿。永生之純，字嘉父，擢景祐五年進士第，釋褐主朝城簿，河東犯横壠，頻於不支，歸兵恟恟欲亡去，公安諭，遂怗然。事集，升知莘縣，以屏盗有方，受澶州頓丘令。未幾，恩信大行。時麥黄水盛，下嚙孫陳埽岸，勢危甚。公朝服立潰堤上，望濤頭拜禱，波神為霽威，境賴以安。改佐著作。淮陽軍事判官貳徐惠勍紀著叛獄，有匿其家孥者，詿誤殊衆，公為辯理，多致原釋。郊禮覃慶，加太常博士，知大名縣。初，天王院五代時有韓王賜田甚廣，歲久失據，鄰伍以僧妄冒致訟，累寒暑不能决。公按索鄰券，考明封畔，繼得古石記，與所按脗合，以田付僧，令歲輸常賦，民乃稱服。用丞相程公薦，通判青州，終，得年四十有九，官至職方員外郎、上騎都尉，仍賜五品命服。娶呂氏，封京兆縣君，惠和宜家。之純生三子：長曰舍，字虛白，年十九，擢熙寧進士第，性恬退，以高節自信，嘗有詩云：「世有非常樂，人無未老閑。」未三十，以大理評事休官，名賢高其行，至方之淵明。初，先生西遊共城，愛其山水明秀，迺營葬青州府君於縣西處賢鄉古郭里。母夫人呂氏祔焉。自是林氏為衛之蘇門人。先生四子：曰愚，曰恕，曰怤，曰悫。愚字貢元，亦以節行稱，宋亡，至焚香告誓，不仕而歿。仲弟介，鄉貢進士。季弟會，字貫道，幼知嗜書，剛正有志操，由蔭補郊社齋郎，初主成都雙流縣簿，令久闕，攝公行縣事，有能聲，部內舊有滙，歲例役並水民苴治，貧下苦之，公乃一責資溉家理辦，仍揵石代土，衆免告勞，頻歲大稔。調宿州司理參軍。暮夜民遺火，延燒犴屋，公出繫散置庭中，比熄，倉卒際無越逸者。上官材之，移南京軍巡判。官民有戕其子、執謀害人者，按竟，公至疑焉，求情得白，遂直其枉。改新蔡令，歲大蝗，獨不入縣境，人謂公廉平所致。由韋城宰，歷奉符縣，秩滿，授通直郎，知蘇州常熟縣，兩浙頻年大水，引溉浦口湮閼，無慮三十餘所。累政謾不加省，公按行故瀆，率疏瀹之，民受賜不貲。元祐庚辰疾，終蘇之公館。配張氏，有淑德，駕部員外郎赤之女，封壽安縣君。生子男四人：聽，通直郎、西京敦宗院博士；聰、總、隱，皆業進士。自羈丱至成人，太孺陰教為居多。聽生子五人，曰巽、允、蒙、鼎、革。巽次子諱正國，字德將，登金大定十六年進士第，終少中大夫、北京鹽使。生懷遠大將軍毗陽丞，諱茂，字漢卿。懷遠二子：曰思敬，鄉貢進士；曰思德，潁州軍仗庫使，生子芳，今任江南某府從事。思敬府君之子，即故衛州交鈔規措大使，諱通，字子泉，為人豐儀脩整，顏渥丹，鼻隆然如膽垂，寡言笑，善心計，顧衛南北衝會，貨財四通，遂積殖與時逐，然坐籌能擇人而任，故物情得而掇世資。生平喜賓客，樂施予，其克勤躬儉，殆憂深思遠者。屢以其術事上官，獲精幹稱。嘗訓子珪曰：「林氏上世以詩禮傳家，代有聞人。予惟早失怙恃，生長喪亂間，以餬口計，處四民末業，致貽祖禰羞。諸孫稍長，無忘讀書，以復世範，汝念茲無置。」府君以丙辰歲終魚行里之私居，壽六十三。配宣氏，衛之大家，主治內務，寬健有母儀，燕處榮養，期頤而終，享年八十有三，人以全福歸之。子珪，以孝義著稱，能世其父業，嘗任州三務大使；次子璋，謹愿克家。珪子永，大名府平準庫使；次子元。珪奉遵先訓，俾之從學，其資藉啟迪乃心罔不盡，不數年，起家為中書掾，至元丁丑，予列職太史，元來謁拜而請曰：「元無所肖似，祈薪之責，固不克負荷，惟是先世行業，非得名筆約而暢之，將不能傳遠而人見於後，先生尚胥暨顧。」予以林世叙雖邈，其聞而知之、見而知之者，班班可紀，加以世姻之好，故勉為傳述之。贊曰：

林氏本出商姓，太丁子比干以忠諫死，嗣堅逃難長林山，易以定氏。周衰，枝葉扶疏，散處中國。如放之聞於魯，顏之顯於齊，回以義著，至以相名，皆其後也。繄南安之林，唐已來世為魯人，豈放之苗裔耶？逌唐歷宋金〔三〕，四百餘載間，奕葉以儒顯，其流風善政，表表于時者如是。逮規措府君，遭時艱虞，家世中衰，竟能渴追來孝，俾盛德幽光，墜而復續，豈君子之澤，其流淵且長乎！

〔一〕淮南路提點刑獄：點，原作「無」，據至治本、王抄校本改。文淵閣四庫本作「撫」。〔二〕逌唐歷宋金：逌，原作「道」，據至治本、王抄校本改。文淵閣四庫本作「追」。

南鄘王氏家傳

王氏皆王者之後。春秋時，王子成父者，敗敵有功，因賜氏。厥後子孫，散落中國，在晉者靈王太子後，齊則畢公高後，其在陳留者，齊王和之裔。汲郡王氏，其先陳留陽武縣七圈里人，起家壠畝，耕稼河陂間。宋靖康初，避地徙家衛汲縣長樂鄉之白楊里。遠祖金天會間，積勞至杞縣尉，高祖昆弟五人〔一〕，二翁者是為扈王氏〔二〕，初妣父扈素長者，聞高祖賢，舍而甥焉。生子男五：曰三翁、四翁、五翁、十五翁、十六翁，人見其本支蕃衍，稱扈王氏以別，因之蓋不忘本也。三翁賓，譜叙為二代祖，生二子：曰元用，曰仲英。仲英資穎異〔三〕，是為惲高祖。自田舍郎改肄士業，嘗語人曰：「終當以筆代耕。」衆異其言，及長，補郡掾，為人英特，棣棣有威儀，主治曹務，踔敕角切厲風發。明昌初，節鎮參佐例朝授，用薦者言。遷河平軍都目官，上官倚重，有黑王殿直立節度之目。尋得暴疾，卒魚行里舍，時年三十有八，人惜其年不稱德。生經、紀、紳三子。紀為決曹，紳潛德不耀。曾祖經，字伯常，天稟孝愛，垂髫已知事母，容止如成人禮，氣方嚴，内長厚，喜施與，志不樂禄仕，雍容鄉間，以德度靄一時。昆仲七人同居，内外無間言，以累葉不分，家用饒足。其賑貧施乏，不掩為偏惠。人有貸弗忍徵，久不克償，輒折其券，或來謝，就復惠濟，曰：「周急素所樂，何謝為！」一田家子要紫大絛來取所附緡[四]，縋以疇繫直弗與[五]，徐誡之曰：「農當務實，士君子帶，非汝當繫。」悉所有送其家[六]。女弟嫁陵氏，婿卞以俠犯法，公曰：「王氏世鮮女[七]，妹先君所鍾愛，若婿置於辟，婦能免累？」吏捕急，竟容匿[八]，會赦。嘗出郭門，遇里農易菜歸，公曰：「農圃吾事也，墮焉取諸市，可乎？」其人謝而去[九]。鄉黨有訟者，不之官府[一〇]，來求剖正，為諭之曰：「遠親莫若邇鄰，同居雜處[一一]，世所未免，親仁和鄰，古之善道，初無大故，何至是哉[一二]？君子愛人以德，曲直非所辯。」曰：「吾儕小人。聞公言，敢不易慮。」[一三]至相戒曰：「今而後，不可使長者復靦吾面顏[一四]。」其為一邦聽直欽服如此。王氏北渡後，可支分派別者尚十餘房[一五]，其親喪，隨所寓權厝，曾之上世，亦殯是晉村之南阜[一六]，曾慮歷年久，斧封馬鬣[一七]，漫不可識，嘆曰[一八]：「吾大宗子，合食族墓，責實在我。」遂起新阡，大葬於長樂鄉第四疃祖業之北原[一九]，及舉祀，絕者廿餘柩，贈賻率有加[二〇]。凡內外男女孤悍無藉賴者，為娶嫁之，姻禮踰己出。

曾祖妣系出新中臨清閔宋汲郡公呂氏之裔，壼儀母德，宗屬仰法焉，生與曾祖歲月日同，北兵破衛，亦同時怖没於家，春秋七十有六，實貞祐二年甲戌春正月十一日也。百年來，里中宿耆談孝愛而內有則者，必曾為稱首。生祖宇，字彥宇，身長七尺二寸，儀觀清淑，少傳家學，尤明習文法，至帖問條對，儀精理當，筆洒洒無滯辭，行輩無居其右者。甫冠，遭罹板蕩，世業為一空[二一]，奮身從事，卒不失舊物，雅為節度公完顏從坦所知遇，由郡掾辟刑曹孔目官，祖盡心庶獄，要本情與法應，未嘗用察為明，情得為喜也，故郡中稱平，至有哀矜折獄之譽。類注《刑統》、《進禄》等書。既而嘆曰：「後世知我罪我，其此言乎！」生平樂誨人，怡顏和氣，不以己長格物，雖童孺質問，諄諄然無倦色，有弗知未始不盡也。今梁衙間，由吏業而上達者，半為門生。遂以吏學授先君曰：「吾治獄平，後當有顯者，然前賢有言吏以法令為師。問而可知，其能與否，自有資才，非學而可，此汝最當默識。」弟完之子鈞，早失怙恃，鞠育與先君等，至一豆羹、一裘褐，必加顧恤。正大改元四月十六日，以末疾終新衛州横堤里之寓館，壽五十有一，官至敦武校尉。祖妣孟氏女，縣南草市榆林坊富家，姿貞順，配祖德良稱，既誕先考，以貞祐二年癸酉四月十六日，卒於郡之故家。再娶韓氏。韓宋已來世顯族，有累階至司空龍圖者。二十九處，寡以健烈聞，流寓勤苦，保持門户甚力，俾先君卓爾早達，祖妣資藉之方為多。晚嗜道家，教號妙清。大元中統庚申重九日，以疾終安仁里，享年七十有六。越三日，祔葬玄堂祖柩之左。先君諱天鐸，字振之，姿精敏，幼知嗜學，諸弟出遊嬉，獨把書不置。既通大義，先祖以律學授之，即能下筆條對，明究情法，日嶄然露頭角，衆謂能大其先業。元光初，温國胥公自秦移鎮新衛，尚書李特立聞其才，由州户曹掾，辟權行部令史，時上以御馬賜國公，圉曹取蒭粟，比内厩例，先君曰：「不可，在閑則路馬，既賜則公乘，内厩之例，容得同乎？」公聞之曰：「王掾愛人以禮。」二年，上黨公閻壁馬武京，為河朔藩扞，分羸兵四千人，假食於胙，適公儲亦無幾，方風雪寒冱，衆待哺閭井間，公府議以聞。先君進説曰：「張糾合義兵，皆河北遺黎，今饑若是，不權宜以濟，殆非從便副上官意也。」侍郎梁亨道為肯首，然當若何？曰：「今官義兩軍、温飽有日，若以月給權輟半，以應彼急，河南漕粟，計不時亦至，如此則客主兩不失所。」行臺可其請，孱兵賴以安活，自是大為省參康瑭、郎中盧芝瑭字良輔，芝字廷瑞[二二]，二人號精吏事[二三]。所賞識，曰：「會見驥足騰驤，一日千里也。」正大四年，用元帥完顏公公諱訛可得賊，以火燎之[二四]，號火燎。薦拔所能，試京師，擢吏員甲首，時年二十有六。方軍國多故，財賦一仰都運司經度，寔擇才掾集事，即選充運司掾長。先君夙夜在公，游刃餘裕。都漕李公芳、字執剛，承安二年進士，號精政務。同漕移剌吴和，深加器重。吴和諱嗣字景先，亦能官[二五]。入作司藏吏以計盜官物，使高世英受贓，初不知從來，事覺，吏逃失所在，及科罪，從事師肅執以監主為罪首，抵世英死。先君争之不下，至詣憲部詰辯曰：「原世英情本非同謀，第行盜後受賕耳，據法議罪，與元謀共犯不同，高止合坐贓論，且法者固當公共。師舍焉以即汝心，是置法為虚器。」上官韙之，高竟減死論。後懷金來謁，先君怒斥去，曰：「毋污墨我，所争者法，非汝私也。」豐衍庫使劉濬字德源，愛民榜進士，先君嘗從問學，以卒初業。以沿代不審，陷名紙三十萬，用是追解，先君為申理，復官如初。五年補睦視府掾屬，皇兄荆王判府事，愛其德度，深加禮遇。明年秋，皇太后崩。制祖免親奔訃[二六]，有遠邇之限，違者從府科罪，時有後期者，先君請曰：「南渡來，宗室播弱，宜從寬宥。」王然之，以為知體。園陵禮畢，卒無有被劾者。六年，轉補户部令吏，時簿書財賦，委積音漬紛至，先君精力過人，故務愈繁志愈明，氣愈厲事愈祥，不煩書佐，裁决如流，於是風動臺省，有快吏元康之譽。開興初，用入粟例，補滿，授户部主事。壬辰，天興東狩，崔黨往往入宫禁，竊取金貝，或堅約同往，以孫辭免，乃切嘆曰：「端門不忍過，其忍聞此？」京城下，將士争入俘掠，尋有令禁止，先君偕同志者，突冒兵威，褫救百餘口於南薰門下。乙未歲，北還淇上。尋朝廷命斷事官耶律買奴公括諸道户口，柄用顓决，得人為急，用薦者署行臺從事。户制以籍為定[二七]，互占它縣以死論。有潞民馬醫常氏，避役匿河内王帥家。事露，公抵常以死[二八]，意在籍没州將，且用聳動鄰道。先君辯之曰：「常罪止於逋，論死則非制書本意。」公怒曰：「脱有誤，並汝坐之。」反復辯明，常竟獲免。又王鳳翔者，告崔帥立弟益侃匿金國珍寶，適萬户喊失納國夫人受誅[二九]，公抵益等以喊失罪罪之，先君曰：「初謀匿者崔立[三〇]，今已死，況罪不相及，國有常憲。」公遂平反其事[三一]，益等至有圖像奉報之語。明年秋，耶律公薨，自雲中南歸[三二]，或勸為州縣，曰：「一丘之木，安足棲集？」遂書《歸去來辭》於齋壁以見意[三三]，因號思淵老人。日以經史自娛[三四]，尤耆《春秋左氏傳》、《西漢書》，晚年一洗心於《易》，嘗質問於華陰王先生[三五]，名元禮，天意進士第，號玉華子。曰：「子學有素，吾試先汝問[三六]，自昔治少亂多，君子寡，小人衆，何也？」先君曰：「豈非天一而地二[三七]，乾陽方始，而陰已為之倍歟！」玉華曰[三八]：「子得之矣。」集歷代諸儒《易》説為一書，題曰《王氏易纂》[三九]。遇朔例一占，玩辭明變，其應如響。下至天文、陰陽、皇極等學[四〇]，皆通習之，聞一異書，輒自手録，多積至千餘卷[四一]。友人劉冲曰：「何矻矻如是？」曰：「吾老矣，為子孫計耳[四二]。」歲戊戌，詔試儒士，時恩制寬，或以乃嗣長可從師往試[四三]，先君曰：「吾思以義方為訓，若以幸竊非常恩，非所敢聞[四四]。」嘗誡惲、忱曰：「吾已錯，斷不容再，寒殍死，無吏習[四五]，能一志於道，以儒素起家，吾歿則瞑目矣。然學貴專精，汝不見鑑瑩則乃能別物，學苟不精，如治鑑不明，將安用為？不學《易》，昧涉世之道，不讀《麟經》，無以見筆削之正，吾平昔行己，得乎此而已。」丁巳秋八月，以疾終牖下。先君資剛明簡重，善持論，慮患深，雅以大用自期。人亦以此與之。握瑜懷瑾，群而不矜，事莫可措手者，率優為之，不聲色少動。故官守游宦，莫不尊德樂道，問政質疑，取決而去。事已率如教。至吏筆縱横，緣以儒術，乃餘事耳。又善尺牘，作真行書，勁韻有風格。與人交，以取容阿匼為耻。居家寡言笑，以身為律度，人望而畏，若一官府然，外事緩急，不一言及家人。非疾卧，未嘗見日而作。三十年兩易裘褐。年四十六，既奪先妣，或勸再娶，曰：「其如不可何？老者繼室，又先余死，是轉余於恤；少者後予，是吾遺累於後。」竟不娶。初試京師時，宿院，夜夢人奉一首加冑曰：「持此若名也。」及榜出，擢甲首云。歲丙辰秋，惲亦夢人馳報曰：「汝父領朝拜且至。」趣出顧，見先君朝服席帽，乘而秉簡，一卒跳梁馬首唱云：「翠微君節度使。」後三日，先君遘疾，乃以所夢上白，曰：「翠微者，太虚之氣。夫精氣為物，遊魂為變，死生者晝夜之道，吾固安之，復何憂？」粤明年捐館，吁！亦異哉！先妣靳氏，相州永和鎮人，進士子玄之孫，安陽丞顯思之女。性淑善，於婦道良謹。生二子：曰惲，曰忱。孫振，孫宜，孫重，孫鞬郎。贊曰：

謹按家譜，惲六代祖昆弟五人，五代祖行一十三，高祖行一十五，曾祖行一十九，王父行一十四，禰伯叔行六人，由是而觀，金百年間，本支不為微眇，然自喪亂來，或四三世五六世而已者，凡二十有四房，哀哉！唯扈王氏暨相之醫博房，歷八世而傳祀，是豈偶然者哉？惲觀西漢名臣，往往決曹獄史，致位槐棘，雖云明習文法，練達故實，至論身名烜赫，亂裔延昌，必曰陰積所至。王氏自河平府君而下，累葉以刀筆承家，職司城旦，逮先考而業有光，子孫迄綿綿于今，視履考祥，其亦有足致然者邪！

[一]高祖昆弟五人：昆，原作「見」，據至治本、王抄校本改。　[二]二翁者是為扈王氏：者，原闕，據文淵閣四庫本補。　[三]曰仲英，仲英資穎異：「曰仲英，仲英」，原闕，據文淵閣四庫本補。　[四]一田家子要紫大條來取所附紵：紵，原闕，據文淵閣四庫本補。要紫大條，王抄校本作「腰繫大條」。　[五]縋以醻緊亙弗與：縋以醻緊亙弗，原闕，據文淵閣四庫本補。此句王抄校本作「曾取錢如數以與」。　[六]非汝當緊悉所有送其家：汝當緊悉所有，原闕，據文淵閣四庫本補。全句王抄校本作「非汝所宜，即令解送其家」。　[七]婿卞以俠犯法公曰王氏世鮮女：法公曰王氏鮮，原闕，據文淵閣四庫本補。全句王抄校本作「婿卞以俠犯法，曾曰王氏禮門女。」　[八]婦能免累吏捕急竟容匿：能免累吏捕急竟，原闕，據文淵閣四庫本補。全句王抄校本作「婦能免累乎？乃謀令容匿」。　[九]遇里農易菜歸公曰農圃吾事也喳焉取諸市可乎其人謝而去：菜歸農圃吾事，原闕，據文淵閣四庫本補。此處王抄校本作「遇里農易菜歸，曾曰老不堪獨任也，取諸市不易，分攜之，農謝而去。」　[一〇]鄉黨有訟者不之官府：鄉、有訟者不之，原闕，據文淵閣四庫本、王抄校本補。　[一一]遠親莫若邇鄰同居雜處：若邇鄰同居雜處，原闕，據文淵閣四庫本、王抄校本補。唯「雜處」，王抄校本作「詬誶」。　[一二]初無大故何至是哉：大故何至是哉，原闕，據文淵閣四庫本、王抄校本補。唯「是哉」、王抄校本作「如是」。　[一三]聞公言敢不易慮：聞公言敢，原闕，據文淵閣四庫本補。王抄校本作「聞公誠當」。　[一四]不可使長者復覿吾面顏：復覿吾面顏，原闕，據文淵閣四庫本補。王抄校本作「復為吾輩愧」。　[一五]王氏北渡後可支分派別者尚十餘房：渡後可支分派別，原闕，據文淵閣四庫本、王抄校本補。　[一六]曾之上世亦殯是晉村之南阜：上世亦殯是，原闕，據文淵閣四庫本補。亦殯是，王抄校本作「故多葬」。　[一七]斧封馬鬣：斧，文淵閣四庫本作「命」。　[一八]漫不可識嘆曰：識嘆，原闕，據文淵閣四庫本補。王抄校本作「昭穆」。　[一九]遂起新阡：阡，原作「任」，據文淵閣四庫本改。　[二〇]贈賻率有加：賻，原

闕，據文淵閣四庫本補。王抄校本作「璲」。　［二一］世業為一空：世，原闕，據明修補本、文淵閣四庫本、王抄校本補。　［二二］芝字廷瑞：廷，文淵閣四庫本作「建」。　［二三］二人号精吏事：精，原作「情」，據至治本、明修本、王抄校本改。文淵閣四庫本作「載」。　［二四］公諱訛可得賊以火燎之：文淵閣四庫本作「名額爾克得賊字火爆之」。　［二五］吴和諱嗣字景先亦能官：諱嗣，原作「中公」，能官，原作「禁官」，均據至治本、明修本、王抄校本改。吴和諱嗣，文淵閣四庫本作「鄂和爾公」。能官，文淵閣四庫本作「藥官」。　［二六］制祖免親奔訃：訃，原作「仆」，據文淵閣四庫本改。　［二七］户制以籍為定：户，原闕，據文淵閣四庫本補。　［二八］公抵常以死：公，原闕，據至治本、明修本、文淵閣四庫本、王抄校本補。　［二九］適萬户喊失納國夫人受誅：夫，原闕，據王抄校本補。　［三〇］初謀匿者崔立：匿者，原闕，據至治本、明修本、王抄校本補。文淵閣四庫本作「竊者」。　［三一］公遂平反其事：其事，原闕，據明修本、王抄校本補。文淵閣四庫本作「為出」。　［三二］自雲中南歸：自雲中，原闕，據王抄校本補。　［三三］遂書歸去來辭於齋壁以見意：遂書歸去，原闕，據王抄校本補。　［三四］日以經史自娱：全句原闕，據文淵閣四庫本、王抄校本補。　［三五］晚年一洗心於易嘗質問於華陰王先生：「易嘗質問」四字原闕，據文淵閣四庫本、王抄校本補。　［三六］子學有素吾試先汝問：「有素吾試先」五字原闕，據文淵閣四庫本、王抄校本補。　［三七］先君曰豈非天一而地二：「先君曰豈」四字原闕，據文淵閣四庫本、王抄校本補。　［三八］而陰己為之倍歟玉華曰：「歟玉華曰」四字原闕，據文淵閣四庫本、王抄校本補。　［三九］題曰王氏易纂：王氏易纂，原闕，據文淵閣四庫本、王抄校本補。　［四〇］下至天文陰陽皇極等學：「文陰陽皇」四字原闕，據文淵閣四庫本、王抄校本補。　［四一］多積至千餘卷：「積至千餘」四字原闕，據文淵閣四庫本、王抄校本補。　［四二］為子孫計耳：子孫計耳，原闕，據文淵閣四庫本、王抄校本補。　［四三］可從師往試：「從師往」三字原闕，據文淵閣四庫本、王抄校本補。

四］若以幸竊非常恩非所敢聞：「恩非所」三字原闕，據文淵閣四庫本、王抄校本補。　［四五］無吏習：吏習，原闕，據文淵閣四庫本、王抄校本補。

烈婦胡氏傳

劉平妻胡氏，濱州渤海縣秦臺鄉田家子。至元庚午［一］，平挈胡洎二子南戍棗陽。垂至，宿沙河岸，次夜參半［二］，有虎虓然突來，啀平左臑，曳之而去。胡即抽裝刀前追，可十許步及之，徑刺虎，劃腸而出，斃焉。趣呼夫，猶生，曰：「可忍死去此，若他虎復來，奈何？」委裝車，遂扶平携幼［三］，涉水而西。黎明及季陽堡，訴於戍長趙侯，為救藥之，軍中聚觀，哀平之不幸，咤胡之勇烈也。信宿，平以傷死。趙移其事上聞，得復役終身。嘻！胡柔懦者也，非不懼獸之殘酷，正以援夫之氣激於衷，而知有夫，不知有於菟也［四］。平雖死，其志烈言言［五］，方之太山號婦［六］，何壯毅哉！贊曰：

桓桓壯夫！鷙勇而夬，事出倉猝，變色蜂蠆。烈烈胡氏！憤物為害，義激柔衷，氣薄於外。視虎如鼠，所天為大，平雖啀死，婦節則邁。媛折熊衝，蘊刃賊輩，彤管流徽，清芬並代。

［一］至元庚午：庚午，原闕，據王抄校本補。　［二］次夜參半：參半，原闕，據王抄校本補。　［三］遂扶平携幼：平，明修本、王抄校本作「傷」。　［四］而知有夫不知有於菟也：此句在宣統年刊《涵芬樓古今文鈔》和民國刊《對樹書屋叢刻·草莽私乘》所收該文中均作「知有夫而不知有虎也」。　［五］其志烈言言：言言，文

淵閣四庫本作「甚矣」。

[六]方之太山號婦：號婦，清宣統刊本《涵芬樓古今文鈔》所收該文作「虢婦」。

員先生傳

員炎，字善卿，同州人。性落魄，嗜酒，業詩，有能聲，不事生產。大元己亥歲[一]，故人楊紫陽主漕洛師，愍其窶，用監嵩州酒。時兵後，邑居榛荒，日與鹿豕伍，非所樂也。已而隨所徵上謁，楊方據案坐堂上，吏鳧雁行立。員挂布囊腋下，杖巨挺直前曰：「楊使君不相知，置我於此，幾為老羆所噬，此汝酟鏂，持取，吾不能為汝再辱。」遂揖而去。其疏誕如此。自是長遊河朔，以詩鳴諸公間。其《洛陽懷古・分韻得髮字》云：「東雒打空城，北邙連廢闕，懷古動悲吟，遠客生華髮。」《隆德宫》云：「林花細妥胭脂色，水荇輕淤翡翠泥，歌舞留連嫌晝短，樓臺縹緲覺天低。」《讌集東平湖亭》：「北海樽前人似玉，東原城下水如天，滿眼荷華三百頃，採蓮人語隔秋煙。」《高唐道中》：「影孤海内干戈滿，愁入天涯草樹低，桑柘影空蠶已老，陂塘涸盡燕無泥。」《濟南金線》：「宿雨乍收雲葉斷，猶疑電影掣湖心。」《扇尾羊》云：「馮翊春草香芊綿，柔毛食飽飲苦泉。卧沙稀肋瓊筋細，帶霜小耳春繭圓。扇尾一方移種類，風頭萬里摇腥羶。吾生本無食肉相，不煩浼手愁烹煎。」《馬酮》云：「謾説千杯不醉人，清光壓倒洞庭春。携行何用紫絲絡，渴飲不煩烏角巾。摇動革囊成醞釀，封藏花盎作逡巡。坐中一混華夷俗，或有豪吞似伯倫。」予時能憶者止此。西歸過衛，先君館焉，褐衣麻屨，酒近酣，巨挺横膝上，掉頭吟諷歌謡，慷慨之氣，軒軼四座。素不能騎乘，人强之[二]，輒色變墮地，或以詩戲云：「靴有鐙青雖可愛，面無人色貭堪憐。」嘗懷金一餅，曰：「鎮心不可以闕此。」後用以易妾，繼為人竊去。家居壁四立，餘詩槖酒瓢而已。卒年六十七[三]。復有撖夆，字彦舉，亦陝人，面黯慘，目光迷離，殆鬼物憑者[四]。少為里嗇夫，初不解文字，一日忽能作詩，吐奇怪語，皆古人所未經道，雖苦無義意，其豪侈詭異，時輩屬和[五]，終不能及。中元冬，見予於燕市酒樓，殊寒素[六]，浮大白數行，徑出步壚間，嚶嚶然吻作露蚓聲，欻躍來扼余腕[七]，忻甚，曰：「吾有以贈子。」其詩有「氣凌太華五千仞，詩繞國風三百篇」之句，醺酣中惜不全憶也。嘗謁得楮幣若干，醉過里井，即投其中，曰：「為爾俾予，區區若此，奚用為？」其狂易如是。後客死保塞，殯西南門外路北若干步，揭曰：詩人撖厶墓。詩三卷，號《函谷道人集》，好事者刊行于世。（以上《秋澗集》卷四九）

[一]大元己亥歲：己，文淵閣四庫本作「乙」。　[二]素不能騎乘人强之：乘，文淵閣四庫本作「衆」，斷入下句。　[三]卒年六十七：「卒年六」三字原闕，據王抄校本補。　[四]目光迷離殆鬼物憑者：「迷離殆」三字原闕，據王抄校本補。　[五]其豪侈詭異時輩屬和：「詭异時」三字原闕，據王抄校本補。文淵閣四庫本作「之況儕」。　[六]殊寒素：原闕，據王抄校本補。　[七]嚶嚶然吻作露蚓聲欻躍來扼余腕：「聲欻躍」三字原闕，據王抄校本補。

金故忠顯校尉尚書户部主事先考府君墓誌銘[一]

先府君諱天鐸，字振之，族王氏。其先陳留郡陽武縣七圈里農家，避靖康亂，徙居衛汲縣長樂鄉。遠祖有積勞官杞縣尉者。曾祖府君諱仲英，特有威望，終河平軍節度府都目官。祖諱經[二]，不仕天性孝愛，鄉黨化其德。顯考府君諱宇，衛州刑曹孔目官，精文法，表表為吏學師，官至敦武校尉。先君少聰敏嗜學，不為羣兒嬉，讀書通大義，先祖授以律學，即能下筆論斷，推原情法，閭閻如老成人，衆謂父良為教，子能世其家矣。正大初，自州户曹辟權行部令史。時哀宗以御馬賜行省英公，圉曹取蒭粟，欲内厩例同，先君曰：「在閑則路馬，既賜則公乘，内駟之例，非所敢知。」公聞之喜曰：「王掾愛人以德矣。」上黨公閫壁馬武京，為河朔聲援，以饋餉不繼，間羸卒四千，假食於胙，適公儲亦無幾，部議以省聞，方風雪寒冱，衆待哺閭井間。先君進説曰：「公府糾合兵力，皆河北遺黎，今饑若是，不權宜以濟，殆非從便副上官意也。」侍郎粱亨道為肯首，然當若何？曰：「今官義兩軍，温飫有素，若以月給權輟半，以應彼急，河南漕粟，計不時至，如此則客主兩不失所。」可其請，孱戍賴以安活。自是為省參康瑭、郎中盧芝所器識，曰：「會見駿足騰驤，一日千里也。」正大四年，用元帥完顔公薦拔所能，試京師，擢吏員甲首，時年廿有六。方軍國多故，經費一仰大農調度，即選充運司案長。時李乾州芳、承安二年進士，字執剛。移刺吴和領漕計，號精吏務。先君夙夜盡公，審會明當，一一公稱其能。入作司吏以計盗官物[三]，使高世英受贓，初不知所從來，事覺，吏逃失所在[四]，及科罪，從事師肅執監主為首，抵世英死。先君爭之不下，至詣憲部詰辯曰：「原世英情本非同謀，第行盗後受賕耳，據法議罪，與元謀共犯不同，高止合坐贓論，且法者固當公共，師舍焉以即汝心，是置法為虚器。」上官韙之，高竟減死論。後懷金來謁，先君怒斥去，曰：「毋污墨，我所爭者法，非私汝也。」東豐衍使進士劉濬以沿代不審，陷良紙三十萬，是用追解，先君為伸理，復官如初。五年，補睦親府掾屬，皇兄荆王判府事，愛其德度，深加禮遇。明年秋，皇太后崩，制袒免親奔仆，有遠邇限，違者從府科罪。時有後期者，先君請曰：「南渡來，宗室播弱，宜從寬宥。」王然之，以為知體。園陵禮畢，卒無有被劾者。六年，轉補户部令史，時簿書財賦，委積音漬紛至，先君精力過人，故務愈繁志愈明，氣愈厲事愈詳，不煩書佐，裁決如流，於是風動臺省，有快吏元康之譽。開興初，用人粟補滿，授户部主事。壬辰，天興東狩，京城下，將士爭入俘掠，尋有令約束。先君偕同志者突冒兵威，虓救百餘口於南薰門下。既而北還鄉里。乙未歲，朝廷遣斷事官耶律公括諸道户口，柄用顓决，得人為急。前省掾李禎已佐幕府，薦先君於公曰：「王某，予弗如也。」遂署行臺從事。户制以籍為定，互占他縣者以死論。有潞民馬醫常氏[五]，避役匿河内王帥家，帥名資榮。事露，公抵常以死，意在籍没州將，用聳動鄰道。先君辯之曰：「常罪止於逋，論死非制書本意」。公怒曰：「脱有誤，並汝坐之。」反復辯明，常竟獲免。明年秋，買奴公薨雲中，南歸。讀書養晦，以厚所待。或勸治生，曰：「非予初心也！」勸仕州郡，曰：「一丘之木，安足棲集？」日以經史自娱，尤嗜《春秋左氏傳》、《西漢書》，其天文、術數等學，皆通習之。年既加，一洗心於《易》，嘗質問於玉華子，先生名元禮，華陰人，從衆進士。大有所得。一日，先生發問曰：「自昔治少亂多，君子寡，小人衆[六]，何也？」先君曰：「豈非天一而地二，乾陽方始，而陰已為之倍歟？」玉華子曰：「子得之矣。」集歷代《易》説為一書，題曰《王氏纂玄》，且見吾遯世無悶也。歲戊戌，詔試儒士，時恩制寬，或以迺嗣長可從師取應，先生曰：「以幸為利[七]，非敢聞命。」嘗庭訓惲、忱曰：「吾已錯，斷不容再，寒殍死[八]，無掾習，能儒素起家，其榮多矣！然學貴顓精，汝不見鑑瑩則乃能別物[九]，學苟不精，如治鑑不明，將安用為[一〇]？不學《易》，昧涉世之道，不讀《麟經》，無以見筆削之正[一一]，吾平昔行已，得乎此而已。」年四十六，既奪先妣，或勸之娶，曰：「其如不可何？老者繼室，又先余死，是轉余於恤，少者後予，是吾遺累于後。」竟不復娶。晚節號思淵老人[一二]。邦君游宦，咸尊德樂道，問政質疑，無巨細事[一三]，已率如教。丙辰春，平章趙公璧以書來聘，時已疾，不克往[一四]。明年丁巳秋八月十有八日，考終牖下，享年五十有六[一五]，官至忠顯校尉。夫人靳氏，相州永和人，進士子玄之孫[一六]、安陽丞顯思之次女，貞靜淑善，光備婦道[一七]。生二子：惲、忱。先卒，用戊午春三月，葬汲縣親仁鄉之新阡[一八]，先妣祔焉。先君資剛明簡密，議論長，慮患深，雅以大用自期[一九]，人亦以此與之。握瑜懷瑾，群而不矜，其當官宰務[二〇]，人莫能措手者，率優為之，不聲色少動。外事緩急，不一言及家人。至於吏筆縱横，緣以儒術，乃其末耳。又善尺一，簡而盡，書勁韻有風格，作楷字日滿萬。聞一異書，佔畢如不及，多積至千餘卷。友人劉冲見之曰：「何自苦如是？」先君曰：「素無長物，非此何以遺子孫？」其遠大如此。所交皆一時名士，以取容阿匼為恥。生平非疾病，未嘗見日而作。三十寒暑，兩易裘褐。居家寡言笑，以身為律度，人望而畏愛，若一官府然。嗚呼！先君以刀筆起身，垂聲當世，於先業為光大，惟其秉彝粹懿，思欲充其所未至，進進焉不容自已，絶不齒故習。一肆於學，根極群經，務明大本，復旁通天人之術，以濟厥用，其修己應時、開物成務之志，是可涯際邪！然時與命捩，壽止於斯，不獲卓犖大見於世，今惲等聆風樹而含悽[二一]，履霜露而興感，抱昊穹明極之氣也[二二]，愾想平生，鏤兹壙石，庶幾慰安神靈，永閟窀窆之藏。銘曰：

緊扈王氏世業農[二三]，高曾而不掾習同，大風泱泱動南鄘。於爍先子德所鍾[二四]，一日奮起蛇化龍，樹立先業何光融！獄唯平反匪厥躬，要以明恕剛而中，廷平釋之唐有功，漢二千石世業公[二五]，剖裁錯節輸神鋒，庶幾凛凛德讓風！虞淵日入不可瞳[二六]，布衣歸來默而容。春秋大易羅心胸，跡蟠於泥氣則虹。冀北一顧凡馬空，道雖人弘繫其逢。維弗卒施為世恫，兒能讀書亢吾宗。白首孰計達與通？閉門蔬水甘長終。翠微之居窈以重，一債不起胡遘凶[二七]。悠悠大鈞問無從，太行西峙泉流東。九原盤盤佳氣葱，魂兮歸安此新宫。

[一]此文與本書《南鄘王氏家傳》一文内容雷同，可互相參照。　[二]祖諱經：諱，原作「經」，據文淵閣四庫本改。不仕，文淵閣四庫本作「未仕」。　[三]入作司吏以計盗官物：入，原作「八」，據文淵閣四庫本改。
[四]吏逃失所在：逃，原作「跳」，據文淵閣四庫本改。　[五]有潞民馬醫常氏：潞，原作「愛」，據至治本、明修補本、文淵閣四庫本、王抄校本改。　[六]君子寡小人衆：寡小，原闕，據文淵閣四庫本、王抄校本補。

[七]以幸為利：幸，原闕，據明修補本、王抄校本補。　[八]斷不容再寒殍死：再寒，原闕，據明修補本、文淵閣四庫本、王抄校本補。　[九]然學貴顓精汝不見鑑瑩則能別物：顓精汝，原闕，據文淵閣四庫本、王抄校本補。　[一〇]如治鑑不明將安用為：明將安，原闕，據文淵閣四庫本、王抄校本補。　[一一]無以見筆削之正：筆削之，原闕，據文淵閣四庫本、王抄校本補。　[一二]晚節號思淵老人：晚節號思，原闕，據文淵閣四庫本、王抄校本補。　[一三]無巨細事：巨細事，原闕，據文淵閣四庫本、王抄校本補。　[一四]時已疾不克往：疾不，原闕，據文淵閣四庫本、王抄校本補。　[一五]享年五十有六：五，原闕，據明修補本、王抄校本補。　[一六]進士子玄之孫：士，原闕，據明修本、文淵閣四庫本、王抄校本補。　[一七]光備婦道：道，原闕，據明修本、文淵閣四庫本、王抄校本補。　[一八]葬汲縣親仁鄉之新阡：之，原闕，據明修補本、文淵閣四庫本、王抄校本補。阡，原作「任」，據文淵閣四庫本改。　[一九]雅以大用自期：雅，原闕，據明修補本、文淵閣四庫本、王抄校本補。　[二〇]其當官宰務：其，原闕，據明修補本、文淵閣四庫本、王抄校本補。　[二一]不獲卓犖大見於世今惲等聆風樹而含悽：世今惲，原闕，據文淵閣四庫本、王抄校本補。　[二二]抱昊穹明極之氣也：極，原闕，據明修補本補。全句，文淵閣四庫本作「抱昊天明發之悲也」，至治本、王抄校本作「抱昊穹罔極之痛也」。　[二三]繄扈王氏世業農：農，原闕，據文淵閣四庫本、王抄校本補。　[二四]於爍先子德所鍾：所鍾，原闕，據至治本、文淵閣四庫本、王抄校本補。　[二五]漢二千石世業公：業，至治本、王抄校本作「望」。　[二六]虞淵日入不可瞳：虞，原作「盧」，據文淵閣四庫本改。　[二七]一僨不起胡遘凶：遘，原闕，據至治本、王抄校本補。文淵閣四庫本作「閔」。

先妣夫人靳氏墓誌銘[一]

先妣縣君姓靳氏，相州安陽永和鎮人。永和自唐歷宋為名縣，鴻儒鉅族，代櫛比出，靳氏其一也。家故饒財，世以孝義著聞鄉里。祖諱師楊，字子玄，舉進士，有賦聲場屋間[二]。後以恩賜第，授彰德府教官。金百年來[三]，鄴下論人文之選者，殿元為稱首。父諱嗣慶，昆仲六人[四]。外祖其季也。為人儀觀秀偉，髯滿頷，倜儻尚氣義[五]，喜鞍馬，鞲鷹紲犬[六]，游獵横漳間，有河朔故家豪習。嘗官安陽丞，生二女，先妣其次也。姨母適李氏，今為尼，居鄉里，有一子。既醮王氏[七]，先祖時已殁。祖母韓，性貞明，持門户益嚴，先妣孝養恭順，故閨門内事僅絲髮比，不敢專，須請之後行，祖母以是賢之。非大故未嘗踰外閾。姻黨有以合二姓會諸親者，先妣與焉，里中諸媪，至顧而不知為誰。平居課兒輩讀書，傍治絲枲，須夜分乃休，樂聞古人母儀女誡，及善惡興衰等事，怡然有得，至寤寐思服。旦起，愛晴陰問，或旱則清澡，溢則霃陰，輒愀然不懌曰：「歲功一失，憂有大於此乎[八]？」不然，喜津津見顔間[九]。先妣性温純慈祥，居家婉婉多容儀[一〇]，無啞啞言笑，為人物不忍少傷[一一]，内外諸親，均撫以厚[一二]，平生不能易一錢物[一三]，心慊慊惟恐我之負人也。世方以服飾相高，珠羽耀閭閻間[一四]，甚者託燕游以私謁為事，先妣聞而耻之[一五]。朝夕志女功，主中饋，被服在躬，承祀孔時。嘗以事當出，乃歸而不自安者移時。其幽閑貞順之德，蓋可知已。歲戊申夏六月，竟以憂勤致疾。越明年己酉秋七月廿有九日，化于私居之適寢，壽四十有五。先君識明達，既失内助，斷不復娶。祖母惓于勤[一六]，稍以内事傳新婦推氏[一七]，每取先妣婦道是訓。因追悼曰：汝如醮王氏二十有五年，有子有孫，未嘗以主母自居，失為婦禮，勤己至矣，不獲少慰劬勞，而止於斯，可勝痛哉！嗚呼，天道悠悠，報施善人，果可必而恃邪！故臨終哭之慟[一八]。呼嗚哀哉！天妥惲可罪而至此極耶？追念祖母疇昔之言，隱然恫於心，故茹哀銜恤，於兹八年，用是伸荼毒[一九]，慰下泉，發幽光而圖不朽，宜銘德莫若哀號，泣涕以畢其辭。銘曰：

坤柔之德婉以從，健而幹蠱匪婦功。伯姬之卒謚以共，淑慎先妣柔所鍾[二〇]。主夫中饋成肅雝，春秋承祀被憧憧。善人獲報天乃公，嗚呼福壽不一逢。歸咎無處恫厥躬，褊衬無憾哀送終。萬家之原偃斧封，泉流可竭恨不窮！

[一]原題《先妣夫人靳氏墓》，「誌銘」，據至治諸本補。　[二]有賦聲場屋間：有，原闕，據王抄校本補。全句文淵閣四庫本作「詩賦聲動場屋間」。　[三]金百年來：年來，原闕，據王抄校本補。　[四]父諱嗣慶昆仲六人：此八字原闕，據王抄校本補。　[五]髯滿頷倜儻尚氣義：「頷倜儻尚氣義」原闕，據王抄校本補。　[六]喜鞍馬韝鷹紲犬：「鞍」、「韝」，原闕，據王抄校本補。鷹紲，原作「滿經」，據王抄校本改。　[七]既醮王氏：醮，原闕，據王抄校本補。文淵閣四庫本作「歸」。　[八]憂有大於此乎：此乎，原闕，據王抄校本補。　[九]喜津津見顔間：間，原闕，據王抄校本補。文淵閣四庫本作「色」。　[一〇]居家婉婉多容儀：婉婉多，原闕，據王抄校本補。　[一一]為人物不忍少傷：為，原闕，據王抄校本補。　[一二]内外諸親均撫以厚：

「諸覫均撫」原闕，據王抄校本補。　[一三]平生不能易一錢物：一錢，原闕，據王抄校本補。　[一四]珠羽耀閃閃：珠，原闕，據王抄校本補。　[一五]先妣閫而耻之：耻，原闕，據王抄校本補。　[一六]祖母惓于勤：于，原闕，據王抄校本補。　[一七]稍以内事傳新婦推氏：傳，至治本作「付」。推，文淵閣四庫本作「崔」。　[一八]故臨終哭之慟：哭之慟，原闕，據王抄校本補。　[一九]用是仲荼毒：用，原闕，據王抄校本補。　[二〇]淑慎先妣柔所鍾：慎，原闕，據文淵閣四庫本補。王抄校本作「女」。

故權左司都事趙君墓誌銘

君諱謙，字和之，世為蓋州人。中統元祀，用薦者言，以材幹補行臺左三房提控令史。二年春，考政上都，與予同游居者數月，用是情好日洽。夏六月，闔臺南還，君為中省苛留，乃以都司擬之，作駐冬計[一]，君怫然不樂，求亟去甚鋭，事業已不許，信宿，疽發於腦户，呻吟無聊，殆不能堪，醫庸藥妄，一刺而肆裂。越三日，予與楊易州恕謀曰：「常山瘍醫麻澤民，今之俞跗也，適召至，若禱於院使王君儀之，可一來救藥。」凡三往，得請，踵及門，中使趣去之，自是内侍不出者幾浹旬。後五日，夜聞君聲漸嘶，執燭起視，向壁卧，頭岑岑不舉矣。比明，氣惡達户外，傔從止一老傖，戇且愚，瞪不知若何，訪求知故無一人。予惻然感傷，冒臭惡，易衣衾，視其疾緩急，困則對榻衣寢，自疾亟迄蓋棺，凡五旦夜。得年五十有七，實中統二年七月廿有五日也。嗚呼哀哉！以義以友，喪無歸，責寔在我。既斂，詣堂中請曰：「吏趙謙，以官守客死，禮以公給喪。」郎中賈君仲明憐之，官為賻緡錢千，躬為護喪大都城東門郊外[一]，適表親徐貞者至，付之，俾轄載歸燕。君短小精幹，審於吏計，蚤歲從事課府，以廉介稱，杯酒間言笑啞啞，殊不知為肅慎氏之族也。术甲稱者聲近趙家，故以趙定氏云。銘曰：

志樂而奚庸，氣信而弗窮，曾不知安於命而為通也。心與事捩，卒與禍逢，奈何乎趙公！

[一]作駐冬計：冬，原作「久」，據至治本、明修補本、文淵閣四庫本、王抄校本改。　[二]躬為護喪大都城東門郊外：大都，文淵閣四庫本作「出郡」。

故南塘處士宋公墓誌銘　并序

南唐處士宋公捐館之九年，當强圉赤奮若歲千插亥[一]，夫人魏氏奄棄榮養，仲子繼祖等，託參卿趙君禹卿[二]，致其命來請曰：「先人墓壙，未克埋銘，今將啟幽堂[三]，祔安妣喪于柩之左，窆有日，幸吾子速銘，以光此大事[四]。」某追惟雒尹平生之言，重以禹卿孔懷之義，勉為次序之[五]。公諱珍，字子玉，姿秀偉，有德度，早能詩，華藻玄[六]，深造理窟，散髮揮麈，瀟灑有出塵想。故中書令耶律公一見[七]，偉其貌，奇其才，至贈詩稱與，有「柱石中原」之目，遂薦為朝廷侍從官。既而嘆曰：「吾志在長林豐草、清泉白石，金馬玉堂，非所樂也。」乃辭去。中令復授以資使職[八]，亦不就。歲甲辰，自雲中徙家燕都，得金溝水南形勝地十餘畝，疏沼種樹，中構堂曰「麗澤」，碧瀾秀樾，景氣二勝。日以琴書自娱，教子孫為業，野服高閑，漠然以世務不攖其懷[九]。然性喜賓客，樂觴詠，所交皆一時俊人，如王慎獨之愷悌，張鄰野之諧傲，藴藉如楊西庵，才鑒若姚雪齋，王鹿庵之品潔一世，商左山之凝重朝右。每光風霽月，過其居者，燕樂衎衎，必極歡而後去。太史公云「視友知人」，公之行己概可見矣。夫人魏氏，有賢淑行，輔承内治，能遂公初心。四子，幼服庭訓，皆賢孝，負藝學。長曰紹祖，少中大夫河南府路總管；次繼祖，不仕；次光祖，侍儀法物庫使；次仁祖，以琴阮供奉。孫十人。曾孫四，女孫一十四人。時節賀慶，蘭芽玉樹，瑶環瑜珥，秀映庭户，以次列拜，上酒介壽，公與夫人亦舉觴酬酢，一家之内，樂融融也。公以至元己巳秋八月考終牖下，春秋七十有七。越明年庚午冬，葬大興縣招賢鄉之南原。夫人之殁，實至元十四年冬十月廿五日也，壽八十。宋氏上世，本蜀城都人，遠祖有官言州之吉鄉者，遂為河東人。曾祖元，祖信，考章，俱有儒行，不耀，其幽光潛德發於公之身者，宜烜赫然。公復謙抑，不盡享其篤祐，遺其子孫，至光盛如此。銘曰：

名藉朝端，身心考槃，貞不絶俗，道出夷惠之間。以儒雅而擅一時，僭天爵而享高年。服食華鮮，子孫滿前，飄纓若綬，照耀後先。没而從祖，是之謂祉全。我銘納壙，復慰下泉。千年而見白日，尚知為青山白雲之僊。

[一]當强圉赤奮若歲千插亥：歲，原闕，據至治本、明修補本、王抄校本補。歲千插亥，文淵閣四庫本作「其月建亥」。　[二]託參卿趙君禹卿：君，原闕，據文淵閣四庫本補。　[三]令將啟幽堂：幽，原闕，據文淵閣四庫

本補。　［四］以光此大事：此，原闕，據文淵閣四庫本補。王抄校本作「其」。　［五］勉為次序之：勉，原闕，據文淵閣四庫本補。王抄校本作「因」。　［六］華藻玄：藻，原闕，據文淵閣四庫本補。華藻玄，王抄校本作「善談玄」。　［七］故中書令耶律公一見：耶，原闕，據文淵閣四庫本、王抄校本補。　［八］中令復授以資使職：使，原作「便」，據文淵閣四庫本、王抄校本改。　［九］漠然以世務不攖其懷：文淵閣四庫本作「漠然不以世務攖其懷」。

大元故蒙軒先生田公墓誌銘

金源氏踵唐宋舊制，以舉業取士，號稱文武正科。大定、明昌間，人材輩出，天下英雄，盡入吾彀中。南渡後，境壞蹙，時事艱，其自淵源見聞中來者，多憂深思遠，忠義奮發，懷赳赳干城之志，況其風聲氣習，歌謡慷慨，而有故家遺俗者哉！公諱文鼎，字仲德，姓田氏，其先京兆醴泉縣人。曾祖俊，正隆初董汴宫役，因家太康之侯陵。祖秀，徙居蒙城，遂占籍焉。祖用御史君貴，贈上輕車都尉、雁門郡開國伯，妣尹氏，贈雁門郡君。父芝，貞祐二年進士第，官至嘉議大夫、鎮南軍節度副使，資雅重，有相望，妣楊氏，雁門郡君，公生而爽朗，稚時己軒露頭角，棖觸物論為奇童，嘗問學燕山張融，一見即以不羈許之。為人有膂力，善挽彊。汴京受兵，得請於香林先生，應募自効。執政以公書生年少，初不之重，及觀其拳勇，誠以方略［一］，詢之宛如宿將，射敵慮無遺策［二］，以勞授武節將軍、西南面元帥府總領，仍佩金符，以寵異之。京師饑，遣公將五百人取封丘麥。既還，去城遠，倏千騎來襲，衆欲鳥獸散，公曉之曰：「彼騎我步，若前遮後蹂，逃將安之？」即分為二隊，相去各里許，結陣而待，戈矢外翼，負者居中，轉戰轉退，手先作氣，敵叵測不敢迫[三]。比至城，不亡斗麥一卒。執政才其為，命監鄭門，前後出活饑民甚衆。汴梁下，縱民四出，護二親北渡，時同發者數百家，奉親外，救死問疾，往來保庇，不少倦。如渾源劉祁母洎祖母，病死半途，二子相顧號泣而莫之何，公為死瘞生負，兩皆得所其處。患難中自救不暇，能急人之急如此，何義烈哉！遂來居相下，以養親讀書為事，索米負薪[四]，日供所需，以盡子職。既而，應廉訪劉汝翼辟為幕察官。時朝廷遠駐龍朔，凡上計三往返，事集而無難色。歲壬子，輔國賢王定封彰德為分地，擢用賢雋，特授公為本道課税所經歷。時持政者多不法，公諫止不從，即投劾去，後果敗。中統初，又為參政商挺辟署河東行臺幕屬，無幾罷歸。公少負氣挺節，持論高，料事明，義之所在，勇於必為，自視以為一世奇士，幅巾藜杖，掉頭吟諷，不知去古為遠邇。惟其學高六藝，名重一時，邦君時相，爭以禮幣招致，尚期有可為而為之者，然以天性太剛[五]，又不屑取媚於時，故其抱負治具，竟百不一試。晚節與西巖張豸、緱山杜瑛以詩酒自嬉，不復談經世事矣。臨終，語其子復曰：「士之出處，莫非義命，道行志通，伊周不為之泰；道窮志湮，顔原不為之否。從古迄今，有才不遇，瘐死溝壑者，豈獨余哉？是非所當戚戚於吾衷也！」蒙軒其自號云。公善作詩，工書學，遒麗有楷法，至於丈尺大字，尤極精妙云。癸酉春二月七日，以疾終廣川客舍，享年六十有三。夫人慶陽李氏，系出唐薛王，前進士司農丞無黨女，恭儉淑善，母道光備，教子孫有法，白首一節，安公之貧，後公八年，辛巳歲亦二月七日終於家，壽六十有八。生二子，一女嫁士族。子復，傳家學，有詩聲，終河間漕司從事；衍，富文學，通吏事，由憲臺史轉補中書掾[六]，今為禮曹主事，庶克光紹遺緒云。孫六人：曰伯耕，曰叔耘，叔耨，叔耜，曰重，曰某。衍將以年月日，舉公柩葬彰南新阡[七]，再拜來請銘。惲雖後進[八]，嘗獲拜履綦，知公為頗詳，既序其行已，敢以生平底藴未克展盡，為士論所痛惜者銘之。銘曰：

士貴尚志，趨事赴功。況作而行之，迺士夫之所崇。矯矯田公，繄時之雄。振靈脩之遠駕，思從事而匪躬。文章足潤身之具，才武見將領之風。桓桓蔡挺[九]，明夫戰攻。解臨機而制變，張國威於小戎。奔走急難，笑談折衝。朔漠三往，冀群一空。顧曷職而弗辦，曾漕計之是供。政不我俾，坐困簿叢。寧窘澗阿，肯與彼同。利器百而不一試，在先生為不逢。道義蟠胸，伊周是宗。既得喪之不我與，吾胡為而戚乎衷？有軒曰蒙，獨善固窮。閉户讀書，飲水長終。人邪天邪？問大鈞而無從。惟子孫之可卜，見德澤之所鍾。繄臺閣之就列，蔚珪璋之顒顒。洹流毖北，太行之東。雖高深兮易位，尚知為蒙軒先生之封。

[一]誠以方略：誠，文淵閣四庫本作「試」。　[二]射敵慮無遺策：射，王抄校本作「料」。　[三]敵叵測不敢迫：迫，文淵閣四庫本、王抄校本作「追」。　[四]索米負薪：索，文淵閣四庫本作「淅」。　[五]然以天性太剛：天性，原闕，據文淵閣四庫本補。　[六]由憲臺史輔補中書掾：掾，原闕，據文淵閣四庫本、王抄校本補。　[七]舉公柩葬彰南新阡：阡，原闕，據文淵閣四庫本、王抄校本補。　[八]惲雖後進：惲，原闕，據文淵閣四庫本、王抄校本補。　[九]桓桓蔡挺：蔡，文淵閣四庫本作「英」。

故正議大夫前御史中丞王公墓誌銘 并序

至元二十六年二月丙辰辰刻，正議大夫御史中丞橫海王君以疾卒于私第正寢。斂有七日，其子庸彜輩縗服纍然，持事狀百拜，以壙銘來懇。以義以分，有不得辭者。公諱復，字子初，初名趾，麟伯其字。曾祖瑜，大父松，世家滄州，俱隱德不仕。禰府君諱昌齡，金季嘗游宦河南，大梁亡，起從恒山史侯，參議軍府事，後以公命來攝衛州事，有惠化於民。惟君器識早為經略公所知，己未冬，自齊經中，起君襲父職，仍領州務。明年中統建元，真授衛、輝二州同知。又明年，易州而路[二]，就陞貳總尹。君遵守成憲，越先正有光。至元甲子，轉官制，行授朝請大夫，改倅彰德路。無幾，以德望入為中書兩司郎中，調議密勿，宰相至以佳士上聞。魏河朔鉅鎮，吏重而俗囂，號難理，特輟君以少尹來治，乃曰：「清心不如省事，省事莫若先殺吏權。」於是汰冗濫，屏姦惡，絶私謁，尚德化。民有李氏者，珥筆構黨，持短長，嚇官府，張甚。君發其姦，杖踣之，萬喙稱快。自是闔郡嚮風，書葉翻香，曹務為清簡。八年辛未春，自中書舍人出知歸德府。府居河下流，其秋水大至，環城為海，衆胥沉為感，君迺督櫂師，浮舟楫，濟民於丘陵林木上，遂相水衝，循橫堤疏二渠，一注汳瀆，一達河故道，水隨退，得腴田萬頃，佃貧民，仍請廪粟，得萬五千石，活饑殍者。既而，復揵治回龍堤葛邑口於府西，以絶永患，曰「烏可使吾民重漬于泉」，故水去而民益親。繼丁母夫人憂，去職。未期，詔起君充河南道宣慰副使。國家方有事襄漢，順流以成破竹之勢，故軍需百色，羽書交督，急於星火，一責於我，中間籌辦，君力為不少。時大軍復東掀五河，戰力而餽乏，河走淩蔽，川不易轉，致衆艱於行。君毅然以漕事自任，至撞冰東下，一夕凍欵解，軍威藉以振，衆且服。君事不辭難，而害不苟避，有如此者。明年，超擢陝西四川道提刑按察使，尋進拜嘉議大夫、行臺御史中丞，用膺才選。既署事，有告蘇州應草竊以城叛者，或議調急兵徑討。公曰：「維揚去吳纔三百里，不當猝有此變，恐憸人流言激之鬨，乘間以利賄耳。與省議合，遂駐兵近郊，偵其實，繼發未晚。」已而果如料，吳人得無虞而妥，其臨大事，處置明審，例如此。淮甸沃壤千里，公於上前論奏，宜設農司，募游食者開耕屯，以盡遺利，若爾，非惟實內地，且威剔遐陬，坐銷外侮。韙其議，付有司施行。俄加正議大夫，徙按河東山西道，以事免歸。居三年，竟以疾薾之[二]，遂至於斯，哀哉！享年六十有四，前後寵錫凡十有一命，官極通貴，哀榮終始，不為未遇。以是月壬申，葬汲縣親仁鄉王尚里禰塋三昭首穴。夫人夾谷氏，前公卒。再娶夫人秦氏，生二子：曰彝，曰範。範前公九月暴卒。二女：長安歸徒單衍亡，次適趙常。曰夫人杜氏，生子曰庸。二子並願而有文學，皆公所自教云。曰子度，曰女壽，適陳氏，皆先亡。孫二人，曰青牛，範之子，一在襁。公為人器量弘深，有經史學，善持論，識變通，無贅言。居養甚重，周防甚謹，及開物成務，當其可為，推致所學，惟恐不臻于極。然事無巨細，率以大體中持，恥近効取譽，所謂以道事君者近之。至威儀柔嘉，小心式訓，又類夫仲山甫、衛武公之行已。承旨鹿庵王公，人品清峻，慎許可，嘗詔公舉可執政者，迺以君名進奏，其經濟德業可知已。初官河東時，憲府爭索隱幣，以副上需，分司者不計應否，悉掩為己功，弊久，恬不為怪，至是公以前行没入十萬餘緡，盡給之民。又平陽府胥，有以母喪甫窆，輒從吉執役者，公曰：「忘孝之人，胡可與處？」迺按而斥之，其惜體正俗又如是。可書者尚多，惟著其緊夫事之重者，恐亦公之志也歟！銘曰：

大學為道將何為？俾明一德新民彝，行焉而底善是依，要本平治先修齊。俾明厥體用或違，其在孔學非吾知。倬哉王公天秉岐，自穉細行初不遺。若考巽事子肯基，一日雲厦看巍巍。揚歷中外厚自持，柔嘉維則非公誰？又復當用行不疑，翰音登天翅屢垂。越若有物中縶維，從心罔單體弗羸。期於俯仰無忸怩，人或咨惜我則熙。以道事君其庶幾，六十四載麟儀儀。綬何若兮印何纍？賁夫松檟餘光輝！天其或靳將後貽，俾為清廟璧與圭。奉之天門光陸離，仙山東麓朝氣霏。佳城鬱鬱君所歸，歿而從禰為受釐。足慰下泉含笑嘻，零落不必西州悲。我銘昭昭惟昧詒。（以上《秋澗集》卷四九）

［一］易州而路：易，文淵閣四庫本作「由」。　［二］竟以疾辭之：辭，文閣四庫本作「縛」。

全元文卷一八三

王　惲　一七

大元光禄大夫平章政事兀良氏先廟碑銘

夫人臣建非常之功，垂鴻不朽者，罔間存殁，俱蒙顯異，如配祭大烝，勒銘彝鼎，謚號廟饗，濯聲赫靈，扶我桓撥。況三世迭將，際興運，依末光，佐收混一之績者哉！皇帝握乾符，章先業，念開濟之艱難，感風雲於疇昔，爰推衃典，允答元勛。維元貞一年春正月己丑，近臣兀突歹，奏平章政事不憐吉歹，言臣故父榮禄大夫、中書左丞相兼都元帥阿朮，南征北伐，汗馬之勞，頗効尺寸，伏見與臣父差肩宣力者，已蒙恩奬，敢昧死以請。制曰：阿朮乃祖乃父，自太祖朝，服勞王室，多樹功閥，名高諸將，可嘉贈謚，其在故家，不得扳例。於是降璽書，告明庭，特贈開府儀同三司、大尉并國公，謚曰「武宣」。詔下，中外咨嘆，大協輿議。嗣侯不憐吉歹，承命式抃且舞，將即汴梁賜第建祠樹碑，昭明三代，于以侈大寵光，宣揚先美，慰安神靈，載德象容，昭示無極。乃謁翰林學士王某，以銘章為請，謹按家略，序而系之以辭。其先世出蒙古兀良合部，遠祖揑里必者，為人音吐洪亮，以善歌曲稱。生孛忽都拔都，衆目為折里麻，漢語深謀略人也。其三世孫合赤温拔都，生二子：曰哈班，曰哈不里。哈班生子二：長曰忽魯渾，次曰速不臺。太祖皇帝在班朮納海時，其父哈班嘗以群羊餉帝，中途遇盜被執，忽魯渾及其弟繼至，以戈刺盜殺之，餘黨逸去，遂脱父難，餽牽竟達於上。自是昆季孝義之名，聞於朔部間。太祖朝，忽魯渾拔都以善騎射充百夫長。乃蠻之未服也，戰長城南，率先鋒摧之，彼即驚遁。其弟即嗣侯不憐吉歹曾祖也。第一室曾祖府君諱速不臺，初以質子入侍，繼為百夫長。壬申歲，太祖經略中夏，首攻桓州，城小而堅，勢不易拔，公甯而先登，上壯其勇，賜金帛一車。歲丙子，帝會諸將於禿烈河上，詢曰：「滅里吉部未附，疇為朕征之。」公即應詔，選裨將阿你出領百人為候騎，仍諭以方略，如其言，彼果不疑，弗為備，大軍至，陣蟾河上，一戰而潰，擒二將鼓下，遂降其餘衆。辛巳，追滅里吉酋長霍都，與欽察戰于玉峪，敗之。壬午年，太祖征回回國，其酋棄國而去〔一〕，命公與只別逐之，及于灰里河，戰不利，公駐軍河東，戒其衆人，爇三炬以張軍勢，其王果夜遁，繼遣公將萬騎，由不罕川追襲，既及，逃匿海嶼，則守其要害，彼進退失據，不旬月，瘐死，獲珍貝不貲以獻。上諭曰：「速不臺枕干血戰，為我家宣力，朕甚嘉尚，賜珠寶一銀罌。」明年癸未，請征欽察，許焉。遂遠轉寬定吉海，取太和嶺，塹山開道，出其不意，至則其酋長方聚不租河，縱兵奮擊，彼弗能為計，竟收其境。又與斡羅思大小密赤思老鏖戰，降之。尋遣使奏乞以滅里吉、乃蠻、怯烈、杭斤、欽察等千户，别為一軍〔二〕。歲甲申，入覲，驅萬馬為贄。丙戌年，取撒里畏吾兒的斤寺門等部，又掠西蕃邊部，獲牝馬五千疋，貢於朝，一無私焉[三]。歲庚寅，太宗命睿宗循宋徼而北，營取河南，公亦在行。道出牛頭關，遇金將合達帥步騎甚衆，上問方略所便，公進說曰：「城邑中人，遇勞苦即勌厭，逗撓氣墮，與戰易勝。」是役也，大敗合達於三峰山，自是金不能兵矣。壬辰夏，睿宗還駐官山，留公總諸道兵，攻圍汴京，金主北走渡河，尾敗于黄龍崗，殺戰士萬人。癸巳秋，汴京降，俘金后妃、寶器獻闕下。其冬，圍金主於蔡。明年甲午，金亡。時汴梁受兵日久，歲荒民殍，公下令縱其北渡，俾就樂土，其骨而肉之之恩，尚未忘也。其年，詔諸王拔都西征，上以公識兵機，有膽略，選為先鋒，遂虜八赤蠻妻子於寬吉海。辛丑歲，諸王拔都奉命征兀魯思，為所敗，攻禿里哥城，不能下，奏遣公督戰，遂禽兀魯思王也烈班，攻禿里哥城，三日克之。復從攻馬扎部，聞其主怯憐兵勢張甚，諸王分五道以進，公出計挑誘，至郭寧河，大軍會戰不利，迺於下流木渡，直擣其城，拔焉。公以定宗朝戊申年，卒於禿烈河上，壽七十有三。公深沉有謀略，善於用兵。勇敢無前，臨大事有斷。初，太祖征西夏，公請行，上念公久在行陣，命還家省□，它日宣力未晚[四]，復請曰：「君勞臣逸，恐無是理，□□□□□□□。」其忠勤類如此。今以曾祖妣夫人忽臺□。二室。祖都帥府君[五]，諱兀良合歹，總戎府君長子也，□英將種，曉暢軍事[六]。太祖朝[七]，憲宗方髫齓，以公佐命故家，付之護育，及長，用存傳勞[八]，分掌宿衛。辛巳，扈定宗征女直國，破萬奴於遼東，又佐大王拔都征欽察兀魯思等部。己酉，定宗升遐，大王拔都與宗室大臣册立憲宗，議久未决，公以大義陳請，即定。歲壬子，時世祖皇帝在潛，奉詔征西南諸夷，命公總督大營軍馬，自旦當嶺入雲南境。摩些二部酋首來迎降，涉金沙江，所在砦栅負固自守，以次攻下之。獨半空和寨，依山枕江，下臨無地，穴石引水，牢未可拔，覘知絶其汲道，公親率精鋭前薄，越七日，寨破，勦殺無噍類。繼進師取龍首關，翊世祖皇帝入大理國城。其年秋，分兵取附都善闡及烏爨之未附者，前次羅部府，大酋高昇，集諸部兵力拒戰，大破於洟可浪山下。復收合餘燼，嬰城自守，城際滇池，三面皆水，堅嶮不易攻。以炮摧其北門，縱火前熸，皆扞不克。入乃大震鉦鼓，進而作，作而止，使不知所為，如是者七閲日，伺彼方酣困氣靡，夜五鼓，潛師躍入亂斫，衆自内潰，克焉。先時國主段智興逃匿昆澤，併擒以獻。又知未降附者遠近嘯聚，大為民梗，公曰：「弗痛為揃刈，不足以震讞之。」命裨將脱伯押真率麾下掩其右，合歹護尉掩其左，約三日捲而内向。及圍合，與子阿朮陷陣擊刺，禽獮草薙，川谷為一空，是亦制蠻之一奇也。自是，所向風靡節解，不二載，平大理五城八府四郡，洎烏白等蠻三十七部，兵威所加，如魯魯斯阿伯等城，亦來款附。乙卯秋，奉命出烏蒙，趨瀘江，鏟秃剌蠻三城，宋邊將水陸駐兵來扼，戰屢交，斬獲不勝計，遂通道於嘉定崇慶間，抵合州，濟蜀江，與鐵哥帶兒合兵。以雲南平定，遣使獻捷於朝，且請曰：「西南夷，漢嘗郡縣之，設官料民，俾同内地，此其時也。」允焉。蒙賜其軍銀五千兩，綵段二萬四百疋，仍授銀印，俾還鎮大理。丙辰歲九月，遣使招降交趾，留介不報。冬十月，進兵壓境，國主陳光炳隔江列陣，象騎步卒甚盛。公分軍為三隊，濟江，選鋒徹徹都從下渡先濟，大帥居中，次駙馬懷都，仍受徹徹都方略曰：「汝軍既濟，勿與之戰，彼必我逆，駙馬隨斷其後，蠻必潰走海，汝伺便即邀其船艦，定成禽矣。」公既登岸，即縱兵與戰，選鋒違節，亦來渾鬬，彼軍雖大壞，得駕舟逸去。公怒曰：「違律失期，軍自有法。」徹徹都懼，飲藥死。遂率止郡治七日，軍令靜嚴，秋毫無所犯。光炳震恐，崩角請罪内附。於是置酒高會，饗軍鱗屋，唽血崇臺，戈舡四艤，而銅鼓為寂然矣。己未夏，憲宗遣使來諭旨，約明年正月，與卿會於長沙。是秋，率四王兵三千騎，蠻僰萬人，掠横山寨栅，闢老蒼關，徇宋内地。宋陳兵六萬人以俟，戰盡殪，所至調兵旅拒，且戰且行，自貴州蹂象州，突入静江府，遂破辰、沅，直抵潭州。州大出兵，斷我歸路。公與四王掠其後，子阿朮横擊于前，盡破走之。公提孤軍入絶域，殫智竭力，同德一心，轉鬪萬里，前後敗殺宋兵四十餘萬。州又遣兵來犯，蹙之門濠，掩溺無筭，彼氣褫[九]，不復敢出。壁城下者月餘，聞世祖皇帝駐師鄂渚，尋遣曲里吉思將千人來援，仍慰勞之，由滸黄北渡。庚申夏孟，飲至上都。至元八年，公卒，享年七十有二。以祖妣夫人外刺真配，實生開府公。第三室皇考開府公諱阿朮，資和粹，行義修正，沉幾有智謀，臨陣對敵，英毅果決，氣蓋萬人。憲宗朝癸丑歲，以白衣從父都帥公征西南夷，率天下精兵為候騎，所向摧陷，莫敢攖其鋒。至平大理，收諸部[一〇]，降交趾，踐宋境，無不在焉。一攻一戰，稟成無違[一一]，教令竭力奉親，移忠為國。其碎水寨、掀闔城，奪國君於馬湖[一二]，舟指可掬，索盜馬於山楪，賊將生擒之。又鏖戰三湘，搴旗五陣，是皆樹立之駿偉者也。嘗蒙憲宗賞諭，有阿朮未有名位，挺身奉國，特賜黄金一百兩，以勉將來。其降大任於公，兆開於先者，誠不偶然也[一三]。中統三年秋九月，自宿衛將軍，拜征南都元帥[一四]，佩金虎符，治兵于汴，復立宿州。至元元年秋八月，詔掠地廬江，入滁陽，自安慶府[一五]，經略兩淮，攻□戰□[一六]，軍聲大振。四年秋八月，觀兵襄陽，遂入南郡，取仙人怗城等栅，俘生口五萬人。江陵晝鎖，宋人聞我旆還，多掠，選兩淮驍悍騎五千，步萬人，併力邀襄樊間。公謂諸將曰：「若不投宿江北，恐落賊便。」遂自安灘濟江，獨留精騎，陣牛心山下，立虛寨，設疑火。夜半，賊果至，伏發，斬首萬餘級。初，公過襄陽，駐馬虎頭山，指顧漢東白河口，謂諸將曰：「若築壘於此，以斷餉道，襄陽可圖也。」議聞於朝，許焉。五年九月，築鹿門、新城、白河等堡。六年七月，大霖雨，漢水溢，宋大將夏貴、范文虎，相繼以兵來爭，又遣兵出沒東岸林谷間。公按觀兵勢[一七]，謂諸將曰：「此虛形，不可與戰，宜整舟師，以備新堡。」衆從之。明日，南舡果趣新堡，大破之，殺溺生擒者五千，獲鬪艦百餘艘。於是治戰艦，教水軍，築圜城，以逼襄陽[一八]。文虎率舟師來救，來知府，以百艘泊百丈山[一九]，掣肘城役，皆邀擊於灌灘，敗走之。裨將矮張，以軍襖百舫[二〇]，躍入襄州，尋乘輪舡，順流東走，公與都帥整分艤戰艦以待[二一]，燃薪照江，兩岸如晝，公追戰至櫃門關[二二]，擒張，餘衆盡殪。是月，授驃騎衛上將軍、同平章事[二三]，都元帥如故。九年三月，破樊城外郛，重圍逼之[二四]。襄樊兩城，漢水出其間。宋人植木江中，鎖以鐵絙，中造浮梁，樊恃此為固。我以機鋸斷木，斧絙燔其橋，襄援既絕，公率猛士攻而拔之，襄守將呂文煥懼而出降。秋七月，奉命掠地淮東，抵維揚城下，彼以千騎出戰，公伏師道左，佯北，賊果乘之，擒騎將王都統。十一年正月，公入覲，因陳奏兵事曰：「臣阿朮久在行間，備見宋人兵弱於昔，削平之期，正在今日。」上付相臣議，久不決。公復奏曰：「今聖主臨御，釋亂朝不取，臣恐後日又難於今日。」上喜曰：「卿言允契朕意。」詔以兵十萬付之。三月，進榮禄大夫、平章政事。秋九月，師次郢之鹽山，得生口四人，問知宋沿江九郡，精鋭盡萃郢江東西兩城，今欲師出其間，騎兵不得護行兩岸，此危道也，不若取黃家滧堡，東有河口，可由中拖舡入湖，轉而下江便。時雨九晝夜不息，公料大軍方集，餽餉不繼，水陸兩間，進退無據，吾大事去矣，遂與右丞相伯顔公議，決意前進，遂拖舟達江，舍攻郢而去。初過郢，按行舟，路徑大澤中，忽騎兵千人掩至，時從騎纔數十人，公班馬被甲擐擗已，即奮槊馳擊，所向披靡，彼驚走，追斬五百餘級，擒趙、范二統制。乙未，攻沙陽新城，拔之。前次復州，守將翟貴迎降。十一月丁酉，公往覘漢口兵勢，時夏貴已鎖大艦，扼江漢口兩岸，備御堅嚴叵犯。公曰：「可回舟輪河口，穿湖中，從羊羅堡西沙武口入江，甚便。」十二月辛亥，大軍至羊羅堡，攻之不克。公語右丞相曰：「攻城下策，若分軍船之半，循岸西上，泊青山磯下，伺隙擣虚，可以得志。」是夜雪大作，黎明開霽風息，公遥見南岸多露沙洲，即率部曲徑渡，令載馬後隨，宋將程鵬飛來拒戰，公横身盪決，蹀血大鏖，中流敗去，得舡千餘艘。公登沙洲，急擊攀岸步鬬，開而復合者數四，賊小却，出馬於岸，遂苦戰破之，追殺至鄂南門，岸兵敗走。夏貴聞公飛渡，大驚，以為從天而下，引麾下兵三百艘先遁，餘皆潰亂，我軍乘之，江水為赤，羊羅堡亦拔，盡得軍實。右丞相議師所向，或欲先取蘄黄，公謂諸將曰：「若赴下流，退無所據，上取鄂漢，雖遲旬時，可以萬全，且將士有家，欲上欲下，公私兩便，事儻蹉跌，我任其責。」從之，水陸趨鄂，焚其舡三千艘，煙炎漲天，兩城大恐，漢陽鄂渚，投兵皆降[二五]。十二年正月，黄、蘄、江等州降。戊戌，公率舟師趨安慶府，宋殿後帥范文虎出降。繼下池州，宋平章賈似道督諸道兵扼蕪湖，先是，遣行人宋京來請和。二月丁卯，師次丁家洲，公與右丞相議曰：「且和議未定間，昨我舡出，彼已亂射，又執我邏騎四人。宋人無信，惟當進兵。」又曰：「若避似道不擊，恐已降城池今夏難守；若欲實和，俟渠自來作何語。徐為思之。」遂與前鋒泰州觀察使孫虎臣對陣，夏貴以戰艦二千五百艘横亘江中，似道將後軍殿。時我已令諸將順江兩勢樹礮，擊其中堅，南軍陣動，趣我舡急進，公即挺身登艦，手柁衝舡，雷鼓大震，喊聲動天地，我師掠彼舟，大呼曰：「宋人敗矣！」似道倉皇失措，舳艫簸蕩，乍分乍合，公以小旗麾將校，率輕鋭横擊深入，宋軍大壞，即回棹前走，右丞相以步騎夾岸掎之，追逰百五十里，殺溺死者，蔽江而下，獲戰艦二百餘艘，都督府圖籍符印悉為我有，軍資器仗，狼籍不勝計。是日，似道以輕舸東走揚州，夏貴走廬州。己巳，無為軍、太平州、和州降[一六]。癸酉，建康裨將徐王榮以城降，撫慰城中，市不易肆。朝廷以宋重兵皆駐江都，臨安倚之為重，四月甲寅，命公困守揚州。甲子，公次真州，與南兵戰珠金沙，殲其千人，獲鹽舡三千艘。既抵維揚，視楊子橋河路，漕真粟以助揚乏[一七]，即樹栅斷其餉道。宋都統姜才領馬步二萬來爭，期於必取。南軍夾河為陣，公麾騎士踰河，直斫姜陣，才所將多亡命叛降，餘皆淮卒勁勇，養鋭日久，戰數合，堅不能却。我佯北，才軍果逐之，我奮而回戈，萬矢雨集，彼不能支，騎先遁去，我隨以鐵騎蹂之，追逰斬馘萬八千餘級。兩淮鎮將張世傑、孫虎臣，以兵萬艘駐焦山東。七月辛未，公登石公山，荤而望之，舳艫連接，旌旗蔽江。公曰：「可燒而走也。」遂摘伉健善彀者千人，載以巨艦，分兩翼夾射，公居中合勢進擊，繼以火矢著其蓬檣，煙焰赫赫，窘無所出。先是，虎臣命前舡悉沉鐵纜於江，示以必死，至是欲走不能，前軍争赴水死，後軍閧走，追至圌山，獲白鷂子七百餘艘。是後淮東諸城，兵不敢出矣。十月壬寅，進拜榮禄大夫、中書左丞相，仍諭之曰：「淮南重地，庭芝狡獪，須卿守之。」時諸軍進取臨安，公駐兵瓜洲，彼絶應援，揚不能為後患，兵不血刃，而兩浙平定，公控制之力為多。十三年二月乙丑，夏貴舉淮西諸城來附。左丞相謂諸將曰：「今宋已亡，獨庭芝未下，以外助猶多故也。若絶聲援，塞饟道，尚恐東走通、泰，假息江海。」乃栅楊之西北丁村，拒高郵寶應糧運，貯粟以備灣頭堡，留屯新城，用逼泰州，又遣千夫長伯顔察帥甲騎三百，壯灣頭兵力，仍諭之曰：「庭芝水路既阻，必從陸出，定謹備之。如丁村烽起，當首尾相應，斷賊歸路。」六月己酉，姜才知高郵米運將至，出步騎五千，果犯丁村，與我兵相抗。至曉，伯顔察來援，所將皆牙下精兵，旗幟作雙赤月，大軍望其塵起，連呼曰：「丞相來矣！」南軍識其幟，才脱身走，追殺騎兵四百，步卒免者不滿百人。辛卯，李庭芝挾姜才東走。公率兵追襲，殺步卒千人，僅入泰州，迺築壘以守之。七月乙巳，朱焕以揚州降。乙卯，泰州守將開北門納我師，執庭芝等出，繼奉命戮揚州市。初，揚、泰下，公申嚴士卒，不得入城，致毫髮犯，有武衛軍校掠民一馬，即斬以徇，其號令肅，賞罰信，有古名將風。其年九月，兩淮悉平。冬仲，北覲，現世祖皇帝於大明朝殿，庭陳宋俘，設大讌，賀平孽宋，因上奏曰：「是皆陛下威德所致，臣阿朮何與焉！」君臣慶洽，雖彤弓湛露，有不足喻其樂者。第功行賞，實封興泰縣二千户。廿三年，奉命北伐叛王昔剌木等。明年，凱旋。繼西征，至哈剌霍州，以疾薨，享年五十有四。訃聞，上震悼久之，詔諭有司，曰：阿朮平昔多負勤勞，其靈車南還，給馹騎六十疋，所過供帳設奠，葬大同宣寧縣。公貴而不有其位，難而克任其責，料敵明，臨機果，聞敵所在，忠勇奮發，不俟嚴辨，躍馬挺槊，陷陣深入，故士卒感服，争出死力。南征北討四十年間，大小百五十戰，未嘗敗衄。其追降生擒者，皆釋而不問。及處閑暇，恂恂似不能言。論者謂公智、信、仁、勇，四者兼備，與孫吴合云。某竊嘗考昔方叔、召虎為周宣平淮夷，詩人述其功績，鏗鏘炳燿，盪人耳目，故宣王之形容與其輔佐，由今觀之若神人然，不過陳其車徒之盛、謀猷之壯而已。若夫開府公飛渡長江，合勢先攻，因舟於敵，乘機制變，間不容髮，恐詩人歌功，列之于《雅》，有不足諭其美者。況三世繩武，為國虎臣，身都將相，功名自終，越古無輩。由皇祖元戎，推誠事上，頫爾都帥，竭力殊方，開府公奮身為國，心若金石，忠結人主之知，功定天下之半，宜乎如營平侯展用於漢宣，形圖麟閣；郭汾陽輸忠於唐室，廟開私第。蓋君臣之義，始終之禮，自相感發，固將有以焉爾。異代同德，古今一時，又何假魯靈獨美龍旂之祀哉。爰作樂歌，以登新廟。其辭曰：

奕奕新廟，有侐其庭，耽耽四阿，桓桓兩楹。鼎薦牲牢，樽湛玄清。三事同儀，品物具備。上交神明，下輔孝治，子孫烝烝，執爵而升。以祼以濯，乃伏乃興。僾然愾然，如聞形聲。工歌祝告，載揚我武。於赫皇祖，方叔召虎。翼戴三聖，肇開萬宇。忠勇奮發，所向臣虜。威懾西陲，削平南土，儷景同龢，照映中古。於爍王父，奮戈濯征，憬彼西夷，是懲是膺。如霆如雷，不震不驚。雪山雲静，滇水波澄。鱗介肆狂，皇威載暢。掃除妖氛，破南海浪。踐騰宋境，孰敢為抗？赳赳堂堂，寔曰忠壯。文昌上將，兩兩翼帝。羽林壘壁，横大利器。於惟顯爾，緊時英衛，師干之試，折衝萬里。茄鼓歸來，敦詩説禮。世祖再造，有虔秉鉞，負固不庭，俾往式遏。料敵制勝，如火烈烈！摧枯爍雪，江海有截。車書會同，論功推傑。元貞守文，載念忠勤。登秩錫土，光融九原。有來酣戰，意甚閑暇。釃酒臨江，投壺歌雅。斂之一堂，泠風灑灑！鐘鼓和鳴，祖考來假。宜其家世，翼翼振振！孝孫有慶，聲于廟門。嗣侯伊誰？平章政事。為子為臣，惟敬惟義，祉委祥臻。忠傳

孝繼，子孫承之，垂裕罔替。（以上《秋澗集》卷五〇）

[一]其酋棄國而去：酋棄，原闕，據文淵閣四庫本補。　[二]別為一軍：軍，原作「運」，據至治本、王抄校本改。　[三]一無私焉：私，原闕，據文淵閣四庫本改。王抄校本作「取」。　[四]它日宣力未晚：它日宣力，原闕，據王抄校本補。　[五]二室祖都帥府君：二室祖都，原闕，據王抄校本補。　[六]□英將種晚暢軍事：英將種晚，原闕，據王抄校本補。暢，原作「輰」，據至治本、王抄校本改。　[七]太祖朝：朝，原闕，據王抄校本補。　[八]用存傳勢：存，王抄校本作「保」。勢，文淵閣四庫本作「芳」。　[九]彼氣褫：褫，文淵閣四庫本作「折」。　[一〇]收諸部：收，原闕，據王抄校本補。　[一一]稟成無違：違，原闕，據文淵閣四庫本補。無違，王抄校本作「箠致」。　[一二]掀閫城奪國君於馬湖：王抄校本作「掀闌城奪鬪艦於馬湖」。　[一三]兆開於先者誠不偶然也：者誠不偶，原闕，據王抄校本補。　[一四]拜征南都元帥：都元帥，原闕，據王抄校本補。　[一五]自安慶府：慶，原闕，據王抄校本補。　[一六]攻□戰□：原闕四字，據王抄校本補二字。　[一七]公按觀兵勢：勢，原闕，據至治本、明修補本、文淵閣四庫本、王抄校本補。　[一八]以逼襄陽：逼襄，原闕，據至治本、明修補本、王抄校本補。文淵閣四庫本作「圍襄」。　[一九]以百艘泊百丈山：丈，原闕，據至治本、明修補本、文淵閣四庫本、王抄校本補。　[二〇]裨將矮張以軍襖百舫：矮張以軍襖，原闕，據至治本、明修補本、文淵閣四庫本、王抄校本補。　[二一]公與都帥整分艤戰艦以待：公與都帥整，原闕，據至治本、明修補本、文淵閣四庫本、王抄校本補。　[二二]公追戰至櫃門關：追戰至櫃，原闕，據至治本、明修補本、王抄校本補。文淵閣四庫本無「戰」字。　[二三]授驃騎衛上將軍同平章事：軍同平，原闕，據至治本、明修補本、文淵閣四庫本、王抄校本補。　[二四]重圍逼之：圍逼，原闕，據至治本、明修補本、文淵閣四

庫本、王抄校本補。　　［二五］投兵皆降：投，文淵閣四庫本作「援」。　　［二六］無為軍太平州和州降：無為軍，文淵閣四庫本作「無為州」。　　［二七］漕真粟以助揚乏：助揚乏，文淵閣四庫本作「助之」。

全元文卷一八四

王　惲　一八

大元嘉議大夫簽書宣徽院事賈氏世德之碑

元貞改號之二載，歲舍柔兆，月維蕤賓，十有七日甲申，附馬高唐王臣闊里吉思奏簽書宣徽院事臣賈脱里不花，言惟賈氏三世先臣，供奉内庭，繼典玉食，夙夜祗勤，頗著微効，今飭終之典，表行之銘，未蒙贈賜，敢援例以請。制曰「可」。仍傳旨翰林文諸石碑，傳信後來。臣承詔，伏念方今追崇宗祖，因之懷想舊臣，稽諸古者，寔皇王盛事，敢再拜稽首，攷其世系而論列之。謹按賈氏世為燕之大興人，高祖仕亡金，職庖人氏。祖妣夫人李氏，生一子。曾祖諱昔剌，體貌魁梧，箕裘世業，資謹願，以孝行聞鄉曲。國朝甲申間，因上元奉御劉公紹現莊聖皇后[一]，時睿宗駐和林，北有大水曰也可莫瀾，有峻嶺曰杭海答班，與中土遼邈，以公不憚遠侍闕庭，即令典司御食，甚稱上意，顧而愛之，以其髯疎色黄，因賜名曰昔剌。然慮公漢人，與風土不相宜，令徙居溓州[二]，以優便之。既而上思公不置，曰：

「賈某在吾左右，飲食起居殊安適也！」復召之供奉[三]，其諸色庖丁悉隸焉。凡宮闈所需，務雖繁多[四]，事益辦給。人有不逮，未嘗挾所長，以聲色拒人，衆以此敬愛，若儒素然，加以謹飭周密，動而有為，故屢蒙眷諭，命與貴近商確大事，深識遠慮，出人意表。時世祖在潛，知其重厚可大用，迨中統建元，特授提點尚食尚藥二局，兼領進納御膳生料，令佩金符，用彰勤恪。既而昭睿順聖皇后嘉其克調鼎味，以宮人蘇氏妻之。年既耄，猶不倦勤。既而以疾不起，將革，索賜衣及所乘驄鞚至庭，奄然而逝，其方寸灑然，略無愧慊。送終之具，一從宮給。葬漆園先塋，寔至元五年二月八日也。今贈嘉議大夫、聞喜郡侯，謚曰敬懿。夫人李氏，淑慎柔嘉，光備婦道，初奉姑於兵間，食少不足供養，自以漿腳雜菹而食，其賢孝可知，年五十九，没於中山。繼姑亦亡，壽九十有四。夫人生子一人，今贈聞喜郡夫人，謚曰「節孝」。祖諱醜妮子，嶷然殊異，及長多力，倜儻有襟量。甫五歲，世祖皇帝愛其風骨嶢嶢，嘗置御坐側。既冠，昭睿順聖皇后妻以宮女毛氏。從征大理，嘗躍馬入水，捉戰艦一，併擒甲士十餘人。上重賚，壯其勇而惜其輕鋭也。自是，命與丞相線真出入而持護之。及還，上欲大用，以疾終檀州。今贈資善大夫、臨汾郡公，謚曰顯毅。夫人毛氏，系出延安，有婦道，宗族以賢稱，撫育孤幼，皆致成立。賈氏復振，夫人之力居多。享年六有十一，贈臨汾郡夫人，謚曰「靖淑」。子男三人，女二人。孟曰忽林赤；仲曰買狗，性沉厚，寡言笑，幼事裕宗皇帝，官奉訓大夫、典膳署令，卒年四十有一；季曰寄狗，天資慷慨，能睦諸親，自幼侍安西王，官至懷遠大將軍、陝西屯田總管府達魯花赤，卒年三十有七。孫二人：長曰錫烈門，官至掌饍局提點；次曰觀音奴。女二人：長侍中宮，既笄，願披鬀為比丘尼，賜號崇教大師；次曰邈罕，適中書左丞相耶律公第九子，衆知政事希逸。顯考諱忽林赤，資寬厚，美儀容，善騎射。中統辛酉，扈上北巡，道出釋壺，土風霾，晝晦，欻有賊來犯，遂射而拎馬下，上壯之。至元初，襲祖父職，佩金符，提點尚食尚藥二局，兼領進納御膳生料，夙夜在公，克紹乃職。繼授嘉議大夫、簽宣徽院兼尚膳監事，出入禁闥三十餘年，嘗侍清燕，調羹御幄，曾無覆餗之憂，將命公朝，每抱有終之戒，悉心盡慮，敬慎如一，過則歸己，善則稱人，横逆之來，直受之而不校，其雅重有量，根於天性自然，非矯揉作為而為之也[五]。以某年月日，以疾卒於位，得年四十有三。訃聞，上哀悼竟日，闔朝諸臣弔哭，皆失聲，下至庖丁宰士，紼送長號者，無慮數百人，自非推誠接物，素服人心，焉能感召如是？今贈榮禄大夫、絳國公，謚曰忠靖。夫人忽八察，皇叔安西王與同乳哺，聯貴氣，宜室家，德充於容，行踐於言，爽朗而不掩其柔，嚴恪而不失其和，奉舅姑則盡孝，事夫長則罄節。嘗入監宫紀，蒙賜珍玩甚厚。今封絳國夫人。子男七人：長曰完者不花，昭信校尉，尚食尚藥局提點，卒於官；次曰也先不花，蚤世；曰脱哥里不花，嘉議大夫、簽宣徽院事；曰也相忽都魯，中奉大夫、司農卿；曰王六；曰布延不花，侍皇太后于西宫；曰忽都不花。孫六人：完者不花之子一人，曰乞里乞歹；脱里不花之子三人：曰也先帖木兒，曰達理麻室利、庶出，曰班不；王六之子一人，曰撒里；忽都不花之子一人，曰伴哥。臣嘗觀《周禮》，天官而下，即膳夫庖人之職，豈人主尊嚴，不厚其身，無以護養元氣根本。惟其血氣和平，志慮充溢，而後使國脈民命迺有所恃，而發政施仁，散為天下之福。今賈氏五世嗣守世官，同濟厥美，宜其子孫報施，昌熾榮顯有如是者。銘曰：

賈氏五世，箕裘相承，蛇化蛟騰，不變其形。大安季年，萬室南遷，天道在北，公知其然。負鼎北上，割烹擊鮮，既現睿莊，奉承周旋。乃眷乃顧，忠力于宣，神龍奮淵，儷景同飄。尚食尚藥，聖躬萬安，謹飭周密，耆艾敦厖。出入卧内，將事不違。燕喜龍樓，饗獻朝堂。鼎鐺刀匕，威儀鏘鏘，養德養體，其道有光。一飯之勤，其報彰彰。况乎萬乘，福賜可量。寵數優渥，垂裕後昆，若蘖蘖，爛其盈門。有來遐祉，大集公身，入秩之壽，五福之尊。一笑而逝，長遊帝閽，迨夫嗣子，忠勇絶倫。秀而不實，大用遂屯，于嗟麟趾，迺見振振。於穆孝孫，有儀有藝，功歸衆人，過則稱己。犯而不校，是又人所難尔。調和鼎味，有相業履，其在内助，彤管有煒。帝曰懋哉，德容嶷嶷，朕自邸潛，深知所以。繼續而行，世濟斯美，崇德尚功，有例有體。曰祖曰禰，若孫若子，謚以顯號，公侯有偉。表之豐碑，漆園故里。臣拜稽首，慎終如始。臣力方剛，圖報無已。

［一］因上元奉御劉公紹現莊聖皇后：現紹，文淵閣四庫本作「召見」。［二］令徙居濂州：濂，文淵閣四庫本作「濂」。［三］復召之供奉：召之，原作「名史」，據明修補本、文淵閣四庫本、王抄校本改。［四］務雖繁多：務，原作「政」，據明修補本、王抄校本改。［五］非矯揉作為而為之也：作為，文淵閣四庫本作「造作」。

大元故大名路宣差李公神道碑銘 并序

大元以神武戡定區夏，長策遠馭，控制撫御之方甚悉，故治無小大，例建官臨護，猶古監郡然，而權威睎前代為有加。維魏府盤城千里，為户幾十萬，其襟帶之雄，節鎮之重，自昔號建國至署監總者，必勛閥世冑、練達時體、通習漢事、忠貞而有材望者膺選。在桓撥甫夷之後，官府草創之初，布宣皇靈，統攝群屬，具民瞻而勝保釐之任者，鈐部李公其人也。公諱益立山，其先係沙陀貴種，唐亡，子孫散落陝隴間。遠祖曰仲者，與其伯避地，遁五臺山谷，復以世故，徙酒泉郡之沙州，遂為河西人[一]。顯祖府君，歷夏國中省官，兼判樞密院事。皇考府君，用級爵受肅州鈐部，其後因以官稱為號，喪亂譜亡，遂逸名諱。公昆弟四人，獨公少負氣節，通儒釋，洞曉音律，以蔭儤直宮省，積劳調沙州鈐部。建國朝運開乾維，時公兄由肅州長奉使於我，太祖聖武皇帝異其材辯，因與館接使察罕深相結納，情好既密，約輸款内附。天兵圍肅[二]，以射書事覺，遇害。及丙戌冬，師次燉煌，公審天命之攸歸，憤兄忠之不果，遂拔部曲詣軍門迎降，太祖以公首効忠赤，特加褒命，隸國王木荅里帳下，從征羌落，每戰愾王所敵，故所向克捷有功。丁亥夏，師還，乘破竹勢，命圍將忽都帖木兒偕公招諭沙州，守臣率衆偽降，伏發，擊走之，忽都馬踣，追兵垂及，公下所乘授之，得逸去，乃麾左右逆戰，却敵而還。王壯其勇，召使前傍焉，曰：「當危急際，委己以濟人，汝命固不靳邪！」對曰：「彼國之勳舊，倘墮奸計，有辱君命，以新附顯被驅策，效節死事，迺所甘心。」太祖聞而嘉之，仍諭曰：「卿勉宣忠力，會當以好爵縻汝。」明年戊子春，從攻沙州，破之[三]，帝怒不時下，欲屠其城，泣請曰：「彼逆命者，渠魁一二人，民何與焉？若悉阬之，恐堅未降者心，且臣賤屬咸在，願賜全宥。」帝録其功忠，許焉，闔城賴以生。既而，命貳業陌赤行其部斷事官，公不鄙夷其俗，故裁遣終日無倦色，人服其詳明焉。庚寅秋，有詔檄諸部精兵忠勛之士，西征阿思部，署公選鋒，率轉鬪而前，斬艾不勝計。進圍城聚，踰月不即克，一夕，公伺守陴者怠，帥猛士潛登其墉，殺十餘卒，即大呼曰：「城已陷矣！」諸軍進隨，阿思乃潰。策功居第一，擢千夫長，自是勳名焜耀，朝廷有意大用矣。歲甲辰，詔選勛能佐行臺於燕上，以公克諧，往焉。時節制所及二十餘道，機務填委，日復一日，公輔相聽斷，動合事宜，政多便於時者。辛亥春，朝廷稔公綜練國事，復有顓面西土之寄，以年高辭不拜。憲宗皇帝奬其舊臣，處內地便之，命錫金虎符，充大名路都達魯花赤，復賚白金御驃，以寵其行。魏自兵後，官府甫建，群豪諸司錯迭，長雄不相下，致政令不行，事多齟齬。公知其然，無鉅細一以重典從事，初則遻然，既乃弭耳聽約束惟謹，大綱既振，於是舉廉能，掊奸暴，扶良善，惠瘝寡，凡政之不便，民所欲而未得者，率立行而更張之[四]。至於外而營幕連野，內則使者旁午，咸畏公方剛，莫敢侵分少有牟於民。一日釋菜廟學，顧禮殿黚圯，公喟然嘆曰：「澤宮風化所繫，今若爾，何以興善心於民乎？」即完治一新，其亭傳長府，皆以次修舉。衡漳歲霖潦泛溢，為民害甚侈，公請於朝，跨河棲堤，仍植槐柳萬本，苞固峻址，捍禦崩嚙，且充歲時材虆之用，迄今公私賴焉。相有劇賊張，黨結百餘輩，在所為梗。官不能鈐，潛入境行劫。公廉知，窮其根株窟穴，撓捕無遺[五]。自是相魏之郊，民安田里，暮夜絶桴鳴之警矣。己未春，今皇帝南伐，駐驊濮苑。起公從征，既而知公恙，命尚毉診視，眷顧殊渥。其年秋七月，竟以疾薨於位，春秋六十有九。公資嚴明，不妄言笑，清峭有機警，以忠順上結主知，致出參大政，名聲赫于時[六]，利澤施於世。平居循循為善若不足，惟恐一物之傷，及束濕吏曹，糾繩姦謬，不絲髮少貸。虎符麟節，長魏師者九年，號令明肅，豪右屏息，四境樂業，鄰藩悚其威望。初，公行春近郊，見盛挾菓芳者，公責之曰：「此天地秀實以養人，多折何為？」乃扑教而去，自是方苞體之物，莫敢有暴殄者。其始焉以重典立威，終之以惠愛及物，類如此。至元戊寅，葬公於大名縣臺頭里之新阡，從卜食也。夫人田氏、白氏祔焉。三子：長曰愛魯，襲公世爵，至元四年遷金齒等國安撫使，尋陞授雲南道宣慰使兼都元帥，今進拜中奉大夫、參知政事、行雲南等路中書省；次羅合，終大名路行軍萬户；次小鈐部，代兄民職。孫三人：長教化，孝友英發，樂問學，有蘊藉，至臨政精竅，矯矯有祖風，今階正議大夫，佩金虎符，充大名路總管府達魯花赤，兼新附軍萬户；曰帖木兒，敦武校尉，固鎮鐵官提舉；曰萬奴，簉中朝侍從官。嘗聞活千人者，後乃有封，公沙州之請，何啻千人哉！今子孫繩繩，承世爵而繼禄次，豈非陰積致然耶？既襄事之三年，嗣侯教化百拜以墓碑來請曰：「我祖捐館已來，將二紀于兹，曾是表峙神道，無顯刻以昭裔昧，朝夕惴惴，有不遑息者，幸憲使惠顧，以畢厥志，庶圖報遹追之心，有以招告存殁，大獲慰焉。」某謝不敏，懤愈懇。以教孝求忠之義，固不得辭。謹按所具善狀，叙而銘之。其辭曰：

乾龍奮飛天北方，潛蛟乘時亦雲驤。李公材武邦之良，拔身嚮明佐興王，西傾崑崙掃河湟，有來群后何瀼瀼！公從鈐校糸戎行，卒能建功出非常。天威西收陳堂堂，凱歌歸來百戰場。龍泉精英百煉剛，試之劇繁尤允當。行臺駐燕總皇綱，上計委積如陵岡。斂伏雄毅歸贊襄，於惟致君變時康。我聽我理多捄匡，一日問望馳四方。疇功使老國有章，付之方岳又汝長，魏昔建國千里疆，德星出昴光煌煌。懍彼群屬勢軒昂，正名定分我所遑。拊摩瘡罷抑豪强，百廢具舉用乃張。

若傳有亭積有倉，里不桴警孰竊攘。大賁禮殿開兩庠，春風絃歌齊魯鄉。漬民于淵吾憫傷，躬督萬民楗隄防。濁流不揚耕且桑，功餘保障歲屢穰。始焉立威肅秋霜，終以惠鮮熙春陽。民祝公壽福此邦，曾不少留我涕滂。公雖遽往有不亡，陰積陽報理乃彰。子孫嗣封奕葉昌，高牙大纛宜彰揚！河流洋洋沙麓蒼，是為元臣衣冠藏。惟德在民久愈光，嗚呼此碑古甘棠。

[一]遂為河西人：河，原作「湖」，據文淵閣四庫本改。

[二]天兵圍肅：圍，原作「圖」，據文淵閣四庫本改。

[三]從攻沙州破之：州，原脱，據文淵閣四庫本補。

[四]率立行而更張之：立，文淵閣四庫本作「力」。

[五]撓捕無遺：撓，文淵閣四庫本作「搜」。

[六]名聲赫於時：赫，原作「極」，據至治本、明修補本、王抄校本改。文淵閣四庫本作「揚」。

大元國故衛輝路監郡塔必公神道碑銘 并序

皇元天縱神武，戡定區夏，禁綱雖闊，鈐制有方，曰州府，曰司縣，迺建官監治，於上路則復設總監一人，其位望之隆，控壓之重，若古方伯刺史，在諸王分地許持選掄，委之顓，任之久，比同封建嗣承世爵，校常調為重。若夫寵襲漢貂，榮分虎節，卓尔良碩之才，允濟承宣之美，其生也愛方召父，其殁也思遠桐鄉者，緊我衛輝路都監郡塔必公其人也！公諱塔必迷失，系出瀚海大族。王父府君諱押脱玉倫，初，太祖聖武皇帝龍飛朔漠，合一諸部，公扈翊開拓，屢樹勳伐，授阿不罕部工匠總管，仍佩金符。顯考府君諱玉魯忽倫，為人膽勇，善騎射，早以世冑為内侍官。歲壬午，帝西征，有獸扶拔潛噬御驃[一]，上怒，合圍大蒐，公蹙獸至帝前，射而殪之，上喜甚，錫百馬以旌異，自是歷事莊聖太后、憲宗皇帝，以先朝勳舊為御前總執法，每大犒饗，衣盛服，乘名馬，麾纓杖，肅官儀，周行雲幕，殊顯赫也。府君生四子，公即冢嗣也。公姿白晳美髯，而氣幹魁偉，膂力絶人，長襲父秩，出入禁闥，親密無間。已而有言貴近納賂致殷者，上命搜索帳橐，獨公衣被外，廪粟數斛而已，由是廉慎為上所知。己未秋，憲輴西陟，棄群臣而北。明年庚申，世祖皇帝北還，公倉皇東播，迎謁中途，上素聞其賢，為顧恤之。及登極，俾就宿衛，至元三禩，詔以衛封皇姪玉隆答失為采邑，陞州而路，遂輟公來監治，既下車，以衛壤褊狹，路郊衝會，使軺營帳，騷屑無時，不力為撫養遺黎，保障一切，恐靡然無復綱紀，僨瘠豚上，如淇控北徼，無所附麗。公請於朝，來隸分辨主宰，汔民勞為多，由是衛以三州五縣列河朔劇鎮。明年，諸王禿忽魯南征，道出淇右，供頓儲偫，至駭民聽，公遠迓啟其故，下教申嚴，衆斂迹而過輝，營帳千屯，分牧共西，夏則避炎潞頂，冬則迎燠山陽，踐食村落，轢轢州縣，有不勝其撓者，蓋十年于兹。公落其機牙，來就約束。輝民殖園竹，仰供賦税，監司掩之入官，少有犯，民即破産抵法，甚非養民之道[二]，公上奏力陳利害，竟還民産。劉忠輩陷軍儲數夥[三]，徵甚急雖破産莫克償，公憫其窮苦，折以鼠雀耗，元數不虧[四]，為申理之，得免，釋連坐者，三十餘家皆蒙其惠[五]。孔子廟兵後廢撤，不復者五十載，公首議修建，解二驂馬、輟俸稍兩月以佐費，既迄工，壯麗甲諸郡。釋菜告朔，文物煌煌，其蹶厥民彝[六]，思樂泮水，貽謀後來，有深意存焉者，六年，入奏膚功，上喜甚，以憲宗嬪賜之，金玉鞶帶，上駟雪鶻副焉[七]。七年，河朔大蝗，衛獨不為災，識者謂德政所致。其秋料民為兵[八]，甲衣需紬製之，市闕，民不易得，公命以繒代。敕使以乏軍興不可，曰「脱有悞，我則任之」，民賴省便。八年夏四月，入覲，得疾，上命皇姪阿速觧同尚醫來視，以六月十有三日，薨於上都寓館，得年三十有九。訃聞，上嗟惜者久之，遣使護喪南歸，葬汲縣西郭清水之曲。公姿剛毅嚴明，事上忠，奉母孝。平居寡言笑，凛不可犯。及與僚吏共事，有量知體。通議論，樂從善，無一毫自用之私，要以愛養民力、成就王事為亟。晨起坐堂上，吏抱成牘梟進，公詢尹云何？曰得即署，及朝士貴種，譯語闌翻，辯論請索，闕不可支者，不動聲色，徐以數語應之，即聽决而去。退食鈐閣下，侍立不三數人，門庭肅然，杜絶私謁。當時政令修舉，豪强斂迹，賦役均簡，俗興禮讓，河淇間民物雍熙，風化大行，皆由公處之以公廉，捷之以勤强，鎮之以安静，有以致也。時移事易，人亡政存，三十年間，人物有渺然之嘆。論者謂仁者當得其壽，積善常與其報，公位不滿德，壽未遐齡[九]，天之報施，果何如哉？予曰不然，賢者必有其後，一世之短，百世之長存焉，天道可必至子孫而後定者。審矣。夫人月掬氏，姿淑婉，亦瀚海名家，後公十七年卒，祔安玄堂。子一人，即今嗣侯塔失帖木兒。女四人：長夭，次適輝長玉失乃，次適汲尹也先不花，次適工匠府經歷小云失不花。孫二人：曰不顏帖木兒，曰脱忽帖木兒。女孫一，曰不顏的斤。初公薨，嗣侯甫三歲，後二載，太夫人挈之謁皇姪阿速歹，令舉頭視曰，曰：「嘉肖其父。」仍撫背謂曰：「汝蚤成立，當繼先業。」既冠，從叔父懷遠，覲世祖皇帝，詔侍湯液，扈東征，有勞績。至元二十五年，命襲爵，官懷遠大將軍，材識明敏，臨事善裁決。止酒十年，讀書無倦，秉志挺特，有過人者。祗適先志，儷蹤時彦，蔚然以賢師帥稱。佳聲載路，達於天朝，蒙賜府第一區，賢王亦以錦衣玉帶白金為賚。大德改號歲冬十一月，以書幣走京師，請於某曰：「孤子無所肖似，尚賴先人遺澤，猥嗣爵位，朝夕惴惴，以圖報為亟。惟是揄揚先美，昭示永久，庶幾少有慰焉。敢百拜以銘章為請。」追惟先郡公交最久，知行己為詳，義有不得辭者，謹按善狀系而銘之。銘曰：

金天瀚海包元精，斗極通貫氣上蒸，地靈人傑古所稱，篤生世賢為國楨。爰有真人起朔庭，風雲儷景争騫騰。維公家世開五城，執掌天憲昭儀形。帝前盛服麾仗纓，雲幕萬士羅天星，肅焉約束一氣凝，日華光動劍佩鏗。渥洼神駿天池鵬，維藩采邑啟衛坰，其往視師汝則能，衛維小邦勢孤撑。民屎事劇力莫勝，興滯補罅須力行，繭絲保障事匪輕，今則致理宜合并。與善知體政大經，兹焉吾分非自京，坐鎮政有公而清，暴强斂跡民數寧，學校修舉禮讓興，吏畏民愛化大弘，紫庭入秦報政成，賜金增秩循固應，嬪以天御何寵榮！蝗不為災歲屢登，民沐膏澤如幪帡，願公福壽川方增。一夕星殞瞠有聲，素旂南下風冥冥。民失怙恃疇畀矜[一〇]，昔歌且舞今涕零！臧孫有後事可徵，嗣侯善述德日馨，豐碑墮淚勸我銘，大書世篤忠與貞。懷我風愛為世程[一一]，龜麟漠漠秋煙生，衛人尸祝公之靈，桐鄉世祀何千齡！

〔一〕有猷扶拔潛嚙御驃：扶拔，文淵閣四庫本作「驀至」。〔二〕民即破產抵法甚非養民之道：法甚非，原闕，據王抄校本補。此處文淵閣四庫本作「民即破產抵以罪，非養民之道」。〔三〕劉忠輩陷軍儲數夥：忠輩陷軍儲，原闕，據文淵閣四庫本補。〔四〕公憫其窮苦折以鼠雀耗元數不虧：窮苦折以鼠雀耗元，原闕，據文淵閣四庫本補。〔五〕釋連坐者三十餘家皆蒙其惠：連坐者三十餘家皆蒙其，原闕，據文淵閣四庫本補。〔六〕其蹶厥民彝：蹶，文淵閣四庫本作「闡」。〔七〕上駟雪鶻副焉：駟，文淵閣四庫本作「賜」。〔八〕其秋料民為兵：料，文淵閣四庫本作「科」。〔九〕壽未遐齡：未遐，王抄校本作「嗇其」。〔一〇〕民失怙恃疇畀矜：畀，文淵閣四庫本作「恤」。〔一一〕懷我風愛為世程：風，文淵閣四庫本作「夙」。

大元中奉大夫參知政事稷山姚氏先德碑銘

至元改號之五載秋七月，憲臺肇建，于以配肅天德，用昭太微執法之象。詔平章政事塔察公為御史大夫，其裏行十有二人，就舉所知，以充員數。某亦忝筵力列〔一〕，始識姚侯君祥於肅政堂。為人邃闊有膽氣〔二〕，勇於必為，以功名自憙，尋膺才選，由本臺架閣授監察御史，朱衣白簡，意躍如也。時朝廷方勵精圖治，思聞讜議，振折骩骳倔彊之氣。君祥一旦責與志合，義激于衷，殆似與事閧者。嘗與柄臣庭辨得失，摧姦發伏，見於聲色，不少假借，彼情露氣褫。落其機牙。上為動容，嘉其峭直，因目之為「巴兒思」，國語謂其不畏強禦，威猛猶虎然。且喻之曰：「爾後有違太祖聖訓，及干朕之紀綱者，許令直達，罄所願言。」由是臺閣生風，士論有「埋輪都亭、膽落金吾」之目。故四仕風憲，入長秋官，再尹大府，皆著能聲。遂進拜中奉大夫、叅知政事。因不自遑暇曰：「愚忠樸直，効用何有？致茲貴顯。追念先考讀書遯世，不一見於用，潛德融光[三]，流慶後人。欲報之德，昊蒼罔極。有求銘太史，光賁泉穸，霜露之感，庶幾少慰。」遂以銘章來請。自惟君與不肖早以義交，友愛之情，寔深孔懷，况久要不忘，其敢以不敏辭。謹按東雍之姚，系出唐宰相文貞公遐裔，遠祖伯禄，嘗任絳州觀察判官，卒葬屬縣稷山之南陽里。子孫因占藉為邑人。今姚其氏者，尚餘七十家，雖莫克昭穆，要之同出一祖，風聲氣習，猶可識也。君祥大父，以祖窰艱於溝合，別起新仟於嘉禾之北原。父諱某生，十有八，值金季搶攘，家業蕩盡，孑然以孤童子流寓代之鴈門，鄉貢進士趙公愛其姿性温克，館之為門倩。其先素以方技行，府君幼傳家學，或勸售其術以資生事，曰：「利者人所共趍，其如不可何？醫重事，人命死生繫焉。今以餬口計，措不精之術於其間，寧寒莩死，義之所不敢為也！」聞者為嘆息。遂安貧處分，以闡庠為業，終身不易，非道一介不取與於人，單瓢屢空，進修之志不少輟。由是遠邇矜式，以師儒推重之。及二子稍長，嘗庭訓曰：「聖賢千言萬語，牖人於善，以要領而論，不過忠孝兩端而已。汝等其勉旃。異時立身成人，恐不外是。」壽五十有八，以疾終于代。遺囑天福等起宗顯親，歸葬先壟為切。配趙氏，治家清嚴，教子孫有法，君祥初拜御史，戒之曰：「古稱公尔忘私，汝既委質而臣，當罄殫一心，黽勉所事，勿以未亡人為卹，俾吾追蹤陵母，死之日猶生之年也。」君祥亦請於憲府，監察責當言路，有犯無隱。儻因事獲譴，乞不親累。或以奏聞，上為稱之曰：「巴兒思母子雖生茲世，其義烈之言，當於古人中求之。」命侍臣董文忠傳旨翰林院特書其事，光昭簡册，由是夫人賢淑聞於時。元貞元年十有二月晦，考終牖下，享年八十有七。生二子：長曰天福，即中奉君；次曰天禄，終和衆縣簿。男孫四人，女孫二。君祥之子曰祖舜，終秘書監著作郎；曰和尚，未名；女二，俱適華族。天禄之子燕山驢、速不歹。先是，君祥總尹平陽，絳即屬郡，封樹墳券[四]，凡儀制之得為者，略皆備具。及母夫人之喪，方尹真定，即棄官奔赴。爰奉二親，祔之玄瘞。既償先志，遹展孝思。維姚氏自文貞公以來，歷唐訖今，餘五百歲，彰纓若綬，代不乏人。逮鴈門府君遭罹世故，家業中衰，復能積德纍行，躬不受祉，遺之子孫。中奉君承世德之清源，浚之以蠲潔，而端其本；采群言之枝葉，滋之以茂實，而循其能，宜乎起身韋布，致位卿相，為連為率，勵薄俗而振清標也是宜銘。銘曰：

岷山導江，發源濫觴，豫樟蔽空，起於毫芒。士貴尚志，再世而昌，天道於赫，孰為茫茫。東雍之姚，系開鉅唐，盛衰靡常，善焉降祥。繄鴈門君，源濬流長[五]，不饗其報，後祉曷量。生丈夫子，訓以義方，一朝奮飛，大我門牆。峨峨豸冠，振朝之綱，摧姦發伏，耻後趙張。嬰鱗上諫，屢皂其囊，精誠耿耿，洞達帝傍。以虎喻猛，獎其忠良，游刃恢恢，槃錯莫當。外臺雄峻，搏擊翱翔，群狐闖穴，一鶚横霜。風動百城，孰為暴强？遂參大政，庸極寵章[六]。豈曰子能，先代之光。追報無及，有事顯揚。豐碑揭業，勒銘煌煌！惟孝移忠，惟忠孝彰，孝繼忠傳，大渢泱泱！子孫訓之，昭示不忘。（以上《秋澗集》卷五一）

[一]某亦忝簉力列：力，文淵閣四庫本作「與」。　[二]為人謐閎有膽氣：謐，文淵閣本作「邁」。

〔三〕潛德融光：融，文淵閣四庫本作「幽」。〔四〕封樹墳券：券，文淵閣四庫本作「圈」。〔五〕源濬流長：濬，文淵閣四庫本作「深」。〔六〕庸極寵草：庸，文淵閣四庫本作「榮」。

全元文卷一八五

王惲 一九

大元故鄭州宣課長官盧公神道碑銘 并序

至元己丑冬，予提憲福唐，識前政太中盧君，沉厚謙抑，蓋卓卓有為者，及聞諸僚友間，君自平江浙以來，治軍撫民，俱有成効，惜去之遽，不暇欵接也。後六年，予方紬書石室，來謁曰：「天祥負釁深重，嚮往回甫拜先壠，不幸考妣相繼奄逝。今祥禫已終，惟是告神明傳永久者，不内翰是託〔一〕，其疇依。幸惠顧無讓。」既而持善狀，以墓碑來請，迺勉為論撰之。公諱元，姓盧氏，世為許之臨潁縣里仁鄉人。曾祖、祖世代邈，名諱俱逸，樂耕稼，以善行庇一方。父諱某，金季以勞主襄城簿〔二〕，有聲妣李氏，姿明慧，知經史。公垂髫，教之讀書，每以言動不妄為誡。及長，存誠尚義，挺然有守，不為流俗所移。歲壬辰，公避地鄭之管城及汴梁，下民環鄭而來者日以千數，公知衆心去留未定，即會而喻之曰：「鄭土號稱沃壤，萊荒歲久，畝可數鍾，今棄而不耕，狃遷避為安，其安果何在哉？吾欲捐私廩助種食，與汝曹並耕而食，一旦有成，不猶愈餬其口於四方，君等其有意乎？」衆感而唯命。由是遠近襁慕，歸依者衆，生聚煙火，漸復平日之舊，迄今鄭人户而祝之。庚子、辛丑間，朝廷聞公信義，多之，乃曰：「智効一官，用未可量也！」遂舉充鄭六縣課税長官[三]。數年間，事辦而民安，不知有壟斷也。其寬和如此。既而嘆曰：「放利而行，不容無怨，况非素志。」遂投牒而去，優游田間，處身事外，有教子讀書立門户、盡地利、厚蓋藏而已。歲時伏臘，擊鮮具釀，與親戚父老寧止燕衎，樂于胥也。先是，治第郡城中，然未嘗久處，杖履所安，多在里仁别業。辛卯冬，一夕與鄰里辭訣曰：「相親久幸，各自重！」遂命駕入城，衆訝其遽如許也。已而果微恙，召諸子若孫告之曰：「昔吾翁媪，兵燼餘營理生産，五十年間，勤苦備嘗，方致苟完。今壽踰八秩，嗣子致位通顯，吾何修而然？是皆祖禰積德勤力所致。第官無高庫，廉慎能安，家無肥瘠，共儉可保，吾平生行己，汝曹猶及見之，諸孫温飫，不知艱難所自，讀書力田，慎勿偏廢，如是則盧氏其未央也！」言終而逝，饗年八十有二。夫人薛氏，祇嚴貞順，母道有光，夫婦相處五紀，公之意不毫髮少失。後一閏，無疾而終。四子：長天祥，大中大夫、福建閩海道提刑按察使；次天驎，未仕；天祐，忠翊校尉行軍總把，戰占城殁；皆薛出。天瑞，晉江縣尹，前公卒。一女，適曹氏子。孫七人：從善，從禮，從順，從道，從正，從德，從謙。從禮襲父天祐職，忠顯校尉行軍千户，餘皆幼。孫女九人，四適士族，餘在室。曾孫一人，曰允孫。曾女孫一人，尚幼。某年月日，天祥等奉公柩葬大陵先塋某穴，夫人薛氏祔焉。公為人魁梧，重然諾，寡言笑，言則為衆信服。處身治家，不侈不陋，理恒業，課僮僕，各得其宜。故能上下戮力，農事修整，子孫朝夕問謁，肅若官府。雖搶攘際，姻親鄉曲，賴其依藉，與平時無異。初江左平，公南遊襄漢，遇俘者疾病，顛頓道塗間，憫焉，遂罄行橐中物，贖而良之者甚衆。至於行高恩積在人，又似夫漢樊重之行事也。是可銘。銘曰：

天稟中厚，百焉可為，事以誠應，其將孰違？暨暨盧氏，家穎之涯，三世在野，篤為農師。顧此大本，我控我持，迨乎府君，一誠是思。積而能散，識符事幾[四]，大梁既下，流氓四馳。環鄭而來，莫知所依，一語還定，衆安若歸[五]。畇畇鄭圃，澮澮沖陂，煙火相望，鷄犬垣籬。繄鄭有存，曰僑曰皮，尸而祝之，非公其誰？豈惟義豪，善人幾希，達而拜官，非吾所期。解紱南轅，幅巾杖藜，秩我東作，西成可知。崇彼禮節，張吾四維，鳴歌有子幼之樂，營產盡吾樊之規。流惠閭里，賑乏宗支，人以為君子富於此。見智人所推。取諸理化，政將同施。婆娑故里，壽高期頤，子孫簪紱，何若若兮！亹亹臨終朗朗，二者勿遺：葢耕稼乃種德之本，教子隆起家之基。古人取必於身後，公獨饗福於平時。狼陂𤃩淪，大陵崔巍。異時瞻豐碑於木杪，其有感於斯者，知無愧辭。噫！

[一]不内翰是託：託，文淵閣四庫本作「乞」。　[二]金季以勞主襄城簿：主，原作「治」，據至治本、明修補本、文淵閣四庫本、王抄校本改。　[三]遂舉充鄭六縣課税長官：鄭，文淵閣四庫本作「郡」。　[四]識符事幾：幾，文淵閣四庫本作「機」。　[五]衆安若歸：安，原闕，據至治本、明修補本、王抄校本補。文淵閣四庫本作「志」。

金故朝請大夫泌陽縣令趙公神道碑銘 并序

金自南渡後，封壤日蹙，軍國調度，百色所須，悉取辦民間。然迄於亡而不知困，其良法善經、維持而有力者，多農司辟令是歸。若乃策名俊造，列官令宰，終其職而不負所舉者，趙公其一也。公諱鵬，字摶霄，蒲之河東人。幼習舉業[二]，弱冠有聲場屋間，擢貞祐三年詞賦進士第。父元，善聲韻、算學，世以農致富。及公第，諸負債者，悉折券以貰，曰：「吾所得已多，尚何貪為？」其知止如此。公釋褐主芮城簿，秩滿令闕，縣請留公，行臺廉其能，俾攝縣務。既而調同州澄城令，民安公教，政方著，左曹請赴，入補尚書省掾。未幾，用薦者辟授泌陽縣令。泌，邊邑也，户繁俗剽薄，多不地著，號稱難理。公下車，設教條，督遊墮，行視田里，相民利病而興除之。見其土腴而桑鮮，及知玉池渰坡等陂，民嘗資以蒔稻，歲穫千萬鍾。年深堤堰圮漏，貪取恣引，彊者有餘，弱者不足，田有涸而生埃者，致相訟竟歲。公審其若是，令曰：「水為利殊博，旱乾有藉焉，正患潤餘而用不均。」又曰：「設使菽粟如流，寒無袴襦，將奚以卒歲？」乃榰圮苴漏，瀦漶散，理溝洫，復作斗門提閼十數處，量田疇為可溉約束，又置鼓畜犬於田畔，以警其姦竊。自是紛争息，民無所私，及課植桑，歲至三十萬株，縣以之致富焉。公曰：「既殷而教，聖人之大經。」於是謹庠序，表善惡，以敦其禮讓。有射生張青者，闖跨兩徼，頗横恣不法，民嫉之。公廉知，攝至庭，嚴加教戒，就給田牛，易籍農伍，許以自新，曰：「今而後，姦枿少萌，吾將不汝貸。」青悔愧自斂，迄終更不復為非。其興利易俗，先教後罰，殆召父之治南陽也。農司覈實，以其績上聞，至有州縣得人之諭。尋遷豐衍庫使。京城變，人饑，至相啖，同僚欲私帑物以易斗食，公曰：「我主吏，死則吾分，可切君藏以偷生耶〔二〕！」其人慚而止。北渡後，流寓淇南，貧無為資。時當路有知公之賢，欲以一縣相屈者，公聞之曰：「余方以儉素自守，其可榮以仕乎？」竟不應，遂教諸生為業，識者多之。以甲寅歲夏六月二十九日，觀漲西城歸，憩坐礎〔三〕，言笑而逝。春秋七十有三，積官至朝請大夫。至元戊寅歲，改葬公郡城東郭顯應祠南百許步，郡君邢氏祔焉。公凡五娶。楊氏生子庭，嘗為郡學官；女某，適同年何氏子。郭氏生女華仙，適齊氏。次雷氏、令狐氏。再娶閿鄉邢氏，生四子一女，男曰康，曰廣，廣傳家學，嘗任莞庫，以廉能稱；曰應，曰廉，讀書通醫術；女舜英，適陳嘉謀。孫七人：良弼，遂良，濟民，從龍，顯祖，時敏，克謙。先生資雅厚，長身白晳，與人接，未嘗出一妄言，衣冠顏貌，望之知為一醇儒也。所交皆一時才傑，如石御史子堅，李右司欽叔，暨其弟欽用、欽若，楊都運煥然，王華陰元禮，何學博與之。嘗觀河華風土，秀潤雄碩，不隨時高下，先生挺生其間，清明之所萃鍾，英彥之所霑浹，宜其角逐文場，而擢名進士，揚歷中外，而稱材大夫，所居民富，所去見思，凜凜然有德讓君子之風。詞賦為平生顓門之學，其經指授者，皆有所成就。某年方志學，受業門下，今老矣；凡兩入翰林，三貳憲府，粗有所聞於時，先生之教有力焉。子廣來請銘。曰是某之責也，其敢以不敏辭。銘曰：

於休先生，德讓君子。力擢巍科，聲馳膴仕。二宰劇縣，政平訟理。敬謹廉勤〔四〕，富開田里[五]。化先罰後[六]，令行禁止。異績殊聞，驚目駭耳。一非不能[七]，未免有己[八]。鄒論為邦，厥有深旨。樹畜耕耘，王道伊始。史傳漢循，龔黃信臣。奮髯抵几，莫之與倫。諒公平生，有得於此。至今遺黎，歌詠餘美。天步改玉，士或易節。布衣歸來，教授為業。斗食苟生，寧饑不屑。銘無愧辭，劖比麟碣，是為亡社，大夫之墓，其光有曄。

[一]幼習主業：習，原作「君」，據至治本、明修補本、文淵閣四庫本、王抄校本改。[二]可切君藏以偷生耶：切，文淵閣四庫本作「竊」。[三]憩坐礎：礎，文淵閣四庫本作「席」。[四]敬謹廉勤：廉勤，原闕，據文淵閣四庫本補。[五]富開田里：富，原闕，據文淵閣四庫本、王抄校本補。[六]化先罰後：化，原闕，據文淵閣四庫本補。[七]一非不能：文淵閣四庫本作「一夫不獲」。[八]未免有己：己，文淵閣四庫本作「耻」。

大元故奉訓大夫尚書禮部郎中致仕丁公墓碑銘 并序

金制，大定間，限以三品至五品職事官承蔭子孫內班供奉，或省署僚直者，同吏員，許試六曹令史，中其選，驗班秩崇庳而收補焉，謂之班□出身，于以抑任子苟進之風，且勵多士特達者之志，在當時號稱入流美科。如吾奉訓丁公，卓然以材術拔出倫類，表見一時，可謂篤志君子，其敢以門資待之乎？公諱居實，字仲華。高祖孝溫，仕金朝，官金紫光祿大夫、臨海軍節度使，遂世家錦州。曾祖興，宣武將軍，終興化簿。大父從吉，明威將軍、宜陽令。考鐘，太康稅使，累官至宣武將軍。公少孤，稍長，力學不倦，每以藉蔭入雜流為慊，遂去習城旦書，用明威資，中正大四年部掾甲首，例補尚書吏部令史。南播後，封壤蹙，員多闕鮮，中外官守代擾滯，公詳酌格例，若不顓泥而銓調以方，至事行而人服其當。因建言曲阜令孔氏，世繼終其身。有不便者，請優以兩考調他任，擢族中賢者嗣秩，乃爾則聖人之後，材能輩出，不致沉鬱。朝議從之。未幾，擢權尚書省令史。明惠太后崩，暨國信出使，皆以材選，從事俎豆縉紳間，稱其敏達，積前後勞，官昭信校尉、勳雲騎尉。金亡，流寓天德黑水間。國朝方事江淮，總廩餉于衛，漕長宗侯亨奏公充軍儲經歷官，收德望也。公籌會漕計，雖內輸外饋，應期取辦，顓以抒民力為心，俾人忘飛輓之勞，士有足食之樂，公力為居多。迨中統建元，開府史公宣撫河外[二]，方圖任舊人以副閫寄，故首薦公諮議幕府事。公竭誠殫慮，思盡心所行，簿書外，典憲獄情，尤所明慎。初，許民得千户印章於場間，以寠甚，冒稱偏裨，獲戾，投欵而南，以徼賞格。既而潛來，事露，有司抵之極刑。公曰：「不可，原其情非逆，不過以譎圖賄爾。」竟從減死論。故制辭有「處心純正，用事詳明，熟識國典」之諭，其為朝野推重如是。四年，復應左丞闞公辟署大名宣慰司幕官。適青齊用兵，調度星火急，公晝夜措畫，責分而事辦。有宿盜抵法，上官主以劓刑決之，公力辯曰：「時方閧動，肉刑久廢，行之恐衆情疑駭，且復累公。」遂處以常法。一邊將以罪叛，獲奴從，欲殺之，公請讞於朝，左轄公曰：「從逆者坐死，尚何疑？」公曰：「彼固有罪，為士師則可以僇之，况奴為主脅，寧知得已乎？」上之，因果縱釋，後來謝，公拒絶不見，曰：「嚮非汝私，論國典也。」其清脅强幹，至為子清公賞識，且以大用許之。五年，朝廷大明黜陟，調中外官，銓法曠久，後生晚進，有愕然手不易措者。以掌固起公，遂授吏部員外郎。所謂吏勳總格貼簿之類，指授大略，然後以今酌古，裁為新格，粲如也！庫秩崇資，升降注擬，多適其宜，以能陞奉訓大夫、尚書禮部郎中。尋以年及請老，諸相謂公齒力健，未宜失此老成人。請益堅，得告，沾沾而喜曰：「自今方為一事了人也。」其含章有終，為可見矣。時致仕例未行，俗且以奔競患失為風，聞公勇退若爾，識者莫不歡羡，翰林諸公至餞以歌詩美之。公氣貌魁偉，資穎悟，廉直精敏過人，挺身正路，動以撿押自律，與人交，雖小信不忒，及談典故，論法家，令人聽之娓娓忘倦。故至元已來，删定儀制，公每預其庭議焉。嘗有以瓜菓為獻者，謝去之，曰：「此固微物，第生平未省一介妄取諸人。」其自克治多類此，疇謂阿私可得而浼邪？中年後，勑斷家事，毋復關白，以書史自娛，喜讀司馬公《通鑒》，日手書為課，曰：「一録則勝數過矣。」五載間，寒暑不輟，遂成全帙。故晚節識益明，志益篤，然於世猶有未忘者。十三年夏，余考試在汴，尚憶公危坐一榻，吐論猶健，間及世道理[二]，有所臲卼，慨然義形于色，因泣下沾襟，余訝其遽如許也。明年秋八月，遘疾卒于家，春秋七十有五。夫人趙氏，金太中大夫、太常卿文簡公之女孫，泗州防判經之女，正內主饋，壺儀有煒。生四子，皆讀書，公資之殊力。長曰誠，克家不仕；曰詢，有文學，淇州教官；曰訓，通吏事，任江州某職；曰諒，能以孝移理于官，而義襟靄如，嘗為河南宣慰司提領按牘官，又不負公之所鍾愛云。孫男女如干。公歿後八年，子詢、諒來謁余，跽而請曰：「維憲使與先君世契厚，從游且久，知行已為最詳，今墓石未銘，敢百拜屬筆，庶假寵後人，以垂不泯[三]！幸先生毋讓。」因第其善狀而表之以銘。

銘曰：

士志弘毅，奚間隆污，譬彼玉瑩，丹青不渝。顯允丁公，志弘氣愉，脱落門閥，奮飛亨衢。貞我憲度，勵夫廉隅。擢居省署，以才以譽。挈囊佩玉，氣貌舒徐，表見一時，聲光兩都。開物成務，綽然有餘，其出其處，與時盈虚。解紱歸來，詩書自娱，人曰吏師，我曰通儒。淺之為失，昧於卷舒，公卿之門，形勢之涂。老不知已，伺侯奔趍，衆晾為常，曾何異於。我獨翩翩，勇退自如，以此較彼，孰賢孰愚？豈惟知止而近不殆，古所謂賢哉二大夫者，公其庶乎？我銘表德，過者嗟吁！

［一］開府史公宣撫河外：外，文淵閣四庫本作「内」。　［二］間及世道理：理，文淵閣四庫本作「每」，當置於下句首。　［三］以垂不泯：泯，文淵閣四庫本作「朽」。

故武節將軍侍衛親軍千户董侯夫人碑銘　有序

故武節將軍董侯死事後十有九年，當癸巳秋八月庚戌，夫人淩其氏卒於稟第之正寢，用次月九日，嗣子守仁手開玄堂，祔安武節匶左，禮也。重念母氏德全恩至，以守仁蚤備戎行，省定歲有時，不幸罹兹大故，例同世俗，附見於表誌之末，何以慰凱風寒泉之思？惟是鑱銘别石，媲峙神隧，用昭懿德，越厥心是恔。内翰與叔祖契欵，尚惠顧使卒微志，豈唯守仁等幸，亦母氏之永光也。敢百拜為請。

讓不容己，謹叙而許之[一]。夫人號淑媛，系艧澤大家。父松崗先生，諱軸，母元氏。先生資剛正，有文行，嘗提舉真定八州學校。夫人幼聰慧，即教之知書，既笄，容止幽閑，組繡剪製，巧有餘思，《班經》、《女誡》，皆通曉大義，故金紫光禄大夫忠獻董公聞其賢淑，求配長嗣士元，維董氏勛閥大族，世稱有家法者，夫人出儒素，一旦起家，若固有之，即能事公姑，奉祭祀，不爽婦職，小大説懌，化行閨壼間[二]，穆如也。太夫人早棄養，忠憲公洎武節扈從出師無虚歲，門内事如麻，一諉之主治，居無幾何，内外齊肅，殆一官府然[三]，密詳而不傷其婉，嚴恪而不害其和，以致家道昌宜，豐儉中禮。若迺終之以温惠，浹之以恭順。四十年間，奉承内助，夫人之力居多。夫人嘗以賜幣為武節作服，衣之入侍，上目其製精適宜，且滅手迹，顧左右曰：「董某妻，必女紅之善者！」或歸語其室，多悚而効之者。由是，夫人賢淑聞于時。及武節之喪，哀毁幾絶者再。比之奉䩮安窆，植碑表烈，以終大禮，其勤悴至矣。加以鞠育諸孤，朝趨學於外，夕勖志於内，至祝香空際，願克孝而忠，若富與貴，非所敢希。至於時祀，雖幼子童孫，抱持起拜，使習見熟其當然，於嬰孩示教又如此。故歲時拜慶，瑶環瑜珥，停鸞峙鵠，玉雪照映，樂融怡也。至元三十年，夫人竟以勤劬致疾。既革，子守仁越千里來省，正容而謂曰：「宿衛事重，何以我為？業來，吾且逝矣。」比屬纊，立諸子戒之[四]，董氏一門，世篤忠貞，汝輩當効死報國，毋貽爾祖禰羞，能然，吾目瞑無憾矣！」言畢而終，享年六十有一。生子男四人，長早世，次即守仁、守禮、守謙。守仁姿清峻，射聲有父風，勤於問學，恪於官守，初以羽林孤兒襲爵，尋有功，陞宣武將軍、簽右衛指揮司事。餘未仕，皆謹願克家。子女四人，俱適名族。武節有次室曰張氏，夫人禮遇殊厚，生男女各一，教育嫁娶，不異己出，女媵四及所生女一，遺命豢而良之[五]。其逮下罔嫉，有芣苢小星之惠。若夫人者，在家為淑嫕，既嫁為哲婦，老而稱賢母，以行以法，宜有銘。銘曰：

夫婦之道，人倫是維，内治克雍，尤婦之宜。毓德由素，承家有基，懿懿夫人，兩全德儀。譬彼蘭茝[六]，曄曄猗猗[七]，植根得所，馨華日滋。求佳耦而得英配，融篤實而發光輝。主祀孔嘉，供養無違，以孝以敬，心焉與持。志閔夫勞而勸義，豈特奉几而齊眉。庭生玉樹，秀擢連枝，惟天姿而與教，宜並悌而孝思。孰云施而匪報？繄美惡之兩遺。雖壽齡兮侶靳，盡五福兮熙熙！煒我彤管，刻銘在碑。香生七誡，聲聞禁闈。羗千秋兮百代，與班氏兮同歸！

[一]謹叙而誶之：誶，文淵閣四庫本作「誌」。　[二]化行閨壼間：壼，文淵閣四庫本作「閫」。　[三]殆一官府然：殆，文淵閣四庫本作「如」。　[四]立諸子戒之：立，文淵閣四庫本作「呼」。　[五]遺命豢而良之：豢，原作「券」。據文淵閣四庫本改。　[六]譬彼蘭茝：茝，原作「苢」，據文淵閣四庫本改。　[七]曄曄猗猗：曄曄，文淵閣四庫本作「馥馥」。

泰安州長清縣朱氏世系碑銘　并序

大元以威德撫有方夏，當其摧强暴、剪妖孽、而收廓清之功者，莫不資心膂爪牙之士，以宣其力。

三齊諸軍，號稱果鋭，就偏裨中論之，長清朱氏蓋其一也。朱氏世為黄山里中人，遠祖諱寶，寶生珍，珍生鎮，皆力穡致富，積而能散，以孝謹聞。鎮之配馬氏，生五子：曰在，曰楫，曰存，曰林，曰和，洎女弟三人，皆適里族。而楫與存，獨慷慨超昆季間，既長，并善騎射，膽略過人，平居恂恂，殆無能為者，至於臨事果，遇敵勇，自晾無前。貞祐初，金棄燕南渡，所在豪强乘亂而起，一僨一興，迭為雄長，人昧夫依於，楫與弟存廼集鄉義年少，團大望山以自保。聞東平武惠嚴公倡率義師，壁青崖山，伏俟國兵攸歸，楫慕義往見之，遂假楫兵馬都總領。歲庚寅，武惠挈所部歸太師國王，王承制封拜，徽衆力為用。時楫以功從，公請授懷遠大將軍、同知濟南府事。甲申，略地而西，次冠氏，與宋將彭義斌遇陷陣中，戰殁。母弟存奉櫬葬黄山原之先塋，禮也。存遂襲兄職，以信武將軍俾領軍務。俄鄆州失守，冀武惠復東平，就取徐邳。乙未，嚗鋒棗陽，踣之，進攻黄光，尅焉。積勞遷廣威將軍，繼升昭勇大將軍。辛丑歲。軍府第功，以最聞，賜金符，充東平路行軍千户。迨己酉春，竟以攻戰得勞疾卒。夫人李氏，系同郡大家。其次室曰吴氏、王氏、劉氏、傅氏，生男子五人：克正、克紹、克脩、克恭、克順。克正即夫人吴氏出，既嗣昭勇軍務，仍佩金符，改授東平路長清縣行軍千户，方薦歲南伐，所在戰有之〔一〕。如壬子攻虎頭關，以先登得功，主將遥見之，召使前，免胄識面，以鏐匜犒之。戊午秋，國兵大集釣魚山，詔東師掣肘淮海，宣武以騎將徇召伯碏之〔二〕，復有白金之賜。己未冬，王師渡江取鄂，分率拔都穴城以入，不甲解者四十晝夜。中統三年，破歷下城，諸校以圍栅功，例有銀盌、紵袍之賚，宣武預焉。至元十一年，掀荆山、鍋河等戍。十二年，提漢甲從元帥孛羅懽，掇連海、清口、淮安、寶應，水陸相鏖殊力[三]，故明年秋，復掠高郵西，遇賊一戰而殲，行樞録勞上聞，授武節將軍，又准辟兼行省都鎮撫。十四年，隨右相別里迷失入覲，進宣武將軍、管軍總管，仍宿杭以鎮。明年，處劇賊陳壽浮雲張三八等，劫鎮縣，殺守吏，勢甚張，比擒獮，馘渠首二十餘級，隨以蒙古漢步七百人，收温之五寨，以能升本軍萬户。十七年庚辰，督造下瀨戈船，竹頭木梯[四]，積羨增四十餘艘，用是得勞憊疾，輿歸，卒黄山墅之正寢。其壯而事者，以宣武自結髮從軍，幾三十年，小大戰百餘合，忠勇奮發，亦可謂無負名之與爵矣。夫人張氏，系同縣世家，姿貞嚴，齊家有法，與宣武合德。生子敵，女三人。敵以世叙宣授武略將軍、本翼管軍千户，就佩伊父金符[五]，守戍臨安，繼隸宣慰忽都虎[六]，駕海徑占臘，師多淹[七]，朝廷恤其師，復伏于澳中[八]，俟便收其類以濟[九]。明歲，良之寧海部[一〇]，群盜嘯凶者，黨聚洲島，幾萬人沉之潭[一一]，進掠巴山月雙二豁[一二]，同茶把掘其窠積金所也[一三]。武略獨馘首九十餘級[一四]，擒介胄者百人，沉巨艦者五十[一五]，遂平明州。冬，暴卒於明州之軍舍。為人倜儻好施，謙撝有祖懷，公勤凛父風。天不假壽，而止於斯[一六]，悲夫！明年夏四月，夫人劉氏自慶元護靈輤北歸[一七]，以從祖窆[一八]，亦以哀悴致疾終[一九]。孤子昭先就安祔公藏。昭先二女：長適總管兀顔[二〇]，次歸今武衛親軍副都指揮使張瑾[二一]。□任適□德起身戲下[二二]，義激於衷[二三]，最不忘其故者，於是提挈小子[二四]，今授昭信校尉管軍千户，俾嗣其世業。葬之載月，殘紹介其舅持翰林修撰傅夢敖善狀[二五]，百拜來丐銘。余嘗讀西漢《游俠傳》[二六]，魯人尚儒，惟朱家以俠聞，長清在漢濟北地，面控泰岱，挾右滄海，與魯封犬牙相入，今朱氏世為長清黄山里人，家故饒財，急難意施，世不乏人，豈朱家之遠裔乎？且戎閫為國之正臣，豪俠迺鄉土武斷，其豁達匿智[一七]，雖習俗使然，彼風聲氣概，尚桓而趨事也如是，非來之遠、積之厚，其流胡能若爾而淵者虖？仍系之以銘。銘曰：

天生五材，闕一胡可。孰能去兵？芟夷繁夥。繄朱氏先，其來么麼。三世在田，訾而罔墮，加以孝友，勤儉克荷。赳赳懷宣，拳勇强果，尚桓勗義，志不屑瑣。諸父而下，迺暨仍孫，例生炳彪，負嵎而賁。風塵與會，雲罍解屯，撫定齊魯，于桑于耘。蕩一江吴，席卷甌吞，會歸一原，張本楫存。三世為將，道家所忌，唯殺不嗜，能永厥世。偉曹惠武，仁而且智。臨陣愾敵，虔劉鏺刈。居當平時，蟻封謹避，儻存是心，衆將何害？萬骼雖臘，功成而泰。於戲朱氏，我銘韋佩！匪惟光昭，惟以是誠。

[一]所在戰有之：之，文淵閣四庫本作「功」。　[二]召伯趦之：趦，文淵閣四庫本作「下」。　[三]水陸相鏖殊力：鏖，原作「望」，據至治本、明修補本、王抄校本改。　[四]竹頭木梯：木梯，文淵閣四庫本作「木材」。　[五]就佩伊父金符：伊，原闕，據王抄校本補。符，原闕，據文淵閣四庫本、王抄校本補。　[六]繼隸宣慰忽都虎：隸，原闕，據王抄校本補。　[七]師多淹：原作「占終□□」，據王抄校本改。　[八]復伏于澳中：于澳中，原闕，據王抄校本補。　[九]俟便收其類以濟：除「類」外，其他原闕，據王抄校本補。　[一〇]明歲良之海寧部：明，原闕，據王抄校本補。良，王抄校本作「臺」。　[一一]黨聚洲島幾萬人沈之潭：除「潭」外，原闕，據王抄校本補。　[一二]進掠巴山月雙二豁：進掠，原闕，據王抄校本補。　[一三]同茶把掘其窠積金所也：「掘其窠積金」五字原闕，據王抄校本補。　[一四]武略獨馘首九十餘級：馘，原闕，據王抄校

本補。文淵閣四庫本作「斬」。　［一五］擒介胄者百人沉巨艦者五十：百人，原闕，據王抄校本補。文淵閣四庫本作「十人」。沉巨，原闕，據王抄校本補。五十，原作「五戰」，據文淵閣四庫本改。　［一六］而止於斯：而，原闕，據王抄校本補。文淵閣四庫本作「竟」。　［一七］夫人劉氏自慶元護靈輴北歸：北，原闕，據王抄校本補。文淵閣四庫本作「而」。　［一八］以從祖窆：祖窆，原闕，據王抄校本補。此句文淵閣四庫本作「以從征時久」。　［一九］亦以哀悴致疾終：悴，文淵閣四庫本作「悼」。　［二〇］長適總管兀顏：總，原作「幾」，據文淵閣四庫本、王抄校本改。　［二一］次歸今武衛親軍副都指揮使張瑾：瑾，王抄校本作「珪」。　［二二］□任適□德起身戲下：王抄校本作「季在室，壻珪起身戲下」。　［二三］義激於衷：於，原闕，據文淵閣四庫本、王抄校本補。　［二四］於是提挈小子：提，原作「接」，據王抄校本改。小子，原闕，據王抄校本補。　［二五］殘紹介其舅持翰林修撰傅夢弼善：殘紹，文淵閣四庫本作「召先」，王抄校本作「珪紹」。傅夢弼，文淵閣四庫本作「傅夢敓」。　［二六］余嘗讀西漢《游俠傳》：余，原作「榮」，據王抄校本改。文淵閣四庫本作「惲」。
［二七］其豁達匿智：匿智，至治本作「匪智」，文淵閣四庫本作「之志」。

絳州重修夫子廟碑

絳為州甚劇，其地蓄河山之潤，總六縣，以三萬户為河東冠。俗剛儉，尚氣義，奄焉有三晉餘習。州治民廬，高下覆壓，蟠踞枕跨，崗陵是依，獨夫子廟學據城之東北隅，爽朗夷衍，奠澤宫甚宜，而素汾北來，盤折容與，帶郡城而西，望之一泮水然。廢撤既久，莽為榛墟。逮州將臒澤郭公來，始圖興復，遂起大成殿泮宮門各三楹，甫構棧而公卒[一]，漠然狼藉者，蓋三年于茲，噫！將有待而然邪？至元九年秋，奉議馬公來尹斯郡，既謁告，顧瞻咨嗟，憫夫垂成之功，日就陊剥，乃以完故益新為任。於是完正殿，壯臺門，創兩序，凡就屋五十餘楹，層棟軒翥，墀陛整削，松桷有舄，碩碩其庭，中設素王像，以顏孟十哲配侍左右，東西兩廡，繪六十二子及大儒二十有四，袞冕㝷裳，峨峨奉璋，奎壁輝映[二]，煥焉有光。廟既成，適選舉令下，士子來歸，洋洋滿庠。既而，衆議以州之治化及民者非一，其大者著者，可無聞於後？來謁文於余，因勉為撰述，且寓夫予之所感焉。嗚呼！三代之治道，莫先於教學，無重於育材。材弗育，則用乏其人；民失化，則不明乎善；善不明，則民入於僻；民蕩於僻，則幾何不為禽犢也？哀哉！欲求吏之良、政之善，胡可得已。若夫天地絪緼，山川開闔，蟠精粹靈，非有今昔醇醨之間，人之秉彝具存，天之生材不乏，然氣之不充、俗之不美者，特以教之無素，養之未至耳。今國家崇聖道，開化源，建辟廱於京師，立學師於鄉遂，顓本業者復其身，鳴一藝者無不庸。是則大易人文之化，菁莪樂育之方，靡不備至。奈何吏治者鮮推其本，以簿書獄訟是務；為士者不思根極聖道，以大學自任，區區從事於章句之末？是不副上之所求所望焉。而曰：「道不明，秦無人也宜矣。」尹蚤以學術侍彤庭，歷臺閣，熟其然，故下車之初，首事學校，作新士民耳目，至成就若爾，可謂能也已。尹諱某，世郡人，既書其興建本末，而繫之以詩，其辭曰：

厥初生民，秉彝昭融。物慾外遷，良心蔽蒙。於鑠元聖，乃大有覺。何効何則？而先乎學。于嗟叔世，降及漢唐，道統湮微，絺文繪章。士騖空言，吏昧厥治，朝夕孜孜，匪不摩勵。科學異端，簿書期會，愚者不及，淪於自棄。聖不世出，發越道源，粃糠虚文，浩浩其天。廟宫之建，序庠是宣，穆穆睿思，意兹在焉。而吏而士，尚克勉旃。盤盤閟宫，完故益新。馬公之功，本既立矣，道由生矣。睎為餼羊，乃予之恥。（以上《秋澗集》卷五二）

［一］甫構棧而公卒：構，原作「杇」，據文淵閣四庫本改。

［二］奎壁輝映：奎，王抄校本作「金」。

全元文卷一八六

王　惲　二〇

絳州曲沃縣新修宣聖廟碑

曲沃縣學舊矣，始完於宋嘉祐初，盛於金泰和間，貞祐之兵，蕩焉無餘。前政苟詘，初不遑郵，園蔬興感，薪刈其下者幾五十祀。逮至元己巳，邑尹石抹公慨然以圖復為事，工垂構而去。尹侯簿賈天衢相與顧歎曰：蕭武弁能是[一]，烏可不卒其美。然澤宮故地，庳陋湫隘，不足奠安神觀，聳邦民瞻。相治城西北陬，勢夷且爽，遂增崇前規，而敞其禮殿焉。既落成，董事者許良等，感蕭君經始之勤、今政贊終之善，來謁文，將刻石廟庭，俾箟名於孫曹諸賢之列[二]，用垂示來哲。竊不自揆，敢以聖道之隆汙、廟學之本末，互陳而歷告之。三代之世，家有塾，黨有庠，術有序，國有學，以師以令，肄俊造其中，時書歲考，小大有成，然後賓而興之。其典則六德六行，其藝則禮、樂、射、御、書、數，然不可不知其所自[三]，故即學釋菜[四]，奠幣於先聖先師，示不忘本也。彼朝夕見聞，無非智仁聖義、忠和孝友、睦媢任邮之方，凡邪説詖行、放蕩僻異之術，非可輔世教、明人倫者，率屏，絶不容髮其間[五]。故三代道出一致，有學而無廟。周衰，王者迹熄，生民不被庠序之教，天理茫昧，心喪厥守，異端百家之説乘隙並騖，不無庬雜壅底之蔽，此太史公讀功令，未嘗不廢書而嘆也。及漢興，學館林如，鴻儒繼作，師傳業受，學古涖官，守其説而不易，故謀王體，斷國論，一以經旨為據。于時公卿大夫士吏，文學氣節，雲蒸霧散，彬彬然幾三代之風，何其盛哉！此無佗，聖道明而百家自息也。逮魏晉隋唐以來，慕高尚者，以虛無為宗；干利禄者，以科舉為業。其視窮理正心、修己治人之道，懵不知為何事。時則三物之教，弗明于上；先王之澤，不及乎下。單為廟祀，尊孔氏而王之，三代教育之實，泯泯掃地矣。所謂有廟而無學。間有卓越特達之士出，芟夷浮學，羽翼聖道為任，然莫能拯起其弊而全濟其溺者，何哉？蓋道之隆污、學之盛衰，一繫夫王政好尚而為之有無也。嗚呼！三代吾不得而見之，得見兩漢斯可矣。今國家昭至德，建民極，勸學敦農，崇化勵賢，凡可以風四方而開太平之基者，靡不興舉，故經明行修之士，往往賓興天府，擢位卿相，以心正意誠國治天下平之道，已嘗佐天子而理百官矣。士之不志於古則已，苟志於古，舍斯時之易，將何所求、所待焉？曲沃自昔以劇稱，土腴物阜，為絳諸縣甲，俗剛儉力穡，尚氣義，憂深思遠，奄焉有唐晉餘烈。尤不可後者教也，本既立矣，道由生矣，師帥者能仰體上之所嚮，以明倫實教，作新士民耳目，俾知所以學，異時人材輩出，斌斌然追兩漢之風，孰謂不張本於斯邪？不然，釣采華名[六]，為餼牽告朔之所[七]，吾不知其可也！銘曰：

維晉曲沃以劇稱，絳山左戒汾右傾。山川開闔氣上蒸，風俗勤儉餘剛稜。邑居萬家業有恒，既富而教迺世程。嗚呼庠序教所生，石君作尹追良能[八]。奉宣德化根以誠，清廟起廢功勃興。心計百至經載營，惜哉垂構任遽更。後人繼之卒有成，方華古礎排巨楹。文櫰藻棟浮雲縈，相前增崇尤克承。教基輔敦道日弘，春風隱耳絃歌聲。始謀贊終匪自矜，吏民懷感思以銘，我詩刻石碑廟庭。

[一]蕭武弁能是：是，文淵閣四庫本作「事」。　[二]俾篋名於孫曹諸賢之列：孫，文淵閣四庫本作「縣」。
[三]然不可不知其所自：知，文淵閣四庫本作「思」。　[四]故即學釋菜：即，原作「守」，據至治本、明修補本、王抄校本改。文淵閣四庫本作「入學」。　[五]率屏絶不容髮其間：髮，文淵閣四庫本作「於」。　[六]釣采華名：采，文淵閣四庫本作「弋」。　[七]為餼牽告朔之所：牽，文淵閣四庫本作「羊」。　[八]石君作尹追良能：石，文淵閣四庫本作「舒」。

平陽府臨汾縣重修后土廟碑

平陽府治之西，有鄉曰晉源，帶汾河，表姑射，林墟櫛比，泉流交貫，無寸壤閑曠，山霏夕景，杳靄如畫，故河東稱膏腴勝槩之地，于斯為最。風俗率勤儉，盡地利，憂深思遠，有陶唐之遺化焉。用是富庶，而事神報本之禮尤恪，歲時單出，惟恐居後，豈終歲之勞，一日蠟者之意歟？樊氏里后土祠，其來浸邈，蒼煙喬木，輪囷離披，已百餘年物也，兵燼來，雖正寢巋然，日就蕪圮，里中父老某等憫其若是，乃諗于衆曰：「吾黨仰滋天休，取足厚載，歲比豐穰，人用樂胥，可不知其自邪？今神庭未備，不足妥靈揭虔，其謂我何？」咸儆懼聞命，相與經畫起廢，完故益新。智者作其謀，富者資其用，取材于河，陶甓于野，礱礎于山，然後工者輸乎巧，壯者服其役。營務既興，先後有叙。於是繚重垣，建臺門，作重寢，列兩序，樹庭屏，凡三十八楹，丹刻翬飛，輪焕離立，其配侍法從之屬，旌纛儀衛之數，金碧絢爛，森布左右，莫不畢備。遊人過客，載瞻載儀，溪山草木，亦為動色。凡費帛幣僅萬疋〔二〕。既落成，某人等以禮幣求文於予，將以幽贊神明，紀夫廟貌興衰之自。謹按，汾陰后土祠，乃魏鄧丘之制，其典秩華縟，肇於漢武元鼎行幸之初，千載而下，令人歌秋風之辭，詠汾陰之曲，想夫泛樓舡，濟汾河，千乘萬騎，威靈震赫，回旌駐蹕，躬祀脽土，祈穀報功，於是乎在，故歷代因仍以為聲明盛事，曠古當然之典。是則崇奉者，國家之事，非齊民所得擬也。以理究之，神脽者即有國之大社，而社者，自天子至於鄉遂，皆得置而通祀，第禮文制節，有隆殺之異爾，况土為神，廣大博厚，無所往而不在。又汾陰在晉為屬邑，以兹為離宫異館、神游美報之所，其誰曰不然。嗚呼！三代已降，教化衰而禮樂廢，禮樂廢而祀典亡，林林總總之民，物則既戕，心惑所嚮，有射利儌福而已，故祀非其類，僥倖於萬一者，胡可勝數？今冀方之民，獨能敦本返始，奉所當祀，俾歷世相承之俗，敬恭誠潔，永永是尊，以答高廪無疆之休，較夫淫祀野祭者，可謂知所嚮矣。乃為作《送迎神辭》，春祈秋報，歌以祀云。其辭曰：

汾流兮容與，林葩兮綉組。被汾兮一曲，坎坎兮擊鼓。薦瓊芳，奠桂醑，俟神來欣樂胥。芳菲菲兮滿堂，偃金枝兮翠羽，報神德兮德何溥！

淡林扃兮山煙，乘回風兮雲軿。神欲旋兮何邁，奄上征兮朝元。衆紛舞兮羅拜，欲神留兮無言，望極浦兮渺渺！愁予目兮娟娟！神篤我佑兮歲有季。

右迎神

右送神

［一］凡費帛幣僅萬疋：帛幣，文淵閣四庫本作「臬幣」。

解州聞喜縣重修廟學碑銘

堯舜用道以治天下，孔子任道以垂萬世，其所以明倫建極、論政造士、邇説遠懷者，不外夫術有序、國有學而已。後之君人者，思欲化隆唐虞，坐收牖易之道，舍夫子之教，將安法歟？我國家尊師重道，明德新民，風動海寓，爰自京師，達於郡邑鄉遂，率建教官，勉士以德，趨民於學，其比隆致治之意，固云極矣。而承宣鼓舞，實守令之職［一］。是則道生之本，教始之基，其可後而［二］？聞喜在秦曰左邑桐鄉，逮漢元鼎間，始易今名，其為縣，浸董澤，奠鳴條，雄盤遠帶，風土夷沃，通晉走蒲，古為咽會，名卿碩德，代不乏人。顧山川之氣，鍾靈萃秀，必自人文德化，薫陶涵浸者爾。縣廟學舊矣，枕城之艮隅，地勢穹窿，如神龜負圖，背露淵水，蒼官薈鬱［三］，環列庭所，秋煙古色，望之儼然，皆數百年物也。

按廟碑，由宋迄金[四]，宰是邑者，增崇非一，故制度宏麗甲於諸縣。遷革已來，神棲碑屋，幸脱煨燼。然歲年綿邈，人迹罕至，浸淫於壞，藜草棘而宅狐狸，蓋有年于兹。至元己巳，從仕郎張君來尹是縣，首以營治為任，既而監縣事脱臺，簿司天禄、佐史劉瑞争出廪料，資所費而濟厥憾，如榱棟桷櫨之傾腐者，瓴甋階陛之缺裂者，舉易而新之，復起講肄之堂，齋廬之位，至於神門庖庫、畦圃游息之所，莫不畢備。用十年春二月釋菜禮，告成厥功，百年偉觀，頓還于舊。粤明年春，史劉瑞介汾西前尹王延年，持温國文正公學記，踵門而請曰：「不腆敝邑，猥致力於鄉校，功甫僝而尹適去，烏可俾上官之善，藐焉無聞於後？以職以分，瑞也寔任其責，擬揭諸麗石，以告來哲。」不肖素陋於文，以懇請堅切，辭不能已，敢勉為書之，又竊喜幸得列名於司馬公之下風，固所願也。尹晉州臨汾人，諱仲祥，資明良，果於從政，故其為善卓卓有成也如是。較夫從事於簿書期會之末者，不曰有志於本，知教之所基者歟？誠可歌也已！其辭曰：

維漢聞喜古桐鄉，東浸董澤南條崗，千年喬木秋煙蒼，廟宮盤盤枕艮方。平時絃誦溢兩庠，代不乏賢古明良，如儉頲魏度相唐，風雲感會龍虎驤。至今德業何昭彰，神居雖存地土荒，蒿萊没人狐兔藏，風雨穿漏摧棟梁。張君下車心慨傷，首以營治如弗遑，同寮見義為贊襄，咨嗟吾道百孔瘡。頓還舊觀蔚有光，齋廬有室講有堂。我南走蒲過此邦，親覩盛事思彷徨。吾儒有例善則揚，作詩豈惟示不忘。士民嚮化此本張，嗚呼廟碑古甘棠！

［一］實守令之職：職，文淵閣四庫本作「責」。　［二］其可後而：而，文淵閣四庫本作「乎」。　［三］蒼官薈鬱：鬱，文淵閣四庫本作「蔚」。　［四］由宋迄金：金，文淵閣四庫本作「今」。

衛州胙城縣靈虚觀碑

胙之為邑久矣。昔周以黄帝後姞姓封此，是為燕國，至秦廢燕為胙。貞祐初，金駕南遷，竟河為界，建師府，宿重兵，繫浮梁，陀為汴京北門。歲壬辰，金人撤守，天兵徇取之。明年，京城大饑，人相食，出逃，死北渡者，日不下千數。既抵河津，人利其財賄，率不時濟，莩死風雪間，及已濟而沉溺者，亦無慮千百數。時全真教大行，所在翕然從風，雖虎苛狼戾、性於嗜殺之徒，率授法號名會首者，皆是也。師時在衛，目其事。愀然歎曰：「人發殺機，一至於此邪！吾挐舟而來，正為此爾。茲焉不化，安往而施其道哉？」遂税駕河上，起觀距城之北墉，曰：「將以此道場為設教張本之自。」於是仁風一扇，比屋回心，貪殘狼戾，化而柔良，津人跛俗悔禍徼福，於門者，肩相摩而踵相接矣。凶焰燎原，撲殺心於已熾；慈航登岸，夷天險為坦途。由是而觀，非好生大德，洽於人心者，其能若是哉！師一日晨起，集大衆謂曰：「吾學道有年，所得而為心印者，一與虚而已。昔之得一者，天以之而清，地以之而寧，神以之而靈。」又云：「致虚極，守静篤，萬物並作，吾以觀其復。惟其虚則能靈，靈則自虚矣。且天地虚而發亭毒之妙［二］，日月虚而邉照臨之光，山岳虚而蒸雲雷之變，谷神虚而通天地之根。致虚而要其極，不過煉精守寂，滌除玄覽耳，故得心善淵、居善地，因題其額曰「靈虚」。二三子其敬奉吾教。且曰「大德不德」，今業漿之家，十饋其八九，吾不可久於此，明日遂行。」自是風聲教習，大被於河朔矣。師諱仲美，秦原月山人，年三十，棄妻子入道。師浮山碧虚子，遂盡得真傳。深入性窟，故為大宗主推德，分掌玄教於終南祖庭者，逾三紀焉。生平以濟物為本，事具重陽宫碑，兹不復云。歲丙午，詔大醮燕京，師預焉，既受釐，特加師玄微真人號，且膺寶冠霞帔之寵，世以酒李先生行云[二]。甲寅夏六月，羽化於燕之長春宫，及西歸，門人啟柩，顔色如生。冬十有一月，扶護至衛，門徒王志安等以縗絰成禮，醮祭之夕，朔風震屋，將濟河即止，吁！亦異哉！後十有二年，志安等圖為不朽，用光昭師德，遂以禮幣來謁，曰：「先師教之所及，師之所在也！然過化存神，興修道宇之自，無文以詔來者，責其誰歸？吾子屬列太史，鄉枌盛事，幸為我論道之，敢再拜以請。」僕儒家者流，道不同不相為謀。獨嘉其尊師重教、推源知本，其篤信有如此者，故略為序説云。全真為教，始以脩身絶俗，遠引高蹈，冥滅山林，如標枝野鹿，漠然不與世接，此其本也。終之混跡人間，蟬蜕泥滓，以兼愛濟物為日用之妙，其混沌氏之風邪[三]？不然，天命之性，有物有則，彝倫一叙，終不得而蔽之邪？如長春丘公，在先朝時，皇帝清問，首以治國保民為本，其利亦云博矣。今觀玄微李公處身行己，若易地則皆然爾，於是乎書，且為門人作詩，追遠仙遊，以極遐想之意。渺渺帝鄉，乘白雲而何在？依依玄鶴，抱黄石以空悲！其辭曰：

道之大原出於天，柱史首探玄中玄，後人依假土苴傳，剌口論説書百千。祈禳服食金鼎鉛，樓居紫青致蓬仙，全真獨抉龜王筌，只以方寸為福田。七子大鑿疏河源，龍章鳳質炳後先。風聲波動東海堧，李公躍出秦月山。天禀至性虚靖專，一物不獲迺我愆。黄流洶洶翻鯨鱣，貪噬一世垂饑涎。汴人脱死乘膠舡，葬之爾腹誠可冤[四]。先生有道光日躔，手拂醉袖敗履穿。鱷牙笑拔鬚為編[五]，濁波吹破為澄淵。遺黎北渡賴以全，功成不居世愈賢，超出物表冥鴻翩，千年喬木鬱紫煙。以靈揭宫含至言，頭頭具道道眼圓。伐柯睨柯開蒙顓，門人奉行周且旋。如入鄭圃居漆園，至今遺照無徼邊。皎焉靈臺霜月懸，黄鶴一去不復還。終南太華空巍然，山中瑶草春芊芊！何時真遊來羽軒，赤霄望入崑崙巔。我詩刻石不可諼，用作華表歸來篇。

[一]且天地虚而發亭毒之妙：發，文淵閣四庫本作「成」。　[二]世以酒李先生行云：行，文淵閣四庫本作「稱」。　[三]其混沌氏之風耶：氏，原作「民」，據文淵閣四庫本、王抄校本改。　[四]葬之爾腹誠可冤：可，文淵閣四庫本作「何」。　[五]鱷牙笑拔鬚為編：鱷，文淵閣四庫本作「鱷」。

總管陳公去思碑銘

至元三年，朝廷以衛之六城為先大王分邑，許就設監郡，敞府治，跨有鄘、邶，復為河朔一路。是年夏四月，河南尹陳公承命分虎來莅此邦[一]。先是，衛併于懷，前守之良法美政，班班具在。然連率遠控者，盱洋而未之悉；子弟資授者，侵欲而無所顧。不朞年，法防紐弛，群小氣横，民遂殿屎。公知其然，思有以拊循振濯，抉剔姦蠹，一新厥民。既視事，乃緩其急張，不為小惠，持以大體，從宜處約，率以身先之。及前規當法者，仍遵而勿失。於是案簿棼者，井之而有綱；公吏嚚者[三]，肅之而趍事。教條既周，小大得職。時自春及夏，暵不雨，秋種未覆，公曰：「龍見而雩，其可後乎！」乃齋居禱蒼山祠下，車甫還，甘澍霈作[三]，闔境霑足，秋乃大熟。既而監郡公聿來視師，為人祥靖明惠，樂於為善，一見公，歡然如平生，其承宣注措云為之意，吻與公合，此倡彼和，如響之應聲。及其倅王君文幹，簡重諧讓，以之贊副會歸，政成化洽而已。用是德風草偃[四]，翕然稱治。初，共之西營，幕習不法，侵漁無時，民苦之，公以理將命，遂折其須牙，來就約束。又以毒民莫盜賊若，乃下令屬邑曰：「今而後，若輩一污記籍者，以類別，如農者畎畝，商者市歸，俾督之營務，以恒厥心，時視其勤墮懲勸之。」果終其任，悉悛革不二為，致狴犴屢空。時熙春撤木萬計，當浮御以東，陸輦之勞，汴衛兩集其事，公曰：「汴大衛小，役與之埒，民將不堪！」力請於上，竟以汴輸之河滑，且遣軍士三百，整桴而下，我止壅遏水勢而已。無幾，治甲令下，頗亟，官易牛革，鄰道例配科民間以辦，農至解耕牛以屠，猶有不堪其輸者，公曰：「不可！」遂一易於市，既而衆相率來謝曰：「脱東鄰之禍者，緊明府是賴。」於是田里盡樂安之農，暮夜有不扃之户矣。殷太師比干墓在部内，祭秩久替，公請于朝，遂載諸祀典。時秋陽載驕，繹享之夕，大雨，越明年，二麥倍常。噫！亦異哉！及再朞，政平訟理，民安吏法。一日謂監郡公曰：「夫政以風俗為先，俗以教化為本。今國家文治熠興，百廢具舉，牧養元元，日就富庶，教所未至，寔我之責。矧衛古稱多士，今者春秋釋菜，享獻無所，上無以副朝廷右文之意，下何以啟吾民嚮善之心[五]？」遂大起孔子廟，内外具瞻，克壯於昔，諸生執經，咸得依仰[六]。既落成，有芝産殿梁，連莖秀曄[七]，童童蓋如[八]，僉謂邦君誠敬所致。由是而觀，其於事神治人，亦以至矣[九]。公尤辨於先事有方，臨機應變，用儒飾吏，聽訟以情[一〇]，理明氣温，推見至隱，卒齊之以禮，不知缿筩桁楊為何物。故冤者抑者，每有所伸，彊者暴者，日安馴服。至相戒曰：「陳公明良，不容姦欺，吾不可以過聞。」由是人興禮讓，風化大行，蔚然為諸道帥。朝廷嘉其能，擢充山東東西道提刑按察使。既趣裝，吏民祖送[一一]，填郛溢郭，炷香而頂，構綵而門，徒竊垂洟而感[一二]，因伸顧借之心[一三]，至有攀輪遮道不忍使去者[一四]。既乃衛民懷思，不忘求文於余，予以鄉國盛事，敢勉為論譔之。愚竊觀兩漢之名臣，如黄潁川、劉東海之為郡，而能績用章章者，皆由明允篤誠，遂懿厥德，故所居民愛，所去見思。況公自明而誠，勤强練密，以道自信，所謂推忠及物，衆瘼自蠲，懷我風愛，永載遺賢者也。且為吏民作詩，庶幾紹甘棠之遺音，以永衛人無窮之思。公諱祐，字慶甫，世為趙之寧晉人。其詩曰：

維古作牧紛治偁，兩漢具載循與能。趙張固猛德不勝，捄時沸炎多創懲。漢家三尺世有程，下昧所守徇厥情。一得千失例不經，陳公為邦大厥稱。三年撫字猶鮮烹，頑則伊教孰汝刑。執中以權適重輕，吏畏民愛政迺平。會歸其極誠與明，吁嗟七月政報成。載其清净民敉寧，里門夜啟深春耕。兩暘時若歲屢登，何以教之庠序興。春風弦歌衛六城，槐陰幄帳掩訟廳。圜扉無人秋草生，高軒北來障緹屏。翩翩振鷺朝天庭，郡民祖帳繽旆旌。昔何來暮今遽更，漢民借寇蒙允羹，流惠載使邑里清。我詩刻石亮有徵，千載擬媲甘棠聲。

矜[二五]。我則不獲心乃煢，使君雖遠德日馨。彼風偻兮我佩銘，願公壽福川方增。坐之廟朝調鼎

[一]河南尹陳公承命分虎來莅此邦：虎，文淵閣四庫本作「符」。　[二]公吏囂者：囂，文淵閣四庫本作「譊」。　[三]甘澍霈作：霈，原作「需」，據至治本、王抄校本改。　[四]用是德風草偃：用，原闕，據至治本、明修補本、文淵閣四庫本、王抄校本補。　[五]下何以啟吾民嚮善之心：王抄校本作「何以興儒陶民行，民是」。　[六]諸生執經咸得依仰：王抄校本作「殿廡廊覺，先後依作」。　[七]連莖秀曄：曄，文淵閣四庫本作「發」。　[八]童童蓋如：王抄校本作「層敷三五」。下句首「僉謂」，王抄校本亦作「人謂」。　[九]其於事神治人亦以至矣：王抄校本作「其於事神治民既無忝矣」。　[一〇]聽訟以情：訟，王抄校本作「斷」。　[一一]吏民祖送：祖送，王抄校本作「相送」。文淵閣四庫本作「祖道」。　[一二]徒竊垂洟而感：而，原闕，據至治本、王抄校本補。文淵閣四庫本作「興」。　[一三]因伸願借之心：因，原闕，據至治本、王抄校本補。文淵閣四庫本作「用」。　[一四]至有攀輪遮道不忍使去者：攀輪，文淵閣四庫本作「轅」。使，至治本、王抄校本作「別」。　[一五]漢民借寇蒙允矜：蒙允矜，文淵閣四庫本作「惠我氓」。

平陽府創建靈應真君廟碑

玄黄判，天地闢，鰲足斷，四極立。而陰陽五行之精，上為經星恒宿，環拱經緯，斡化機而成歲功。

真武蓋北極之鎮宿也，端處玄宮，爀睨四部，在昔王者圖形旟旐，以肅擁衛之儀，道家取制，爰設神像，蓬勃其黑靈焉。若夫振緑髮，提干將，履玄冥，綰元氣也。被玄衣，衷屬甲，戴雲旂，耀武德也。靈虺穹龜，踴躍前導，取形似而從陰類也。復役丁甲六神，搗指陰兵，備將佐也。廟而貌之，于以填方域，祓不祥而來福祐，故在在奉祀，以謂天神之尊極者焉。我國家運開龍朔，帝發其祥，京都之建，神特顯化焉。遂先啟應宮，用彰靈貺，矧齊民敢後其賁奉哉！冀都真君壇，其來久矣。先時，府莊岳間有閣，巍然山峙，設四聖像於其上，神奠其北户焉。兩廂豪右，貿易彩幣，市集宇下，春秋奉香火甚恪，里俗種祠[一]，用為故事。厥後傑觀雖火，禋嚴之禮藏於人心者，耿耿固在。歲丁亥，故老董威、霍斌等顧相諗曰：「吾儕事神之心，既不以閣之興替為有無，然俾神明棲格無所，謂揭虔妥靈可乎？」於是與趙常、柴、邢凡七族，共輸私財，得地於平陽里，起正殿神門，社賓之位，庖湢之所，凡十有三楹，莫不攸當。神儀法從，光怪絢爛，飈馳雲擁，陟降自空。內外具瞻，光動里陌。後十年丙子，里社程政等，以前人興建本末不可使無聞於後，且恐歲月綿邈，祀典湮微，乃介參軍陀滿君用來謁文於予，將揭諸麗石，以告來者，且知廟之所自。予官晉四載間，稔其風聲氣習，思深而好禮，尚儉而隆義，奄焉有陶唐遺化。故幽明兩間，各盡所事，若東里之曹相國、西郛之霍博陸、南遂之帝堯祠，是皆敬其人神有德於民也。是祠之建，前倡後繼，不憚服賈之勤，歷年之久，臻其成就若爾，可謂富而好禮，敬恭神明[二]，罔墜休聲者哉！至於施與厚薄之差，時饗周行之次，具列石背，又見隆義嚮化，所悦者衆云。仍繫樂歌，用伸幽贊。其辭曰：

列象蒼蒼，周天緯經，玄枵之次，虚危之精。羽林北落，凛焉神兵，奠我邦家，衛群生兮。奕奕新宫，士民之功，遠彼闤闠，極夫尊崇。神庭肅敞，景氣葱曨[三]，風馬雲車，歲時來同兮。神維來降，泠飈先颷，應鼓田田，悲簫洞盪。紛進拜祼秬鬯將將，洋洋如在上，有物蜿蜒來肸蠁，芳芬滿堂，神人暢兮。神鑒孔明，我民之誠，旂麾下拂，風雨攸寧，攘除祆災，大來庶禎。介我繁祉，時和歲登，種祠罔替，繼繼承承，永垂其休聲兮。

[一]里俗種祠：種，文淵閣四庫本作「踵」。下同。　[二]敬恭神明：恭，文淵閣四庫本作「共」。　[三]景氣葱曨，曨，文淵閣四庫本作「蘢」。

重修孤竹二賢廟碑

首陽山孤竹二賢祠，肇見於李唐，增隆於前宋，金貞祐末，為戍兵撤而樵之，國初，郡人徐帥因廢基而屋焉。後四十載，當至元九年玄黓歲，某自御吏裏行來官河東，以是年冬十有一月，按部至於蒲坂，適致祭令下，遂齋沐奉祝，祇拜墟墓，庭序蕪翳，路寢傾圮，遺像黕昧[一]，陊剥就滅。於戲！前政之不舉，至於斯邪！非惟不稱明詔尊顯風烈之義，而大懼不職，下隕教條，吏隳不恭，惡可徇狃。於是祇會屬吏[二]，作新是圖。資聚既營，衆工趍事，仍命府掾長吴舉董治厥役，改新肖像，以儼神儀。逮明年夏五月，復行縣次，蒲吏告訖功。用六月丁亥，躬率僚屬，以少牢之奠，敬妥神棲[三]。帶河表華，新宮敞然，山煙庭木，奕奕動色。守吏不任之責，庶乎其少塞矣。知府楊居寬請書其事于石，以詔來者。噫！二賢，聖之清者也，其出處大節，求仁本心，興懦厲貪之操，息邪懼亂之功，孔孟稱之詳矣。揭若日月，亘終古而不熄，小子其敢擬諸。然讀黄太史所述去國諫伐，蓋宗國有不説，好事者為之説耳，竊有所疑焉。若曰非讓而逃，國人惡而逐之，烏在其為賢也？且以避紂不有其位，孔子何為稱「求仁得仁」？子貢何以審「夫子不為衛君」乎？至於義抗白旄，恥食周粟，亦謂事不經見。臧哀伯何獨稱武王克商？義士猶或非之，不然，二賢者，北自海濱，聞善養來歸，當周命惟新、明義崇德之世，不知俯仰何所愧怍、僵踣於茲山之下乎？故特表而出之，必有能辨之者，仍為蒲人作《迎享神辭》，俾歲時歌以祀焉。辭曰：

瓊蘼潔兮蘭馨，錯薇蔬兮薦神。庭條之山兮河之水，迴風瀟瀟兮波瀰瀰。神之遠遊兮邈何歸？南吲虞舜兮帝禹與追。以暴易暴兮吾知其非，國極所欽兮祀典載熙。桀非周粒兮桂酒芬菲，民之載神兮清風庶幾。偃迴旆兮入室，陳鐘鼓兮載考載擊。千秋兮萬歲，於焉兮永息。

[一]遺像黮昧：黮，文淵閣四庫本作「黯」。　[二]於是祇會屬吏：祇，原作「袛」，據至治本、明修補本、文淵閣四庫本改。　[三]敬妥神棲：妥，王抄校本作「安」。

故普濟大師劉公道行碑銘 有序

晉州景行里有觀曰「玄應」，其徒謝志堅、粱志端，介寓館主謝純踵門來謁而告予曰：「先師純熙子化形已久，今雖像而事之，其平昔道術及於人者，班班可紀。然非文諸貞珉，無以示來者而傳不朽。明府嘗列官太史，六家之旨所宜論述也。敢百拜以請。」謹按所持狀，師諱志真，字子常，族劉氏，陝之三堂人。幼沉潛不好弄。及長，趨尚冲曠，嗜黄老書，遂棄家入道。既而尋師來晉，止爲玄都宫，與方士韓仙翁遇，傳寶珠照法，覺靈府爣怳，日有啟悟。歲己亥，披雲宋公，首暢真風[一]，力紹絶學，起道藏書於河汾間。師皤然喜曰：「此人天師也，吾歸依有所[二]。」即執弟子禮事之。受紫虚籙訣，香火修持，晨夜不少懈。宋偉其志，後以上清三洞五雷籙法畀焉。師操履益精勵，神經怪牒，大賾冥奥，氣志既凝，洞知來物，簪裾所加，法力所至，疾痛呻吟，隨失所在。中外喧播，以靈異稱。今聖上邸潛時，聞其名，遣使召至，試以籙法，參驗諸事，遠邇幽深，靈應昭著。時既雨且風，勢幾恒若，命師以誠祈止，少頃豐霳回馭，蜚廉爲不颺矣。上異之，賜御醪仙氅，加號普濟大師，特光寵焉。留館堂下，以需時召。自是道價隆隆，風動一時矣。中統庚申冬，詔就長春宫設羅天清醮，師攝行大禮，凡七旦夜，神人和暢，且有天光現朗之異。上聞之喜甚，咸謂師精誠所致。明年秋，奉旨馳乘，祝香岳瀆。事已，還過故隱，語志堅等曰：「吾雅性僻逸，恬於世味，偶以蕪術供奉闕庭，恩遇優渥，已踰素分。物微近盛，吾道家所忌。」遂謝使者而輟裝焉。後復來徵，竟辭疾不起。以至元某年夏五月[三]，終所居丈室，壽六十有六。師豐儀秀整，面滿月，紫髯垂脰，翛然有獨立出塵之趣。接物不以貴賤易其禮度，人之有疾，若己受之，推誠濟物，唯恐不力，時人以此多之。予嘗以道家者流，以清寂為宗，一死生，外形骸，自放於萬物之表，是不以一毫世故攖拂其心。至於挾方術、出秘藝，救時行道者，世有其人。如砭劑膏肓，笞逐鬼物，驅役社翁，安人區而遠不祥，往往驗於事者，蓋世所不廢也。普濟師其斯人之徒歟？較夫遯世絕俗，歸潔一身，自放於萬物之表，誠玄教中有裨於世者耳[四]。且以賚長房、薊訓子事，猶傳於東京方伎之列，況師之行業出處，又足嘉尚，吾烏得而辭哉！仍繫之銘詩，庶幾門人歸來望思之意。其辭曰：

大河湯湯，南紀蒼蒼！兩戒勢分，爰自陝疆。蓄潤蟠精，萃於三堂。篤生異人，孕氣之良。截然入道，濟物為方。山立髯張，劍佩煒煌。霆轟暗室，星壇夜光。玉鈴金紐，呵斥不祥。隱若勍敵，陰魔遁降。四十年間，玄門之綱。鶴馭仙去，白雲帝鄉。何謝世兮已遠，顧其道而彌光。嗚呼！劉根術驗而不及物，長房及物而鬼所殃。我銘勒石，孰為短長。庶千年而語華表，見門人之涕滂。（以上《秋澗集》卷五三）

[一]首暢真風：真風，文淵閣四庫本作「宗風」。　[二]吾歸依有所：歸，文淵閣四庫本作「皈」。　[三]以至元某年夏五月：某，原闕，據文淵閣四庫本補。　[四]誠玄教中有俾於世者耳：玄，原作「法」，據至治本、明修補本、王抄校本改。

全元文卷一八七

王惲 二一

大都復虞帝廟碑

幽陵之祠虞帝，所從來綿邈，廟據金故苑西北，維兵後廢不治。獨唐貞元間復廟碑宛在，顏真卿子頵書。人屢欲易去，礱焉以它用，主者心懍恍，若有儆動迺已。厥後道士陳志玄，直廟西百舉武，起真陽觀，為長春別院，復購焉，約不犯元刻，用石背勒營建本始，備力來徙，碑與趺坼，身挺植重，不克舉仆。道士愓息罄折向碑祝曰：「今神顯思若是，願置安處，且遠荒穢，尚敢他用以黷聖靈，神惟降監。」庶畢茲志，安載而去，吁！亦異哉！初，樞密趙公良弼，嘗建學宮於鄉縣，求志玄為工師，既迄功，以徙碑事蹟來告，公曰：「嗚呼噫嘻！皇乎休哉！惟帝明德，萬古是式，況冀土茫茫，析而為幽州者，帝之所經畫，宜乎燕人祠饗不忘，廟屢廢而旋復也。又遺碑巋然，自唐歷五代遼金，當大元戊寅，凡五百有餘歲，神物護持俾勿壞，汝歸興復之責，不在師乎？」志玄曰：「唯。」即以道宮丕構作新廟，而奉黼扆焉。既而趙公將志玄之懇，以復廟記見屬。某拜手稽首而颺言曰：日月星辰，帝文明也；君臣父子，帝彝倫也；山川風土，帝疆域也。是則聲教所暨，巍巍乎與天地同休，孰能名而能報哉？今志玄黄冠師，因趙公一言，而復數百年之舊，俾來者瞻天就日，知慕帝德，如蟻之赴羶，可謂推原道本，敬其所當敬，乃知天理之在人心者，曾一息而間斷邪！至於稽古樂喜，因機就功，毗贊皇猷，思成比封之美，又以見趙公事君治民，孳孳焉以堯舜之道，存其心者也。誠宜特書，以詔來哲。仍繫樂章，使都人歲時祀饗，登以歌焉。其詞曰：

帝降諸馮，東方人兮。幽幽深山，鹿豕群兮。耕稼陶漁，至為帝兮。風動八區，烝一乂兮。矧惟析津，帝經制兮。物不苦窳，化土泥兮。聖靈在天，濡鴻私兮。阜財解愠，南薰時兮。鳶飛魚躍，日用而不知兮。風移俗變，天理存厥彝兮。燕人懷思，歆明德而祠兮。八音庭陳，鳳來儀兮；九疑雲深，望何依兮。我賡《九歌》，言匪空兮。皇天降衷，克綏惟帝聰兮。恫彼下民，中庸其鮮充兮。嗚呼！胡能一天下之慮，允執其中兮！

大元故中奉大夫浙東道宣慰使陳公神道碑銘　并序

士有奮身韋布，作時藎臣，志足以有為，材足以應變，氣足以充守，學足以明義，毅然以致君澤民為己任，雖罔獲克畢厥志，不幸而罹患難，猶能挺樹名節，勵薄俗於當年，激清風於來代，古難其人，今於宣慰陳公見之矣。公諱祐，字慶甫，世家趙之寧晉。為人固窮尚志，好讀書，耻陸出馬援書。混泥塗間。癸丑歲，以藝能應穆王府辟，一見而列侍從官。公勤勞所事，進盡忠言，王嘉其大有裨益，遂賜號尚書，俾顯異於衆。及分土陝雒[一]，其監與守丞承制封拜[二]，以公充本道軍民總管，治洛邑[三]。關河衝會，政荒民耗，困於兵賦轉輸，不大更張之，將無以為治，即啟其利病之要者，得廿四事，率如請。又奏免征西屯田軍士數百家歲負糧料，及椒竹等課甚衆，自是殿夷屎息，日就安集之樂。八年間規為保障，率以身為律度，至今人賴其惠。至元二年，調官制行授奉政大夫、南京路治中。徐宿大蝗，移公督捕，役農民數萬，度其勢猝不能殲，秋稼垂成，即散遣收獲自救，不然秉遺無餘，或以不可諫，曰：「救災獲罪，迺所甘心。」朝廷以從權韙之。尋授嘉議大夫、衛輝路總管，其治比洛愈精勵有方，正官紀，革吏習，杜私交，審聽斷，務以至誠感發，期於實惠及民，每庸調之下，必經畫寬便，使民有餘力。部内屯戍習豪横，眡民司蔑如，莫敢誰何，公因事致詰，落其機牙，衆譁噪，擁其長以來，意在棖觸，公坐廳事上，折之以理，厲聲色，略不相假貸，為氣褫而退，自是闔境肅然，奉教條惟謹。復比干祀，大起孔子廟，暇則集諸生肄經史，以敦教本，至風化大行，吏民稱美，刻石以頌之。時憲臺初立，首以材擢授山東東西道提刑按察使。公悳其責與志合，踔厲英發，擊豪右，擿姦伏，逆見隨決，所至以神明稱，貪墨者往往投劾而去，褰帷具瞻，有風動百城之目。平時底蘊雖略張設，而惓惓朝廷之心，不食寢忘。嘗以三本陳事，忠嘉剴切，反覆論列，至累數千言。大率太子國本，建立之際宜早；中書政本，責成之任宜顓；人材治本，選舉之方宜審。又群小流言，干撓庶政，恐習以成風，私門萬啟於下，公道孤立於上，臣知承平吉祥之言，必不出於若輩之口，事雖不報，士論偉焉。時機務多出尚書，權臣意欲獨擷柄用，乃以併中書設三公為言，事下大臣，敕公預其議。有說公宜審所向，可致大用，公不顧，乃直言可否，曰：「中書政本所係，併尚書為一省便。右丞相安童位尊望重，宜端揆如故。三公虛位，不須設置。」衆因以閧，事遂寢。斯皆國家大計，人所持難，公慨然吐論，曾不少顧，自是忠直之名，聞於蓋代，然不說者衆矣。俄遣簽書中興行省事[四]。十三年，改授南京路總管兼開封府尹，屬吏憚公方嚴，有不安者，仍諭之曰：「汝昔為顏今跖，吾以法繩之；昔為跖今顏，吾以禮遇之。善惡自取，吾何心其間？」衆悅，弭耳趍事。許蔡郊有劇盜，號賊李三，黨結甚衆，軒湏囂嘯，公然剽刼，兇艷動兩河間，及公來逸去，以計捕獲，即撾殺之，萬口稱快。明年春，進拜中奉大夫、浙東道宣慰使。時江左初下，人情鼿鼿，例賂遺相尚，公表以廉正，濟以恩威，遠懷邇乂，浙人忘亡，其不貪毋擾之戒，茲有驗矣。福建平，大軍俘，溫台新附萬餘人而西，公力為申援，還民伍者什七八。越支廩繼米幾萬斛[五]，掩為兵食，驗籍復于舊，行省下令算商酤頗亟，公建言：兵後瘡痍未復，宜停征以示優䘏。遂檄公覆明臺營田。歸頓新昌，值玉山寇出剽，報至，衆謂可去，曰：吾守土臣，義不當避，去之民曷依，俄兇黨突入，衆寡不敵，遂遇害，實至元丁丑歲九月七日也，得年五十有六。靈輀抵越，人士素服哭祭，皆失聲，願留葬起祠以奉。嗚呼！非守義不回，推忠及物，安能感人心如是！子夔請兵討復，得首惡七人，僇越州市。次子皐扶其喪歸，殯洛陽縣之北邙原。公剛明廉介，博學有經濟材，信道篤，立志堅，從政果，於應變為尤長。氣之所充，雖百折不撓。故處大事，臨大節，審量合義，挺然力行，要欲表表有所見於世，而勢利可得奪耶！其愛君憂國之忠，出天性固然。與人交有終始，不可干以私，官二千石三十年，自奉猶寒士，不知富貴為何物，可謂甘貧苦節，不媿神明者也。以用罔能盡，死非其所，訃聞，識與不識，舉為愴惜之。生平喜作詩，辭必己出，能道所欲言。節齋其別號云。曾祖懷，妣范氏。祖忠，妣張氏，世在野。父諱子安，性慈祥，美豐儀，易農而醫，壬辰際，以其術多所全活，陳氏之興，豈其是邪！用公貴封資德大夫，妣張氏順德夫人，賜錦衣各一襲。公夫人翟氏，以貞靜能安公貧。子三人：長曰夔，武略將軍，佩金虎符，充某路行軍總管；次曰臯，讀書克家，矯矯偕有父風；次庶未名。女三，俱適士族。孫八，男女各四人。卒事之明年，孤子夔等喪服纍然，百拜涕泗，以墓碑為請。因念公與不肖交素厚，死生之際，三人予夢，皆有明徵，豈非精爽交感，動於彼而應於此然耶？雖既挽而復誄，其感於予心者，固有所未盡，今屬筆來圖不朽，以義以分，其敢以不敏辭，謹按母弟知府天祥善狀，勉為論次之。銘曰：

維天降材，畀我共治。其道伊何？曰忠與義。安而行之，匪功匪利。致君堯虞，否乃予愧。不曰藎臣，其將孰謂？堂堂陳公，元精貫中，貞亮之義，謇諤之忠；以剛而順，以介而通。養我浩氣，塞乎昊穹。一朝遭際，奮從雲龍。即事進諫，礪夫深衷。列二千石，敏焉赴功。以德以讓，凜兩漢風。擢登使車，攬轡而東。三年齊魯，一鶚橫空。治安陳書，衮職是縫。明我國本，如棟之隆。充庭預議，孰知雷同？屹然有立，砥柱河衝。望公廟朝，帝載奮庸。持節江海，卒與禍逢[六]。命也何言，其來則豐。哀哀嗣侯，子職大供。臨江一慟，揃夷姦兇。憤雪九泉，與没其躬。瘞陶之墟，汶川溶溶，顧瞻佳城，祖禰是從。魂兮歸來，安此新宮。忠傳孝繼，有泱其渢。是維慶父之表，過者敬恭！

［一］及分土陝雒：陝雒，原闕，據至治本、明修補本、文淵閣四庫本、王抄校本補。　［二］其監與守丞承制封拜：守丞承，原作「守承□」，據文淵閣四庫本、王抄校本補。　［三］治洛邑：治，原闕，據文淵閣四庫本、王抄校本補。　［四］俄遺簽書中興行省事：俄，原闕，據至治本、明修補本、文淵閣四庫本、王抄校本補。　［五］越支廩繼米幾萬斛：越支，原作「校」，據文淵閣四庫本改。　［六］卒與禍逢：禍，原作「裀」，據文淵閣四庫本改。

大元故真定路兵馬都總管史公神道碑銘　并序

雲雷合奮，屯難伊始，君子以經綸為艱；攙搶廓清，恢我文治，世臣以守成為重。維史氏倡大義、起營朔，爰自都帥公仗鉞分閫，來殿鎮方，擴武略以濟屯，角群雄而宣力，取威定霸，於是乎在。繼以太尉留後二公，篤忠貞，昭嗣服，治具粲張，民物趨阜。至於知垂創之惟難，審守持之匪易，躬念成規，洞焉恐墜，卒之承先志而推方岳之賢，著治效而冠群辟之列者，總尹史公其選哉！公諱楫，字大濟，世為大興永清縣農里大家。曰成珪者，公之曾大父，行北京六部尚書。曰秉直者，公之大父，金紫光禄大夫、河北西路兵馬都元帥。曰天倪者，公皇考也。初乙酉歲，父金紫公遭罹仙難。時侯齒雖穉，資廩剛毅沉塞，已能從叔父忠武公破走仙，復真定，衆謂臧孫達其有後於魯矣。及長，不妄言笑，善騎射,博戲音樂,略無所憙。開府公奇其好尚不凡,令給事左右,俾習知政務。己亥歲,奏授公知中山府事。惟定武衝會務殷,使軺營帳,中外騷屑,公措畫有方,數年間,民賴以安。尋充征南行軍萬户。翼經略公徇地蘄黄間,當戰攻殊力,值阻乏則頓舍樵爨,經營百至,甘苦與衆共之。及還,一卒無饑疫失所者。丞相以公材果,從政治兵,皆所於可,壬寅春引覲太宗皇帝,奏曰:「臣先兄天倪死事際,緣姪楫孺,攝行其職,今業克負荷,請解所佩金虎符畀之,臣天澤備列戎行,俾兄不失舊物,臣之願也。」上大加稱賞,即授公真定路兵馬都總管。涖政之初,顧惟鎮府表山帶河,連屬三十餘城,生殺進退,咸倚顓決,一旦惴惴繼述,有夙興夜寐,謹身帥先,明政化,信賞罰,任良能,汰貪墨,劭厲農工,惠鮮鰥寡,庶幾絲輕而保障之功可立。辛亥歲,朝廷肇議賦額,户率徵白金一鍰,名曰包垜銀,諸路審其重,莫敢倡言。公毅然上請曰:「兵後生意未蘇,民恐不堪,如銀與物折,各減二數,庶民力少寬,且無逋負。」允其請,詔為定制,迄今天下賴焉。各道發楮幣貿遷,例不越境,所司較固取息二三[一],歲一更易,致虚耗元胎,商旅不通。公騰奏皇太后,立銀鈔相權法,度低昂而為重輕,變澀滯而為通便。時又有言食肴之醬,請按籍計口椿散者,業以從之,公詣行臺,論其不可,曰:「鹽鐵本貿易物,難同差税一例配着,今民資單弱,是愈抵於困,不若依舊便。」議遂寢。嘗有寇行劫保之南鄙,捕罔獲,時檄所在,如盜數償主,公與保將賈會境上,議强歸于我,公弗辨,徐曰:「盡付之,第切發地[二],約弊邑耕斸,去其囊橐,以絶後患何如?」賈悟,遂詘我免輸償錢數千緡。元氏郭其姓者,愬府僚屬於達官按脱,既而質無實,達官怒,欲抵郭死,公力請釋之,曰:「此人以重辟謀陷汝等,何援為?」公曰:「殄之以懲後，未若宥之死，愧其心也，況人命至重，豈以妄言某等卒窮極戮哉？」竟杖而遣之。辛亥，斷事官也里干脱火思來按本部，性苛察意事，凡被劾者，凌轢羅織，莫有脱其彀者。公能隱忍將順，使虐焰斂熇，不致濫及非辜，害吾事而已。其已籍没者十數家，公奏明其冤，竟皆復業。公之捄時濟物，民得受一分賜，其不自顧藉類多此。中統建元，首授公真定路總管，同判本道宣撫司事，遂舉明州縣文學屬吏三十餘人，後皆致通顯云。三年，齊叛平，忠武公首奏兵民之職，不可併居一門，行之請自臣家始，公即日解紱，以職讓其弟江漢大都督，權角巾私第，裕如也。遂選勝西郊，築治亭圃，日以植花木、玩泉石，為佚老之計，澤車欵段，徜徉游詠，人不知為故侯大將也[三]。以至元九年二月遘疾，越廿日，薨於正寢，春秋五十有九。某月日，葬獲鹿縣明丘鄉安社里之西原。公之純正，蒞官嚴恪，親戚左右罔敢一語私於其間；至若民情鬱而未宣，時政舛而未便，寢餗為不安[四]，思有更張而後已；終其身無聲色逸靡之娛。其奉上接物，刻己自厲，不一毫及民，前後積負至四百餘定，棄官日，方議易田宅以償。朝廷憫其廉，為代輸焉。故在官三十年間，時和歲豐，政平訟理，鎮之士民，輕裘緩帶，鳴絲跕躧，嬉遊宴衎，樂史氏之無事。內則連甍接棟，井肆夥繁，河朔兵餘，獨稱萬家之盛；外則阡陌縱横，耕桑彌望，熙熙然為樂郊之民。及期而報政，崇奬聲實，俾為諸道法宜矣。夫人三：完顏氏，北京路左副元帥某之女；散竹氏，金紫光禄大夫、北京七路兵馬都元帥烏野兒長女；蒲散氏。子男廿一人：曰炫，武德將軍、常德府管軍總管；曰烈，蚤世；曰煇，奉訓大夫、孟州知州；曰燧，朝列大夫、東昌府同知；曰熒；曰熚，卒；曰炷、煇；曰煊，潼關提舉；曰燭、燃、炎；曰煬，承直郎，簽嶺南廣西道按察司事；曰爀；曰燉，行省宣使，曰㷫、烘、炬、炘、烜、炯[五]。女子一十三人，俱適華族。孫男廿三人，長塔列赤，武德將軍、鄂州管軍千户，餘並幼。女孫一十七人。若子與孫，服庭訓，迪撿押，略無紈綺驕豪之習，飄纓若綬，爛焉盈門。《詩》云：「靖共爾位，好是正直。神之聽之，介爾景福。」公誠有焉！公薨之十年，嗣子煇、熒，介公弟征東經略使樞、御史中丞彬，以神門之表來禱。某惟曩列省郎[六]，公以民事上計，意有未安者，憂形於色，固已切嘆，其有志於民[七]，及按部燕南，延見故老，歌頌遺愛，有不能忘者，又知夫流風善政，感人之深也如是。輒第其門士李豹善狀，而系之以銘。其辭曰：

繄農之務世服勤，正以篤實天為親。史維累葉耕而耘，一氣厚積生元臣。惟元再傳彪其文，弱冠崛起乘風雲。中天草昧殊未分，亦能當閫牧元勳。豈其垂裕彌後昆，大忠遽掩豺豕群。是為明府皇考君。公今嗣封昔孤童，已能馳射精絶倫。利器小試無輪囷，堂堂大府恒山軍，一日作牧兩漢循，於鑠叔武經且綸，大綱一舉萬目振，如何畫法參能遵，保民無踰家富殷。弊去泰甚輕絲銀。權臣按事何斤斤，斂回熇艷燋吾身，拔濯良善脱已焚，載其清静民謐寧。丹砂成金頑化仁，潭園水滿花氣薰，高牙大纛馳朱輪，崇高有餘足具陳。公曾目覩耳弗聞。公堂糲食坐日曛，念念民事憂絲棼，絃歌萬家和氣氳。農夫不識城四闉，桑麻蔽日原隰畇。熙熙鎮土三十春，歲時報政帝乃訢，褒顯班上諸侯裀，白頭一德酬國恩。用昭先功畫麒麟。惟冥報果忠與純，慶流又見螽斯孫，功成身退素所云，笑解留務遠世紛。郊園花木清而芬，拂衣去作封山神。空餘遺愛霑邦氓，甘棠懷思墮淚存，零落何必西州門，嗣侯追報圖不泯。哀號罔極悲秋旻，我銘騰兮舌可捫，擬配大茂增雄尊，孝思永言世所敦。

[一]所司較固取息二三：較，文淵閣四庫本作「膠」。　[二]第切發地：切，文淵閣四庫本作「竊」。　[三]人不知為故侯大將也：大，原作「失」，據文淵閣四庫本、王抄校本改。　[四]寢餗為不安：餗，文淵閣四庫本作「食」。　[五]炯：原作「烱」，據文淵閣四庫本、王抄校本改。　[六]某惟曩列省郎：曩列，文淵閣四庫本作「曩昔為」。　[七]固己切嘆其有志於民：切嘆，文淵閣四庫本作「竊嘆」。

淇州創建故江淮都轉運使周府君祠堂碑銘

郡邑之設，因形勝而稱望雄，由變遷而有併置。至於廢起千載之餘，功垂百世之後，俾存殁懷思、感人心而不忘者，非豪傑經濟之士，未易致也。朝歌，殷故都[一]，兩漢縣焉，魏齊來，移理衛縣，河朔經途，東出鉅橋之陌[二]，而朝歌遂墟。天兵南下，鉅橋正途亦廢。自太行東接浚郊，莽為林灌，行者並山取捷，躡跡於兔蹊鹿町之間，又分當相魏汲三會之郊，盜賊囊橐其間，日禦人為尋常。邦君邑長顧目前不遑，奚暇遠圖哉？故群行恣睢，莫敢誰何者，有年於兹。壬子秋，國家經略江淮，擢行臺聽事官周侯充諸道轉運軍儲使，仍置司于胙。侯道出朝歌，登鹿臺遺址，顧瞻河山，愛其沃壤，且嘆夫梗阻若爾，慨然懷闢易興除之舉。乙卯歲，公以事北覲，圖利害上之，朝廷為開可[三]，詔以彰德、大名、衛、輝漏版户五千實焉，復其徵。三年，因易號曰淇州，縣曰臨淇，特敕公領辦其事。於是推賢擇能，中令講治，設官府，建倉廩，立市壥，外則表疆理，布丘聚，開阡陌，梁津夷嶮，以便行路，置淇奥、思德、南陽、薛村等鎮，以間迴曠，耕牛田器及饑貧不自存者，一仰給於官，下至取材於山、陶甓于野，率躬親規畫，略無倦色。西山鐵官甆竈，公出本資，悉發其伏利。自是四方流徙願受壥胥宇者，日接踵而至。商通工易，貨委闤闠，餘糧畝棲，烟火連甍，鳴鷄吠犬相聞，和樂之氣達乎四境。侯復以既庶且逸，無教可乎？遂建孔廟，立學師，敦化基而厚薄俗。不五載，内外修治，井井可觀，邑居過客，相與咨嗟嘆息曰：「曩以荒煙廢堞之墟，化為樂郊樂國，向也流逋傭耕之民，今為恒産完美之室，雖天休涵濡，非我公建白興造之力，疇克臻此？」既而公薨于位，子鐠襲職，繼述先志，有光於前者。至元癸亥，轉官制行，州隸于衛，耆舊馬良等謀于衆曰：「公去世逾遠，吾輩生理日完，嗣侯又歷官它郡，其開建本末、卵翼深恩，匪立祠樹碑，奉祀光揚，何以報盛德而圖不朽？」迺相率度治城乾方爽塏地，廟而貌之。十三年秋，適嗣侯自魏府別駕代歸，良等邀過妹邦，大合樂以落之。相與請予文，以紀其實。走早辱公知，敢以不敏辭。念古之君子，興事造功，率忠愛持心，無一毫功利自私，克成碩大光明之業，故民戴之如父母，仰之如神明，宜矣！如公初以轉致之便，興廢棄於荒殘，因丘聚之成，養流播於完實[四]。又未嘗占據膏腴、營治己私為務，誠可謂持心忠愛、豪傑經濟者矣！致感人心，存殁罔間，耿耿不忘者如是。據禮當祀，在法宜銘。公諱某，字德甫，晉之隰人。孝悌忠信，慷慨尚氣義，蚤以材術振耀一時，仕至江淮都轉運使，其豐功碩德，具載墓碑，玆不復云。今嗣侯自武德將軍，陞嘉議大夫，佩金虎符，淮東高郵軍總管。銘曰：

河山兩戒殷故墟，自昔土壤稱膏腴，千年廢治灌莽區，殆似淵藪藏逃逋。政以規畫無良圖，堂堂周侯烈丈夫！一朝王門曳華裾[五]，利焉思興害思除。南來主漕過此都，顧嗟形勝資豺貙，血人于牙其忍歟[六]，龍庭入奏為允俞。一語能霈天思濡，郊圻申畫開井廬，連甍表植左右閭，日中市集百貨俱。荒榛一旦為亨衢，流民賴之凋瘵蘇，儳倈又復三年租，夫耕婦織圃有蔬。桑無附枝麥兩塗，芃芃翠浪西山隅，昔焉餬口今贏餘，我衣我食公所予。欲報之德父母且，胡不均弘秉事樞！天奪之速為世吁，公去雖遠愛豈殊。身後報謝當何如？閟宮盤盤列綺疏，繪肖公像儼以居，歲時豆籩民駿趍。曝牲在几酒在壺[七]，坎坎鼓擊吹笙竽。睇公風馬乘雲車，神兮歸來意恒愉。風時雨若蛇蟲菹，甌窶滿篝厲鬼驅。我詩劖石誠匪諛[八]，采之民謠與同符，大書特書不一書，太行礪兮河帶紆！黃童白叟相携扶，猶有墮淚沾龜趺！

[一]殷故都：都，原闕，據文淵閣四庫本、王抄校本補。　[二]東出鉅橋之陌：之，原闕，據文淵閣四庫本、王抄校本補。陌，文淵閣四庫本作「西」。　[三]朝廷為開可：開，文淵閣四庫本作「報」。　[四]養流播於完實：播，文淵閣四庫本作「布」。　[五]一朝王門曳華裾：曳，文淵閣四庫本作「牽」。　[六]血人于牙其忍歟：原僅存一「忍」字，餘據王抄校本補。文淵閣四庫本全句為「何忍蒼赤為肉魚」。　[七]曝牲在几酒在壺：曝牲，文淵閣四庫本作「腯牲」。　[八]我詩劖石誠匪諛：匪，文淵閣本作「無」。

資德大夫中書右丞益津郝氏世德碑銘 有序

至元十七年，中奉大夫、參知政事禎，進拜資德大夫、中書左丞，被二品命服，中外具瞻，越郝氏惟煒，公乃顧宗屬言曰：「自惟蹟薄，烏能致此？兹蓋我祖考勤勞貴積[一]，篤祜餘澤，集于後人，乃克有濟。今新壠幸建，麗牲有石，惟是大書顯刻，表飭神道，庶幾報明靈、昭裔昧而傳永世，然非賴篤古達辭者，其將伊託？」遂以銘章見囑。某以寮雅故，義不當辭，謹條其族系世德，祖禰之所以劬躬燾後，資德之所以起宗顯親者，迺綴之以銘詩。維郝氏，其先霸州益津縣人，資德之曾諱贇，少擢律科第，授憲部撿法，為人文無害，以讞疑平允稱。正隆末，遷司理參軍，佐進發部，歿兵間。曾妣，鄉進士王公之女，德柔嘉，有母儀。祖諱誠，長身秀髯，豐儀甚都，早以義勇聞。大定初，獎死事子孫，得叙用材武，授衛軍鈐轄。盧溝當國都西門，水潦時至，艱於航杠，承安中，大起石梁，府君首膺選督役，疇辦最功，陞昭信校尉。貞祐初，燕不能都，扈德陵南遷，得疾卒官下，享年六十有七。祖妣，同閈大家，亦王氏，姿淑貞，事舅姑孝謹，生二子，曰瑨，曰珂，壽七十有八終。珂早世。蕖塲府君瑨[二]，即資德之顯考也，天性孝悌。初，鈐轄府君既南徙[三]，靡所依藉，奉母夫人走汴，中途困乏，置母便所，與珂索食隖間，游兵遇，皆驅之去，敦武君泣請曰：「弟幼不任事，又母所鍾愛，幸免以視。」義縱珂還，行復念珂終不能逭將其母，因跽而訴曰：「將軍以母故釋弟，然母老，須瑨可生，且為人子，不竭力於其親，將安用為？敢以死請。」遂伏馬首不動，兵怒以佩刀刺之，即仆地作死狀，兵委去，因護母與父會[四]。後用恩例，調京城草場副使，官至敦武校尉。至元乙丑，某同資德在東平史侯幕，獲升堂謁拜，時敦武府君壽期頤，氣貌魁偉，其齊家勤儉有法，若一官府然。資德年向五十，佑封君，列卿士，長已貴，朝夕温清，門内事必咨而後行。府君晚樂道家言，遵其禁忌，以静默自處，其修嚴如此。明年春二月，遘疾考卒齊氏寓館，春秋八十有四。資德扶柩歸，葬真定縣西三里安上原之新阡，夫人馬氏祔焉。夫人出棗强腴族，性貞烈，主内務殊健[五]，生平樂於為善，至絶葷酒不御，每晨興炷香禱曰：「願聖人壽，天下安！妾家亦沾餘佑！」又月具饌食囚繫為常。初，資德為郡決曹，歲壬寅，有盜劫臨城石帥家，以疑得兔劉等十餘人繫之，皆誣服，上官趣論報，夫人訪聞里間有稱其冤者[六]，歸語資德曰：「捶楚下，何求而不得？汝當盡心詳審，恐及無辜。」資德亦方以贓驗未白致詰，及承教，仍文移緩其事，尋果獲真盜。自是資德於獄情愈恤慎，後復全活張紇兜等十餘輩。由是而觀，昔雋京兆母聞，不疑於囚徒多所平反，即言笑異常，不然慘而不食，以夫人教戒方之，賢於人遠甚。又近舍有賣餅翁媪併亡，喪不克舉，夫人鬻粧奩中物，掩瘞迄成禮，非出天性能然邪！中統甲子歲正月十二日，以疾化於私居之正寢，享年七十有四。子男一，即資德公；女一，適尚書許公。孫五人：曰思仁，謹願克家；次思義，資温雅，有幹局材，官嘉義大夫、諸路人匠府總管；次思忠，性果達，少中大夫、同知真定路總管府事；次思禮，思敬。重孫二，女孫二。竊嘗論古之人因陰積而獲顯報，由仕宦而位公卿者多矣，然非濟以材德，則卿相之任，有不克負荷者。今郝氏連世孝友，純善罔侈，厥報委積流衍，介祉於資德公。公迺傳德襲訓，自微而著，莫不材稱，故能依光藉潤，遂貳台輔，是皆祖宗載基載播于前，而公以材德肯構肯穫，充大光揚于後故也。今復援賜鼎歌鐘之例，載德象容，刻銘樂石，垂示無忘，可謂遹追先業，濟其世美者矣。其詩曰：

商啟期封，肇迹太原。因鄉定氏，郝姓乃蕃。晏相夔將，實為裔孫。逮晉中圮，族系枝分。散處朔南，異宗同源。處後相唐，立朝直聞。義形于主，忠烈名存。維德繼顯，乃理之循，曁曁司法，奮跡益津。平讞庶獄，廷無冤民。毅然就列，儥彼祇勤。于赫鈐轄，職司徼巡。駕梁桑乾，萬石鱗鱗。神工雲僝，增秩疇勛。敦武趍父，奉母南奔。中涂阸阻，孝義兩伸。施於閨壺，德馨帨帉。三世一致，封培善根。宜達而窒，歸成後人。篤生賢孝，敻出人群。持衡機務，叶贊經綸。華軒駟馬，乃大于門。不有其美，推功本元。爰求我銘，載苾其芬。我觀資德，才全德洵。仁以濟物，謙以持身。須彼陰積，蔚為名臣。隆隆新丘，萬象傍鄰。表列華柱，石卧蒼麟。神維顯思，孰知蒿君[七]。匪義奚立，非孝無親。移忠于上，垂裕後昆。恒岳之陽，滹池濟淪。淵峙無極，永昭刻文。（以上《秋澗集》卷五四）

[一]茲蓋我祖考勤勞貲積：貲，原作「紫」，據文淵閣四庫本改。　[二]蕖場府君璿：蕖，文淵閣四庫本作「草」。　[三]鈐轄府君既南徙：徙，原作「從」，據文淵閣四庫本改。　[四]因護母與父會：因，原闕，據文淵閣四庫本、王抄校本補。　[五]主內務殊健：健，文淵閣四庫本作「儉」。　[六]夫人訪聞里間有稱其冤者：聞，文淵閣四庫本作「得」。　[七]孰知蒿君：君，原作「砉」，據文淵閣四庫本、王抄校本改。

全元文卷一八八

王　惲　二二

大元國趙州創建故開府儀同三司中書右丞相贈太尉忠武史公祠堂碑銘　并序

自昔以功德而獲大任，既没而饗常祀者，鮮矣，况得匹夫匹婦之心者哉[一]！如武侯卒而蜀人祭於陌[二]，梁公去則魏土廟而食[三]。寥寥千載，幾何人斯？若太原郡趙相[四]，師表百辟，名節獨著，薨謝之日，葬加殊禮，賜美謚無異議[五]，民有報祀而得衆心之同然者，今於忠武史公見之。公肇自太宗朝襲世爵，付以全趙四十郡，命其經理整戢之。而公宿兵陽夏[六]，歲例歸眎師，每過趙，遲遲而行，念此郡甫離兵燼[七]，經涂南北，環視千里間，野枯民曠，略無生意[八]，公憫其如是，必為察民情之所苦，留情體訪，凡賦役偏而不均[九]、獄訟冤而且滯者，無問鉅細，一有之即以為有害於政也[一〇]，立與之均調而疏濬之。與民間無所求索[一一]，自貶威重，告語約束，必親詣閭閻。其一切興除寬假之力[一二]，又有大過人者。會趙郡莠民共倡為白衣經會[一三]，煽七縣間，不逞之徒，因端竊發，以至蟻動蝪聚[一四]，伺昧嘯兇，約屠城邑，資藉梟雄，以為依庇，欲乘期竊發[一五]。適公歸至郡，有以變告者，公曰：「若此者，有亂之萌[一六]，無亂之形，處之為最易易耳，但須以計戢之，無趣其變[一七]。」公外示閑暇，覘黨魁所在，為伺其巢穴，密羅之，盡出其不意[一八]，掩捕獲焉。訊之具服[一九]，示所懲責，餘悉貸之，且以告屬邑曰[二〇]：「渠率已殲，餘不一究，以安反側。」趙人遂妥。迨壬寅歲，詔作丘甲，時歲荒民移，排抽户椎，事竟，椎不滿者三十數，有司以狀白，公曰：「業無所於取，缺之以需可也。」守吏以軍興嚴，惴惴不敢諾，公曰：「以民困故，非敢私脱，有悮責我，任不汝及也。」殆紀後乃如約。不數年，保障休息，恒襄間熙熙然一樂國也。公薨後十五年，前蘭溪薄郡人李瑛，憙義重報，貞而有幹為，一日謂趙之父老曰：「吾儕小人，樂有家室，得至今日者，可不知其所自？斯皆忠武公恩造，骨而肉之之德也。終無以圖報，將死有餘負。惟是起祠奉祀，庶醻萬一。」衆曰：「諾。」遂相與協力，作新廟於郡城西里。迄三載，廟成，神棲像設，翼翼有儼，凡用鍰三千七伯餘緡。已而，州貳政蒋人賈英，嘗屬櫜鞬左右，公覩其若爾，感念疇昔，曰：「丕厥搆則罔及。」迺以樹碑頌德為己任，以某知公平生頗詳，不千里遠，請書其事於石。某以下吏故，有不敢多讓者，因勉為次系之。公諱某，燕之永清人，姿忠亮謹畏，以度量雄天下。歷事四朝，入則坐廟堂，出則分閫寄者，五十年。當其臨大事、决大議、夷大難，不動聲色，卒之收尊主庇民之功，此天下所共知，兹不復云。顧惟治趙之績，在公雖一事，惟其恩造之功至，故能感民心也深，化强梗而為善良，易慷慨而為忠厚，以致其生也如父母戴之，其没則以神明事焉。嗚呼休哉！人稱至人不死，以氣之精；大賢不亡，得氣之英。公英爽在上，其眷戀於趙人也審矣。仍作歌詩遺之，俾歲時虔饗，以侑肴蕙椒漿之薦[一三]。其詞曰：

常山鬱兮蒼蒼，陣堂堂兮公則亡。趙之封兮四開，風雲慘兮漢故臺，望公不來兮莫知我哀！公精英兮弗昧，山川開闔兮不隨以晦。公不忘兮德在民，思之在心兮其存則目。存之目兮思則固，廟而貌之兮其以故。招公來格兮歆嚴禋，颯泠飈兮雲祈紛，憺光靈兮愈於生。存福我兮孔那，驅癘疫兮辟妖訛。風時雨若兮歲時和，民報祀兮心乎靡佗。坎坎擊鼓兮舞傞傞，饗有肴烝兮登有歌。麗碑峨嵯兮永言不磨！

[一]況得匹夫匹婦之心者哉：得，原闕，據文淵閣四庫本、王抄校本補。　[二]如武侯卒而蜀人祭於陌：陌，原闕，據文淵閣四庫本、王抄校本補。　[三]梁公去則魏士廟而食：公，原闕，據文淵閣四庫本、王抄校本補。　[四]若太原郡趙相：原，原作「太元」，據文淵閣四庫本改。　[五]葬加殊禮賜美謚：殊禮，原闕，據文淵閣四庫本補。美謚，原作「銘士」，據文淵閣四庫本改。此處王抄校本作「葬加賻碑賦銘文無異議」。　[六]付以全趙四十郡命其經理整戢之而公宿兵陽夏：郡命其經理整戢之，原闕，據文淵閣四庫本補。此處王抄校本作「付以全趙四十餘城，俾撫而戢之，既而公宿兵陽夏」。　[七]遲遲而行念此郡甫離兵燼：行念此，原闕，據文淵閣四庫本補。　[八]野枯民曠略無生意：野枯民曠略無，原闕，據文淵閣四庫本、王抄校本補。
[九]必為察民情之所苦留情體訪凡賦役偏而不均：所苦留情體訪凡，原闕，據文淵閣四庫本、王抄校本補。
[一〇]獄訟冤而且滯者無問鉅細一有之即以為有害於政也：者無問鉅細一有之，原闕，據文淵閣四庫本補。

以為，原作「為彼」，據文淵閣四庫本、王抄校本改。　〔一一〕立與之均調而疏濬之與民間無所求索：均調而疏濬之與民間，原闕，據文淵閣四庫本、王抄校本補。無所，原作「軺之」，據文淵閣四庫本、王抄校本改。　〔一二〕必親詣閭閻其一切興除寬假之力：必親詣閭閻其一切，原闕，據文淵閣四庫本補。　〔一三〕會趙郡莠民共倡為白衣經會：會趙郡莠民共倡為，原闕，據文淵閣四庫本、王抄校本補。　〔一四〕不逞之徒因端竊發以至蟻動蟻聚：之徒因端竊發以至蟻動，原闕，據文淵閣四庫本補。王抄校本「之徒」作「輩餘」，「以至蟻動」作「以致蟻附」。　〔一五〕資藉梟雄以為依庇欲乘期竊發：藉梟雄以為依庇欲乘，原闕，據文淵閣四庫本、王抄校本補。　〔一六〕有以變告者公曰若此者有亂之萌：變告者公曰若此者有亂，原闕，據文淵閣四庫本、王抄校本補。　〔一七〕處之為最易易耳但須以計戢之無趣其變：易易耳但須以計戢之無，原闕，據文淵閣四庫本、王抄校本補。　〔一八〕為伺其巢穴密羅之盡出其不意：為伺其巢穴密羅之盡出其，原闕，據文淵閣四庫本、王抄校本補。　〔一九〕訊之具服：訊，原闕，據文淵閣四庫本、王抄校本補。　〔二〇〕示所懲責餘悉貸之且以告屬邑曰：懲責餘悉貸之且以，原闕，據文淵閣四庫本、王抄校本補。　〔二一〕以侑肴蕙椒漿之薦：蕙，原作「肴意」，據至治本、明修補本、王抄校本改。文淵閣四庫本作「蘇」。

大元故懷遠大將軍萬户唐公死事碑銘　并序

天下有酣戰之士，拳勇絶人，捐軀徇國，雖一時之短，其義烈言言，超千人而挺生，奮百世而獨存者誰乎？南陽唐公其人也。公諱琮，世居内鄉縣淅川之白亭。伯祖諱皐，金季以鄉豪署峽口鎮將。父諱慶，仕亡宋，用邊功起身，自保義郎京西副將，累遷至左領軍上將軍諸軍統制，歸附皇元後，終江淮軍民安撫使。唯襄鄧自昔為用武地，唐氏世鍾材武，繼領韜鈐，剛毅奮發，馳聲疆埸，稱山南名將家。公軀幹魁傑，而善於騎射，黝色鷹視，氣吐鐘鉉然，擐帶橫槊，出入行陣間，人愕而聳之。至元十三年，襲父爵，授武略將軍管軍總把[二]。明年丁丑，轉武德，復安撫使，仍佩金符。十六年，以勞績進階宣武[三]，授金虎符、管軍總管。十八年，陞懷遠大將軍、萬夫長。二十年，改授唐州軍府萬户。二十五年，移鎮泉道，屯駐舂陵。時安南保蕞爾域，負固不庭，聖上赫怒，詔諸道兵以討之。公到鎮甫二旬而檄至，即閲數軍實，申嚴節制。明日，大讌郡僚叙别，或以期遠緩發為言，公曰：「不可！征討國家重事，忠勤臣子大節，況吾家三世迭將，迨不肖之身，分符顓閫，備具爪牙[三]，恩寵深厚，思畢力邊陲，以暢天子威命，則死之日猶生之年也，尚敢以顧忌為計哉！」詰旦啟行，旗旆精明，鼓角清亮，識者壯之。遂會諸將屯靖海境，谿嶺湍嶮，艱於馳逐，北兵不習地里，與鱗介争利於舟楫叢薄間，已非所長，加以瘴癘流毒，海颷騰炎，吏士觸冒疾疫者過半。躬自撫視，左饘右劑，恩義備至，若父兄之於子弟，致人人感激思奮。島夷幸我師不利，乘便突出，逞獰肆凶，次年己丑三月，大戰于鹽場之三江口，公率衆先入，所嚮披靡，賊兵衆，開而復合者數四，致麾下散失，公力戰手剸數十人以没，得年四十有九。訃聞，部曲至刲股肉致祭，朝廷為嗟惜之。公天資雄峻沉鷙，有將略，號令精明，拊循有素，期於恩威兼濟。當戰陣際，奪勇愾敵，不自顧藉，有古烈士風槩，故所向克捷。自筮仕不十年，正位帥閫。平居與人交，氣怡辭温，謙恭惟謹，未嘗以色待物，人視之儒素也。其死生義利，胸中權衡素定，決非奮不慮死徼取美名者。嗚呼！忠義，天下之大閑，志士仁人，終始一致，雖頹嵩岱，不吾壓也，豈以暫不幸而墮吾名節哉！王者推而褒之，所以砥礪多士，窒不軌也！故周崇死政，漢寵死事，然皆有等級次序，俱未若皇元即以父祖之爵禄畀其子孫，有崇無降，其報邺激勸之典，視前代為重，公可謂得死所矣。夫人李氏，亦内鄉大家，資度純懿，克媲公德，孝以奉舅姑，慈以鞠幼稚。生三子一女，孟曰世忠，仲曰世英，季曰和尚。孫二：長靈童，次保保，世忠子也。世忠嗣奉世爵，往奠舊服，追忠思孝，罔替箕裘，奉公衣冠，葬襄陽穀城縣鳳谿鄉丙山先塋之次，起祠墓前，歲時享獻，庸展哀慰。復念非假辭紀績，曷以垂鴻無窮？儻得書太史氏，則先業為不朽矣。遂介秘書監丞申敬載拜來請。某以忠君孝親係風化所在，有不獲辭者，輒論列而係之以銘。其辭曰：

武當西來萬馬驤，漢水東注為滄浪。鳳谿之里穀伯邦，盤盤沃野開荆襄。丙山衣冠唐所藏，維兹唐侯百夫防。佩服義烈南方强，三世崛起參戎行，幢牙茸纛金節煌，王常鐵石我所將。維南有交伐用張，一軍來戍心靡遑，萬甲夜卷趨敵場，桓桓不憚天戈攘。誓此一去批其亢，春陵宴訣何琅琅！山谿失勢臣分當，鮫鱷肆毒紛蜂螳，落落銅柱鷹孤揚，海霧翻瘴霾三江。奄奄戰鼓聲則鏜，一僨不捄千夫僵，蛟匣零亂劍有光，臣維有賁甘自戕。一日之短百世長，恨以鱗介易我裳，義存義亡臣節昌，勝負况復兵家常。邺典昭報恩澤雱，嗣侯孝思示不忘，葬而從祖饗有堂，巫陽下招為悲傷。羈棲胡為滯此荒？魂兮歸來安故鄉。牲牷肥腯羅酒漿，部曲儼侍備兩廂[四]，鼗鼓鐃鐸聲鏗鏘[五]。子孫歲時供蒸嘗。銀鈎翠琰勒我章，忠傳孝繼灑大泱，陵遷谷變事叵量，英聲載世永不亡！

[一]授武略將軍管軍總把：總，原闕，據文淵閣四庫本、王抄校本補。　[二]以勞績進階宣武：以，原闕，據文淵閣四庫本、王抄校本補。　[三]備具爪牙：具，文淵閣四庫本、王抄校本作「其」。　[四]部曲儼侍備兩廂：廂，文淵閣四庫本作「廊」。　[五]轟鼓鐃鐸聲鏗鏘：轟，王抄校本作「鼕」。

順德路同知寶坻董氏先德碑銘　有序

至元十七年，奉議大夫盧越鹽使司提舉董侯孝良，以規辦功最，陞授朝列大夫、同知順德路總管府事，自惟材踈能譾，何以臻此？兹蓋祖禰積德纍行，涵濡慶澤，所從徠遠矣。惟是鍥銘樂石[一]，光賁松梓，庶克昭信適追[二]，仰報罔極。迺介府幕陳從慶贄禮幣，百拜以先塋碑為請[三]。某承乏燕南，以明新是任，惟孝與義，為世大經[四]，今猥來屬筆，有不當辭者。謹按所具事狀：董氏世居燕之武清縣南仁佛里，金大定十二年，改新倉鎮作縣，故今為寶坻人。曾祖以農為業，代遠偶逸名諱。生三子：曰永進，曰仲仁，曰蘂。昆仲既蕃，孝愛日篤，以資雄一鄉。永進娶彭氏女，實生寶溢府君，諱柔，蓋侯之皇考也。府君行孝廉，善居室，一介不妄取與諸人，里中以善人稱之。二親嘗卧疾，治療罔効，府君曰：「嘗聞人之肌肉可愈困瘵。」於是默刲股肉，雜它膳進之[五]，服之果良愈。既而，父目病幾於凝盲，府君又以舌日舐其睛，無幾，頓還舊觀。邑里稱嘆，以為孝感所致云。嘗以事之保，暮行通衢間，躄得白金一巨餅、楮幣百餘緡[六]，詰旦，持坐獲所，候求訪者，失主至，物色為不妄[七]，即付之。至於牟子錢，貧不克償者，率折其券以貸[八]。自是孝廉之名，軒著燕保間。當途者聞之，以謂不苟於得，可以臨財厲俗，用薦檄充保定務商榷，次任寶溢堝監[九]，支納益用心，稱物極平施之方，公私俱有賴焉。至元十三年，以疾考終牖下，享年七十有八。董氏其三代皆窆寶坻故塋，至公始徙家武清之大定沽[一〇]，遂改卜聚落之南原，是為武清新阡。孺人蘇氏，信都大家，事舅姑，主内務，以孝婉聞。生子男三人：孝義，孝温，孝良。太君資藉訓迪，納規矩中者居多，故母儀婦道，宗族取法焉。今年九十有四，起居飲啖，精健如五六十人。孝義有融德，不樂仕宦。二子：長曰順，管勾鹽場事；次愛孫，孝温醇謹，有幹局，充鹽使司判官。三子和，張驢昌孫，和任監當官，和之子八十買住。孝良，孝友純至，幼習司空城旦書，及長，兼通國朝語，嘗給事貴近，以材果管勾三汊沽鹽官事。至元十年秋，大霖，三汊被浸，亭户例狼藉阻饑，侯致郵，申明上官，發廪米四千餘石，侯乃計口均給，民免菜色。水退，侯諗度原隰終復為患，議户抽一，推起土璋場，請於上，允焉。明年，水果至，無所虞矣。以能陞本場鹽司大使，仍佩金符，以寵異之。先是，歷年牢盆錢，不計成鹽多寡，即驗丁全給，致本耗而課不充，後復給與不時，課不辦而卒日困，侯白所司革焉，遂驗亭户煎數在官，仍半給之，復需其畢運，為足其所當付，至曩之倚而未頒者，仍皆為畀之。至今遵行，官卒兩稱其便。十三年，亭户乏哺，無可於糴，侯以鬻造孔棘，恐軼歲辦，出私廪二百餘石，稟食之，未嘗更其費。十四年，用薦欽授宣命官奉訓大夫，尋陞奉議兼提舉盧越鹽司事。十七年，以均幹有方，程辦饒羨，積前後勞，遷授今職。侯以民社重寄，非財賦可擬，宣力有加焉。子三人：長曰革，中書省宣使；次安住；次海山鐵哥。初賓溢府君封股肉以致親和，厥後府君洎太夫人蘇氏在疢，子孝溫及侯與室劉氏，亦踵而行之，由是鄉里論篤孝者，以董氏為稱首。嗚呼！孝者人子至行，揚名顯親之大致也！然代以孝名者非一，若休徵之剖冰求鯉，孟宗之泣林取筍，李建進藥而病即瘳，盛彥慟哭而明復故。今董氏之刻肌而愈親疾，可謂情迫孝至，殊途而同歸者也。《詩》曰：「孝子不匱，永錫爾類。」其是之謂歟！至慶流胤裔，移理於官，宜矣。後之來者，復能致竭兩間，以極忠厚孝廉之美，將見董氏福禄淵流而未央也！是宜銘。銘曰：

暨暨董氏，起家幽墟，緊曾祖君，是生三珠。孝廉溫潔，玉瑩不渝。我屋豐潤，爾焉德劬。維賓溢君，乃皇厥圖，一廉厲俗，致身仕途。我幹我均，我摧我酤，人勉不足，我恢有餘。夫孝何居？曰父母且，病則致憂，已何暇虞。越惟親安，其樂愉愉，要以情至，同歸途殊。錫我胤類，德宜不孤，篤生賢孝，高大門閭。連城具瞻，有儼倅車。顯親揚名，實由懿模。遹追圖報，於焉是需。岌峙豐碑，螭首龜趺，丐我銘章，大書特書。幽陵蒼蒼，渾流徐徐，照映鄉梓，永示德隅。

[一]惟是斲銘樂石：銘，文淵閣四庫本作「碑」。　[二]庶克昭信遹追：昭，原闕，據王抄校本補。文淵閣四庫本作「自」。　[三]百拜以先塋碑為請：以，原闕，據文淵閣四庫本、王抄校本補。　[四]為世大經：為，原闕，據文淵閣四庫本、王抄校本補。　[五]雜它膳進之：膳，原闕，據王抄校本補。文淵閣四庫本作「物」。

［六］楮幣百餘緡：楮，原闕，據王抄校本補。文淵閣四庫本作「值」。　［七］物色為不妄：為，原闕，據王抄校本補。文淵閣四庫本作「詢」。　［八］率折其券以貸：以，原闕，據文淵閣四庫本補。　［九］次任實謚塌監：任，原闕，據文淵閣四庫本、王抄校本補。　［一〇］至公始徙家武清之大定沽：定，原闕，據文淵閣四庫本、王抄校本補。

故提刑按察簽事劉公墓碑銘　并序

奉議大夫、提刑按察簽事劉公，既窆之明歲，其子珪慼然以追遠之志來諗曰［一］：「孤不天，先君勤黽王事，不期顯歷［二］，半道傾摧，俾任重致遠之舉，罔克攸盡。在珪慕終養之榮［三］，曾弗少及，不孝之大，無足言者。維是刻銘麗石，表見墓道，庶不朽而為新壠光。幸憲使憫焉。」某惟曩嘗與公翱翔中書，有聯事之雅，以分以義，有不敢為亡友靳者。謹按事狀，公諱濟，字巨川。其先真定行唐人，世在野。大父某，倜儻尚氣，為鄉曲所重。考信，方直有父風，以植產致富，心存樂施，貞祐兵，避地陳潁間，散財濟衆，人多傾赴。正大末，所在遊騎充斥［四］，令民團結相保，衆推公充鄉義兵都統，已而歿于事。公，信之家嗣也，自總角姿嚴恪，不知為兒嬉，及長，明吏事。時趙人董珍者來領魏郡，材公為郎署府從事，民政軍務，多所裨益。中統建號，省府立，擢賢舉能，以恢廓宏綱為亟，路辟公應選，遂補省左曹掾。四年間，精覈吏務，氣明而事辦。然所期攸邈，有不屑為者。尋除貳上都糧料使。會當估平，致太庾京積。已而充中書磨勘官，真定郭文進者，摭白、肖二人毒殺其父，歲久莫决，府以疑獄聞，命公往讞。既至，按覆簿牘，推察物情，不終日而虚實兩判，鎮人稱其明，朝官嘉之。至元七年，敕授承直郎、太原路總管府判官。公不卑小官，思以行志惠吾民為念。府東有山曰罕山，每溝澮秋泛，害及關坊，公乃度原隰，相水衝，以事宜從上官議可焉，衆欣就役，自山南抵汾壖，鑿渠涂十里，以醴水勢。自是漂没患絶，且溉傍田數百頃，其興利除害類如是。明年夏六月，大旱，步禱列石龍祠應焉，秋賴以熟。九年，陞授奉訓大夫、知獻州事。既下車，囚繫填狴犴間，公嘆曰：「盡心之戒，當於焉是圖！」遂裁遣剖折，凡五日，牢户為一空。然後束吏以法，拊民以寬。慮科調之不均也，為等第之；恐田疇之未治也，為勸劭之。新州治以具視瞻，宗儒學以敦教本，内外釐補，井井有條。其孝悌任郵之化，風偃海濱矣！迄今民思不忘。秩滿，憲司廉其能，遷奉議大夫、簽書燕南河北道提刑按察司事。十六年四月，竟以勤事致疾，既乃終于位，享年六十有四。夫人程氏，魏大家，配公德良稱，前四年卒，即其歲九月廿九日，祔大名□賢□□□由盆里繁水之陰宅新兆也。二子：珪，玘。今珪亦官承直郎[五]、大名路總管府判官，性純孝，從政幹果。玘歷管庫，甚願。女三人：伯適趙郡武氏，仲從鄒氏，季徐氏。公資明辯，遇事風生，不肯陸陸一事落人後，故所至卒有聲。其孝義出天性固然，初調并梁兵西援，朐朒事集，悵望南雲，泫焉興感曰：「母氏殯陳四十年，不即卒大事，儻溘先朝露，目其能瞑耶！」乃於介使告其所以然，諾焉。馳至陳，求訪叢堩間，罔知誰何。因籲天行泣，俄得劉叟者示其處，下插驗所誌物，是夕寤寐中嘗有以呵之者曰[六]：「汝母何疑？當收之速去！」即是年冬十月，歸葬行唐縣甘泉鄉七里烽之先塋，禮也。傳稱古人行役云：遠必思念其親，以篤孝養。若公斯舉，何思違將其母哉？又鄉豪董君死葬瘦陶，碑石卧荒壠間，身後貧不克劉樹，公按部過趙，爲求銘表墓，以報知己，其風義肖上世又如此。是宜銘。銘曰：

古評吏治，匪循即能。循傳而列，能或概稱。時有緩急，事方責成。珮玉長裾，艱於奉承。維材應變，其任乃勝。用或異宜，跌焉不興。暨暨劉公，才長氣弘，小試游刃，鋭於發硎。擢列郎曹，風生臺閣。若不屑爲，翩翩荷橐！一麾出守，殆古能吏。錯節蟠根，別夫利器。苟利吾氓，身弗遑睨。于今兩州，懷思無斁。維孝與義，爲世儀軌。子箕而裘，已濟厥美。歸息泉扃，神亦寧止。五鹿之野，由益之里。沙麓茫茫！繁流瀰瀰！谷變陵遷，墓碑有嵬。

[一]其子珪慼然以追遠之志來諗曰：珪，原闕，據文淵閣四庫本、王抄校本補。　[二]不期顯歷：不，原闕，據文淵閣四庫本、王抄校本補。　[三]在珪慕終養之榮：珪，原闕，據文淵閣四庫本、王抄校本補。[四]所在遊騎充斥：斥，原作「兵」，據文淵閣四庫本、王抄校本改。　[五]今珪亦官承直郎：承，原闕，據王抄校本補。文淵閣四庫本作「奉」。　[六]是夕痞痳中嘗有以呵之者曰：嘗，原闕，據文淵閣四庫本、王抄校本補。

大都通州郭氏遷塋碑銘 并序

孝子之愛其親也，心無乎不至，其始也，盡懽心以致其樂，儋高爵以顯其宗，又以安富尊榮歆其親，以愜其志望，及其終也，擇善地，敞真宅，樹豐碑，彰遺孅，別為再祖，俾饗大宗不遷之祀。越是心以為校者，於尚書郭君見其純且至焉。郭氏世為通州潞縣人，曾祖府君諱伯昌，尚義有應劇才，金季以勞授州之判官。方四郊多壘，仍歲饑荒，賴公力全活者衆，民刻惠里廟碑[二]，至今其石宛在。金制官分嚴，不敢絲髮侵，上承下辦，惠鮮保障能爾，其為人可知已。大父諱和，字和之，資持重，擇交而游，經紀遠識，殊與父肖。貞祐初，燕不能國，遂避地徙河南，公奉從母楊挈弟姪至，復還鄉梓，往返數千里間，冒涉艱梗，舉宗全慶，竟不失舊物，是亦人所難能。郭氏之有今日，其祥實開於此。公少樂讀書，長以吏業著稱。且玄之與潞，在昔為轉漕淵會，見聞習熟，故公於綱計為詳。壬辰歲，詔立漕司於燕。明年癸巳，中書粘合公辟公為經歷官，舊條新制，兼舉而行，居無幾何，民力大紓，而廪儲崇積，會計出納，允當詳明，官無私焉。至今論漕運者，皆以公為稱首。國朝丁未，公春秋五十有九，卒官下。祖妣孫氏，出庶之清門，內助成家，與公合德，後公廿一年乙亥歲，壽八十終。生二子：長諱天珪，字君寶；次天瑞，晦德不仕，棣華輝映，樂怡怡也，鄉里以善人歸之。長即尚書君考，秉德清慎，直諒多聞，以世美繼為漕幕從事。為人樂易，輕財好施，雖指囷解驂，未嘗見難色。樂從賢士夫游，延致禮待，惟恐不盡。又通五行書。叩之者推明倚伏，率以戒辭為言，斯亦知命君子者歟！惜乎年不滿德，仕未盡用。至元改號夏四月廿四日，以疾卒，壽止四十有七。子秀，生纔十四歲矣。夫人張氏，燕之名家女[二]，性貞静，壺儀有光，漕司府君既歿，夫人持内事甚嚴，家道昌宜，内外宗屬入門升堂，不覺其母子之互為資也。享年七十有四，終所居正寢，實至元廿九年壬辰秋八月八日也。秀字秀實，姿善淑，少以孝聞，交於友以誠，移於官則理，儀觀魁偉，臨事明敏有昑藉。甫冠，由總制院都事遷經歷官，繼改都省左司員外郎，尋就陞郎中，已而授少中大夫、禮部尚書，今簽宣政院事。君自惟起身刀筆，不十年致位通顯，德薄才菲，將何以臻此？兹非先世積善纍慶，光潛不耀，一旦叢於不肖身者如此。是用祇懼，昊蒼罔極，報德何從？顧惟長城先壠，歷年已藐[三]，斧封馬鬣傍，無所取穴，故祖考叔父而下三柩，皆未克大葬，言念奭傷，芒刺負背，乃改卜宛平縣張華里之北原，墨食吉，用三十年春二月壬寅，以三品儀物封而樹之，庶幾無乎不在之心，少有遂焉。既襄事，百拜以墓碑來請，幸内翰惠顧，三讓，求益懇。予以孝子順孫顯揚慎追之義，關人倫風教者為最，謹按善狀，諾而銘諸。銘曰：

慶由善先，順為福原，惟積也厚，其流則淵。譬彼播植，用其道而分所宜，其根苗華實，有不期然而然。猗歟郭氏，宗族嬋嫣。繄長城之故壠，不知其幾世幾年？堂封纍纍，拱木蒼煙。偪道涂而且隘，無可穴而理必遷。張華西里，其平宛宛，風水攸寧，鬱焉新阡。哀哀送終，棺衾華鮮。祭以大夫，有加鼎籩。祔安神靈，既厚且堅。庶窀穸之下慰，將寸心之少安。孰無子孫，焜耀聯翩，念得之而能竭力，讓春官之孝賢。刻吾銘而表神道，永以為郭氏無窮之傳。

［一］民刻惠里廟碑：碑，原脱，據文淵閣四庫本補。［二］燕之名家女：女，原脱，據文淵閣四庫本補。
［三］歷年已藐：已，原脱，據文淵閣四庫本補。

大元故中順大夫徽州路總管兼管內勸農事王公神道碑銘　并序

上登極之二載，詔以前泉州路總管中順王公作尹於徽，制下而公已卒，士論慨嘆，惜其備具文武才，未究於用也。明年春正月，嗣子謙持太史屬王德淵所撰善狀，百拜來請銘。自惟識公，始用情交，終以義合。至元庚寅歲，邂逅於甌閩，後二年，予入翰林，公亦終更來燕，玉堂多暇，日夕從游，詡詡相得，校夫三十年間，會晤雖數，在京師為最洽。公今已矣，銘其墓宜莫予若。公諱道，字之問，姓王氏，其先為京兆終南縣人，世將家。公姿魁偉，勇而多力，幼讀儒書，長憙武事，飛蹤走檄，尤翩翩也。公既負器局，挾藝能，不肯碌碌居人後，間出大言，捭闔時事，及作為歌詩，藻思甚壯，激昂頓挫，以驚動一世，謂將相無種，功名可戾契致也［一］，然于時貴近，終無所合。至元更化，以剔民蠹、清吏弊為亟，公曰：「茲吾之時也！」迺走燕上書，請置執法官，如是則吏畏政肅，澤被於下，政化可得而成。六年，憲臺肇建，遂辟充掾史。公志在澄清，一旦抱牘齷齪覓進，論得失於簿領間，耻於屑為，纔數月，即拂衣而去。適朝家遴選文學士充東宮講書官，用昭文竇公薦，得入侍經筵。進讀際，辭理敷暢，間以時務，意在互有發明，由是稔知為奇士，進見顧眄，與餘人異，欲大用而有需也。十三年，江左平，福建內附，蠻夷悍輕，易怨以變，蛇豕婪婪，血人于牙，何所靳顧？非大行臺鎮之，不足以制內而撫外也，故郎署官重其人。方裕宗皇帝參聽朝政，迺選公充福建行省左右司郎中。時柄用者專尚威猛，不能導揚恩信，慰安遠人，凡事之悖理、政之害民及私意之所宿者，公皆執而不行，至面折力諍，必理得事正而後已。如宦族趙知府元輩六十三家，閑居室潤，誣與山賊通，擬梃殺之，意在籍没，掩利餘貲。公抗言宋故官累詔恩卹，今以昧曖，一槩奴戮[二]，有傷朝廷好生之德，止杖八人，餘悉縱遣。降將吊眼陳據漳州叛，賊勢張甚，招討潘力不支，踰城走，泉行省以失守罪，縛出將戮焉，公曰：「招討秩三品，有罪當稟於朝，不可擅殺。」上官怒[三]，遣督將二人率甲士環公曰：「字不同署，罪當相及。」公乃具朝服望闕再拜，曰：「省官不有朝廷，脅我以兵，欲將何為？吾寧與潘同死。」字不可得也，彼莫能屈，潘竟減死論。其守正不屈類如此。由是强横氣褫，善良攸賴，閭閻間至畫公像事之。廿四年，授中順大夫、泉州路總管兼府尹。泉據南海津會，豪儈吏商，假權貴聲勢，日凌轢請索，紊大府紀綱，牟取衆利，公折以理，拒以威，輒落其機牙，束手噤語而去，公堂為肅然。先時，晉江之安溪土賊張大老、方德龍嘯聚畬洞無賴二萬餘人，時出搶略，為一方大患者幾三十年，聞公至，私相約束曰：「王老子來，當謹避之，勿輕出。」公為布耳目，設方略，不月踰，生擒賊酋廿三人，悉榜殺泉市，餘衆駭散，百姓為之歌曰：「藥不瞑眩而疾祛，非良醫而誰乎！兵不血刃而賊除，非智士而誰乎！」其為輿情感悦可知矣。在任凡四載，代歸鄉里，以營治先塋、樹植碑表為務，屢供具召親友燕衎為樂，若日不足者，家人亦訝其遽如許也。元貞二年春二月十有二日，以疾終私居正寢，享年七十，葬維州北海縣樂泉里金山原。

公强矯有守，臨事敢言，膽氣噴薄，無所回撓，志在開布公誠，砥礪名節，表表有見於世，孰謂勢利可得而奪邪？至於擿姦發伏，不避持難，又似夫漢王尊之在東郡、虞詡之治朝歌也。奮身布衣，起家至二千石，剛直之氣，至老不衰，其功業止斯而已，此士論所痛惜也。遠祖金初以武功賜完顔氏，世襲千户，官至金吾衛上將軍。曾祖諱虞卿。大父諱從正，歷隰州太守。父諱成，皆嗣承世爵，金亡復故姓，仕國朝，任樂安縣令，因家焉，今為廣固人。公先娶孫氏，生子謙。夫人年廿八卒，繼室羅氏，亦先公卒。生二子：曰諒，曰惠。謙幼侍東宫，才敏有時譽，能政克家，蔚有父風，今官奉訓大夫、大司農少卿。男孫四人：謙之子三，曰元孫、仲孫、季孫；諒之子一，曰彦孫。公平生著述號《雲門老人集》，殆千餘篇，傳于家。銘曰：

繄王使君起海堧，妙齡飛英振孤騫。陳琳書檄何翩翩，一箭擬下聊城堅。心惟嫉惡民瘼蠲，驅逐鳥雀同鷹鸇。一行作吏非所便，褰帷有志澄八埏。封書直上沃帝淵，太微執法光炯然。春宫嚮學開經筵，一日登對席為前。顧公可試宜擢遷，利器當遇蟠根宣。甌閩行臺兩廣連，陽舒陰慘持化權。幕非其人奚望旃？六十三家宋故官。執之犴死何繁冤！公為辯析皆平反。潘惟不支心則丹，以死信理人所難。維閩之南天府泉，畀公撫循面則顓。鋤薙强梗安悍鰥，風飆踔敕教反，敕角反，海魚龍[illegible]。萬貨山積來諸番，晉江控扼實要關。勢取豪索非一端，不動聲氣為周旋。安溪有盗勢結盤，撞搪呼號動百千，公然剽竊三十年，為一郡患何迍邅！公來約束毋妄干，老熊當道百獸跧。一旦解刀耕壠間，溪山淡淡風日閑。帥得其人人自安，如君兩除稱衡銓。幕府坐嘯鳴化絃，簡節疏目政猛寬。四載終更公孰賢，王尊虞詡相後先。千年神劍埋山原，鬱鬱夜氣生紫煙，何以驗之石有鐫！（以上《秋澗集》卷五五）

［一］功名可戾契致也：戾，文淵閣四庫本作「握」、王抄校本作「拿」。　［二］一槩奴戮：奴，文淵閣四庫本作「孥」。　［三］上官怒：怒，原作「奴」，據至治本、明修補本、文淵閣四庫本、王抄校本改。

全元文卷一八九

王　惲　二三

大元朝列大夫秘書監丞汴梁申氏先德碑銘　并序

大德改號歲之六月越二日癸巳，秘書監丞申君敬先詣太史王某，再拜而請曰：「惟申氏遠有世緒，逮我先人學紹醫傳，心存道濟，惠及一方，雖遭罹世故，譜牒墜逸，然自高曾而下，班班可考，而墓隧無銘，神道闕表，予小子大懼先德日遠，恐泯昧將無以見於後。今粗有纂述，俾昭示子孫，以傳不朽者。敢囑筆於下執事[一]。」某以不敏辭者再，請益堅，乃為論次之。謹按，申氏世居汴梁，曾祖諱天禄，宋徽宗朝，以嬰兒科供奉内庭，門以金斗為識，當時稱揚醫藝精全者，有金斗申氏之目。宣和末，避地家秦州社樹坪。祖諱良輔，早以方伎知名西土。祖妣馮氏[二]，俱壽終，葬天水郡。顯考府君諱仲康，字西叔，資秉寬裕，有長者風。弱冠值金季，流寓陝虢間。天兵下河南，愛申裕間風土衍沃，定謀卜築，以甲寅歲東徙，今遂為南陽人。府君世其業，禁方秘訣，夙承指授，復為該洽，軒岐以來，其書奥妙，悉精究其理。學既博，伎益工，在醜不矜其能，活人不期其報。過客病困逆旅及貧無資者，家置病寮，躬進湯劑糜粥，既平復，量給路費以遺之。遠邇注瞻，以材德兼稱。如南陽富民孟氏夫婦，府君以伎能起其死，約兼金乘為謝[三]，後恬然不為禮，或者不平，對府君詬之，曰：「醫以濟物為任，若貪圖貨利為心，豈天生命跗，保全夭閼，安羸劣之意哉？子無復言。」客嘆服而退。初，府君東徙，聞盧氏守將堯里公賢而下士，往依焉。草昧際舉，族賴保翼。一夕宋寇掩至，執堯里而去，以不屈遇害熊耳嶺。府君聞之，糾合義勇者數十輩，匍匐奔赴，求得其屍，葬祭迄成禮。兵後内外宗姻散失者衆，求訪不少置，得姨之夫樵翁於申、女叔於穰下，既孤且窶，收養終其身。平生行義類此甚夥，今特書其顯著者。識者謂府君為善不近於名，尚義不謀其利，躬弗受祉，後世其興乎。以至元己巳歲季夏十有八日，考終牖下，享年六十有七。配宋氏，系出京兆大家。資端重，未嘗露嘻笑；年既笄，歸于我；侍舅姑，以孝敬聞；鞠育諸子，極於勤苦。後八年，以疾棄養，壽七十一，祔葬南陽縣東泓河之右薛家里。子男六人：曰政，嘗監郡酒稅；曰整，河渠使；曰敬，即敬先；曰教，早世；曰敏，江陵路醫藉提舉。敬先性資醇裕，醫學明敏，切脈審，用藥精，至元六年，選充太醫。世祖皇帝巡幸兩都、比狩東征，典司藥石，皆侍其行。嘗於御前修製湯劑，品藻藥性，敷奏有條理，上顧而喜曰：「汝身雖小，口甚辨博。」又敕治元妃疾，獲良愈，蒙賜玉盤帶白金有差。至元廿七年，由御藥院使陞受朝列大夫，選丞秘省，旌宿勞而從公論也。自昔銓衡經制，以方伎進者，雖有殊勳，不轉文武正班。敬先讀書勵行，有士君子之操，故膺是除。由是知揚歷清要，光顯於親者，越茲伊肇。敢以府君之積德起宗[四]，敬先之肯構克荷者，綴而銘之[五]。銘曰：

醫師之良，本天恒德。挾藝時行，心貴專一。其視患者，罔有莫適。一盡我誠，庸表怵惕。顯允申公，秉兹良直。四世三朝，職司疢疾。神砭易形，靈丸起廢。藥惠一方，心深道劑，羸劣獲安，炯我風義。活人活國，是迺仁術。陰積孔多，陽報斯必。篤生六子，季實良器。大我醫門，學稱善繼。藥籠流光，馨融帝室。六脈和平，聖躬福謐。三十年間，祗勤厥職。維皇念功，寵數優特。籖名仙瀛，圖書東壁。紆紫腰金，揚休山立。匪汝是私，良用勸激。蒼煙故里，光賁丘石，刻我銘章，有煌申國。獨山鬱茂，白波蕩潏。山川鴻濛，慶鍾來息。子孫振振，垂裕罔極。

[一]敢囑筆於下執事：囑，文淵閣四庫本作「請」。　[二]祖妣馮氏：氏，原脱，據王抄校本補。　[三]約兼金乘為謝：為，文淵閣四庫本作「馬」。　[四]敢以府君之積德起宗：德，原闕，據文淵閣四庫本、王抄校本補。　[五]綴而銘之：綴，原脱，據王抄校本補。

大元故奉議大夫中書兵部郎中韓君墓碑銘　并序

亡友奉議韓君之子沖，既禫來謁，心焉愴慕，有慘而未安者，乃出所壯父行曰：「孤不天，先人蚤世，平時所期者遠大，挾其所有以前，而車傾半道，念所銜曷祛，惟是發越潛德，使表見於後，庶存歿少有攸慰。公與家府交敬而知為詳，敢百拜以墓碑為請。」予以義以分，有不能辭者，遂追叙而併銘之。君諱天麟，字伯昌，姓韓氏，世為漁陽上谷人。父琇，為人長厚，儀觀秀偉，少應武舉，金季嘗以勞任慶陽府司録判官。母王氏，誕昆季四人以次，君為第三，母以克肖，故尤所鍾愛。長業法家學，即能䆫然見頭角於輩行間，師以能稱之。及為郡法曹，獄無大小，悉心極慮，必盡彼辭情而後已。時有楊叅軍者，詐冒兵儲，公易市户，事覺，朝遣官來鞫，逮捕者數百家，弊積有年，不易措手。知君幹蠱，摘之倚辨，楊既窘蹙，無可得主者，悉取償糴家，價從時重。君曰：「不可！盜糧者已有主名，百姓初不預知，今從坐配償，已是虛負，取價合准出倉時估，不然將有破産不勝其弊者。」上官從之，衆得以輕脱。至元二年，辟充懷孟路從事。四年，勾補中書左三部令史。八年，由考工轉御史臺，有訴民自關陝來，未經有司者，議不受，君執之曰：「民豈不知此？顧臺憲為重，因而拒之，將無所控告。罪彼越藟，理其冤抑可也。」事多解釋。以能遷吏禮部員外郎，遂建言：隨朝掾史，已有出職定例，外路吏資亦當與議，使至公均。被准，其事行焉。未幾，遷奉訓大夫，出為瑞州路別駕，俄超授奉議大夫、常德路宣課都提舉。先是，亡宋税場濫收奇零等課，名類甚多，君稔其擾，曰：「生財有源，初不在此，使到官者榷之有法，所獲多矣。」於是六色正額外，一切蠲去，常人稱悦。及比附上額，羨果倍蓰。時方夏，官徵民負租，追呼鞭扑，急於星火，君就府僚與議曰：「今新陳未接，人餬口不給，兼積久數多，非一朝可辦，急則必倍息取貸，或易及男女，若爾，是富益巨室，怨歸公家，非特於征商有所悞也。稍俟秋成，徵之未晚。」用是以停征。八番大軍道鼎，民被騷甚，且沮恢辦，有司噤不敢誰何，君詣行閫陳説，主將喜為約束之，市肆賴以帖。其乘機應變、輸誠濟物多類此。政藉甚而課最，省臺交章薦人，授奉議大夫、中書兵部郎中。尋被檄檢覈河漕，回次濬之劉家渡，以暴疾卒，實二十二年乙酉歲八月七日也，享年五十有九。以是年十一月壬午，葬郡西南親仁鄉康公里家塋、慶陽府君墓右，從溝合也[一]。君氣志明辯，有幹局，善當官，好持論，往往出人意表，其起身立事，不資藉昆弟，耻踵跡人後，氣之所充，力取必至，卓然自見於用者，蓋天性然。初韓氏北故，後居衛，生事微，父俾之經商，辭焉，曰：「從政固所願也。」及顯達，分所有資，悉推讓不一毫取，鄉黨義之。又急難解紛[二]，樂與人為善。教子讀書，惟恐其不至。配孺人梁氏，元帥瑀之長女。生子二人：曰冲，從事郎，太平路經歷[三]；曰中，御史臺令史，繼志治家，大克播搆。曰燕、曰梅[四]，童皆庶出。四女，已適名族者二，二未笄。銘曰：

維天生材，畀世作程，吏以事主，尤資者能。理具氣先，浩氣迺形[五]。倬彼韓卿，氣志蘧閎，揚歷臺閣，外彪中弸。初轉栢府[六]，樂夫有行，庶單厥心，豈惟祥刑？彼良而俘，是大僇辱，千里求哀，情其可恤！人以法辭，我為理出，不以其嫌，竟直彼屈[七]。天秩有庸，曾間內外，由我一言，至公均被。財生多源，取自有體，算及履□，徒擾而已，以正以公，所獲多矣。猗嗟韓卿，用固强矯，年不志充，宜若可悼。我思古人，云誰盡了？圖維不朽，君亦少慰，子孝而賢，仕涂方軌，振厲光揚，儘濟厥美。尚餘幽光，樹石表隧，揭我銘詩，永昴來裔。

[一]從溝合也：合，原闕，據文淵閣四庫本、王抄校本補。　[二]又急難解紛：急，原作「患」，據至治本改。文

淵閣四庫本、王抄校本作「排」。 [三]太平路經歷：路，原闕，據文淵閣四庫本、王抄校本補。 [四]日
梅：曰，原闕，據文淵閣四庫本補。 [五]浩氣迺形：浩，原闕，據文淵閣四庫本、王抄校本補。 [六]初轉
栢府：栢，文淵閣四庫本作「相」。 [七]竟直彼屈：直，文淵閣四庫本作「置」。

平陽程氏先塋碑銘

南陽府倅程君瑞，不肖里閈都司趙公倩也，故與定交最早，知行己頗詳，為人忼朗誠直，勁挺尚義，而遇事開談，洞見肺腑，伸吾志而已，而利而害，初不計卹。由是棖觸物論，與時齟齬，然識者以跅弛不羈許之。與君契闊者餘二十載，大德改號之春，自武定終更來京師，僕方忝長翰林，樽酒叙舊，英邁之氣猶夙昔也。既而來請曰：「瑞始以孤童子入侍，隸昔剌謀大子帳下，逮事定宗、憲宗時，朝廷遠駐朔漠，屢奉命使襄漢間，為互市官。歲己未，扈世祖皇帝飛渡鄂渚，戮力與宋兵戰，有功，蒙賜銀幣有差。及上登極，選備膳夫，車駕巡倖兩都，征伐宴犒，割烹供辦，蓋三十年於兹。中間以軍國係重，越分肆直，忤犯權倖，致之縲紲，瀕於不測者屢矣。以辭氣侃侃，事竟實無佗，幸不死。朝貴多其挺志弗撓，奏受忠顯校尉、尚食局使。又七易寒暑，積前後勞，官武略將軍，出知奉聖州，今調同知南陽府事。自惟愚忠樸直，餘將無有，供奉闕庭，寵膺民社，秩中通貴，竭誠圖報之念，日深一日，奈桑榆景迫，年與時馳，而追遠返本之懷，朝夕是切。相嘗僑居，即是將起新阡，奉安考妣神靈，又諗登仕版家，

先世塋域，例有碑誌，况東西南北之人，表識之建尤為切務，俾子孫繼嗣拜掃，考其世系鄉里，逌追來孝，免夫有旌紀寂寥之嘆。尚吾友惠顧賜之銘，則程氏為不朽矣！」某以契舊，且素賞其方槩，迺為書。程之先代，世為平陽洪洞縣李村農家，曾祖、大父俱逸名諱，所可知者，曾祖生子四人，祖弟三子也。金末，以勞効嘗攝行本縣令，有子玉，房行第八，暨第九郎，其胤裔尚守遺業。玉即瑞之父也。府君慷慨重然諾，風義矯矯，有無與衆共之。貞祐兵亂，以武幹保完墟落。國朝壬午歲，迎降太祖皇帝，從攻鳳翔，用愾敵功，總西京工匠。年三十有九，以疾終。夫人曹氏，出扶風宦族，生子五人：曰實，曰瑞，即武略君，曰西京，曰當僧，曰午兒。實之子懷驢，職庖人氏；次曰伴驢。武略之子曰靈童。新阡之兆，建於彰德府湯陰縣之北蘭里，實大德戊戌歲某月日也。仍為發先世之潛德懿行與武略之挺志顯親者為之銘，俾光賁新壠，昭示來者云。其辭曰：

維農秉志，篤於儉勤，服田力穡，鍾氣之醇。積厚種邁，嘉祥自甄，何以為驗？慶流子孫。猗歟程氏，植本浚源，藹藹風義，超越同倫。由農而士，奮起艱屯，克昌再世，攀附鳳鱗。愚忠樸直，祇奉嚴宸。典司玉食，三十餘春。名喧禁籞，僉曰藎臣。付之民社，賞其勞勲。貳車五馬，皁蓋朱輪。大侈寵數，顯揚其親。有鬱者阡，羑里北原[一]。光融松檟，銘勒貞珉。何以訓之？孝義忠純！昭示不忘，垂裕後昆。

[一]羑里北原：羑，文淵閣四庫本作「羡」。

大元故清和妙道廣化真人玄門掌教大宗師尹公道行碑銘 并序

道之大原，出於自然，而隆而汙，繫夫世運，顧人力有不能致者。如甘河之異見於西秦，崑崙之氣表於東海，自非素鍾仙分，價重一時，疇克輔承者哉！金貞元、正隆間，重陽王尊師始倡全真教法。逮長春丘公應期濟度，道乃大行。風聲洋溢，丕冒海隅，至於静涵道幾，動周妙用，驂鶴馭之孤標，謁龍庭於萬里，絶塵而下，稱繼述之善者，我清和尹公其人也。師諱志平，字太和，系横海華胄。大父而上，世以儒業擢進士第，歷郡守者凡七人，因宦游東萊，遂占籍焉。祖公直，父行誼[一]，皆融德不耀，樂施與，鄉黨以善人稱。師生金大定己丑，初母氏夢羽儀擁導，若仙官迎謁者，寤而生師[二]，有瑞光盈庭之異。既長，資穎悟不凡，杳然泰定，了知生前事，讀書日記千言。及冠，行遇道士自關右來，約師同詣文登醮祭，欻失所在，但見羽流乘白黿化現空際，師惝怳感遇，信道愈篤。既而潛訪長生師於洛京，父母數追止之，至鎖閉静室。無幾遁去，寓昌邑之西庵。道家者流，以禁睡眠謂之消陰魔。嘗坐樹蔭下，一夕假寐間，見長生師厲聲曰：「嚮祖師來化汝，尚未悟邪！」遂揮刃斷其首，剖其腹，滌易鄙俗，去其自滿，由是胸臆洞然，靡有所惑。二親知志叵奪，始聽入道。明昌辛亥，參長春公於棲霞，遂執弟子禮。久之，偉其有受道資，盡以玄妙付之曰：「吾性靈明，如鑑不受垢，常切瑩拭，以湛吾天。」自是日有所得。又問《易》原於太古，傳籙法於玉陽，鍊習内精，聲光外白，遠近尊禮，户外之履滿矣。濰陽州將完顏龍虎素慕真風，奉亭圃為庵，尋賜額曰「玉清觀」。師佩上清大洞符籙，主盟齊東者廿寒暑。長春聞之，喜曰：「吾宗教托付，今見人矣。」大元己卯歲，太祖聖武皇帝遣便宜劉仲禄，起長春於寧海之崑嵛山，聞師為其上足，假道於濰以見之，遂同宣詔旨。先是，金宋交聘，公堅卧不起，至是，師請曰：「道其將行，開化度人，今其時矣！」長春為肯首，決意北覲。選道行純備者十有八人從行，師為之冠。致睿眷隆渥[三]，玄風遠倡，師羽翼弼成之功為多。歲癸未，長春還燕，主太極宮。師雅志閑適，退居縉雲秋陽觀，俄徙德興之龍陽。長春仙去，命公嗣主玄教[四]，即建處順堂於白雲觀，奉藏丘公仙蜕。壬申四月，太宗鑾輅南還，師迎謁于保，賜坐論道，慰諭者久之。翼日，后妃臨幸，祝香琳宇，賜《道經》一藏。自是四方學者輻凑堂下，歸依參叩，于于而來，唯恐其後。師摘要訣誨之，曰：「修行之害，食、睡、色三欲為重。多食即多睡，睡多情欲所由生，人莫不知，少能行之者。必欲制之，先減睡欲，日就月將，則清明在躬，昏濁之氣自將不生。向上達者，率自此出。人徒知從心為快，不悟制得此心，有無窮真樂也。」癸巳冬十月，講《道經》上下篇於義州通仙觀，微辭奧義，大有發明，及演七真造道根源，殊灑然也。聞者為洗心。醫巫閭為燕遼鎮山，深秀雄鬱，必有弘演博大真人往來其間，甲午春，師往遊焉。先是瑞氣葱鬱，封鎖不散者浹旬，至是開霽，衆以為山靈開先之兆，師謝曰：「吾何德以當之？」終南祖師煉化地，號「活死人墓」者，蕪没日久，仙柩浮殯，朝夕念兹，若縈縈在疚。乙未春，關輔略定，師西遊，併圖營建，又興復佑德、雲臺二觀，太平、宗聖、太一、華清四宮，以翼祖觀。初道出汾晉，沁長杜德康請設醮，緑章方啟，玄鶴翔空，仙侶散壇，時雨濟旱。丙申秋，奉旨試經雲中，度千人為道士，俾祈天永命，禔福元元。師德望既隆，所至風動雲委，吏民瞻拜，至兇悍無賴輩，皆感化弭服。戊戌，師壽七秩，以教門事付真常李公。庚子秋，葬祖師於白雲堂，會送者數萬人。時久旱，雨雪盈尺，咸謂孝誠所致。繼董祖菴僝功，尋敕額曰「十方大重陽萬壽宮」。初，大定七年，祖師火其菴東游，或惜之，曰：「修人在後，吾何亟焉！」至是，殿閣廊廡，覆壓千柱，終始六甲，脗合祖意，誠有數存乎？秋九月，歸五華舊隱。己酉，賜號「清和演道至德真人」，金冠錦帔付焉。辛亥春二月十有一日，沐浴易衣冠，書頌曰：「觀化八十三歲，澹薄全真活計，臨行踏破虛空，開放光明無際。」落筆而逝，馨芬滿室，三日不散。臨死生際，其明了如是。師既示化，以皓駒輿櫬，寧神五華。其日，終南祖觀有一道士，乘白馬來告清和去世，竟不知所之，後訃音至，考驗月日，知為神遊化現。吁，亦異哉！師儀觀秀偉，風度凝重，如瑞人神士，不可梯接，然即之，春風和氣，津津溢眉宇間。樂傾所得，誨誘不倦。志顓利物，感應無方。如在濰陽，松栢不種自生，其寓仙谷叢竹，一符卦數。學徒遍四方，觀宇滿天下，德博道尊，過化存神之妙，不能具載，皆出於至誠感發，無一毫作為之私[五]。宜乎傳嗣道統，配列師真，上繼長春，下授真常，前後無愧，可謂清而不耀，和而不流，克肖克荷，玄之又玄者矣。師平昔所在，求詩頌教戒者無虛日，肆筆應答，辭理可觀，有《葆光集》、《北遊録》傳于世。中統建元，誠明張公表師行業於朝，追謚清和妙道廣化真人，制辭有「性天開朗，心地坦夷，接重陽道統之傳，為長春門人之冠，宜賜褒章，永光仙籍」之旨，始終昭顯矣。法孫陳德定，出延安士族，師事真人門弟子重陽知宮仇志隆，以修進餘力，祭醮符籙，皆通習之。居終南四十餘年，潔以脩己，耕而後食，處巖穴間，妖魔屢梗，德定以正法神力，悉驅除之。由是名著秦雍。至元廿七年，耀州少尹姚某以聞，蒙世祖文武皇帝召至闕下，試驗有徵，寵膺玉鼎貂衣之賚。元貞二年，賜號「棲玄致道通真法師」。三年，宣授秦蜀道教提點。踵門來請曰：「德定自惟托跡草茅，何以致此？蓋遠藉先廕，思効光揚。師祖清和公之返真，侍郎趙楠已表松臺、祖庵之復，實所權輿。今紀行之碑，未克昭建，是殆闕如。提點温某等五人已礱樂石，幸翰長先生惠之銘，是亦不一書而止之意也。」予曰：「有是哉！探源報本，乃吾儒美事，道雖不同，其理弗異。」乃次其所具而重之以銘，其辭曰：

天子蒼蒼一氣清，其視下也猶杳冥。真元有道本强名，俾而全之須人弘。甘河感遇世已驚，風聲波動東海溟。七葉泛灩金蓮英，至人挺出開世程。崑嵛山高古蓬瀛，長春再傳何德馨！鶴馭九萬摶雲鵬，雷雨之動方滿盈。為民請命以道寧，維持綱紀誰使令？十八大弟光啟行，丘仙一笑溘上征。清和進脩純粹精，傳授道統力主盟。潔己應物謙而誠，拱璧駟馬非夸矜。事唯無心物取衡，尹家樓觀青雲城。開天演化玄元經，全之為教迺大明。縱說竪説鍊此形，方寸莫遺三害攖。陰魔大嚼風掩燈，嗜慾一肆甚五兵。顛木之枿不少萌，昏濁之氣何由生？志惟不分神乃凝，大賢大哲皆此成。用之國治如鮮烹，重陽祖菴功勃興。終南太華高稜層，玄風浩浩海宇傾。竹宫醮祀儲祥禎，雨暘下遂萬物情。錫民五福世道平，穰穰復正德往甯。一朝猗蘭升紫庭，仙階霞帔光晶晶！物緣太盛神或憎，進退合正聖所稱。谷神不死存至靈，未妨委蜕仙山坰。瓊樓石室户不扃，神遊八表風泠泠！道傳千古垂日星，門人攀慕涕泗零！令威留語會有徵，兹惟華表歸來銘。

[一]祖公直父行誼：直，王抄校本作「真」。行，原闕，據文淵閣四庫本補。　[二]痞而生師：生，原闕，據文淵閣四庫本補。　[三]致睿眷隆渥：文淵閣四庫本作「致帝眷日隆」。　[四]命公嗣主玄教：主，至治本作「古」。　[五]無一毫作為之私：作為，文淵閣四庫本作「詐偽」。

衛州創建紫極宫碑銘

維衛紫極道宫，全真師冲虚子房公所創建也。初，公既參丘尊師於海上，長春目其氣志非凡，殊稱異之。居無幾何，命公主馬坊之清真觀。迨國朝壬寅歲，聊攝趙侯請師住持郡之玄都宫，於是鶴馭東遊，道出弊邑。汲長趙實扈林聞師道價重一時，以治城崇道里隙地，廣六十舉武，縱則倍之，奉師為玄覽别館，訢然許焉，輟其徒張志洞等結茆以居。嘗闕地得石，上刻宋太宰張邦昌詩什，知為吴越錢氏子孫棣華庵故基也。師留博僅紀，而西還淇上。方履滿户外[一]，每以居逸教無為慮，因集其徒而告曰：「吾大方家，雖清虚自然為宗，要以應時衍化為重，詎容山林長往，歸潔一己乎？且吾行天下多矣，未若衛之土中而處會，俗美而易化，不於焉闡吾教，尚何往？然祝延賨供、香火焚修之所，非大壯麗不足以張皇教基，竦道俗瞻敬之心也。」廼命門徒孟志玄、趙志樸率衆下商洛之材，跋涉艱阻，以歲月得木萬計，遂建昊殿七鉅楹。內設三清大像，示至道之原也；中起通明觀，以奉玉皇黼扆，欽天帝之尊也；後復作七真殿五筵，叙列仙品，見玄教之傳也；下至壇墠神闥，齋室庖湢、廄庫蔬圃，莫不畢舉。師素負巧思，志堅而氣充，規撫位置，意匠中定，不待畫宮于堵，而為執用者之法，要使堅完鞏固，為數百年物。尋師委蜕仙去，遺命志樸等曰：「今大功將集，無以吾存歿而作有間，勉强前修，以卒吾志。」故志樸等三十年間，焦心勞思，攻苦食淡，繼述師訓，猶一日然。今則繪彩供帳，截然一新，金光五雲，絢爛溢目，宏麗靖深，為一方偉觀。其工費之廣，自力其力，初不外假，而衆忘勞焉。實經始于壬子之春，迨至元甲申秋，工告迄功。志樸乃件右師之行業，與夫興造本末、踵門磬折，謁予文者再。余以鄉梓盛蹟，且與師有玄談之雅，勉為叙次之。師諱志起，濰州昌邑人。幼業儒，既而以異夢有覺，遂入道。為人氣貌魁奇，操行清峻，通古今，善篆籀，樂與名士夫遊。至於醮祭之獲福，雲鶴之顯異，所在驚動世之耳目者為多。遺山謂師「外樸而內敏，質直而尚義，似夫墨名而儒實」者，蓋確論云，宜其事業成就如此。至元戊寅，志樸以師德請于朝，蒙敕定僊號曰「弘真體静真人」。若志樸者，於師弟子之禮，始終盡矣，尚猶以師不覩道緣大成為歉。予慰之曰：「不然。昔真人舍清真而遊博，去博而終税駕于衛。今雖神遊無方，其眷戀於此也必矣。況共衛間，名山勝境，固為小有洞天，如玄元化現於仙山，公和舒嘯於蘇門，海蟾留題於白鶴，仙蹤靈眖，前後接踵，見于方志、雜出于傳記之説者，昭昭矣。異時馭風騎氣，追陪真仙，安知不過故山而留語，俯華表而增懷，而為孫劉絶塵之舉也邪？」仍作歌詩，詳見師志，俾刻諸樂石，雖綿亘千祀，庶幾來者有所考焉。其辭曰：

道家者流本静清，杳冥而無迹與形。崇慈尚儉貴不争，兹乃黄老之常經。有時土苴為世程，祈禳醮祭由是生。像緣教設雖强名，雄樓傑觀争峥嶸。猗嗟先生起營陵，魁偉德業玄門英。至人未免安儀行，河山兩戒磴金庭。方花古礎排巨楹，紫雲為蓋青雲城。群仙媲統須皇靈，紫垣落落羅天星。先生演化意有徵，後孰倦焉先此營[二]。庶用張本道可興，陰助政治歌清寧。大緣未竟欻上昇[三]，門人攀慕涕雨零！歲纍月積大有成，惜不久視為宗盟。仙宫洞房本不扃，神遊八表風泠泠！來過故國宜少停，紫極夜氣開蓬瀛。追攀逸駕非吾能，尚想為國儲休禎。風時雨若榖不螟，下洗澆俗還淳誠。我時刻石何千齡，要作華表歸來銘。（以上《秋澗集》卷五六）

[一]方履滿户外：履，文淵閣四庫本作「屨」。[二]後孰倦焉先此營：後孰，文淵閣四庫本作「孰後」。
[三]大緣未竟欻上昇：欻，文淵閣四庫本作「倏」。

全元文卷一九〇

王　惲　二四

輝州重修玉虛觀碑[一]

嘉平道士介鍊師范君贄禮幣來謁，拜而請曰：「弊觀在蘇門，顧惟狹陋，然歷年久，實為自昔名額，敢託斯文，俾見興造本末[二]，暨師真住持所自，用傳不朽。迺宿昔所願言，幸憲使惠顧[三]，越為光有赫。」按所具事狀，州西郭曰草市，城北走出廣薪門百舉武，有觀曰「玉虛」。考其肇基，蓋始於前宋政和間所建[四]。大定初，仍賜今額，為正殿一，旁小殿二，中設三清、四聖、元辰等像，函文後列，神閟前敞，下至真官齋壇、賓客庖庫之位，咸敘而即宜。承平久，法供大行，鐘磬齋魚之音，隱然聞山水間，蔚為共前儲祥勝地。壬癸兵餘，日就荒落，厥後清虛弘道真人來主治之，月殿星壇，稍復於舊。尋冷公西歸，屬之通妙嚴君，顒奉師訓，惟恪乃創水磑、稻田、緒莊等業，雖罄刮衣盂，資贍徒侶，大有方便。丙申冬[五]，嚴既示化，真人致慮弘深，召上足通真師梁志一謂曰：「玉虛道場，藐爾于共，今繕修頽完，資用苟有，第道匪人弘，何以行遠？矧共山群彦所集，半為方外眷屬，微汝曷克洞玉清之虚静，承文獻之顧接哉！」於是唯而來嗣，飭治焚修，其用充儤，已有者守之日固，方來者增而歲新。復於百泉西涯買田數畝，築致爽亭，貯經史，植松竹，號「嘉惠别館」，娱言一室[六]，罔間儒墨，暇則鼓琴詠歌，將以挹蟾房之景氣，接鸞鳳之遺音，豈惟與泉石而為伍也？雪齋姚公愛其幽勝，亦嘗徜徉其間，與師為蒼煙寂寞之友。《傳》曰「尚友知人」，梁之為道，槩可見矣[七]。既而師倦勤，盡以後事付高弟道燦。燦為人姿疏秀，氣爽而象恭，志繼而本立，守護傳業[八]，惟恐墜越，其徒稱之曰「能」。燦姓張氏，自童行入道，今三十六年矣。嘗觀道家説有「玉清」、「玉虚」等號，亦猶天有九霄，神霄為最高，然冲而用之，於道體何在？是固老子法，虚心實腹，守為清修要者。蓋心不虚，則道無以入，物無以容，教無以受，而腹無以充矣。坐進之功苟疎，疑存之理或熄。若道燦者，法壽方爾，主治院門甚力。至於接外務，崇本宗，誠能中虚而應物，以道腴而充腹者焉，正自師祖師梁庸玉汝於成之旨也[九]。若然，則其為後來紀綱是者矜而式之，繼為不朽無窮之傳也必矣。仍為門人作詩，俾歸來望思，以極道真之本[一〇]。其辭曰：

蒼蒼共巖，桂連蹇兮。杳焉予懷，仙遊遠兮。山空日寒，悵疊巘兮。宫居粒食，思展轉兮。遐想仙標，玉雪質兮。彤車載花，紅一色兮。醉鞭星馭，金虬蜿兮。粃糠塵世，宅閬苑兮。嗟嗟堪輿，一烘爐兮。往古來今，燦無餘兮。世外無物，須人徒兮。刳滌玄覽，歸静虚兮。服餌節飲、差少瘉兮。弱志强骨，壽吾軀兮。庶幾真筌，師同符兮。噫[一一]！

［一］此碑高七尺五寸，寬三尺一寸，二十四行，行五十八字，趙孟頫行書并篆額。碑文與集文稍有不同。
［二］俾見興造本末：興造，碑文作「建造」。　［三］幸憲使惠顧：憲使，碑文作「内翰」。　［四］蓋始於前宋政和間所建：碑文無「所建」二字。　［五］丙申冬：碑文無「冬」字。　［六］娱言一室：娱，文淵閣四庫本作「晤」。　［七］槩可見矣：槩，碑文作「蓋」。　［八］守護傳業：業，原闕，據碑文補。文淵閣四庫本作「繼」。
［九］正自師祖師梁庸玉汝於成之旨也：正，碑文作「政」。　［一〇］俾歸來望思以極道真之本：碑文作「俾歌之以極道真之本」。　［一一］噫：碑文和文淵閣四庫本無「噫」字。

大元國大都創建天慶寺碑銘　并序

大雄氏之為教，如慈雲慧日，覆燾無際，惟得其人，道乃大行，宫居像設，亦從而熾盛之。我國家鼎定全燕，教隆内典，故精藍勝刹，莊嚴寶界，金碧相望，有佛國大乘氣象，維永泰寺，肇基自遼，彌陀者，泰之别院也。大安兵爐，廢撤不存，鞠為茂草者五十餘年［一］。大元至元壬申，有僧雪堂［二］，始來結庵而主之。先是師業嗣法，猶窟潛天德，以經戒嚴，機鋒峻，越在雲朔，名動京師。嘗假息間，有以「天慶」名所棲而告之者，初不諭其故，既而有駙馬高唐郡王［三］，聞師名德喜之，既覯止，即依慈蔭，扣真詮，師順事指方［四］，日有所覺，以至承嗔獲譴、非罪而罹苦毒者，因師一言，多所縱釋。其後王請師住豐之法藏院，仍贈貝錦法衣，用著顯異。尋以道行上聞，有詔所在護持，及觀光大都，郡王迺出重幣易是院，為師待問駐錫之所，與其徒奉香火修潔精進而已。至於建大道場，擴充無量功德，蓋遵養而有侯也。逮甲申冬，皇孫紺蔴剌以師持誦保釐故，欲辟靜室處之，宫府辭不可。翼日，出貨泉一千五百緡，洎名驃二，仍諭留守段禎、詹事丞張九思，即所居庀徒蕆事，起三大士正殿、丈室七巨楹，下至門閭、庖湢、賓客之所，略皆完美，始於乙酉之春，成於丙戌秋仲。役初作，斸地得廢鍾，所刻「天慶」二字考之，蓋有遼建號也。事夢既協，即為新寺各額。於是倚晬像於金光，沸潮音於空際，有來諸天，普臨雙樹，顧踶永泰廢餘，復為清凉法觀矣。後三歲，奉皇孫奩香，禮江浙名刹，起造藏經。師冒涉江湖，往返萬里，存神過化，高風所及，奔走供養，且有金仙通靈、茄藍主護之應，吁，亦異哉！凡得經四藏，計二萬八千餘卷，分貯大都之開泰、天慶，汴洛之惠安、法祥，及永豐法藏院，仍以法物付之，使人無南北，通暢玄風，壽聖皇，贊寶緒，天花雨紛，梵唱雷動，日開八方之供者，此師之所圖惟也。宜其經來神衛，號應基先，雖老栢重榮，神松囬指，有不是過者。遂不千里遠，持待制王之綱事狀，以寺碑來請曰：「山僧空疎，無足比數，以義以契，尚憲使與顧，以銘章貺之，始終之願畢矣！」予以師憙儒學，有器識，所交皆藩維大臣、文武豪士，緩急於士大夫，周旋不榮悴間，解紛振乏，要有實效，然去來其間，殆雲凝而風休也。嘗即寺雅集，自鹿庵、左山二大老已下[五]，至野齋、東林，凡一十九人，作為文字，道其不凡。時方之廬阜蓮社云。是亦將因儒釋僧之特達者也，宜其行業成就如此，固可以著金石而垂不朽矣！師諱普仁，字仲山，姓張氏，雪堂其道號也。世為許昌人。父世榮，官至豐州司録參軍。母夾谷氏。師生有禎祥，甫毀齓，不葷酒嚌。初祝髪于壽峰湛老，再具戒于竹林雲和尚，及參永泰贇公，一見器異，即蒙印可，至有機鋒灑落，瑩徹冰輪，頭角崢嶸，光騰星緯之諭。贇派出臨濟，第而上之，師乃慧照十九代孫也。過鎮陽，樹碑表行，濬源接派，以昭其本。於尊祖追遠，光又赫焉。余嘗論天下之事，雖小大有殊，酬酢注措，皆有本末。就釋氏教論之，佛法者本也，塔廟者末也，崇其末而遺其本，求進於道，亦以難矣。若師也，可謂持用有方，審所先後者哉！乃隨喜讚嘆而作偈曰：

道之大原出於天，物生而靜乃本然。扶持有術繫後傳，惟聖日遠湮其言。奪攘矯虔紛目前，佛乘自西來竺乾，慈愍濟度心為先。衆生迷惑不知覺，沉溺苦海甘流連。人人安得以手濟，以法為栅經為船。奉持頂戴破黑業，火宅變幻生青蓮。龍宮紺殿儘瞻禮，具香須滿黄金田。阿師振錫下南海，豈為頭角争昂軒。向來四萬八千偈，重與震旦開經筵。燕豐汴洛還舊貫，佛界珠網摇秋煙。群昏再曉棲至善，如夢日月金沙淵。漢人得經纔四十，未若此舉思無邊。功圓行滿師不有，歸之帝孫祈永年。八方奠枕磐石靖，天子萬壽南山堅。聖孫神子麗不億，惟城惟藩復惟宣。歸來丈室炷香坐，但覺鐘鼓清而圓。從此娑欏雙樹底[六]，知師澄定草鞋禪。

[一]鞠為茂草者五十餘年：餘年，原闕，據文淵閣四庫本、王抄校本補。　[二]有僧雪堂：堂，原闕，據文淵閣四庫本補。王抄校本作「堂者」。　[三]既而有駙馬高唐郡王：有，原闕，據文淵閣四庫本、王抄校補。王，原作「主」，據明修補本、文淵閣四庫本、王抄校本改。　[四]師順事指方：指，原闕，據文淵閣四庫本補。

[五]自鹿庵左山二大老已下：二，原作「一」，據文淵閣四庫本、王抄校本改。　[六]從此娑欏雙樹底：娑，文淵閣四庫本作「桫」。

大都路漷州隆禧觀碑銘

漷州距今新都東南百里而近，本漢泉州地，遼為鎮，而亡金縣焉。兵後井邑瀟索，僅存縣治。原隰平衍，渾流芳淀，映帶左右。建元已來，春水澄融之際，上每事羽獵[一]，歲嘗駐驆。民庶覩羽旄之光臨，樂遊豫之有賴，故生聚市闤，旋踵成趣。至元十有三年，遂陞縣為州，從吏民之請也。爰有道舘，據城之西北維，亦由是而修崇焉。住持圓素大師劉志實者，許之長葛人，夙秉淑質，自童行入道，師希真劉志永。永即長春丘公高弟、清虚韓志谷一再傳也。初，師永誅茆於都之東郊，刳心坐忘，凝塵空竈者十年。盤山王棲雲，道價高一時，歆其精修，枉道造謁。自號「麻衣老」，壽八十有四，怡然而逝。師之在弟子列也，侍晨昏，服勤勞，人所不堪，己自若也。積寒暑三紀，猶一日然。麻衣見其持守不易，皮毛盡而真實在，可與有立，於是以通真觀屬院曰「玉晨庵」者，令主張是。戊午間，誠明真人愛其地佳而氣腴，屬之增建，以應有開之先。始焉，荒壥二十餘畝，敝屋數間，蔽風雨而已。師乃以和光同塵、樸實感物為方，至一鄉欽嚮，願言信施，有不期然而然者。助益既多，功用漸集，遂起三清殿，繪玄聖於堵，所謂上九位者居其中，又畫日月星官、歲德、師聖、岳瀆等神，列侍兩傍，雲舒霞蔚，灝彩絢目[二]，殆玄象肇分，端倪呈露，下至嚴禋有壇，靜棲有室，凡所需皆具，以屋而計者三十楹。歲時清供，真仙來臨，鍾磬之音，隱然空際，誠迎祥之別舘，一方之榮觀也。既落成，洞明宗師以今名榜之。及玄逸真人張公嗣教，嘉師之勤，命書石以昭厥後。遂介鍊師劉文甫來請銘。予以謂肯心而構，易固而新，豈唯瞻者增敬，其因衆成功，同延慶壽，答鴻休而畢師志，使來者祝嚴罔逸，而隆福降簡穰之本，是固所當書者，仍以黄庭七言體，歌以系焉。其辭曰：

道家者流玄默稱，抱持其雌無所矜。屋居火食相奉承，鳶飛戾天魚在泓。疇不若爾休其生，爰因像設心自兢，仍用善俗滋良萌。漷州維南泉故城，玉晨有庵無所營，敝廬數間僅幪帡。一旦締結三十楹，煙光粼粼萬瓦青。正自肯構今有成，要擴師授昭予誠。為國迎祥禱上清，鑾輿歲幸實省耕。延芳春水紛霓旌，遊豫何翅歌三登，千秋萬歲樂事并。道人百拜乞此銘，隆禧因之播永馨。雲間歎賞聞欬聲，安知不有成公興。

[一]春水澄融之際上每事羽獵：澄融之際上每事，原闕，據文淵閣四庫本、王抄校本補。　[二]灝彩絢目：灝，原作「澎」，字書無此字，據文淵閣四庫本改。

大元故關西軍儲大使呂公神道碑銘

盡瘁以事上，忠也；守志以完節，貞也。忠貞之澤，流潤後人，俾功名奕葉，富貴一時，而親弗逮者天也。故聖人垂光揚之典，可以貫幽明而慰存没，斯亦孝之至、義之盡也。若夫負卓越之奇材，抱騫騰之逸志，起家侍從，收功轉漕，臺閣藉風雲之舊，門庭眩組綬之榮，始以故家遺俗，終以令聞令望，振門閥而紹先猷者，吾於遂城呂氏見之矣。呂氏世為燕陲鉅族，值金季搶攘，譜牒墜逸，高曾而下，漫不可昭穆。公諱嗣慶，字昌齡。考諱祐，仕皇元，由行尚書省掾，充諸路人匠府總管。妣李氏。公幼喜讀書，不從群兒嬉，既冠，氣貌魁傑，學通經史，善騎射，長於辭令，思以奇節偉論表見於世，耻齷齪出人後。時朝廷遠控北樓[二]，詔龍門劉公、元帥黃公行臺于燕，柄用頗顓決。公策時務所急及便益民編者十數事，以撼二公，果奇其材識，以國士許焉。既而挈之北覲，引現太宗皇帝，薦其材應時需，堪備供奉。上偉其儀觀，收隸御帳下。碌碌初無所知名，居無幾何，譯語國體，閑習通曉，如素宦於朝者，由是稍得近侍上前。公資聰悟，應對周旋，動協睿意，自爾顧遇頗異，出入殿庭，寒暑夙暮十載間，謹畏小心，未嘗易常度。上審其可用，命提點尚食局事。國朝大事曰征伐，曰蒐狩，曰宴饗，三者而已。雖矢廟謨，定國論，亦在於樽俎饜飫之際，故典司玉食，供億燕犒，職掌視前世為重。凡群臣預御衎者，冠珮服色，例一體不混殽，號曰只孫，必經賜茲服者，方獲預斯宴，于以別臣庶踈近之殊，若古命服之制。公前後被賜只孫錦服十餘襲，寵數之隆，于斯可見。歲己未，憲宗下詔伐宋，車駕由隴山道漢蜀，趣合州之釣魚山。大兵既興，糧餉為大計，庭議推公宜膺將漕，乃降璽書金符，充關西興利軍儲大使。公轉致有方，給授均一，士無饑餒之色，民寬飛輓之勞。竟用勤劬致疾，以庚申年正月廿四日，卒於京兆府官舍，得年四十有三。歸葬隧武之西原，從祖竃也。公資倜儻有大志，奉上忠，事親孝，交友誠，進不隱謀，退無私議，古今成敗，胸中皎然，吻縱波濤，廈中倫慮，材優器幹，事無盤錯，膂力方剛，經營伊始，謂利澤施於人，功名昭於時，可力致也。一旦濟浩浩之長川，中流柁折；涉漫漫之遠路，半道車傾。士論于焉為之歎惜！夫人王氏，系保定大家，姿温恭静淑，公没之歲，纔廿有八。舅總匠府君尚在堂，二子方髫齓，挺志自誓，仰事俯鞠，亢起夫宗為任，遂嚴奉舅璋，壽終八秩，教育二子，至於成人。為長子澍，娶金名臣、追謚通憲先生梁公孫女，今以才華英邁、練達政務，任樞幕經歷；為次子淵，娶漕僚清苑王君仲女，資秉幹敏，棣萼輝映，任承事郎，管勾中書承發司。昆季箎名朝籍，校世宦故家不失舊物，皆由夫人節義有方，以之扶持者也。姻戚鄉閭，至援稱行美，取為訓範。女一人，適大都郝氏。孫五人：澍之子道安，女惠鸞；淵之子定安，季安，賜安。壽五十一，終於大都私居之正寢。越三日，祔安玄堂，實至元八年十一月十六日也。澍既長樞幕，秩中通貴，一日與弟淵謀曰：「今粗有所立，猥荷析薪，可不知其所自邪？惟我先人大志不遂，賫恨下泉，妣貞幹内事，克隆遺緒，潛德遺淑，大懼墜佚。有求銘太史，揭石神道，賁松檟而垂示不朽，融管彤而發越幽光，罔極之恩，庶幾昭報！」迺以不腆之文來請。某自惟昔任裏行，與澍婦翁孝可定交，時澍方聯姻婭，自是交義日篤，于今三紀，以契以舊，有不得辭者，謹掇其義烈言言，振褒風而厲薄俗者銘之。其辭曰：

維趙北際，保為名城，風聲氣習，而燕與并。越此兩間，古多豪英，游談尚氣，芥拾功名。矯矯吕侯，資秉忠貞，濟以學問，又多藝能。文武備具，富之邦經，囊錐脱穎，已為世驚。一朝麟趾，來儀紫庭，入侍帷幄，即允帝情，錦衣分賚，寵數光榮。佐商有道，奚翅割烹。大駕南征，如靁如霆，食惟兵本，以先啟行，曰轉曰漕，職焉汝勝。民安飛輓，師樂均平，心計鞭筭，以經以營。鵬圖海運，九萬初程，一僨不起，其孰使令？秦川慘澹，有來英靈，不隨朝露，溘焉替零！化之閨壼，義烈烝烝！二子承慶，若綬彯纓。婉婉幕畫，執樞之衡，顯揚有例，聖經義明。郎峰西峙，鷄鉅東傾，武隧西原，風水攸寧。葬復從祖，多祉是膺，元身不殁，永振嘉聲。古所謂「不於其身而在於子孫」者，其言有徵。何以驗之？視我刻銘。

［一］時朝廷遠控北樓：樓，文淵閣四庫本作「庭」。

大元故昭勇大將軍北京路總管兼本路諸軍奥魯總管王公神道碑銘 并序

國家當肇造際，所在豪傑，應期效順，畀世侯叠將，鎮據一方，父死子繼，兄没弟及，蹈故步而執成規，固自若也。逮夫守成尚文，登庸賢後，通遷調而革舊襲［一］，明治道而考殊功，所謂閥閲子弟，持崇高之體，不學無術，噤不能有所施為，備員而尸禄者多矣。論其籍父祖之緒餘，卓爾以才傑著聞，膺朝廷之選遴，藹然稱為良牧伯者誰乎？予於孤竹王公見之矣。公諱遵，字成之，世家平州之遷安縣。祖諱誥，亡金貞祐初，任興平軍節度幕官攝府事。方大元經略中夏，皇太弟國王奉命率兵出榆關，循盧龍塞而南［二］，雷砰電激，所向無前。府君審天命之眷臨，憫生民之塗炭，遂挈二州五縣板圖，投獻轅門，王嘉其忠赤，首倡大義，即聞於太祖聖武皇帝，蒙授榮禄大夫、興平路兵馬都總管、知興平府事，尋錫金虎符，加左副元帥兼安撫使。父諱德明，字才卿，早嗣世爵，屬遼右初定，撫養遺黎，職修藩翰，光奕先業焉。公幼穎悟，好讀書，年未弱冠，入侍藩邸，即能練習國體，通曉譯語。及長，資沉毅，負高氣，所交皆一時豪傑，立志宏達，恥碌碌隨人後。歲戊申，襲父職，仍佩金虎符。公自祇承先政，夙夜惴惴，惟恐失墜，視民事為難，不敢忽易，遇政令之不便，時俗之未安，思而不置，憂形於色，必咨訪更張，俾理順事得而後已，未嘗恣情耽於游宴，二十年間，猶一日然，咸謂臧孫有後於魯，榮禄之澤未艾也。辛亥歲，入覲憲宗，授本路總管兼萬户，俾專兵民之政，殊光寵也。世祖皇帝踐祚[三]，分朔南為十路，肇建總管府，以公奕世材賢，授平灤路總管，换佩金虎符，且有「奉公忘私，當副所委」之諭。至元乙丑，轉官制行，授懷遠大將軍，知中山府事。三年，陞昭勇大將軍、彰德路總管。六年，改懷遠大將軍，總尹順德路。九年，復昭勇大將軍，升授太原路總管兼府尹、本路諸軍奥魯總管。十四年，遷北京路總管兼大定府尹，以疾不赴。廿一年，上章致仕，日與故交雅士用琴書棋槊相娱樂，序宿好，暢幽情，裕如也。不幸於至元廿五年正月廿有七日，薨於私第正寢，享年六十有四。越七日，葬於遷安縣東石橋西原祖塋之次。夫人安氏，山東東西等路宣撫使安公之女，和柔貞順，光備婦道，今壽登期頤。夫人高氏，出盧龍處士家，資賢明，勤於内助，主持家務，營辦公喪，預有力焉。子男五人：曰國彦，蔚州採木提舉；曰國傑，俱先公没；曰國英，不仕；曰國士，早逝；曰居仁，高所出，忠翊校尉、湯陰縣尹。子女三人：長適宋氏，次畢氏，嚴氏。男孫三人，不花永興□□。公資雅重，智慮周密，奉上忠，接下有禮，善養名馬，識別鷹隼，衣冠修潔，車從閑雅，有承平豪貴風度。人徒知氣習、體貌、頤養如是而已[四]，不知其當官蒞政，持法謹嚴，聽斷明察，以公正自處，凜然有不可犯之色，務要紀綱立，號令行。其治相尹，并皆監司理所，工匠群不逞之所集，公與辨曲直、折姦横，不絲髮貸。同僚以相假藉示并容為言，曰：「為之在我者，當如是，因公道而致私憾，吾不恤也。」雖時不相能，後竟以事直而心服焉。所至興修廟學[五]，尊禮師儒，崇禮讓而抑豪强，致差賦辦集，民安俗阜，然悃愊無華[六]，不示表襮[七]，持守剛果，終始如一，故治績混然，不可指摘，有古良吏風。當中統、至元間，聖天子厲精政事，以成効責中書，一時宰輔，皆極老成選，咸謂素無選舉篤責之漸，惟師帥得人，上澤可下宣，下情可上達，庶幾德化之成，太平有象矣。故各路總尹，慎擇其人，至有虛曠歲月，不肯輕以畀受者。公之擢拜，適丁茲時，故四歷名郡，兩增崇資，皆出公論之所在，卒以稱職聞，已足以伸眉高談，有光故家，含笑瞑目，無愧先世矣。公既葬之十載，嗣子居仁，念潛德遺懿，恐遂湮没，聞不肖久忝太史，屢銘當代名公貴人，乃件右事狀請碑其神道。向公移鎮洹上，不肖適退居淇右，相衛之交，相去不百里，逮尹晉陽，亦判平水幕，汾晉兩府南北相望，故稔知其政績。後以迎迓事南來，會遇於張少尹昊公館，張與公為風雲故契，談其家世行己為詳。是則今日論述，已有開先之兆矣。敢勉為次第，而重之以辭。銘曰：

遼西惟漢右北平，自昔用武地必争。榆關北控盧龍横，夾右碣石山海扃。沉雄氣鬱貫斗精，王公孕秀時之英。天兵南下轟雷霆，群情恟恟孰敢嬰？惟先奮效忠與貞，玄黄于篚王師迎，兩州千里不震驚，寒谷陡覺春陽生。風雲儷景同翻騰，載世柄總民與兵。一朝繩武光嗣承，鵾鵬變化天東溟，六合澄清朝日升，修文偃武論治經。唐虞黜陟公幽明，罷侯置守除因仍，德讓凛凛望久凝，漢二千石任可勝。政刑相時量重輕，剸裁錯節需鋒棱，善良與護姦惡懲，大綱既振道自弘。興庠育材昭世程，吏畏民愛風化行。歷典四郡稱循能，趙張才氣耻近名。白頭一節匪變更，庶幾無忝先業榮。世期福壽方川增，勤勞致疾孰使令。生存華屋丘山零，嗣惟克肖孚孝誠。銀鈎翠琰勒我銘，蔽芾用播甘棠聲。遺黎伏讀為愴情，墮淚當與征南并。（以上《秋澗集》卷五七）

［一］通遷調而革舊襲：襲，文淵閣四庫本作「習」。　［二］循盧龍塞而南：盧龍，原作「龍盧」，據文淵閣四庫本、王抄校本改。　［三］世祖皇帝踐祚：祚，文淵閣四庫本作「阼」。　［四］人徒知氣習體貌頤養如是而已：頤，原作「移」，據文淵閣四庫本改。　［五］所至興修廟學：廟，原作「廣」，據文淵閣四庫本改。　［六］然悃愊無華：華，原作「譁」，據文淵閣四庫本改。　［七］不示表襮：表，原作「裱」，據文淵閣四庫本改。

全元文卷一九一

王惲 二五

渾源劉氏世德碑銘 并序

金源氏倔起海東，當天會間，方域甫定，即設科取士，急於得賢。故文風振而人材輩出，治具張而紀綱不紊。有國雖餘百年，典章文物，至比隆唐宋之盛。若夫篤志力學，挾藝應選，首破天荒，魁冠多士，父子昆季相繼擢第為名士夫，作良牧守，文行端雅，門第清峻，為金朝第一流者，其惟渾源劉氏乎！劉氏出彭城望族，五季板蕩，播遷朔土。遼末，遠祖諱用者，居弘州順聖縣之耀武關，世業耕稼。生子翰，贈承德郎，配張氏，追封彭城郡太君。生撝，字仲謙，即今監察御史鄰之高祖也。始釋耒耜，習進士業，當遼金革命，擾攘際，學未嘗一日廢。天會二年，肇闢科場，公以詞賦第一人中選。惟遼以科舉為儒學極致，文體厖雜萎薾，視晚唐五代尤為卑下。公勵精種學，文辭卓然天成，妙絕當世，一掃假貸剽竊、牽合補綴之弊[一]，其後學者，如孟宗獻、趙樞、張景仁、鄭子聃，皆取法焉。金國一代詞學，精切得人爲盛，由公有以振而起之也。釋褐右拾遺，轉知天城、陽曲、懷仁三縣，擢大理正，遷平陽府判官，安東節度副使，兩貳大理寺，出刺石州，累官中大夫。年六十三卒於位，翰林學士張景仁碑其神道。公性淳厚，見義固執，待物誠，好誘掖後進。三爲理官，議獄主恕，不屈於權貴，故多平反。尤長於治民，興利除害，若嗜慾然。施設有條理，簡便可持久，所去見思，圖形奉事。素愛渾源山水幽勝，買田家焉。晚號南山翁。夫人渾源雷氏，北京轉運使思之女，封彭城郡君。生四子：曰汲，曰渭，曰滂，早世，曰濬。汲，字伯深，穎悟絶人，早傳家學，與弟渭同擢天德三年進士，屢爲州縣有聲，累官朝散大夫、應奉翰林文字、西京路轉運司都勾判官。平生寡合不羈，慕郭林宗、黄叔度之爲人，晚節倦於游宦，放浪山水間，以遺興讀書爲樂，稱西嵓子。述《壽藏記》，叙其行己甚悉。卒年五十八。鄆王府文學陳訥銘其墓。有《西嵓集》行於世，屏山李之純引其端。娶曹氏，追封彭城縣君。一子偘，字稚川，大定十年進士第，積資奉直大夫、豐王府文學，兼記室參軍。孫一從夔，字和卿，奉職出身，善作詩。曾孫文祖。渭，字仲清，少好學，克紹箕裘，既登第，授承德郎，知秦州隴城寨事，調隰州軍事判官，終朝列大夫、嵓嵐州刺史，號□□老人。一子价，河水泊酒監。曰濬，乃鄰之曾祖，博學强記，少有聲場屋間，既而用廕入仕，至安遠大將軍、饒陽令。配張氏，封彭城縣君。生四子：佖、似、儼、俣。佖字稚行，宣武將軍、真定府軍資庫使。三子：從善，字澤卿，彰德府酒監；從皐，字平卿；從契，字禮卿，武義將軍、克勝軍副都統。孫五人：曰郊，武義將軍；曰郅等，俱早逝。似字稚章，孝敬友愛，出於天性，力學能文，稱其家聲，四試于庭、不偶，用恩賜第，授承仕郎、華州教授，再任承直郎，主沂水縣簿。娶王氏，封彭城郡太君，壽五十五終於家。遺文雄深簡古，有迺祖風。嘗訓子孫曰：「為士當先行檢如絲之潔，將立其身，慎無點汙，汝佩吾言，則無忝矣！」故屏山李純甫表其竁曰「善人劉公之墓」。其為士夫之紀，蓋可見矣。一子從益，字雲卿，自髫齓時已有成人度，擢大安元年進士乙科，調鄗陽丞、長葛簿、陳州防禦判官，皆有治績，投機應變，措畫出衆意表，進提舉南京路榷貨事，丁沂水君憂，起復拜監察御史。君負材尚氣，資之以學，欲使事業表表大見於世，一旦職與志合，所言朝廷紀綱、時政利病，竟與宰臣辯論得失，不屈去職，閑居淮陽，與諸生講明伊洛學。久之選令葉縣，至則鋤強剔蠹，豪族惡黨禁不敢少肆，請免逋租三萬石，致流民自歸者口數千。大起孔子廟，既樹教本，集諸生肄習其中，風化大行，考課為河南最。未幾，召入翰林為應奉，不踰月而卒，得年四十有四。雷御史淵誌其墓，趙翰林秉文勒銘神道，皆稱其器識明敏，剛直敢言，學可以輔政教，材足以濟時艱，賫志以歿，士論惜焉，葉民至廟而祀之。孔子稱「遺直」、「遺愛」者，豈近是邪？「蓬門」其自號也，蓋取南山翁《誡子詩》「元自蓬蒿出門户，莫交門户却蒿蓬」之句。有文集十卷，粹而贍，通而不流，類其為人。內子嚴氏，封彭城縣君。子二：祁、郁。祁字京叔，少穎異，為學能自刻厲，有奇童目。弱冠舉進士，庭試失意，即閉户讀書，務窮遠大，涵滀鍛淬，一放意於古文，間出古賦雜説數篇，李屏山、趙閑閑、楊吏部、雷御史、王滹南諸公見之，曰「異才也」，皆倒屣出迎，交口騰譽之。及與御史公退居於陳，相與講明六經，直探聖賢心學，推於躬行踐履，自是振落英華，收其真實，文章議論，粹然一出於正，士論咸謂得斯文命脈之傳。壬辰，北還鄉里，躬耕自給，築室牓曰「歸潛」。歲戊戌，詔試儒人，先生就試，魁西京選，充山西東路考試官。後征南行臺拈合公聞其名，邀至相下，待以賓友。凡七年而没，享年四十有八，翰林承旨王磐誌其墓。娶史氏，洛陽名族。一女，適前監察田芝子文冕。一男景山，終國史院編修官。孫一興同。有《神川遯士集》二十二卷、《處言》四十三篇、《歸潛志》三卷行於世。郁字文季，亦名士，中統元年，肇建中省，辟左右司都事，出尹新河，召拜監察御史。能文辭，工書翰，別號歸愚。卒年六十一，娶趙氏，前禮部尚書璜之女。一子景嵓。鄰字伯震，一子景戀。儼字稚昂，鄰之祖也，登承安二年進士第，累官至中奉大夫、秘書少監。壬辰北渡，痛宗國云亡，蹈河而死。配李氏，封彭城郡夫人。三子，從禹字虞卿，登正大七年辭賦第，官至朝散大夫、同州録判，一子曰都。從愷字舜卿，自幼卓犖不群，稍長入鄉校，擅能賦聲，再舉不契，就蔭補官，授武義將軍、登封主簿，已能綜覈縣務[二]、束濕吏曹，人不敢以少年書生易之。國初生聚稍集，遴選廉能，急於撫字，辟府君攝領韶州事，繼真授宜陽令，縣當兵後，庶事草創，高下□□下車，廉知其利病休戚，斟酌而更易之，凡科取差徭，必驗其等第，俾均輸焉。暇則集俊秀於縣庠，講明禮義，美善風俗，為政纔期月，而頌聲四達，終更授河南府路經歷，素精吏事，婉畫恢恢，刃游餘地，致六房無滯務。公餘與紫陽楊文西庵、楊公九山、李子微、薛庸齋微之，觴詠於泉石間。中統四年正月廿八日，以疾卒於私居之正寢，壽五十有五。娶張氏，宣德望族，貞靖柔懿。自在父母家，已稱純孝，及歸於我，事舅姑恭順，飲食服御，非經其手不進也。終於至元廿三年十月廿日，享年七十有五，葬合祔。子男三人。鄘，字君美，平江路人匠提舉，至元三十一年十一月以疾殁，得年五十有五。配段氏，享年四十有九。鄗，袁部場管勾。鄰，才識警敏，練達時務，由省掾授承務郎、工部主事，次堅承直郎、順德路總管府判官，選充監察御史。女二：長適渾源州王氏，次適應州元帥韓公之孫。孫五：紹祖，江浙省宣使；慶祖，瀫山巡檢；繼祖；勝童；乞童。從稷字賢卿，終濟南路儒學教授。三子：曰郇，曰郴，曰郛。俁，承奉班祇候，遂州酒監，一子從周，字文卿。劉氏先壠，始葬順聖之耀武關，南山翁徙祖塋於渾源縣東北黄嵬鄉〔三〕。御史君以世故流離，起先塋於宛丘神川旅殯洹水，歸愚定窆燕山，令鄰奉大父中奉公衣冠及考妣柩，安厝於河南北邙之原，是為渾源劉氏洛陽新阡。鄰復欲彰先懿，昭孝思，圖不朽，諗不肖嘗問學於神川先生，知其家世頗詳，持張、陳、李、趙、雷、王諸公銘誌，求述世德碑。以猥列後進。年迫衰謝，不能發越先賢事業，且何敢秉筆於諸名勝之後？堅辭者久之，鄰復曰：「金亡，士之北渡者百不二三，今消磨已盡，求接見先輩老於文辭而最知名者，莫公若也！今弗惠顧，則先世之事，將何於託？」不獲已，迺採掇諸公緒餘，及己之聞見而知者，會歸其極，而系之銘。銘曰：

漢庭射策，貢士遺風，排黜百氏，仲舒是崇。唐文三變，敗北無從，振起衰薾，尊昌黎公。兩公傑出，莫之比隆，考其胤裔，孰繼芳蹤？大名難再，氣數奇窮。金源立國，網羅才雄，首魁多士，惟南山翁。程文妙絶，一世師宗，當時景仰，韓董攸同。子孫克肖，家學是攻，巍科七決，聲華摩空。故家文獻，泱泱大渢，蓬門卓爾，世業克充。言直行果，節效匪躬，支撐傾頽，致時之雍。賫志雖没，留名則鴻。中奉矯矯，職貳大蓬，存亡惟義，表我孤忠。子孫昌熾，為報則豐。神川力學，洞聖心胸，明理貫道，匪文奚工。玉佩瓊琚，大振辭鋒。導家學之淵流，會百川而朝東。章甫適越，惜不時逢。陰相同氣，先志恢洪。朱衣白簡，乘御史驄。何劉氏之多賢，試紬繹其始終。種德植善，無踰於農。立志務學，禄在其中。忠義仁恕，傳嗣彌縫。維人事之克盡，見天理之昭融。宜澤流渾水之源，青蔚南山之峰。北邙之原，巋然新宫，世故牽率，匪忘祖封。是惟金百年文宗之裔，過者敬恭！

〔一〕一掃假貸剽竊牽合補綴之弊：竊，原作「切」，據文淵閣四庫本改。〔二〕已能綜覈縣務：能，文淵閣四庫本作「而」。〔三〕南山翁徙祖塋於渾源縣東北黄嵬鄉：塋，原作「營」，據文淵閣四庫本改。

大元故廣威將軍屯田萬户聶公神道碑銘

皇元以神武戡定區宇，剪金取宋，保塞一軍，號稱雄勝，帥閫堂堂，節制於上，亦由部曲宣力得其人故也。況聶氏與蔡國張公奮迹布衣，義同里閈，依乘風雲，奕世竭節者哉。公諱禎，字正卿，世為定興沈陶井里人。曾祖洎大父，皆在野不仕。父福堅，資豪偉，善騎射，國初張公團結鄉義，栅西山之東流堝，選推為百夫長，從定河朔，取汴蔡，有殊績，終襄縣屯田總管。母夫人段氏，同里大家。生四子。公其長也，幼沈鷙寡笑言，不作群兒嬉，及長，聰敏好學，有謀略，慷慨尚氣節。年十七嗣襲父職，張公察其才武，試以攻守之方為問，條對灑灑有成算，公愕然，不復以嚮之吴下阿蒙為睞。歲丁未，率本部分功立杞城亳，阨宋人出没，以絶侵軼之患。繼攻泗州，前後以功受賞有差。己未，扈世祖皇帝渡江攻鄂渚，拔螯弧先登，陷東南城堞，帝督戰親覩[一]，壯其勇，酌酒飲賚，以紀其功。其年冬，命領千兵，迎援大帥兀良合歹於長沙，水陸轉戰，備嘗艱苦，竟達漢陽，由是陞總轄，仍佩銀符。中統三年，賊璮叛，公攝千夫長分圍歷城，接戰嘗先諸道兵，蒙賜鏐馬，俾激士氣，璮平，遂南城荆山。至元六年，真授千户，易以金符。是年，朝廷進軍襄樊，公屯守鹿門甚力。至元七年，行臺命公將番漢馬步三千人取新興寨，公曰：「彼衆而恃險，我客而力不一，惟當神速，掩其不備，可成功爾。」遂一戰而克，斬馘不勝計，生擒者七十人，賞楮幣四千緡。至元十二年，分隸元帥孛魯歡，收漣海、淮安等州，宋守將許安撫者，陳艨艟五百艘以俟，公帥麾下直擣之，許少却，水陸乘之，彼軍大壞，殺死溺水者十七八，盡獲其戰艦器仗。帥府上功，奉旨陞武節將軍。繼攻下招信泗州，階進宣武。時孽宋已亡，江西、湖南皆内附，獨静江恃其險遠，旅拒不下[二]，上以亳軍素精鋭，戰必勝，攻必取，命摘全軍進擊。至則賊勢披猖，公率猛士深入，殊死鬬，首奪西南城堞，衆隨之以進，城陷。捷聞，加授顯武將軍、行軍總管。桂境雖平，大兵後，所在草寇竊發[三]，充斥山谷間，為良民梗，衡山、茶陵尤稱搶攘。帥府稔公威名烜赫，摘諸翼兵千人往平之。公窮竟窟穴，夷抉根株，其脅從汙染者諭歸田畝，井邑按堵，軍無私焉。所在老幼擁馬首泣拜曰：「非公活我，吾四縣遺民二十餘萬，無噍類矣！」其戢禍亂，威愛兼濟，有古良將風。既而蒙古漢軍都帥張侯，以公部曲故家，屢立駿功，請於朝，復備將佐。十七年，從張侯入覲，進拜明威將軍、亳軍副萬户，仍賜錦袍一襲，旌宿勞也，俾鎮建康，尋移維揚。十九年，選充江淮都漕運使[四]。二十五年，改任廣威將軍、大都屯田萬户，一載間，區畫營屯耕稼有法，比前政收獲為倍蓰。二十六年，更授右翼萬户，田旌閃閃，有萬屯曉唱之樂。至元廿六年三月十六日，以疾卒於官，享年六十有二，葬祖塋。公資外嚴毅，内廓如也，孝於事親，忠於為國，出天秉固然。治軍旅，號令嚴明，部伍整肅，臨陣抗敵，挺身決戰，略無顧惜，故每戰有功，聲名烜赫。暇則讀書不輟，《左氏傳》、《通鑑》、《戰國策》皆通大義，古人良法美意、奇計偉畫，涉獵融會，多見諸行事。方經略南服，母夫人陳氏尚在堂，公迺心王事不遑暇，然遺親之念，未嘗置頃刻也，一旦心神内動，泚流被面曰：「豈吾親有故，動於彼而應於此邪？」即請歸覲。比至，太夫人喪尚未斂，公攀號屢絶，痛其終之無所存活，克襄大事，鄉里感嘆，為平昔孝誠所致。夫人郭氏，同縣南王里人，温純恭謹，奉事老姑，怡順進退不敢自專，年逾四十，夫貴子長，應對門内事，尚以名稱。姑病，早暮侍養不少懈倦，湯劑必嘗而後進，及亡，朝夕廬祭者三周歲，宗黨號曰孝婦。待妾媵有恩禮，略無嫉妒。子一十一人：長曰惟義，承父爵，右翼屯田萬户；次曰惟謙，峽州夷陵尹；曰惟明，閤門宣贊舍人；曰惟孝、惟爵，未仕，皆郭出也；余幼，未名。女四人，俱適望族。元貞建號之二載冬十一月，惟義踵門來請曰：「自惟無所肖似，尚賴先世遺澤，嗣守緒業，朝夕惴惴，愧無光揚，惟是鑱石紀銘，表諸神門，圖報萬一。稔聞翰學先生學古詞達，當代將相家皆有熉於下執事，儻得銘，則為不朽矣！」中統建元，余應召中省，獲識蔡國父子，及提憲河朔，郎山鷄水之間亦嘗巡歷，載惟疇昔，輒次其件右而繫之以辭。銘曰：

丈夫挺志，無先外事，况乎戰陳，聖所慎毖。不有諸内，孰形於外？擴我秉彝，克作其氣。惟燕南陲，聶宗所系，奮從雲雷，以功名憙。侯不封萬，志焉罔遂，報之後人，福禄何既？桓桓廣威，克昌再世，曉暢戎機，蔡國首器。發蹤指獸，俾展其翼。横戈長江，斬鱷蒼海[五]。萬竈同心，雅歌奏凱，長驅㴑江，指顧摧敗。草切蟲如，肆為民害，玉石既分，善良攸賴。笳鼓歸來，旌旆揚彩，酬功進爵，大蒙天賚。高大門閎，鄉閭歎嘅，不知其中，大本有在。子曾有言：質而弗礙，篤孝惟移，化而忠義。公於臣子，存没無愧。巨川騰波，郎峰聳翠。片石干霄，千古光配。

[一]帝督戰親覘：帝，原作「都」，據文淵閣四庫本改。　[二]旅拒不下：不下，原闕，據文淵閣四庫本、王抄校本補。　[三]所在草寇竊發：竊，原作「切」，據文淵閣四庫本改。　[四]選充江淮都漕運使：漕，文淵閣四庫本作「轉」。　[五]斬鱷蒼海：鱷，文淵閣四庫本、王抄校本均作「鱷」。

大元奉聖州新建永昌觀碑銘 并序

奉聖本秦上谷郡地，唐始立新州，石晉割賂於遼，更今名，亡金塈武定軍節度。今雖為州，當兩都往來之衝，其地望尤重於昔。雲山環抱，川流交貫，樹藝茂盛，有中土清淑之美。風俗雄碩，樂施而好善，蓋燕雲習尚氣義而然也。據治城東南里許，有道觀曰「永昌」。其初祖寂然子張志玄隱微，世居河東之孟門縣，越自髫齔，歆挹真風，從平水景鍊師為全真學。既長，正一法籙，亦稱精究。貞祐南遷，所在俶擾，聞長春丘公應聘龍庭，師喟然嘆曰：「天道在北，吾將遠遊雲朔，庶有遇合，聿隆道紀。」至永興之清樂鄉，愛其山水幽勝，遂結茆而居。凝神坐忘，志趣叵測，謁漿之家，咸異之，曰：「彼其中必有所得，豈徒然哉！」由是風動一方，日奉香火羅拜庵前。間有請，必恍然開悟。迺相與選勝，得獨山中水頭地，起建琳宇，處師為上賓，榜曰「迎仙」，尊顯之也。師佩上清三洞靈章，主盟武定者幾廿載，前後化度門人甚衆，惟吳、張、盧三法師得其要妙，而吳在伯仲為最。寂然謝世，藏觀南化臺。吳號通玄子，氣貌魁偉，志行誠篤，體含妙用，動達玄機，寂然師知為受道器，常勉之曰：「汝舉止異常，言論卓犖，通文辭，知醫藥，恐鸞翔鶴翥，終非草野間物。」寂然既終，行緣城市，人或參扣，誦答如流，有「一鉢千家飯，渾身百衲衣，心如江月朗，情侶楚雲飛」之句，其胸懷洞徹如此。加以符水療疾，隱痛隨愈，衆驚異，以有道目之。達官豪右，共來敬禮，至有得望其風采而為幸者[一]。闔境尊信，法緣契合，遂易亡金劉大監別墅為棲真所，中有亭，崇臺層檐，為一境偉觀。即改亭為殿，奉三清睟容，下逮齋厨庫廩，以次修舉，署曰「永昌」，與「迎仙」為上下院。自是徒衆雲集，檀越之家，設醮筵而徼冥福，求符藥而濟災屯者[二]，憧憧而來，曾無虛日。鐘磬之聲，隱然聞市肆間。永昌琳舘為一方名勝，道俗歸依之所矣。通玄仙去，寧神於永昌之南，以後事付上足弟子虞法師。師行業修潔，和光同塵，心存濟度，多蒙藥惠，補治遺缺，而觀之規為，始克完具，以推擇充玄門道録。虞寂，陪葬師側，其徒崔志善踵而增飾之。崔没，盧法師以道録來住持焉，傳之門人李道素。道素姿樸實，惟恐遏逸前光，內則起廢寮舍，外則增置田圃，朝夕齋戒，載勤頌禱，望高羽流，擢判管內道門事，迺惴惴不遑曰：「向上師真刱心勞神，披荆榛，掇瓦礫，鋪敦教基。吾輩何有，坐享其安？惟是刻石紀行，俾見興建本末，庶垂不朽。」來丐銘，予以道不同不相為謀，牢讓者再，請益堅。乃酌取大方家見於吾儒之紀載者，論次而銘之。後世所謂道家者流，蓋古隱逸清潔之士矣，巖居而澗飲，草衣而木食，節欲以清心，修己而應物，不為軒裳所羈，不為榮利所怵，自放於方之外，其高情遠韻，凌煙霞而薄雲月，誠有不可企及者。自漢以降，處士素隱，方士誕誇，飛昇煉化之術，祭醮禳禁之科，皆屬之道家，稽之於古，事亦多矣。徇末以遺其本，凌遲至於宣和極矣。弊極則變，於是全真之教興焉。淵静以修己，和易而道行[三]，翕然從之，實繁有徒。其特達者，各相啟牖[四]，自名其家。若寂然師弟，弘衍博濟，教行山北是也。耕田鑿井，自食其力，垂慈接物，以期善俗，不知誕幻之説為何事，敦純樸素，有古逸民之遺風焉。而又畀授得人[五]，顯揚斯在，是可書。定安之白雲觀，盧法師建；永興之觀，張法師建；與永昌同一法眷也。銘曰：

道之大原，玄文五千，慈儉不争，清静自然。辭固奮激，至理無邊，修道謂教，由是之焉。全真為學，本乎善淵，返純還樸，復太古前。究其源委，豈忘蹄筌。寂然出世，私淑其傳。雲朔俗勁，聞善易遷。坐忘感化，孰分後先？傾心信嚮，克興大緣，絶塵而下，復得通玄。化行城府，重闡法筵，一時景仰，道價翩翩。香火奔走，先業昭宣，燕處有室，耕鑿有田。遺我後人，基緒綿綿！門人繼承，持守拳拳！光揚有例，刻銘瑶鐫。流光遺照，何千百年[六]。

[一]望其風采而爲幸者：風采，文淵閣四庫本作「豐采」。　[二]求符藥而濟災屯者：屯，文淵閣四庫本作「疢」。　[三]淵静以修己和易而道行：「修己和易」、「道」五字原闕，據文淵閣四庫本補。　[四]各相啟牖：相啟，原闕，據文淵閣四庫本補。　[五]而又畀授得人：又畀，至治本作「又異」，文淵閣四庫本作「復畀」。　[六]何千百年：文淵閣四庫本作「億萬斯年」。

大元故正議大夫浙西道宣慰使行工部尚書孫公神道碑銘 并序

雲西風土雄碩，龍山峻極，爲之奠焉；渾流交貫，神川清淑，資其潤焉。故士生其間，有瓌奇宏傑之稱，而劉雷爲之冠焉。然山川炳靈，奚間今昔，况河洛爲帝王之里，并汾多攀附之臣，儷景風雲，依光日月者哉！若乃始以材技，有光世緒，終則挺輸忠藎，作時名卿，安榮福壽，慶流後裔者誰乎？故宣慰使工部尚書孫公其人也。公諱公亮，字繼明，世家渾源横山里。曾祖諱伯，大父諱慶文，咸勤力務本，不耀其光。顯禰諱威[一]，爲人跅弛不羈，早以功名自意，少有巧思，肄函人氏業[二]，繕治堅密，出新意於法度之中。方太祖聖武皇帝經略中夏，總攬豪傑，貯除戎具爲亟[三]，迺挾所業投獻，上賞其能應時需，賜名也可兀闌，錫佩金符，充諸路甲匠總管。太宗朝，從征秦晉，惻民被屠戮，屢以蒐簡工匠爲言，賴全活者衆。顯妣杜氏，主内務有綱紀，嘗辨雪工徒質逆之誣[四]，因之脱死。公生漠北，年十許歲，總匠君挈之入覲，太宗異其風骨，曰：「此兒他日必大享用！」蒙賜御饌，自是得出入禁闥矣。

及長，資英明，多藝能，慷慨有大志，練習國典，通曉譯語，所交皆一時豪雋，衆亦以通材許之。庚子歲，襲父職，佩銀符。定宗朝，換金符。歲進課精，例賜錦幣，憲宗特賚貂裘，仍勑繼稱父賜名。世祖皇帝在潛邸，上命歲輸百鎧，有中七矢而不貫者，其堅完如此，及南征，果獲用。中統建元，授都總管。上北征，駐昔没敦，公出私財製甲胄六十襲以獻[五]，天顔喜甚，錫銀笏□□□□□□忠結[六]，□□□□命領諸路雜色一□奏出□女四十[七]，妻工之鰥者，歲支衣糧，贍濟不給，諸局廪給自此始[八]。又考制度，定程式，作諸路恒法，公自承嗣選材□下[九]，招亡恤弱，出私財以代公費，□□獲而□軍興，至蒙賞進秩[一〇]，可謂盡心所事，克荷所□□[一一]。以人材抱負論之，干將補衲、寶鼎枝車[一二]，未膺所用，有鬱鬱不能自已者[一三]。至元改元[一四]，朝廷清明，治具畢張，公上書抗言[一五]，宜設御史臺，肅正紀綱，雖不遑有符[一六]，士論偉之。五年，憲府肇建。特拜監察御史、官忠翊校尉。上諭大夫塔察公曰：「他人則未之識，如也可兀闌，朕熟其忠廉，宜與汝共事。」時官僚極一時選，較夫多識朝廷故事，洞達諸色情狀，材氣足以投赴事機，威望可以懾服豪猾，在公無以踰矣[一七]，一旦職與志愜，思明目張膽，鯁言無忌，仰答恩遇，由是風生白筆[一八]，氣凌霜簡，論列無虚日。時宿衛鷹房憑恃城社[一九]，頗縱恣，在他人弗措手者，公優為之。如上都濟時門[二〇]，强奪民物，東安州縱馬駝齧食桑棗，甚至砍伐為薪[二一]，公痛繩之以法，至知所畏避[二二]。上聞而以能目之[二三]。三年考滿[二四]，憲長奏公自供職無點水私，至絶□□□飲風稜銛利，刺督切中，裏行無出其右，□□□□□時選擢正為此，爾可再任，俾矜式新進者。既而察□為外事□還西川行者，冒支楮幣二萬餘，定□□□□□

之義，為奴役兵士[二五]，治第採薪，至被虎□□□□□□□□□□□五十仍奏治其罪。十年夏，宣授金符、武德將軍，簽山東東西道提刑按察司事。至則務實用顯，效張皇憲度，故材廉者必薦，姦貪者必置於法，州郡惴惴，奉約束惟謹，褰帷具瞻，有風動百城之目。東平路監尹出貴戚，簡重自居，監司官至郡，未嘗相覿，聞公來按部，迎謁境上，糾治豪縱不法者十數輩，曾無一語護援，及去復伸餞禮，博德高唐耆老貯香於頂來迓[二六]，曰：「自立憲司，未覩稱職如公者，我輩獲安田里，受賜多矣！」其威望顯著，吏民畏服可知已。十二年，陞山北遼東道提刑按察副使。遼東境土曠遠，諸王營帳洎諸部種人雜處其間，恃勢相凌，為申嚴法禁，革去宿弊，豪强斂迹，小民氣得少伸。分司遼陽親王近侍五人，劫居民資用，且毆擊之，有司不敢究，民來訴，即械五人徇通衢，王諭釋其罪，竟杖決之。灤水闊而雜沙石，自昔無津樑，命造荆絡，貯碎石為柱以成橋，倣此建者百所，自爾遼右免病涉之苦。十三年，進階朝列。十四年春，陞授中順大夫、彰德路總管，分佩金虎符。惟相當南北衝會，民物繁夥，自昔為河朔名郡，然政務煩重，視鄰路為倍蓰，公諳練政體，材地有餘，當王事坌集，訟牒交至，泛應曲當，不失時措之宜。平生遇事有為，一旦重膺民社，迺究竟利病，俾實惠及民，以三事躬請於朝：其一，比歲霖潦傷稼，民多闕食，准免逋税九千七百石；其二，諸郡輸遞取道本路[二七]，徵發車牛，越廣平，抵順德，往還餘五百里，非惟偏倍，恐民力不堪，蒙以廣平之磁州代焉；其三，本路税粟，歲輸大名秦家渡，由唐宋渡河，東南行百五十里，歲晏寒沍，車人告病，聽於唐宋倉輸納。前政貸民資五百餘定，起新附軍營舍，至是亦給公帑。刑民李閏六嘗殺人，累問弗伏，干證餘百人，移公推密廉其實，遂伏辜，餘得釋，時以神明稱。終更，相人懷思，至琢石頌焉。江浙平，上諭中書省：造作事重，當選能者主之。十六年冬，授正議大夫、浙西道宣慰使，兼行工部事。籍人匠四十二萬，立局院七十餘所，每歲定造幣縞、弓矢、甲冑等物。十八年，上命左丞相阿剌罕等征日本，給辦艨艟戰具，繕製堅完，都將以聞，上曰：「也可兀闌豈有誤邪？」二十年十月來朝，大為上所獎諭，賜宴於便殿。二十二年，授江西等處行工部尚書。上章致仕，閑居清苑，每風憲洎臨民官來質疑，必告以益國便民之方。二十四年九月，覲上於朝殿，上念世臣之舊，問年今幾何？居某處？子孫幾人？奏對畢，賜食，俾坐於御榻之西。上遣大府卿納里忽問曰：「飲飫飽未？」復賜鹿羹白酒，沾醉而出。大德元年，子拱總尹大同，奉公與夫人張氏還鄉里。時公及夫人壽俱高，日與親友相飲宴，鄉人榮之。改渾源西北山曰「晝錦」，有司亦用名鄉。四年正月廿九日，以疾薨于私居之正寢，享年七十有九[二八]。遺訓子孫勉力忠孝，少不及私。二月十四日，歸葬于渾源州西劉村先塋之次。送葬者數千人，哭聲聞數里外，蓋平生感懷於人者如此。夫人張氏、梁氏，皆出名家，張氏終於四年秋，壽八十有四，梁氏先公没。子三人：拱，資誠實材果，純孝力學，由工部侍郎陞受少中大夫、大同路總管，兼府尹本路諸軍奥魯總管管內勸農事；撒，武略將軍、武備寺丞；振，忠翊校尉、定海縣尹。女三：長適安平縣尹趙襄；次適李氏，劉氏。孫男四：謙，襲世職，從仕郎、保定等路軍器人匠提舉；次早逝；諧，承直郎、利器庫提點；誼，進義副尉、保定等路軍器人匠提舉。孫女三：適趙氏，王氏，次幼。曾孫男一，猥頭。曾孫女三，長適李氏，餘幼。公儀觀魁偉，氣量邃閎[二九]，美鬚髯，容色莊厲，閑習時體。譯語闌翻，雜以談謔，顧國種貴卿無以易。其論列公大夫。至於奉上忠，事親孝，交友誠，雖位望顯赫，循循謙讓，退然如無能為者。齊家教子，敦篤義方，循尚禮法，又似夫齊魯覓行之士[三〇]。生平疾惡，由義激忠[三一]，其心休休，樂善成美，出於天禀粹厚。放良臧獲百餘人，貸貧民子錢七萬緡。宜其三任風憲，位正總尹，丕張世守，官箴六卿，剛直有守，允協士論，忠勤無間，簡在帝心，福壽綿延，子孫衆多，家門隆盛，雖曰依乘，亦由平昔操履感召有以致然也，可謂材德具備，勳名兩全，哀榮終始者矣！嗣子拱以墓碑來請，因憶至元戊辰，憲臺初立，公與不肖同擢御史，引見世祖皇帝於廣寒殿，自爾議事松廳，聯鑣驄馬，義氣交孚，相得為甚歡。後偕官於相。迨歲壬辰，應聘北上，復私覿保塞，追叙契舊[三二]。當時並峨豸冠，今所存者，獨吾二人，公又奪去，僕雖耄，忍無一言邪！既叙梗概，仍系之銘。銘曰：

雲龍奮飛西北天，神武載造坤與乾。有來群后捷戎軒，所在戈甲相周旋。孫侯挾技善達權，賜名訓徒畀任顓，函惟扞格貴弗穿，函雖多樣公發源。犀兕七屬光生煙，上為嗟惜賞世延。風雲儷景同翩翩，執藝諫請多活全，臧孫有後理固然，公其挺生鍾世賢。嗣興遺緒心彌丹，鯤化躍出天池淵。豸冠執法班朝端，憲綱未舉為進言。太微一夕光星纏，朱衣白簡相後先。忠臣憤激同鷹鸇，秋風搏擊無空拳。上目剛直由孤騫，青齊遼碣海岱連，地廣物衆牙孽間，繡衣風彩何翩翩！積弊一剷摧邪姦，耻令趙張出吾前，煌煌金節臨漳洹，霜空霽嚴政春妍。侯伯正位務固繁，剸裁錯節驚龍泉，吏惟寬慢猛則殘，要本實惠蘇民編。三事上請民力殫，轉輸省便逋賦蠲，橫斂追給公府錢，去思有頌德化宣。江浙平一俗巧儇，訓授程課需世官，共工汝賢常伯聯，工局染院勞次銓。歲時供億物利堅，聖皇眷顧稱忠惓。一朝上章遽引年，功成身退名節完。嗣侯亞卿請外遷，作牧鄉郡意所便。錦衣榮養白晝鮮，世期福壽方綿綿！丘山零落舘舍捐，停雲苒苒横之巔，時有白鹿馴其阡，神遊凄斷招來篇。自昔豪傑誇雲燕，乘時樹立孰敢肩？千年酆劍埋神川，鬱鬱紫氣衝斗邊。何以驗之瑶有鐫，英聲並與斯銘傳！（以上《秋澗集》卷五八）

［一］顯爾諱威：威，王抄校本作「成」。［二］肆函人氏業：氏，原作「民」，據至治本、王抄校本改。文淵閣四庫本作「人業」。［三］貯除戎具為亟：文淵閣四庫本作「貯儲戎具為急」。［四］嘗辨雪工徒質逆之誣：質，文淵閣四庫本作「貿」。［五］公出私財製甲胄六十襲以獻：獻，原闕，據文淵閣四庫本補。王抄校本作「進」。［六］忠結：結，文淵閣四庫本作「甲」。［七］命領諸路雜色一□奏出□女四十：一□，王抄校本作「□技」。出□女，「出」、「女」原闕，據王抄校本補。［八］諸局廪給自此始：諸，原闕，據王抄校本補。［九］公自承嗣選材□下：下，王抄校本作「工」。［一〇］至蒙賞進秩：至，原闕，據王抄校本補。［一一］克荷所□□：荷所，原闕，據王抄校本補。［一二］干將補衲寶鼎枝車：衲，原闕，據文淵閣四庫本補。［一三］有鬱鬱不能自已者：後一「鬱」字原闕，據文淵閣四庫本、王抄校本補。［一四］至元改元：後一「元」字原闕，據文淵閣四庫本、王抄校本補。［一五］公上書抗言：書，原闕，據王抄校本補。文淵閣四庫本作「疏」。［一六］雖不遑有符：遑，文淵閣四庫本作「能」。有符，王抄校本作「待」。［一七］在公無以踰矣：矣，原闕，據王抄校本補。文淵閣四庫本作「此」。［一八］由是風生白筆：由，原闕，據文淵閣四庫

本補。　［一九］憑恃城社：憑，原闕，據文淵閣四庫本補。　［二〇］如上都濟時門：「都濟」二字原闕，據文淵閣四庫本、王抄校本補。　［二一］甚至砍伐為薪：砍，原闕，據文淵閣四庫本補。王抄校本作「斬」。　［二二］至知所畏避：知所，原闕，據王抄校本補。文淵閣四庫本作「豪强」。　［二三］上聞而以能目之：能，原闕，據文淵閣四庫本補。　［二四］三年考滿：三，原闕，據文淵閣四庫本補。王抄校本作「及」。　［二五］為奴役兵士：奴，原闕，據王抄校本補。　［二六］博德高唐耆老貯香於頂來迓曰：貯，文淵閣四庫本作「炷」。　［二七］諸郡輸遞取道本路：輸，原作「翰」，據文淵閣四庫本改。　［二八］享年七十有九：七，文淵閣四庫本作「九」。　［二九］氣量鑪閎：鑪，文淵閣四庫本作「豊」。　［三〇］又似夫齊魯覓行之士：覓，文淵閣四庫本作「質」。　［三一］由義激忠：忠，原作「中」，據文淵閣四庫本改。　［三二］追叙契舊：舊，文淵閣四庫本作「闕」。

全元文卷一九二

王惲 二六

大元國衛輝路創建三皇廟碑銘 有序[一]

衛之廟祀三皇，權輿於國初醫家者流，因城隍祠右故壇，屋而像之，庸申歲時瞻仰之懇。然位置迫隘，規制卑陋，不足以妥靈揭虔為神明觀。府監尹答失帖木兒顧其如是，蹶然于中，私自念言當尊而侈大之，心有所在，而時則未遑也。伏承登極詔條，聖帝明王，守吏致祭，廟宇傾圮，官為修葺。至大德庚子歲夏仲，祠部頒降三皇禮秩，以春秋二時饗獻，蓋宗本醫學，拯恤元元也。而昔構不稱，安能嚴肅禮容、光昭祀典哉？侯乃咨謀於僚屬曰：「明詔所當僉奉，民力不可妨奪，工匠不可徒役，公帑不敢擅發也！當首出俸。」稍以為倡率，少尹八思麻因、判寮高興仁、推官馮琚，相與贊襄，下逮屬吏、醫師、筮士，從風皆靡，聿來胥宇。於是相治城北郭汲署故址，爽朗方衍[二]，奠敞神居，經始於是歲冬孟，斷手於明年季夏。為禮殿三巨筵[三]，松桷旅楹，奕奕挺翯，望雲就日，儼若帝者之所。其臺門洎醫學講堂齋室，以次修舉。其秋因常禋禮，奉安神棲，儀物肅備，薦獻通暢。士民來觀，懽忻贊嘆。謀斲石紀績，傳示方來，持學正祁伯易事狀，以修建碑銘為請。不肖念鄉榆盛事，其敢以衰耄辭。夫德高太上者，宜垂不朽之名；澤及萬世者，當享天下之祀。鴻荒肇判，為生民害者多矣！三聖繼作，觀象化民，創物垂範，如畫八卦以通天地之情，造書契而代結繩之政；耒耜以資耕耨，舟楫而濟不通；衣裳宫室既厚其生，棺槨斂葬復恤其死[四]；交贖貨而易有無，剡弧矢以威强暴。然後民得安居而粒食，優游以卒歲。孔子繫《易》，叙太皞、神農、軒轅氏功德如此，其見於醫家説者，謂神農氏一日嚼嚙物毒七十餘種，軒岐論難，本乎大道，而究乎死生之奥，故近代猥為主祀。若以三聖人開天建極、利生民而仁後世者論之，特一事爾。在泝流求源，雖出於人心之至情，而報本反始，乃有國之令典。按歷代祀秩，曰皇曰帝，惟唐嘗置廟京師，餘雖多文[五]，定於故都三年一祭而已。我國家掃攙搶以清華夏，斷鰲足以立四極，還純反朴，崇德尚功，三年故都之祀，亦嘗舉行。迨聖天子當寧，道媲生成，仁含動植，秪嚴閟祠，克作神主，開建醫學，德洽好生，故有司推廣睿意，俾同通祀，致祠廟徧于天下。其敬恭之典，越至矣乎！伊守土臣，奉承唯謹，規為有方，不傷財，不役民，未及閱歲而起百年偉觀，事神治人，可謂能也已！是宜銘[六]。銘曰：

林林總總，厥初民生，理具畫一，七竅方萌。乾端坤倪，軒豁露呈，孰措其宜[七]，底于和平。聰明惟亶，體用含弘[八]，三聖繼作，見天地情。裁成功化[九]，以逸以寧。躋民仁壽，萬世稱仁[一〇]。德至孰邁，道大難名。功同元化，罔知申行[一一]。推原報本，任理攸應。大德之政，恩治幽明。在在通祀，尊隆莫京。惟守土吏，恪於奉承。載敞新廟，閟妥聖靈。聖靈在天，與時降升。雲行雨施，品物咸亨。云何事神，而瘠於泯[一二]。翼翼禮殿，有儼神庭。民初不預，吏亟經營。維皇降止，庶監嚴誠。風雨時若，歲事屢登。民浸福澤，豈曰吏能。謹夫歲月，爰勒斯銘。事神治人，績用昭稱。煌煌麗石，永垂頌聲！

[一]文淵閣四庫本此文篇名無「有序」二字，有雙行小字「伏羲神農黄帝舊為醫家所奉」。　[二]爽朗方衍：衍，文淵閣四庫本作「正」。　[三]為禮殿三巨筵：筵，文淵閣四庫本作「楝」。　[四]棺槨斂葬復恤其死：槨，原作「椰」，據文淵閣四庫本改。　[五]餘雖多文：多文，文淵閣四庫本作「舉祭」。　[六]是宜銘：是，原闕，據文淵閣四庫本、王抄校本補。　[七]孰措其宜：宜，原作「二」，據至治本、王抄校本改。　[八]體用含弘：含，原闕，據文淵閣四庫本補。王抄校本作「斯」。　[九]裁成功化：功化，原闕，據文淵閣四庫本補。王抄校本作「輔相」。　[一〇]萬世稱仁：稱仁，原闕，據文淵閣四庫本補。　[一一]罔知申行：申，文淵閣四庫本作「中」。　[一二]而瘠於泯：泯，文淵閣四庫本作「氓」。

文通先生墓表[一]

先生諱天鐸，字振之，姓王氏，世為衛之汲郡人[二]。□祖諱仲，祖諱經，顯考諱宇，妣孟氏。由農而士，訖于先君，蓋四世矣。其本支德澤，與夫出處之大致，已鑱諸埋石，兹不復云。惟其心之與學，達於政而明夫用之所當然者，敢發越以昭于外。初，先君既冠，以家學魁多士，已而嘆曰：「君子不可以虛拘，是足以盡吾學乎！且天之所畀於我者何如？我能克而復之，以塞夫所以畀（此處原缺一頁）六考終于家，遠近訃聞，來會哭者踰月，如知己丁郎中居實、石處士德玉、徒單侍講公履、烏宣慰貞等，垂洟而言曰：天下少假公年，俾為我輩蓍龜，今而後過將孰寡矣！」仍以文誄之，至有「識敏學精，是既錫之以重，彼胡奪之以輕」，「溯長川而中流梔絕，涉遠路而半道車傾」。其為時賢敬惜如此。明年戊子春三月，改葬于康公里清水原猊渦之洄曲。奉常宋衜、教授趙澄、郝榦，進士太原劉冲、邑大夫李瑞僉曰：「先生卷德丘園，學貫三極，其行與業，為國人所矜式，可謂敏學先物、達夫世用者也。」遂相與據法而謚，表其封曰「文通先生之墓」。夫人永和靳氏，進士子玄之孫、安陽丞顯思之女。生子二人，先卒。家府沒，小子惲、忱等，服膺嚴訓，獲登仕版，粗有立于世。識者謂先生之志、之學，蓋有驗於後矣。是用昭揭神道，永示來裔。銘曰：

政為事樞，用乃道輿。學焉而兩不克，是為虛拘。融體用於一源，宜大行而窮居，其命矣夫！若或訓斯世而迪後，壽高名而不渝。固云先生之知命，胡其衡之不抒。

〔一〕此文文淵閣四庫本未收。他本所收，其中均缺一頁。　〔二〕世為衛之汲郡人：郡人，原闕，據王抄校本補。

碑陰先友記

曹居一，字通甫，北燕人。有文章，善談詣[一]。以謨畫佐征南幕府，官員外郎，卒。

劉祁，字京叔，渾源人。資純粹，早以文章擅名，有《神川遯士集》行于世。弟郁，以篆、隸、真、行名家，終監察御史。

牛天祥，字國瑞，上黨人。深天文武經學，歷恒山公府講議官，應東諸侯聘，客死聊城。

孟道，字伯達，琅邪人。性沉毅，有機果，威儀抑抑。以學業顯東海[二]。

趙澄，字公靖，公城人。性純古，有儒行，終衛州教授。

司之才，字進道，淇門人。業詞科，有聲場屋間。性悄直有口。

盧武賢，字叔賢，燕人。資雄峻，憙談兵，以客卿游諸侯間。

王之綱，字德柔，湯陰人。通世務，以儒術緣吏事。有《鹽鐵諸論》傳相下。

邢敏，字公達，秦人。性公直，明法令，以廉自持。用薦授左司員外郎，終大名府判官。

李禎，字彦祥，黎陽人。先考同年吏員，轉尚書户部掾，性温粹，以善淑稱。

釋朗秀，稾延人。行精嚴，内典外，《五經》、子、史，無不究覽，逮耄期不倦，示滅衛之仁化寺。

楊果，字正卿，蒲陰人。詞賦第，歷劇縣，皆有能聲。文彩風流，照映一世。拜參知政事，終懷孟路總管。

董瀛，字巨源，廉臺人。精力有幹局，常從王滹南問學，今為淮東按察使。

董民譽，字端卿，陽夏人。詞賦第，為人渾厚無圭角，與時浮沉，常參預江漢都督府事。

劉方，字元卿，陵川人。性清古，善歌詩。終衛輝路提學。

宰沂，字魯伯，洛陽人。才表氣豪，抱負奇節。嘗與中書楊維説降西山主帥，時人壯之，後為王府徵士。

張豸，字義夫，相人。性僻直，數從事郡府，少不合，輒望望棄去。

趙鵬，字摶霄，蒲陰人。純粹有耆舊風。金詞賦進士，用辟舉令泌陽，以廉能稱。

石盞德玉，字君寶，蓋州人。性至孝，與人交，愷悌篤信義，嘗與友共事，惡其不直，遂絶而不較。

勾龍瀛，字英孺，河南人。性方直，在河南有詩聲，述《姓譜》行於世。

烏古論貞，字正卿，遼東人。沉毅果敢。用廕任内侍官，得幸。北渡後，薄顯仕[三]，於去就不屑。

周惠，字德甫，隰州人。性慷慨，有大志。早貴幸，樂與賢士夫遊。終江淮都轉運使。

王昌齡，字顯之，滄州人。蘊藉有經濟材，由參議史忠武府知衛州，有惠政在民。

李瑞，字天祥，汲人。性强果，重義急難，凛古人風。達吏務，有調議，於先考執弟子禮終身焉。仕至潞州判官。

王贊，字子襄，登封人。性直諒。生平游元、劉間，好詩學。

劉冲，字進之，太原人。性剛克，敦友義，嗜學安貧，樂道人善，事與心會，激節感慨，有幽并豪傑氣尤。長於《左氏春秋》。

馬寅，字致遠，許州人。性雅重，嗜古學，恬於仕進。

丁居實，字仲華，錦州人。用廕以吏起身，有廉德。北渡後，以前代掌故，授禮部郎中，致仕。

馬佐，字佐之，滄州人。金明昌太學生，有賦聲。

完顏孟陽，字和之，遼東人。用門資起身為部掾，北渡後不仕。好古書，家藏至千餘卷。

沈侃，字和卿，魏人。資端方，精律學，嚴而嫉惡，由憲臺司法調陵州倅，致仕。

張善淵，字機道，譙人。少為黄冠師，性機警，有幹局，表表為玄門綱。

王磐，字文炳，永年人。經義第，人品高邁，儀範一世。文章精極理要，臨大節不可奪。今為翰林學士承旨。

徒單公履，字雲甫，遼海人。經義第，學問該貫，善持論，世以通儒歸之。性純孝，樂誨人。官至侍講學士。

陶諒，字信之，獲吕人。有吏幹，歷邑長，著能稱。

程和，字仲美，武陟人。長管庫材，以聚書教子為志，竟莫遂而没。哀哉！

胡璉，字國瑞，武安人。詞賦第，為人慈祥樂易，風流偉德度。子祇遹，有俊材，光大其先業。

朱萬齡，字壽之，雲夢人。生平以道學自負，星曆占筮乃其所長。

楊弘道，字叔能，淄川人。氣高古，不事舉業，磊落有大志。文章極自得趣，有《小亨集》行于世。

王信，字信之，南燕人。少為律吏，美豐儀，嗜酒，有氣義。

李班，字晉伯，北燕人。性介特，以品官子補部掾。

趙非熊，字周卿，安陽人。貞祐間，嘗以材武選為春官衛率。為人姿嚴厚[四]，可任以重事。

[一]善談諧：諧，文淵閣四庫本作「議」。　[二]以學業顯東海：學，原闕，據文淵閣四庫本補。王抄校本作「吏」。　[三]薄顯仕：薄，原闕，據文淵閣四庫本補。王抄校本作「歷」。　[四]為人姿嚴厚：姿，文淵閣四庫本作「資」。

長樂仟表[一]

汲郡王氏，其先河南陽武縣圈亭人，避靖康之亂，北渡河至汲，樂其風土衍沃，遂占藉為長樂鄉西晉里人。今墟落南原纍纍而阜者，蓋自肇遷已來丘壠也，族衍代深，法不可溝合，率藁殯兆外。時我曾祖府君，以大宗子覩其然而歎曰：「禮當改卜新仟，為王氏第二塋，明靈其舍諸，況責寔在我乎！」於是擇葬而東，得地於第四疃清溝之北，自禰而上三世，合群從，凡厝者廿餘龕，其紹已絕而力弗逮者，率棺衾畢具。遠近聚觀，莫不欽其孝之至、仁之厚也。及夫歲時墓祭，先西後東，傳于今而不墜。百年來，墓栢蔚茂，蒼煙梨雪，光動林陌，識者謂君子之澤，淵流而未央也！時則泰和之末、大安初年也。迨我有元至元十五年戊寅，不肖孫惲由翰林待制授朝列大夫，充河北河南道提刑按察副使。明年春三月，按部而南，過家上塚，首從二墳，以封以饗。其東仟則繚以短垣，周若干步武，復欲發達幽光，慨焉莫究。訪耆舊，則高年俱盡；考世德，則旌紀寂寥。因念天下之物，未有無本而立、舍祖而豐昵者也，然遠則疏，疏則不親，不親則涂人，此世俗之常情也。今王氏二百載間，丘墓移置者三：始焉西晉里，再卜白楊疃，分白楊而祖西河鄉。勢固有當然者，彼子孫浸遠，吾豈敢必其不源委泮涣、枝葉扶疏者哉！惟其泝流尋源，推末求本，明夫當然之理，固不得親其親而豐于昵者矣。後之來者，能以吾言世守而不易，雖百世可親也，而我祖建遷之義，是不可不表見于後。曾祖諱經，字伯常，讀書不仕，以仁厚比一鄉[二]，衛人至今以長者稱云。銘曰：

族萃蕃，理則遷，尊而祖，獲所安。論本根，不易存，祭先河，祖所遵。致時祀，首遠墳，取此法，裕後昆。繄我曾，寔古人，仁之厚，孝之純。西晉里，長樂原，憶墓栢，鎖蒼煙。鬱相望，見嬋嫣，孰不曰，王氏仟。銘貞石，表先德，陵谷遷，庶可識。

［一］文淵閣四庫本篇名下有「并序」二小字。　　［二］以仁厚比一鄉：比，文淵閣四庫本作「庇」。

管勾推公墓碣銘[一]

公諱德，字濟之，姓推氏。其先相州隆慮人，宋季有起身刀筆至州録事參軍者，以政尚嚴明，不畏强禦名。大父暨兄，金初避仇，徙家衛之共城。伯祖以材補縣吏，不幸偕蚤世。考復，字永亨，時在襁褓。母李氏，貧不能家，提之再醮邑醫杜氏。及長就傳其術，遂以良醫稱。公少穎異，能紹其家學，軒岐雷扁已來書，浩博不易究，悉研窮機要，所得為甚多。正大丁亥，以方瘍兩科中選，由醫工補省司管勾。公有藴藉，以德將藝[二]，為上官推重。生平志存濟物，故其診治疾證，未嘗以貧富易心，理或未安，歸若芒刺在背，隱不敢着席。初，貞祐大兵後，比屋疫作，與考謀曰：「今困厄如是，我寔司命，可坐視不捄？」遂大措湯劑，歷飲閭里間，其乏粥瀋者，復以米遺之，全活甚衆。天興初，盜起西山，約衆東走汴，中途遇劫賊，熟視為公，遽放仗前謝曰：「推君父子，鼏以藥惠脱我輩命，忍以非義加諸？」餘亦獲免。壬辰秋，歸隱蘇嶺，老者尊其德，病者賴以安，而少者訪其學。然神膏傳瘍，靈丸起廢，醫家者流，正有定法，而僻隱贅異等疾，在方伎所無者，公率能望知意料[三]，而決翕忽死生之變。如程氏子得腹痛疾，以食毒治而苦愈亟，謁公狀聞，曰：「此臟疽也，已無及矣！」程不應，公曰：「後三日當有腐血下而絶。」及期果然。晚節耽翫史籍，酣適醪醴，浮沉得喪，一寓情杯杓間[四]。或勸焉，曰：「吾方陶然遊太和之鄉，君可去，毋呶！」竟以飲致疾終，享年七十有二。配桑氏，鄉進士彦周之女，壼儀母道，有承平故家風範。生女子三人：長適司候張顥，仲女鉅家李氏，季歸王某。後公五年卒，壽八秩，聟顥等合葬古郭里柏門山南原殿士桑君塋西南隅，實至元二年二月四日也。後十五年春，惲按部南下，躬奠墓次，泫然興感，縱羊曇之淚下霑襟，時思罔替；終伯道之自遺伊慼，為恨何如？惟是鑽石紀銘，昭告下泉，庶幾少有慰焉。推為氏，歷考姓書不見，惟《潛夫論》載餘推氏出楚之芊姓，公豈其苗裔乎？銘曰：

軒岐有書，是為《内經》，洞達病機，惟明克能。於惟我公，天稟粹靈，靈丸起廢，神膏續肱。不主故常，以意智行，推本所自，其源淵渟。藝精多挾，度貨可居，高下其手，類夫吏胥。槩公處心，德度愉愉，拯溺捄焚，已焉是圖。相彼陽施，宜嗣厥後，本支顛兀，理莫可究。纍纍堂封，栢山南原，刻銘表公，以慰下泉。雖高深兮易位，尚知為鄉先生推氏之仟。

[一]文淵閣四庫本篇名下有「并序」二小字。 [二]以德將藝：文淵閣四庫本無「將」字。 [三]公率能望知意料：文淵閣四庫本作「公率能一望而知意料」。 [四]一寓情杯杓間：杓，文淵閣四庫本作「酌」。

故將仕郎潞州襄垣縣尹李公墓碣銘[一]

世有風誼之士，粹出天稟，不俟激昂，藹鄉曲之譽，稱於士大夫間者，李公其人也。公諱瑞，字天祥。其先潞州上黨人，系出唐昭武公抱玉之裔。五代季，遠祖以官家衛。公為人慷慨有機警，長身鋭目，髯模糊蝟磔，酒酣吐氣，抵掌談話，而英姿颯爽之餘，猶隱然溢眉睫間。少為縣吏，録録無所見。正大間，恒山公僊提孤軍宿汲，連九公聲援。君時給事莫府，參軍李仲愛其武幹，委以赤白囊事。公感其知遇，晝則荷戈捍侮于外，夕則抱牘上軍務于府，殊赳赳然。及宜津撤守跳大梁，既而京城疫作，縱饑民出，公倡率流播，救死扶羸，歸那延撤吉似，悉編為氓者千七百餘口。逮乙未春，家府一見喜曰：「此跅弛士也，教之當有用。」遂礱夫糲厲[二]，日致其詳謹焉。州召為吏主掾，數不屑去。壬子秋，詔以衛六縣為丞相忠武公采地，參卿王公來主州治，舉能理劇，署之典簿領，聽其指，縱躍如也。巨細之務，釐補肅叙，効其用居多。俄薦授録事參軍，兼汲邑長，將順拊循，至有惠愛。至元三年，總尹陳公以材辟府從事。六年，積前後勞，赤牒授潞州判官。棲遲下位，德及民為艱，故寬簡持大體，謙讓睦僚友，聽共佐理，中多裨益，了不露己出，至上敬下安，惟恐秩竟而去之遽也。九年夏，予調官晉府，過家上冢，胙飲水濱，話平生甚悉。翼日，鷄一鳴，送予遠郊外，泣且言曰：「吾老矣，不能為升斗禄走形勢途，弟相見期邈，未知復無恙否？」遂哽噎訣去，予亦歔欷久之，且訝其遽如許也。其秋，以訃來告，嗚呼哀哉！公事家府執弟子禮，三十年始終如一日，一别終天，葬弗逮送，吊不及哀，銘誄未彰，有恨何如！嗣子震既礱石墓道，百拜來請銘，曰：「無庸，固所願也。」公姿孝悌，憙賓客，賑窮繼乏，雖脱驂指囷，略無難色，至於排難解紛，不自顧藉，猶焚溺之在己；復能通下情，知疾苦，姁姁欸欸，老安少懷，與人接，無貴賤禮夷，故牛童馬走，盡得其懽心。晚節備嘗世故，小心儉畏，以省事為樂。有訟來質成，公温言理喻曰：「緩急人時有也，其忍以小忿興怨，可退思自省。」既而偕謝曰：「公長者，過不敢復聞。」又善營搆事，不為巧飾，要以敦鞏延百載上，如衛之泮宫、潞之儲廪是也。初，農民發野塚市甓，下令禁焉，暴委之患遂絶。士人牛國瑞聞公義，託妻子東遊，客死聊城，為經紀其家。又石其氏者坐事累，猝不易辨明，索之急，投公匿焉，竟賴以脱。里有喪，率匍匐救視，孔懷之情，踰於兄弟，至貧不能舉者，棺衾坎壙楄柎之物，必具葬乃已，其周急趍難甚於己私，類若此。終飲德不伐，閑居灌繫樹藝，麄衣糲食，與老農老圃為伍，殆將終身焉。噫！衰俗頹波中，矯矯然有古義士風，出則智効於官，處則行比一鄉，可謂不凡者矣。士方以壽祉期公，一旦暴僨，不及中壽為惑，豈氣盛亟衰，物剛易折？推原本自，理或亶然。然觀義之所在，有不亡者存焉。異時有帶劍喬林，讀予文而興起者，未必不拜酹公墳，俾配食於縣社也。公仕至將仕郎、潞州襄垣縣尹，命已下卒，春秋六十有四，實九年壬申七月十九日也。配張氏，先卒。女二人：長曰阿醜，女甥魏珍；次未笄，皆繼公没。嗣子震實主其喪，葬汲縣唐津里清水之南源。銘曰：

太史著書，游俠與侉，不軌正理，匪暴豪邪。行而宜之，義莫有加。李公之先，奮跡將家，餘烈有光，流而義華。故俠焉負巨先之氣，行焉佩仲由之猳。家府與訓，化而柔嘉，據理施惠，如有等差。趨人之難，甚於己私。孤不自存，我衣食之；貧不喪舉，我棺窆之；野塚纍纍，公助半之。夷考其行，匪義則邪。以之莅官，敏而外和。絲棼我理，瘡疲我摩。方百里之命下，俄春者之不歌。心則罔單[三]，其如命何？念公平生，涕泗滂沱！番番良聲，公榮寔多。泉流西東，太行峨嵯，我

銘刻石，等與不磨。（以上《秋澗集》卷五九）

[一]文淵閣四庫本篇名下有「并序」二小字。

[二]遂礱夫櫔厲：文淵閣四庫本作「遂礱磨砥厲」。

[三]心則罔單：單，王抄校本作「殫」。

全元文卷一九三

王惲 二七

大元國故尚書省左右司員外郎韓公神道碣銘 并序

夫朝廷山林之士，有往而不返、入而不能出者，惟其勇於靜退，貞不絶俗，是則為丈夫之事，吾於鄉先生韓公得之矣。公諱仁，字義和。父顯，有融德，不耀。公甫冠而孤，事母以至孝稱，好學强識，聞一善事，樂為而不饜。正大間，舉孝廉，辟為州孔目，以能充元帥府令史，方羽書交馳際，公勵精所事，為上官推重，番譯史安天合為相友善。壬辰北渡，隱居鄉閭，澹嘿無所營。庚子歲，詔行臺於燕，開幕府，選參佐得良能為亟，用安侯薦，首聘公充尚書省都事。癸卯春，以國計北覲，上詢以金粟川流，蘿圖鞏固，將何策可濟？對者以十數，獨公敷陳詳明，簡而得要，有「鑒古訓，用賢材」之說，上喜甚，仍奏天下困窮者寔繁其徒，方發政施仁之秋，宜子惠，俾霑大賚，允焉。迄今貧子月給廩料，蓋自公伊始。是年秋，丁母梁氏憂。尋奪哀，起授左右司員外郎。公早夜在公，以吏務自任，郎中李獻卿才望重兩朝，亦許公和光解紛，能就吾事。又明年冬，以祔母夫人，得告南歸。既襄事，偕内子張氏棄俗入道，自號逍遥子，遂西遊太華、終南諸山，黄冠野服，偃然閲世，如老松卧雲壑者逾三紀焉。公資明淑，生平與物無忤，其薦賢周急，有大過人者，宗族籍之通達者甚衆。嘗買僮，即約之曰：「汝等以世故，不幸及此，義則黽勉相從，否則任渠所往。」晚節專以方書濟人為事，聞一秘方奇訣，求訪百至，易千金不惜，歲久得益多。如《煙霞醫林》等集，悉鋟梓流布，猶虞所傳未暢，擇標治者遍書里巷壁間。京師物繁，歲多奇疾，賴公起死者不勝紀，例來謝，辭不見，曰：「吾庶幾道念濟苛苦而已，餘何冀[一]？」當時少傅竇公亦以醫方談客，多獵神農經所載為用；公則博採經驗，所謂海上方者，録之無遺。二公雖趣向不同，於博施則一也，故竇韓之名，並傳于世。先是，道人謝志賢等歆公進退有道，心存濟物，殆非尋常所可及，遂請主神寶、修真二觀，餘三十年，奉公猶一日。公有二姪：長曰天祐，泰鹽提舉；次德旻，由後衛從事充樞密院令史。德旻以公耄期，迎置家庭，與妻苑氏侍養送終，禮無少憾，士論賢之。公以至元十九年十月望日，考終牖下，享年八十有四。某月日，將歸窆汲縣耿岡之新壠，墓須銘，以鄉耆故來屬筆，其敢以蕪斐辭。銘曰：

頌允韓公[二]，生有淑質。陳力周行，孝廉應辟。移而為忠，載揚厥職。濟物之心，一何云亟。漢署千官，含香入侍。經國之對，允合眷思。片言回春，仁春之賜。脱屣榮貴，神武挂冠。退身急流，又人所難。全真為教，樂在一簞。青囊集驗，救夫世瘝。旁搜轉施，一壺市間。保合大和，浩浩其天！我鍊我形，我駐我顔。較彼獨善，九鵬一鶴。棲遲有窠，逍遥有篇。青山白雲，玄門老仙。黄岡北原，睠焉故山。惟耿新壠，繄公改遷。魂兮來歸，諒先生之所安。

[一]餘何冀：冀，文淵閣四庫本作「計」。　[二]頌允韓公：頌，原闕據明修補本、文淵閣四庫本作「顯」。

大元故濛溪先生張君墓碣銘 并序

余官晉府者四年，得進修之士一人，曰濛溪張君。每暇與相往來，把酒論文，最可尚者，君無求於人，人之有得於君，殊冲然也。私自衷念，異時禮文興舉，吾儻與當任渠責。及承乏翰林，君墓草已宿。乙未夏，其子思敬來京師謁余，以墓銘為請，慰唁餘，為歔欷者久之。言猶在耳，其忍以不敏辭？君諱著，字仲明，姓張氏。世為襄陵縣張相里人。曾祖諱某，雅重然諾，顧義所在，雖死生以之。祖願，父彬，皆潛德不仕，讀書治田，子孫相傳，以為家法。君少穎悟，不待勉勵，卓然自志於學。國朝戊戌歲設科取士，君以詞賦中選，既而嘆曰：「士當遠大自期，雕蟲篆刻，將何為哉？」適貽溪麻先生洎前進士兑齋曹丈來主經局，君喜且不寐，曰：「今而後，吾學有所正矣！」遂刮去故習，沉潛伊洛諸書，雖饑渴寒暑，貧窮得失，不易其初心。所謂道之體用，文之華實，探涉其源流，咀嚼其膏味，積而為文詞，發而為事業，不盈不矜，介然家居，以樂育諸生為業。中統建元，頤齋張公以直道清節宣撫河東[一]，廉君才行，擢主潞城簿，政廉能，以畏愛稱。明年，公去，事齟齬不可為[二]，以親老西歸，有司累辟不就。至元乙酉，用薦者授平陽路儒學教授，於是衆論大饜〔三〕，士風為一變。先生年彌高，德彌劭，學益博，文益奇，士友知所依嚮，吏民咸有矜式，秩竟，不聽其去者逾再考。厥後，子思敬自南陽教官來省，聞彼中風土，樂焉，曰：「名山大川，平日所願見！」遂命駕南遊。以至元壬辰夏六月廿六日，考終寓舍，享年六十有九。初娶陶寺里大家趙氏，一子思敬。二女，長嫁同邑王黼，次適洪洞梁龜齡。繼室曲沃靳氏。孫男二：曰世權、世衡。思敬以家學今充隆福宮宮教先生，姿明亮，色夷而氣清，為人誠厚寡欲，不戚戚於貧賤，與人交，始若疏澹，久之愈敬而愛，人百負之終不較，望而知為雅德君子。其成就後進為己任，故晉人以文名而達者，多出其門。竊惟亡金百年來〔四〕，平陽號稱多士，每歲舉子赴選，大約數倍諸郡，至有白首場屋，庶幾一第，餘有不暇及者，唯君年甫冠即能知所學所從，拔出習俗，潛心古道，踐履外，詩文雜著曰《濛溪集》者，五百餘篇，何多矣哉！晉絳諸人未之有也，况一辭一藻〔五〕，典雅有法，理明辭約，以自得為主。是可銘。銘曰：

四科稱賢，曰德與藝，其在聖門，用不偏廢。文乃道輿，經天緯地，苟遺其本，剽竊何異。利祿科場，疇非誕誇，聯綴補緝，是足言邪。濛溪為學，其復不遐，洗心程張，正藝曹麻。閉門窮經，其書滿家。玉佩瓊琚，粲焉辭華。含章時發，其助也多。士之生世，濟時行道，時既我乖，立言明教。生榮歿傳，朝菌夕蓼，達人大觀，彼此奚較。大川河宗，名山華崧。地靈氣異，先生所鍾。一朝長遊，杳焉飛鴻。世皆知仁智之所樂，吾獨為歸根返壑乃先生之所終。凌倒景而不滅，其元精耿耿，固浩乎其所不窮。適來吾時，適去吾從，先生之心，與造物也從容。尖山西東，相里新宮，我銘斯石，如勒景鐘。雖陵遷兮谷變，尚知為濛溪先生之封。

[一]頤齋張公以直道清節宣撫河東：節，文淵閣四庫本作「操」。 [二]公去事齟齬不可為：去，文淵閣四庫本作「見」。 [三]於是衆論大饜：饜，原作「厭」，據文淵閣四庫本改。 [四]竊惟亡金百年來：竊，原作「切」，據文淵閣四庫本改。 [五]况一辭一藻：况，王抄校本作「及」。

故趙州寧晉縣善士荆君墓碣銘 并序

元貞元年春，廉訪荆侯改道北燕，過京師來謁，再拜以先表屬筆。因念予與侯初定交於瓊陶，一見如平生，後十年，復會于東楚，握手道舊，勉予南行，忠厚之氣，藹然萃顏間，令人有不能忘者。今以是來託，載惟疇昔[一]，其敢以固陋辭？謹按典瑞少監焦養直善狀：君諱祐，字伯祥，趙之寧晉人。世陶洨濱，逮祖暨禰，以改工是圖，曰：「與其供器用於一鄉，曷若以善及人為愈。」於是板行《五經》等書，不二十寒暑，荆氏家籍布滿河朔。君甫冠而孤，每以保大家業為志。貞祐兵，乃取《五經》、《泰和律義篇》、《廣韻》板，閟墟垠中[二]，亂定來視，盜發掘無幾，君悉力補購，隨復為完部。或者云：「初藏書時，善本固多，唯取是三者何哉？」曰：「經者道之本，法者治之具，韻者字之始，文籍所由生，其為善已多。」聞者為知本。于時官府生聚，雖稍稍有立，詩書法律，晚生後輩不知為何物，一旦得是，如瞽者復明、迷者之知津也。而又印模精，取直廉，故售者廣，屋日為之潤。所可重者，積而能散。縣人王壹者，坐事累繫獄，吏挾私欲死之，君力與營救，彼不顧，且諷而徼賄，竟傾貲出之。渠來謝，却不見，曰：「吾區區若然者，憐渠罔陷非辜[三]，餘何有？」壬子歲，州縣通籍，冒占者有禁，里嫗礕而來依者，惻然以乳姆收恤。轉易書輩，往往宿負，審其窶，既折元券，復惠之書。嘗有以女奴來償者，辭不克，娉而良焉[四]。斯皆風義矯矯，人難能者，率樂為之。故鄉里無親疏，以善人稱。君以丁巳秋遘疾，遺命仲子元綱曰：「伯叔二喪未克葬，汝勉襄大事，以卒吾志。」言終而逝，實是年八月八日也，壽五十有九，藏先塋昭穴。君資和易，處事明敏，終以失學為愧恨[五]。及諸子長，皆教之讀書。嘗訓飭曰：「吾己面墻無及，今幸嗣先業，庭户間書帙紛緼，豈有資人進修，暋不自力，將何以免君子之譏？且先世易治而裘，所期正爾，汝曹其勉旃！」君初娶劉氏，繼室蘇氏。生四子：長國器，中戊戌詞科；次國用，善屬文，皆前卒；次元綱，自幼有成人風，君嘗語所親：「異時保家子也！」竟如言；季幼紀，為人雅重，信道篤，少從敬齋李先生學，所得為多，由典瑞貳卿擢任風憲，今為山北遼東道廉訪使。女一，適進士張景賢孫懷寶。男孫九人：曰諶，曰詢，曰誠，曰謙，曰謐，曰誼，曰諒，曰詡，曰諏。女孫五人，一在室，餘皆適士族。曾孫九，女孫如之。於戲盛哉！予然後知善惡之報，至子孫而後定者審矣。銘曰：

繄士居業，擇術是先。有篤者志，善乎變遷。捨鈞治書，理幾於妍。顯允荆君，思深業專。暂教子而亢宗，見藏書之有權。要本孝義，奉而周旋。萃英敷華，焕乎簡編。迪我後人，學者賴焉。

磊落載腹，宛從蹄筌。積厚能散，憫窮拔寃。不有其祉，委順百年。慶流後裔，子孫蟬嫣。人定彼勝，其然亶然。二子翩翩，遺珠在淵。仲克世荷，顧而稱賢。季由近侍，三使輶軒。較夫善利，孰大斯傳？固惟自稽古之力，實資藉之所緣。欲報之德，有昊者天。刻我銘章，于晉之阡。遹追來孝，以慰下泉。異時推耆德而配鄉社[六]，尚有考於瑶鐫。

[一]載惟疇昔：載，王抄校本作「追」。　[二]闕墟埌中：埌，至治本作「琅」，文淵閣四庫本作「壙」。　[三]憐渠罔陷非辜：渠罔，文淵閣四庫本作「爾妄」。　[四]娉而良焉：良，原闕，據至治本、明修補本，王抄校本補。此句文淵閣四庫本作「聘而遺焉」。　[五]終以失學為愧恨：恨，文淵閣四庫本作「憾」。　[六]異時推耆德而配鄉社：配，文淵閣四庫本作「祀」。

共喦老人石琖公墓碣銘 并序

公姓石琖氏，諱德玉，字君寶，遼東蓋州人。踈髯炯目，氣骨臞清，超超然如萬里之鶴。貞祐初，以良家子從軍[一]，敚夏折橋功得官，積勞至武德將軍。北渡後，□居相衛間[二]，母杜氏，唐相如晦後。公天性能孝[三]，愉色婉容[四]，班衣垂白，朝夕孺慕。雖菽水無餘[五]，有南陵白華之志[六]。時杜壽登八秩，清修絶葷茹。素日庭除間[七]，生白菌百餘本[八]，掇去復茁者數月，人以為孝感所致，時名公贈詩[九]，有「似憐甘旨闕，春風玉芝香」之句[一〇]。□□□□□尤篤，趨人之急，逾於己私。至遇不□□□□□□□□竹木花石，時釀名酒，客至輒飲，飲必醉而即歌[一一]，□□而後已。眼花耳熱，與之扶策，□□□□□□□□之某處手植而即蕃者也。此吾□□□□□□□□眄柯怡顏喜津津溢眉睫間曰：「吾且富有[一二]，□不□壁矣。」嘗種竹當户，或謂太迫，曰：「待其蓁茂秋霽月明之時[一三]，俾清樾透簾，為此君寫真耳。」故終日翛然對之，揮灑為樂[一四]，其清澹如此。晚年游心命書，人有問，必以修己安分為答[一五]：「能此不待孤虛相旺，吾言固有徵矣！」歲丙子[一六]，公年八十有五，嘗繪《共山歸隱圖》以自歌其所樂[一七]，因號共喦老人[一八]。是歲冬，灑然而逝，若委蜕焉。孺人劉氏，能遂公初心，主治中饋，不知其為貧家也。生女子二人：長適御史康天英，次適河東道提刑按察使姜彧。家府與公交欵曲，篤世契三十年，一別終天，有恨何如！尋步入街西故里，眄睞竹樹，慨然有聞，遂懷人之愴，老淚濡毫，而有斯作。銘曰：

貧而樂有類乎黔婁，心而隱似慕夫德翁。事親極融融之樂，逢辰出蹇蹇之忠。布衣歸來，默而自容。將裴徊而孰友？侶蓁筠而伍喦松。生也順事，歿寧吾躬。古之所謂鄉先生死而祭于社者，其處士之堂封乎！

[一]以良家子從軍：從，原闕，據文淵閣四庫本、王抄校本補。　[二]居相衛間：居，原闕，據王抄校本補。此處原闕二字，文淵閣四庫本作「歷仕在」。　[三]公天性能孝：能，王抄校本作「純」。　[四]愉色婉容：婉

容，原闕，據文淵閣四庫本補。王抄校本作「恰聲」。　［五］雖菽水無餘：餘，原闕，據文淵閣四庫本、王抄校本補。　［六］有南陵白華之志：陵，文淵閣四庫本作「陔」。志，原闕，據文淵閣四庫本補。王抄校本作「樂」。　［七］素日庭除間：「素」、「除」原闕，據文淵閣四庫本補。此句王抄校本作「一日庭户間」。　［八］生白菌百餘本：生，原闕，據文淵閣四庫本補。王抄校本作「産」。　［九］時名公贈詩：時名公，原闕，據文淵閣四庫本補。王抄校本作「故名卿」。　［一〇］有似憐甘旨闕春風玉芝香之句：玉芝香，文淵閣四庫本作「茁玉芝」。　［一一］客至輒飲飲必醉而即歌：「飲飲必醉而即歌」七字原闕，據王抄校本補。　［一二］吾且富有：富，原闕，據王抄校本補。　［一三］待其藁茂秋霽月明之時：明，原闕，據文淵閣四庫本補。　［一四］揮灑為樂：揮，原闕，據文淵閣四庫本補。　［一五］人有問必以修己安分為答：修，原闕，據文淵閣四庫本補。王抄校本作「守」。　［一六］歲丙子：歲，原闕，據文淵閣四庫本、王抄校本補。　［一七］以自歌其所樂：所，原闕，據文淵閣四庫本補。王抄校本作「貧」。　［一八］因號共嵒老人：共，文淵閣四庫本作「洪」。文中「共嵒」，題目中「共嵒」，均同此。

大元故廣威將軍寧晉縣令李公墓碣銘

公諱讓，姓李氏，其先易水黄山人也。父海，姿善良，世樹藝為業。公既孤，母張氏以健持家［一］，就熟南遷至寧晉唐城鄉，愛其風土，遂占籍為縣人。公初生，顱骨有異狀，及冠，美鬚髯，聲音如鐘，為人善騎射，勇於赴義，為一方推服。貞祐初，河朔失守，所在寇盗充斥，日相吞噬。公慨然輟耕壠上，團結鄉豪，游獵陸澤荆蘭間，以保庇井邑為事，蓋有所需，以明歸附之志。歲己卯，天兵南下，公與兄直，首率里人迎拜歹兒那顔於軍門，嘉其效順，授直行寧晉縣事，公管軍總校，仍聽元帥蔡國公節制。時歲荒民饑，道殣相望，縣東有水栅曰瀝城，大澤瀰漫，周浸百餘里，菱芡魚鳧資生之物甚富，民往依，大獲厥所。庚辰秋，金冀州將柴茂以兵來取，兄與公力戰而前，直死焉。公憤大兄敗歿，衆又失所庇，以圖報復瀝為誓，雖食頃不忘也。繼從縣長王帥復奪其栅，居無幾，茂復合大勢來争，前次滿氏泊[二]。公聞之，盡匿精鋭於瀝傍二十里叢葦間，以弱誘茂，令之曰：「伺彼過，聽金聲而作。」親驅數百人前逆，鋒纔交，即陽北，逗茂逾紀氏塢，金鳴伏發，茂腹背受兵，大挫其鋭，公回戈追奔，五戰皆捷。自是冀人聲熠，不敢復窺滹垠矣。瀝城用以全安。帥閫酬勞，授主本縣簿。乙酉冬，武仙以真定叛，麾下劇節副鄭進等乘勢剽掠，趙癭陶迤東悉為丘墟。公度力不可支，收合餘衆，乃與鼓藁二王帥合勢[三]，併破劇鄭諸砦，馘數百級而還，所失保聚生齒，皆得復故。丙戌冬，仙復令劇鎮戍趙州。明年春，從大兵規取克焉。時太師木花里以奏得顓封拜[四]，録公前後功，授公行鼓城帥府右監軍，并授銀符[五]，使顓異焉。既而陞充本縣令，以寧昌為世封。於是招流亡，布恩惠，畫井閈，起市集，鄽居有貿易之利，田里無追呼之擾，四民樂業，外户為不扃矣。又為勸田務[六]，抑游墮，扶寡弱，法姦蠹，是又公之所必行而求自慊[七]。民有衣食不自給者，公發私藏以贍之富足，帥府聞之，為復其三年。公雖貴，必耕而食，蠶而後衣，居嘗以榜揭門扉，私囑干謁，請毋相覿，其廉守如此。癸丑春，以老致仕，令男天澤嗣職，優游里社，日課子孫，耕鑿為務，嘗斧桑田間，或勸之，公曰：「官時來耳[八]，為農吾家素業，我若爾，兒輩尚墮而自安？」或者謝而去，古人稱「貴而能賤，丈夫之事」，公其有焉。以至元十一年十月廿二日，考終牖下，享年八十有七。越四日，葬縣西北下王里之新塋，禮也，祖送者幾萬人。夫人祕氏，趙氏，張氏。子男六人：長曰天澤，歷寧晉元氏兩縣簿；次天禄，本縣奥魯千户；次天祐，監寧晉酒；次天祚，不仕；次天祥；次天祜，某鎮巡檢。女四人：長與次俱適趙氏；次適牛氏，次適郝氏。男孫一十九人，女孫一十三人。重孫男一十八人，重孫女一十三人。初，公畜家僮數百指，悉縱遣為良，曾無鬻身分役之責，人又欽其德厚云。天禄性孝義，仡仡有父風，以北孟舊塋屢為滹浸所嚙，遂改卜於此。既襄事，贄禮幣百拜來請銘。予方問俗洨濱，見其遺黎故老，脱離兵革六十餘載，猶為懷思王李諸人，眷眷不忘，有配社尸祝之報。嗚呼！貞祐之亂，可謂離且瘼矣！元元之民，莫適所歸，不為人所魚肉，必轉死溝壑。如王李諸公，雖奮棘矜、起壠畝，至於父子昆弟出死力角，群豪經營捍蔽，使一方奠安，又識夫天運所在，挈民去危邦而就興國，誠亦出人意表，一時賢豪者也！甫定後，復能俾官府，生聚日就完好。今歷官鄉曲，歲時拜墓，于于而來者，皆曩時不能自存之嗣續也。其德民之厚、感民之深，又何止童不雉捕、長江之虎渡者哉！宜其子孫繩繩蟄蟄，皆有所立。然後知德施於民，功被一時者，天之垂報，何其豐且阜哉！銘曰[九]：

瘦陶北郊，里號下王，顧瞻佳城，蔚乎蒼蒼！是為晉長，李公之藏。惟是李公，千夫之防，果毅之勇，木訥之剛，奮身隴畝，舉圖義匡。貞祐南播，雲擾之俶，割據侵凌，互相魚肉，民匪殲夷，轉死溝谷。宛彼滙城，居水之腹，菱芡魚凫，大益不足。聞公來依，襁負相續，如鹿走音，如鳥棲木，四境騷然，獨為樂國。耿氏昆仍，旌旗部曲，既復兄雠，又知所屬。草昧初分，官府始置，戢我武幹，明夫吏治。内守以廉，外方以義，撫循有方，興滯補弊。扶弱仰强，繩姦束吏，百戰遺黎，竟保終惠。民之戴公，頌聲嘰嘰。尸而祝之，懷思罔替。勒銘豐碑，尚克永世。

[一]以健持家：健，文淵閣四庫本作「儉」。　[二]前次滿氏泊：泊，原闕，據至治本、王抄校本補。　[三]收拾餘衆乃與鼓藁二王帥合勢：「衆」、「乃」，原闕，據文淵閣四庫本補。王抄校本作「燼」、「比」。王，文淵閣四庫本作「主」。　[四]時太師木花里以奏得顓封拜：奏得，原闕，據文淵閣四庫本補。　[五]并授銀符：并授，原闕，據文淵閣四庫本補。王抄校本作「仍佩」。　[六]又為勸田務：又為勸，原闕，據文淵閣四庫本補。王抄校本作「至督」。　[七]是又公之所必行而求自慊：而求自，原闕，據文淵閣四庫本補。　[八]官時來耳：耳，原闕，據文淵閣四庫本補。王抄校本作「然」，則斷為下句之首。　[九]銘曰：原脱，據至治本、文淵閣四庫本、王抄校本補。

大元國故河中府南北道船橋總管謝公墓碣銘[一]

君諱企石[二]，字仲進。其先燕之香河人，世守儒業。父某，金吾衛上將軍、河東路總帥[三]。公其仲子也[四]，為人性行淑均，沉實有顧慮。既冠，嘗從父西破川蜀，每領牙隊居前，當破竹際，掩目隱心，未嘗以嗜殺為快，雖執訊獲醜，力為全活者甚衆。用勞充秦鞏路軍儲大使，辦集有方，餉道為不乏。丁巳夏，先帥薨，君實主其喪，縗杖瘠立，躬起塋壠，棺衾儀物，既昜可觀，會者大説。復樹豐碑，昭德神道，其例新仟有光焉。大兄維石，襲父職，役軍中，行臺檄君以例繼，執不可，曰：「兄念天顯，極友愛，顧某不啻若手足，然家事一聽予處，鞠立之責，正在今日。」竟以其嗣往代。其遹追永言之思，友于卹孤之義，蓋終身焉。其爾過於人遠甚者，類多此[五]。晚節以故侯失將，駕下澤，乘欵段，遊居中條，田間耕牧卒歲，裕如也。至元乙亥冬十二月廿有六日，以疾終平陽府崇道里私第之正寢，得年五十有五，官至河中府船橋總管。越三日，厝於府東神泉鄉之南里原，從遷壠也。萬口稱惜，咸以善人歸焉。夫人劉氏，晉之平陽人，德柔嘉，主內事殊嚴。生三子：長曰純，克家有立志；次曰繹，謹愿嚮子道[六]；季夭。女一，適裴氏子。孫男一人，未名。既卒哭，嗣子純來求表其墓道。予私念其故，昔孔子遇舊館人喪，脱驂馬以賻，曰：「吾惡夫涕之無從也。」君於予西道之主人也，從游讌語，姁姁然蓋三年于兹，殆非過客之有頃，其可辭不敏。君生長秦晉，出身軍旅間[七]，而禮度雍雅，不知為將家子，與人交信厚□□終始無間言[八]，其在諸弟間，棣華輝蔭，惟恐弗及[九]，又出天禀粹然也。嗚呼！以君之德之壽較之，有不相稱及者。仍哀之以辭。銘曰：

蒼茫兩間，生也倏寓，一氣之來，命有定數。彼修短與奪，理則有之，若不繫夫善惡積習之故。嗚呼！謝君一僨而去，孝友淑善，曾終始渝素。天之報施如此，豈定者不可奪、來者固所與也？將子孫延昌，以永其終譽邪？吁！

〔一〕文淵閣四庫本篇名下有「并序」二小字。　〔二〕君諱企石：此四字原闕，據王抄校本補。文淵閣四庫本作「君諱某字」。　〔三〕世守儒業父某金吾衛上將軍河東路總帥：「世守儒業父某金」七字原闕，據文淵閣四庫本補。　〔四〕公其仲子也：公，原缺，據文淵閣四庫本補。　〔五〕其爾過於人遠甚者類多此：類多此，文淵閣四庫本作「多類此」。　〔六〕謹愿嚮子道：嚮，文淵閣四庫本作「盡」。　〔七〕出身軍旅間：出身軍旅，原闕，據文淵閣四庫本補。　〔八〕與人交信厚□□終始無間言：「厚」、「終始」原闕，據王抄校本補。此句文淵閣四庫本作「與人交信而誠，人無間言」。　〔九〕惟恐弗及：及，原闕，據文淵閣四庫本、王抄校本補。

故將仕郎汲縣尹韓府君墓表〔一〕

府君姓韓氏，諱澍，字巨川。其先陳留酸棗人，世以儒業顯。遠祖有方，官至大司空，六代祖璹，累階銀青榮禄大夫，五季間北渡河，遂占籍為衛人。榮禄生朝奉大夫祇德。朝奉生八十一秀才奕山。山生渤，亦舉進士。渤生柜，善居室，遂用富饒，於君為曾祖。祖悦，有淳德不耀。父仲，字仲寬，所居以善行稱。君自稚齒，性沉潛，寡言笑，群兒劇里中，過不少睨，宗黨異焉。稍長以刀筆起家，用言者為安陽吏主掾，以能入為府屬吏。丙辰歲，朝廷以相之五縣封太弟為采邑，繼郡帥例肆覲，君毅然以民計從行。及敷對稱旨，擢為本府户曹孔目官〔二〕。明年春，降璽書，起聘君。太原高公鳴為彰德路總管，遂汰冗員，擢群能，新舊圖，至設府史不數人，君首以才選，無幾轉按牘提控官，夙夜在公，勵精所事，閱六歲，克勤猶一日，大為總尹所知〔三〕，守録事參軍〔四〕。至元二年，轉官制行，積前後勞，授以縣尹。下車首以美俗邵農為務，顧謂僚屬曰：「富足者，禮義之資；耕桑者，風化之本。至於飾亭傳，謹迎候，奉上官，徼目前譽[五]，非吾所知也。」於是下教條，課户丁，斸蓺薄，植桑菓，以敦大本，非農隙不許入城市，暇則行縣檢視勤墮而賞罰焉。自是邊隰畇畇，榛惡為有間，鄉鄰有以忿鬩訟於庭者，君曰：「孝悌力田，親仁善鄰，古之善道。初無大故，何乃至爾？」諭而遣之。至頑不率教，則曰：「聽兩造，明曲直，是不難，恐一置於罰，終身玷辱，為鄉黨指誚，吾惜汝者此也！儻不吾念論如法。」比秩滿，五事備舉，所獲來暮之歌，厥聲載路矣。」五年，用新銓法，勑授將仕郎，主高唐縣簿，凡九月，輿疾歸。明年，卒於絃歌里舍，得年四十有八，實至元庚午春二月一日也。越十有九日，從葬安陽縣西陵鄉武官原之新塋。母李氏，時年八十，拊柩而哭之慟曰：「天乎！遽奪我純孝，至此酷邪！」聞者憫其賢孝。縣君金相人，進士秦公之孫，配君德良稱。生子男三：長曰從益，自憲臺六察史，今為燕南河北道提刑按察司書史。次從愿；從革。女明童，適王氏子。男孫四人。後九年，歲戊寅冬十一月七日，終祔安玄堂之左，禮也，初，縣境夏大旱，比致禱私，念事之壅底，獄之鬱滯，亦沴氣是致，乃裁決牢繫為一空。及禱蒼山祠。雩舞未收，雲幢幢起中谿，翼日雨盈尺，繼謝祠下車還，衆曰：「尹精誠若是，當有回馬雨表公處！」至半途果然。尋鄰道以蝗災告備，已而竟不入境，縣狀其異以聞。是秋為有年。君溫雅有沉量，慮事遠，善措畫，臨政暇裕，略不動聲色，亦未嘗矜喜以己長格物。其孝愛友悌，出天秉粹然。不忍一朝違母氏側，嘗行役踰時，眷焉陟岵，寢餗為不安，於承顏孺慕若此其至。初，見弟季既多，枝葉蕃衍，門户事繫重[六]，故挺身吏業，盡心所事，匪厥躬是私，期於庇本根，寬父母抱者幾三十年。若府君者，可謂克孝克恭，念顯養志者矣。某祖妣韓，是為君女叔。曰女叔者，稱父之妹也。出六帖。君之嗣從益，厠某行為外弟[七]，一日跽而請曰：「先人棄養，奄踰八年，坎不及誌，有銜未袪，唯是表於墓左者又闕，罪惡之大無可言，若銘則尚於兄焉有託。」某追惟祖妣平生之言，得君抱為最詳[八]，因繫之以銘。銘曰：

於鑠韓氏，世為儒之宗兮。彯纓若綬，揚歷位乎公兮。猗嗟裔孫，掾習匪其躬兮。黽勉從事，養夫親之志兮。庇我本根，殆葛藟之義兮。聖哲所稱，吾今見其人兮。於穆府君，諒彼古之倫兮。兩漢循吏，鑄頑以成仁兮。嗚呼令尹，誠亦吏之循兮。予銘摭實，其敢過為文兮。魂而有靈，尚慨嘆之一伸兮！（以上《秋澗集》卷六〇）

[一]文淵閣四庫本篇名下多「并序」二字。　[二]及敷對稱旨擢為本府户曹孔目官：「旨擢為本府」五字原闕，據文淵閣四庫本補。　[三]大為總尹所知：所，原闕，據文淵閣四庫本、王抄校本補。　[四]守録事參軍：守，文淵閣四庫本作「轉」。　[五]徹目前之譽：文淵閣四庫本作「徹目前之譽」。　[六]門户事繫重：繫，文淵閣四庫本作「繁」。　[七]厠某行為外弟：厠，文淵閣四庫本作「次」。　[八]得君抱為最詳：抱，文淵閣四庫本作「行」。

全元文卷一九四

王　惲　二八

故善士張君墓碣銘　并序

善士張君諱從禮，字仲和，順州龍山人。大父德仁，有耆行，鄉人尊敬之。禰義，嘗任燕工技府總管，既老，君當襲職，請於府曰：「親老需侍〔一〕，余志已定。弟從順，賢而克荷，願畀之。」竟以從順嗣。仲和姿清介，不隨俗上下，嘗從澹游先生學詩〔二〕，甚自憙也。事母教弟，以孝友聞，承顔讀書，外室屢空，宴如也。君既不樂仕進，嘗曰：「菽水盡歡，不害養志，三釜五鼎非所願也。」至傭筆以供朝夕，平生友非逾己而不交，曰：「吾將安倣？」施非當受而取，曰：「畏將曷勝！」弟從順洎婦併歿，孤姪敏方三歲，為鞠育成人，過於己出，至贅子智於友生羊舌氏家，仍為敏納室，是亦人難能也。僉事張侯高其孝義，憐其窮獨，出楮幣數千緡付之，約得子錢，悉助親養。君以義重德薄，謝弗敢當。郡國知其賢，以孝廉累辟，亦不就，臺憲廉得其實，旌焉，復之終身。君悚然嘆曰：「人子奉親，理固當然，因而有加，邦之教也。顧從禮何足以為勸？」其自處明分有如是者[三]。所居曲水里，有亭沼，植花□□□□挺若儼侍温凊，暇日哦其間[四]，有問者□□□□事子姑去，自號栢溪主人，左山商公□□□□□□□得贊之□□京師之明年，君來謁□□□□□□□□見眉間，今雖已矣，尚能□□□□□□□□以孝止善者也。至元癸巳春，母氏棄養，以哀毁致疾，是年冬十月三日，考終牖下，得年五十有六。配劉氏，亦能安君貧窶，早世。生子智，及二女，適裴氏，王氏。再娶董，亦前君歿，生子曾。葬壇州密雲鄉之王家原。友人劉某重契義，介嗣子智請表其墓[五]，以君篤行有類古人者，為之銘。銘曰：

堪輿兩間，子職不易，孝為化源，融而友悌。君於二者，行不少匱，濟以廉貞，大錫厥類。目為善士，吾言匪比。其善伊何？可欲之謂。况乎質美而學，行方而義。繄匹夫而化鄉人，曾克施之弗異。五十六年，為樂也洩洩！去水來山，密雲之隰，隱然斧封，山塚屹立。是惟吾曾張仲之室，過者必式。後漢張霸性孝讓，舉動合禮，鄉人號張曾子。

[一]親老需侍：侍，文淵閣四庫本作「倚」。　[二]嘗從澹游先生學詩：游，文淵閣四庫本作「泊」。　[三]勸其自處：勸其自，原闕，據文淵閣四庫本補。處，原作「上」，據文淵閣四庫本改。　[四]暇日哦其間：哦，文淵閣四庫本作「我」。　[五]介嗣子智請表其墓：請，原作「中」，據文淵閣四庫本改。王抄校本作「求」。

故雲中高君墓碣銘 并序

君諱祐，字仲和。其先雲中人，高祖已來，遠昭穆，無可詳者。伯父與考，金季家撫州，以財雄邊。伯父德真，字伯諒，潛德不仕。考諱德榮，伯寬其字也。姿醇厚，鄉黨以德人稱，嘗以夯榷豐利酒。伯母暨君之妣皆張氏女，以姒姊而列妯娌。伯生子曰信，字仲禮；曰義，字仲仁。信美豐儀，虎睛豐頤，耳珠赴海[一]，以樂終。君實仲之嗣，貌敦厖，性孝悌，及長雖混迹闤闠，衆不敢以尋常期。初燕雲失守，豐利府君避地南遷汴梁[二]。壬辰歲，例北徙以實衛墟。君與兄信素負心計，相與謀曰：「衛居天中，寔通都劇邑，百物夥繁，合散於此，若以什一與時馳逐，可致屋潤。」遂主貨殖為業。君為人篤信明敏，不底蘊留。既易彼取此[三]，收息且廉，故聲實四出，商販輿集其門。貲既饒衍[四]，不忍顓利自濡，以哀多益寡為得，每每貸子錢，有不克償，及群居邸舍積儥直而負者，審其窘，悉折券無難色，由是三郎以長者稱於中外。至元十九年五月四日，以疾終于家，壽六十有五。三日，葬汲縣汲城鄉南王里之原，從新阡也。配張氏，與君德良稱。生四子：長曰明福，以通幹由泰鹽管勾任河南府交鈔庫使；次世英，世顯，世昌。孫二人：曰蔓，曰莘。姪三人：曰夢得，鄉貢儒士，前君卒；曰世傑，世寧。姪孫二：曰革、曰華。重孫一，曰復亨。明年，明福以墓碣來請銘。余以同里巷者五十年，知高氏為最詳，即其富潤齒息而論，蓋自高曾而降凡六世，雖薦更世故，以孝義勤儉，同居不析故也。至君承父兄餘業，益光大於後，內則齊理嚴肅，以身率先，族屬家僮千有餘指無間言，日趨事惟謹。屋廬被服，務從樸素，常以驕靡為戒。外則持心近厚，與物無滯，敬畏官府，奔走輸辦未嘗少厭，所患謀生之不勤，胡恤王事之時亟也。自壬子通閱後，高氏迄今為河朔名數之冠，豈偶然哉？故遠服賈者，雖千萬里外，念寬厚饒裕，獨以高氏為讓。矧高氏以義致利，義重於生，因貲致富，富而不驕。為子孫又能求銘以昭世德，是又好禮而知本者也。予焉得辭[五]。銘曰：

惟富壽[六]，五福先。匪欲厚，能畀全。有高氏[七]，起雲燕，凡六世，財雄邊。至豐利[八]，始南遷，編衛氓，迹市鄽。居家里，無間言。我屋豐，利匪顓，益寡乏，貰子錢。長者稱，動河堧。供厥賦，日翩翩！曾不憚，生勉旃。業攸久，族嬋嫣。服而食，耻華鮮。孝與義，為周旋，勤不匱，理固然。繼之者，當鑒焉。行山秀，淇水淵，高氏裔，與並傳。

[一]耳珠赴海：耳，文淵閣四庫本作「載」。　[二]南遷汴梁：遷，文淵閣四庫本作「還」。　[三]既易彼取此：此，原闕，據文淵閣四庫本補。　[四]貲既饒爹：爹，文淵閣四庫本作「足」。　[五]予焉得辭：予，原闕，據王抄校本補。　[六]惟富壽：惟，原闕，據文淵閣四庫本補。　[七]有高氏：有，原闕，據文淵閣四庫本補。　[八]至豐利：至，原闕，據文淵閣四庫本補。豐，原作「重」，據文淵閣四庫本改。

新鄉縣尹劉君去思碣銘 并序

衛之屬邑曰新中鄉，其地距太行東麓，桑土衍沃，浸以清泉之潤，民俗殷阜[一]，自昔號河朔望縣，惟其物廣而訟嚚，路衝而務劇，故治稱為難。然渴餒而易飲食者，民之心也，得其人，苟有以拊而安之，將見民戴之如父母，仰之如神明，惟恐來之暮而去之遽也。維至元廿六年[二]，南宮劉君理由江淮漕幕來主縣治。君姿幹敏，有機警，相時處宜，果於裁斷。既視事，思有以事集於上，民便於下，於是舉條章，明約束，均賦役，却造請，凡轡馭之急遽者，一馹而致之[三]，不務高遠，率先以身為度。縣當關陝驛程，使馹轉致，日相望於道，吏民疲於供頓。君量其輕重，處之有方。無名而求索者，皆以理謝之，則乘間侵牟之弊，日就斂息。廨舍一縣具瞻，陋不克治，事非所以整暇也，計材庀工，易故而新，增葺者十餘楹，復起蕭相祠，俾吏曹不自鄙薄，以信景慕。邵公橋跨清水上，歲久墊䧟，兢於履危，乘隙大楗碪甶，斧官柳為梁，方之舊締，既高而固，役不知勞而民免病涉。至治道塗，取通快，堙汙夷峻，徒行輦致，坦不少阻。歲時邵農，裹粮自隨，周行田里，未嘗追呼，俾妨時作。耕稼蠶績，檢括課視，切於己私。復諭之以勤儉，申之以孝悌，使遷善而遠罪。由是邑里感念，昬於作勞[四]，生理且滋殖矣[五]。下迨鰥寡顛連，亦行得所，流逋聞之，稍稍復業。故賦稅輸納，不及期而辦；詞訟繁嚚，不俟約而簡。君以令行民信，教烏可後，乃出己稍崇飾廟學，如蓋瓦級塼之破壞者，丹堊漶漫之不鮮者，一完而奂之，復葺黼座，陶祭器，周繚峦垣，外障儀閈，春秋釋菜，禮容為增肅。暇則禮師儒，率僚吏暨邑之子弟聽其講說，使知所務。故三載間，庭無留訟，牢户為屢空。至鄰有疑讞，滯而未决者，上官倚之丕蔽。而縣之治否，為可知已。君既更，耆舊苗仲、牛世麟，慕賓羅從玉、郭昌祚、席安等，懷其夙愛，有思罔置者，來謁文以垂示于後，辭再四不克，仍覽觀件狀而次第之，且寓夫余之所感焉。嘗觀兩漢循吏，政顯風化，子視生民，訓牖惠養，如恐不及，凜然有三代遺風。惟其浹洽於民者深至，故所居即化，所去見思。有起祠樹碑，以表夫永載遺賢之意[六]，非幸也，宜也！迨叔世司牧者昧於治體，苟簡貪墨，習為當然。其可聞者，不過曉簿書以為能，飾矯偽以干譽。其於民之休戚，漠然如秦人視越人之肥瘠，甚者因之以急張，臨之以形勢，剥民之肌以膏其身，傾民之産以肥其室，使民畏之甚豺虎，惡之劇寇讎，告訐謗讟，無所不至，以理勢論之，亦宜也。今劉君以勤强幹敏，力矯時弊，致績用章著，吏民稱道如是，可謂能也已！是宜銘。銘曰：

天下之事，孰覈孰綜？政發于上，相臣是控；事終于下，疇致厥用。相須成務，匪令奚共，雖百里間，務實煩閧。有社有民，有賦有貢，兵之貧難，民之疾痛。期會簿書，風俗獄訟，我剖我决，我承我奉。粤惟良能，治之有統，千室鳴弦，五袴流頌。以致朝堂，令無太偬，庶事日康，四方風動。增秩賜金，璽書褒諷，繄爾責望，得人為重。暨暨劉尹，事功自悫，挺身頹流，卓爾為治。不務高遠，不涉苛細，相時致宜，因利而利。瘼自我蠲，聲由實致。所以懷思，去而罔替。截鐙願留，非愚敢覬。胡若稱述，垂聲來世。刻石縣門，永照鄘衛。

〔一〕民俗殷阜：殷，文淵閣四庫本作「敷」。　〔二〕維至元廿六年：廿，文淵閣四庫本作「之」。　〔三〕一馴而致之：一，原闕，據至治本、王抄校本補。　〔四〕昏於作勢：昏，文淵閣四庫本作「勤」。　〔五〕生理且滋殖矣：理，原作「里」，據文淵閣四庫本、王抄校本改。　〔六〕以表夫永載遺賢之意：永載遺賢，文淵閣四庫本作「永賢載道」。

故太一二代度師先考韓君墓碣銘 并序

君諱矩，字某。其先為大梁望族。曾祖璹，五季時官司諫，以銀青榮禄大夫致仕，避地北渡，遂占籍為衛人。祖奕，大觀末舉茂才，數為縣有聲。父渤，金初登進士第，有文采，終獲嘉令。君自少以疾不仕，資慈祥，家故饒財，心樂施與，凡親舊貧窶、里喪有不克襄事者，至傾刮囊篋以賙其急，或者來謝，曰：「非初心也！」鄉黨以長者稱。天眷間，太一始祖真人以神道設教，遠邇嚮風，受籙為門徒者，歲無慮千數。君舉族清修，信禮為尤，至香火之奉，雖寒暑風雨，不爽厥德。已而君内子閻以嗣事為禱，真人篆丹符令吞之，且曰：「汝家積善久，當産異人。」既誕師，果有奇表，真人目之曰：「他日輔興吾教者，此兒也！」甫免抱，即留養道宫，三歲識字，七歲善書，既長，儀觀秀偉，慧悟絶人，批答辭章，捷若影響。由清虚師主盟法席二十餘年，輔興之言，有充而至於極者。今追定仙號曰「太一二代嗣教重明真人」。由是而觀，韓氏一門之積，其來固遠，以有是子而諭之，君之德槩可見矣。雖年甫中壽，師易韓為蕭，至於克荷玄綱，光隆教本，在韓宗亦為不朽。君既歿，重明躬葬君於四門里祖塋之次，母閻氏祔焉，禮也。六代度師全祐，顧惟傳嗣之重，猥及余末子，何以圖報〔一〕？維是師真所從出者，其潛德幽光，表而銘之，中心庶獲少安，乃以刻文來請。師於某祖妣妙清君列叔父行，義不可辭，遂叙其世次而系之以銘。銘曰：

作善降祥，長惡得厲。在理必然，隨感而至。赫赫韓宗，德顯河衛。衍慶及君，濬而滀淪。俟著而發，乃生異人。異人伊何？太一次祖。提挈玄綱，鵬騫鳳翥。庇及本宗，光隆丘土。松栢蕭園，連崗接武。神格仙遊，有來容與。風駕雲軒，同飆共馭。純化追遠，歸厚來昆。泝流尋源，以表道根。勒銘墓石，永賁四門。

〔一〕猥及余末子何以圖報：子，原作「于」，據至治本、王抄校本改。文淵閣四庫本作「猥及微末，將何以圖報」。

太一三代度師先考王君墓表

君姓王氏，諱守謙，字受益，博之堂邑人。世以播種為業，致資產豐阜，田以井而計者九，桑以株而會者蓋萬數焉，遂為里中鉅家。然闔門善良，薄於世味，奉道之心亟若饑渴。聞太一教以符籙濟度世厄，所在奔走，惟恐其後，君乃與其配李氏欽挹真風，不遠千里求為門弟子〔二〕，量家歲費外，悉以羸餘為本宮香火供。有子曰志冲，即今太一三代度師也。師生而歧嶷，七歲出就外傳，應對進退皆中禮度。及毁齒，善記誦，喜讀老莊等書。初，君董田務於野，午憩蔭下，寤寐間若聞呵喝聲，見數青衣人導一童子前來，且曰：「天仙過此，可少避。」恍視之無有，適師持壺漿來饁，君異而不出口，自度是兒恐終非田舍中物也。及長，父兄與議婚，不許，曰：「去家入道，乃所願也！」遂禮二代師為黄冠，以經明行脩，得度入道士列，既嗣法席，遭遇道陵，特賜號「玄通大師」。君聞而喜曰：「天仙之異，誠有驗矣！」且曰：「平生奉道，獲此實報，王氏為有後矣。」享年七十有六，考終牖下。師以禮葬本縣王莊里祖塋之右。母李氏祔焉。今度師勑定仙號曰「體道虚寂真人」，其師真之德，靈應之蹟，詳見墓碑，兹不復云。六代度師全祐嗣教之七年，自燕命提點張居祐等以禮幣來謁[二]，且致其意曰：「道家者流，雖崇尚玄默，而太一教法，專以篤人倫、翊世教為本，至於聚廬託處，似踈而親，師弟子之兩間[三]，傳度授受，實有父子之義焉。今三代師真，其在宗門，表墓有碑，嗣法有傳，可謂光且顯矣。然物之在天壤間，未有無本而出者，今末有餘榮，而本為寂然，豈厚人倫、輔世教之理哉？敢百拜以表辭為屬，幸憲使無拒。」予以師之言，誠為知所本矣，遂諾而作之表。

[一]不遠千里求為門弟子：求，原闕，據文淵閣四庫本補。王抄校本作「願」。 [二]自燕命提點張居祐等：張居祐，文淵閣四庫本作「張居禮」。 [三]師弟子之兩間：文淵閣四庫本作「師弟之在兩間」。

故真靖大師衛輝路道教提點張公墓碣銘　并序

道有綱紀，需人而後弘，如上承師真，下綜法務，以公材吏用而開玄佐之功者，其鍊師張公乎！公諱善淵，字幾道，趙郡平棘人。生有異相，比長，言灑灑有序。父溥，嘗任衛真縣酒坊使。時太一四代祖中和真人提點亳之太清宫，溥素挹真風，日侍師於几席間，沾沾然而喜曰：「吾兒知所於託[一]。」遂參禮為門弟子。中和人品高邁，道價重一世，與游者公卿賢士夫，一動静語默，皆中倫慮。公親炙既久，日有所得，與之俱化，若時雨然。歲壬辰，河南大兵，公與中和隔離者久之，既而聞師北渡，税駕於趙，迺奔奉焉。師忻甚，曰：「奔奏疏附，吾宗門有人矣！」即令知太清觀事。丙午夏四月，侍中和赴太后幄殿，及見，亦霑寵眷，奏受真定路教門提點，仍賜白錦法服，命代中和頒錦幡、寶香於崧高、太華二嶽[二]，以祈福祐。時衛之祖觀，兵燼後鞠為草棘，中和界之經理[三]，不三數年，神庭燕處，頓還舊觀。壬子夏六月，復從中和北覲嶺邸[四]，加號真靖大師，改提點衛輝路道教事。甲寅歲，復奉旨致禮嶽瀆。癸丑冬，詔天下名師赴燕長春宫[五]，修羅天清醮，公奉五代貞常真人與會[六]，其所以致顯宗教，推轂嗣師，高出衆表，俾道流光闡[七]，公力居多。己未春，上南巡，臨幸壽宫，時公以疾不克朝謁，上言念舊眷，命近侍存問[八]，仍賜御藥葡萄酒，服之病良已。故中統二年，換受宣詞有云「操持堅正，祭醮精嚴，隨師遠覲於闕庭，奉命敬祠於嶽瀆，已加玄號，宜焕新章」之旨，道論為榮焉。公資清峭貞幹，臨事敏而善斷，馭衆肅而有方。雖一言話，出人意表，不肯碌碌混常流中。生平喜讀書，於《老子》最有得，故行己接物，多掇其微妙。至於禱禳醮祭，內嚴外辦，綽有餘裕。兩從中和北上，沈幾先物，往返萬里，無不如志。嘗奉旨給諸道度牒，鶴馭所經，例有贐，公略無私焉，其清介遠大又如此。壽七十，委蜕於太一順事齋室，實至元乙亥正月廿五日也。越三日，陪葬祖塋之次。後八年，六代祖純一真人念公有力宗門，在玄士為傑出，有不當泯於後者，丐予文以識墓竁[九]，因摭其行實而系之以辭。銘曰：

真靖受業，始於中和。荆璞雖美，器成琢磨。東瀛北渡，載造玄科。用匪其人，道將若何？公綜玄務，辦於益多。龍庭再召，萬里周旋；竹宮咸秩，羽服雲闐。尊師顯教，我力孔宣；玄綱張弛，用曲而全[一〇]。道價軒輊，濟之以權。絶塵而下[一一]，歎其才賢。僊游有限，道館驚捐。斲石紀行，以大斯傳。雖高深兮易位，尚知為玄門之玄。

[一]吾兒知所於託：文淵閣四庫本作「吾兒師聽以說」。　[二]命代中和頌錦幡寶香於崧高太華二嶽：嶽，原闕，據文淵閣四庫本補。王抄校本作「山」。　[三]中和界之經理：之，原闕，據文淵閣四庫本、王抄校本補。　[四]復從中和北覲嶺邸：復，原闕，據文淵閣四庫本補。王抄校本作「又」。　[五]詔天下名師赴燕長春宮：名師，原闕，據文淵閣四庫本補。　[六]公奉五代真常真人與會：與，原闕，據文淵閣四庫本補。　[七]俾道流光闡：光、闡原闕，據文淵閣四庫本補。王抄校本作「傳自」。　[八]上言念舊眷命近侍存問：眷、命，原闕，據文淵閣四庫本補。　[九]丐予文以識墓竁：文，文淵閣四庫本作「銘之」。　[一〇]用曲而全：

用，原闕，據至治本、王抄校本補。文淵閣四庫本作「委」。　［一一］絶塵而下：絶，原闕，據至治本、王抄校本補。文淵閣四庫本作「千」。

提點彰德路道教事寂然子霍君道行碣銘　并序

國朝甲辰、乙巳間，鹿庵先生教授共城，不肖亦忝侍几杖。時有為全真學者重玄李練師自相下來，買田於卓泉，立棲真別舘。既而重玄北歸，委紀綱士霍君明道為之營建。不數年，創堂殿廊廡，焕然一新，際泉兩涘，盡植巨竹，陰翳數百畝，中搆筠溪亭，招致吾徒徜徉笑傲其上，由是卓泉道院聞於遠邇，篚名洞天福地之末。雖重玄創始之勤，而霍君明道實有力焉。師諱志真，號寂然子，明道其字也。系出安陽縣秋口農里大家。父諱澤，嘗夢一麻衣道士云自天壇來，求託宿，許焉。寤而誕師。幼不好弄，寡言笑。既長，性淡泊，不樂榮利。弱冠，辭親學道，父憶夙徵，即允其請。迺詣相之天慶宫，禮重玄子為門人。全真家禁睡眠，謂之「消陰魔」，服勤苦，而曰「打塵勞」，以折其强梗驕吝之氣。師從事於此者閲三十寒暑，略無憚色。重玄諗其為受道器，命主治玄門事，挺志誠確，措畫井井有法。及卜築蘇門，委之鋪敦教基，弘演宗緒，俾特達而有所樹立焉。師披荆榛，掇瓦礫，攻苦食淡，擴充師志。復闢農畝，創水磑，廣資生理，培植教本，致遠邇尊禮，學者日衆［一］。至於齋廬深静，井竈修潔，遊人過客如歸而仰給焉。道俗推舉任輝之威儀，師滌除玄覽，痛自澄治，務正己以格物。有辨訟者，率用請，宿仰道價，相臺吏民[二]，年踰耳順，一方凝重，至二十載之久。羽流敬安，理遣，不知官府為何事。以某年月日，主天慶宮。既至，受提點彰德路道教事，凡十有三祀。年尊德重，不俟言論而衆自化服。外沐浴易衣冠，無疾而逝，壽八十有一。葬安陽縣王裕里重玄仙塚之側。師豐度清逸，若山澤之曜，言約樸而內敏，質直而尚義。簡重自居，處事得時措之宜；和同光塵，接物無徇俗之弊。其訓導徒輩，理到，以身為律度，可謂純乎其純、玄之又玄者也。門人杜志用，夙承提誨，圖報無方，琢石紀銘，期傳不朽，乃介太一純一真人李公來屬筆。予既重李請，又與師有夙宿之雅，□叙其行己，而系之以辭。銘曰：

道之大原，玄文五千，誕誇索隱，匪其正傳。質稟貞素，心地善淵，惟界也全，內思靜專。耕田鑿井，順乎世緣。修己求志，繕吾性天。無欲觀妙，是為道之自然。尚無往而不可，孰間朝市之與林泉？若人者雖乘化而委蛻，安知其精純之氣，不乘泠風而仙耶？門人攀慕，白雲翩躚，勒銘松臺，何千百年。

[一]致遠邇尊禮，學者日衆：學者，文淵閣四庫本作「樂者」，則為一句。　[二]相臺吏民：臺，原闕，據王抄校本補。文淵閣四庫本全句作「相之民」。

凝寂大師衛輝路道教都提點張公墓碣銘　并序

師諱居祐，字天錫，世為汲郡人。父道用，居樂善東北坊，以茗飲為業。師早失怙恃，兄居仁訓育有方，甫長，愿立如成人，然向慕玄風，亟若飢渴，思得大宗師依歸，以果其腹。歲壬辰，天兵下河南，時太一四代度師自柘城北渡，應大將撒吉思請，主新衛昭順聖后祠，居仁舉家崇奉，遂命師為門弟子。居無幾何，度師北遷，住趙之太清宫，以師童侍有年，謹敬不怠，念焉，遂度為道士，俄命掌觀之廪料，出納詳明，儉而中禮，曾無撮龠之悮，度師稱其能。時衛之祖觀，兵後毁廢掃地，度師遣提點張善淵詣衛興復，且請師以佐葺理，允焉。師為戮力從事，小大之役，率以身先之。既而張侍鶴馭北覲，營建事師獨任之，不十稔，壇殿齋室，下暨庖湢庫廐，井井一新。己酉春，中和真人還衛，顧視喜其得人。己酉冬，中和昇寂，師辦易葬事，焦勞為多。丁巳冬，以事召赴行殿，勞歸，霑衣幣有加還，貞常真人以師貞幹有節，命知宫事，繼陞充提舉。中統三年，上遣使植碑壽宫，師復趣辦，不踰其素，於國光有華[一]。至元十九年，六代純一真人嗣主法席，以師道行純粹，勤恪有功言於朝，宣授凝寂大師、衛輝路道教都提點。七年間，道流推服，教門增重焉。廿六年二月五日得寒疾，再宿，談笑而逝。及斂，予臨視，面如生。吁，亦異哉！享年七十有二。越七日，提點范全定等葬師於四門里祖塋之側，禮也。師為人樂易無機械[二]，苟有過，須問之人，而無憚於改，不然咽若有物所梗。其歷事三師，前後五十餘載，護道服勤，始卒德不爽。純一真人以予鄉曲故，持狀來謁銘。因憶十九年冬，予寓大都道宫，適師與會，宵永無寐，龜燈爐火，尊俎談舊，嘗及萬靈坑事，悲世故之無常，悼逝者之如是，凄然動華表歸語之感。故師每歲例清明後一日，丐歛酒肴楮幣等物，斗量車載，展祭塚次，以慰鄉梓冥漠之魂，惟恐其心之不盡也[三]！其於存殁兩間，亦追遠歸厚之意也歟！是可銘。銘曰：

太一設教，幽顯兩通。凡曰云為，須人乃崇。猗歟張公，德度冲融，致身福地，逢教之隆。敦兮若樸，發之天衷，寂不俗絶，勞而有功。師事三葉，罔異初終，一朝委蜕，為報何豐！祖垠之東，萬栢葱籠，陪葬其側，若堂有封。鑱銘表石，永示無窮！

[一]於國光有華：文淵閣四庫本作「於國事有光」。 [二]師為人樂易無機械：機，原闕，據文淵閣四庫本、王抄校本補。 [三]惟恐其心之不盡也：惟，原闕，據文淵閣四庫本、王抄校本補。

故卓行劉先生墓表

先生諱德淵，字道濟，襄國中丘人。性癖直，有操守，好學，能自刻厲。及游滹南王先生門，思索辨惑等説，自是饜飫史學，為專門之業。古心古貌，非禮義不妄言動，一芥不敢於人，朋友死，雖千里遠，徒步必至。覩前賢奇蹟偉行，擊節嘆賞而不能自已，至椎耕牛以饗賓王，殺乘馬而祭昭烈。其或憫時之艱，急人之難，切於己私而不置也。始則人大以爲異，既而疑焉，終迺嘆服，曰：「先生篤行直躬，守死善道者也！」北渡後，赴戊戌試，魁河北西路。逮中統建元，三府辟其行能，授翰林待制。晚節知圓鑿方枘，不能與時遍匼，乃以所得成就學者，立言傳後。著三爲書數萬言，其説爲天地立極，爲生民立本，爲聖賢立法；敷析温公《通鑑》數百條，技翊章武，俾承正統；及見考亭《綱目》書，多所脗合，沾沾而喜曰：「吾天地間，可謂不孤矣。」又通古文奇字，士多傳習之。凡經指授者，雖節目磥砢，表表有所立。或惜其獨善不顯諸用，然振衰善俗，激厲後人多矣。太保劉公、左轄張公以鄉曲義來周卹，皆却之曰：「吾非踽踽凉凉、閹然媚於世者也！」至有以禮願交而弗之允者。許魯齋每道邢，必式閭致恭而去。壬子秋，不肖始覿先生於胙，對榻學舘，夜参半，欻起撼予，曰：「吾於漢丞相亮論議際有所得，惜不並時。」當有説云云。至元壬午，予按部夷儀，謁先生於天睨齋，棲遲蓬蓽，心融一天，自樂其樂，英發之氣，至老不衰。先生近何述？曰：「適作《四兇辨》、《天府七星挽章》，于以張皇幽眇，振濯漢靈。」二何壯也！臨訣握予手曰：「吾耄矣！斯文未喪，子其自將行有以畀之。」既而聞卧疾，慮乏調養，詢諸友生，始知先生有子樸，早世，女孫一，適康氏子，新婦女孫，皆不聽侍疾。卒年七秩有八，時至元丙戌九月廿二日也。葬蓬山之西丘。後十五年，晚進王寧合鄉國議來請曰：「先生學貫三才，養素丘園，行媲於古人，望高乎一世，没當易名，用垂光範。」予謂寧曰：「士風之不振也久矣，道義之斵喪也微矣，安得高風苦節如先生者哉！昔孟東野以詩鳴唐，張藉私謚曰『貞曜』；程伯淳以道自任，潞公揭之曰『明道』。今板二例，如以『卓行』加之，則名與行爲顯允矣！」門生民部尚書戎益，將

礱石表墓，以圖不朽。大德三年龍集己亥仲冬吉日，翰林學士中奉大夫知制誥同修國史秋澗王惲為之表。（以上《秋澗集》卷六一）

全元文卷一九五

王　惲　二九

詛蠹魚文 并序

王子曝書于庭，風動帙開，有蠹十數輩倘佯其間，取書眎之，甚有囓壞者。遂為文以詛之，亦且攄予懷之梗槩云。其辭曰：

嗟上蒼之生物兮，曾巨細之不遺。隨一物而一名兮，乃各有其所施。龍驤首而霧集兮，鷙搏擊而翰飛。蜴緣隙而射蝎兮，蚓含凄而應時。蟻結陣而雨妥兮，蛛縈絲而喜隨。至於蛇虺毒而虎豹猛兮，網繩欘刃，人得驅而遠之。彼蠹魚之何為兮？當去之而不疑。我固拙而未貧兮，尚其書之滿家。規姚姒而法周孔兮，浩波瀾之無涯。念披讀而有次兮，譬草木之品差。歲翻閱而莫周兮，蠹乘隙而遺蘖芽。感餘浥而化育兮，何族類之紛拏？正如深山大澤，人迹所不至兮，足魍魎而生龍蛇。爾名為魚，厥號曰蠹。無鱗鬐以自衛，不潛淵而躍渚。披景慕之虛名，蘊蠶食之邪慮。天壤之間充汝腹者多矣，尋茫茫之墜緒。幸不爲人之害兮，唯簡編之見惡。信黄卷之有味，汝得幽潛而饜飫。艷輕碧之微軀兮，曳白鬚而容與。曾賢愚之無間兮，輒遇之而必妬。誰謂汝無牙兮，何以穿予之竹素。紛篆籀之紆屈兮，致篇章之脱誤。欲散帙而撲滅兮，念忌器之善喻。芼春薺之纖葉兮[一]，雜芸芳而細注。恐物感之有驗兮，庶噍類之一去。曾少力之不獲兮，愈滋蕃而無數。汝豈學道之人兮，咀糟粕而未悟。將生死於文字之間兮，凝精思於朝暮。不然秦李斯之徒兮，師《六經》而依據。一旦燔之而叛道兮，俾黔首而聾瞽。流餘孽而見化兮，終宇宙而惡著。聖防謹其萌芽兮，堅冰凝於霜履。苟不處而不驅兮[二]，恐闕缺而無餘也。布我床榻，汛我庭宇。亂牙籤於風中，趂秋陽之烈馭。既不能仝湯鼠之磔裂兮，以炎暉而爲治具。藉流爍之熾焰兮，書難爲之一抒。熸醜類而莫逃兮，遞糜碣於諸部。失餘浥之所在兮，斂炎光於書户。齋潔竹書之簡，森列周宣之鼓。固我扃鐍，若有神護。喜卷舒而無恙，殆遺亡而見補。既收書而入室，遂慨然而懷古。彼微蟲之蠹書，尚爲害而斯巨。吁姦邪之在朝，妬忠直於時主，其擯斥危亡之禍將何如哉？嗚呼噫嘻！我得之矣。囂囂管蔡，爲周公之蠹兮，幾謗成於王所；睊睊子西，爲宣父之蠹兮，化不霑於荆楚；臧倉媒孽，爲子輿之蠹兮，道不行於東魯；上官娼嫉，爲屈平之蠹兮，賦懷沙於汨浦；匹夫絳灌，爲賈生之蠹兮，老長沙之一傅；孫弘變詐，爲仲舒之蠹兮，策不施於漢武；恭顯譏慝，爲蕭傅之蠹兮，致炎運之中阻；封倫小人，爲鄭公之蠹兮，太宗幾以刑而爲務；盧杞姦邪，爲真卿之蠹兮，卒糜軀於賊虎；逢吉陰險，爲裴度之蠹兮，播緋衣之訕語。蠹兮去之而不可疑兮，尚拔山之固兮。況任遇寵信，返爲忠直之輔兮。奮筆成文，吾爲此而懼兮！

[一]芼春薺之纖葉兮：芼，文淵閣四庫本作「採」。　[二]苟不處而不驅兮：驅，原作「區」。據文淵閣四庫本改。

祭諸葛丞相乞靈文

維大元至元八年歲次辛未九月壬戌朔某日，承事郎、前監察御史衛人王某，敢昭告于漢大丞相忠武侯諸葛公之靈。嗚呼！事有曠百世而相感者，以道義故也。維公挺天人之資，奮雲雷而起，黜功利之邪說，明剛健之正體。攘伏群陰，嗣興漢紀。兩立偏安，幽燭厥理。茲少康克復之本心，何戰國縱横之可擬。由是而觀，公之志何意於鼎足而峙也。至於開誠心，布公道，從權制，示儀軌，牧民訓兵，賞善黜戾，以君臣大義而言，乃忠武開濟之餘事也。宜魏人畏之而虎，如走狐狸而號魍魅[一]，偃回旆之威靈，嘆奇材於壁壘。故三代而下，巍然王者之佐，惟公一人而已。繄一介之凡庸，何清光之敢企！然揚洪蜀郡之功曹，楊顒幕府之屬吏。韙一言而表擢，感忠規而隕涕。又如李平廖立，以過見廢，俾之怨艾，固匪遐棄，及夫蜀婦既髽，痛吾已矣，恨終左衽，發憤而斃。是又見公不屑與新之教，采葑采非之意，無以下體而為累也。若惲也質朽才疎，有志未遂，年迫知命，動昧操履，蹣跚仕途，幾年于此。八月行臺，僅免官謗，三年御史，莫吐其氣。令則侯大冶之甄陶，聽鼠肝而蟲臂。雖耿耿以自信，復何為而何逝？恐生無益於人，死罔聞于世也。用是中夜慨歎，不遑寤寐。乞靈祠下，陳辭而跽。我公在天，日星昭緯。容光必照，奚間彼此。思蛻濯其塵穢，扣囊底之餘智。覬增益其不能，為砭訂其頑鄙[二]。付清明於眇躬，極臣子之所止。有來厥脩，神所惠祉。庶免夫年與時馳，意從歲易。悲嘆窮廬，遂成枯萎。區區之懷，竟無及於追悔也。尚享！

[一]宜魏人畏之而虎，如走狐狸而號魍魅：文淵閣四庫本作「宜魏人畏之，而如虎走狐狸而號魍魅」。
[二]為砭訂其頑鄙：訂，文淵閣四庫本作「鍼」。

為虎害移澤州山靈文

大元國至元十二年九月日，承直郎、平陽路總管府判官王惲，近被藩府檄，伐石東鄙，有以虎害言者，謹移文以告：澤為州，當太行心腹間，傍雖長林巨壑，獸蹄所交，窟宅所在，然鳥獸陰類，神寔主司，陰禦默捍，限隔常處，制其暴厲，使無犯越，以為人害，此神之職，守吏之責也。今不逞之獸，悍然不安其所安，食其所不當食，怖農耕，梗行路，啖民畜，膏肥厥身，以孳乳其遺類，亂區制之常經，忽太府之命吏，是將與吏民雜處此土。方今聖賢在上，世道清夷，政令簡肅，年穀登，盜賊弭，守吏者承流宣化，牧養斯民為任，坐視若此，安能俛首降心、偷安朝夕、容此物橫？重念民之於國，備犧牲粢盛，供天地百神之祀，出兵賦芻餉，佐軍旅征伐之用。重繁若此，幽明兩間，敢不敬忌以顧恤邦本？且民又未嘗輒犯於彼，彼胡為而然哉！若曰妖孽之來，蓋有由然，秖吏之不德，政有不善，自有任其責者，奈何禍延平民，使居者、行者惴惴焉懷旦夕不安之恐，一至於此哉？即俗窮幽致討，勦絶而後已，逮禽獮草薙等耳。然神不於其告，輒從事於彼，是守吏不有其神，此文告所以先也。維神聰明正直，念守吏克虔之告，思職分當然之理，赫靈威，迅符牒，搜索兇渠，斃諸原野，餘則鞭笞驅逐，遠放林壑，限以常處，永絶斯害，使一方安靖，遂田里有生之樂。雖神之職也，寔神之惠也。惟明靈其圖之。

瘞畜犬文　有銘

犬之於人有功矣：晝則守禦，夜則警盜；其健則能搏物，猛則能取威；窮則不遺其主，靈則不失其家。兹犬德之大率也。予有畜犬曰蒼頭，髯狵被體，耽耽然有獅猛之姿，誠獶狉之上品也。其為德，則不貪饞，不舐穢，不虛吠，不狂遊。寢有常處，履擇其地。投之物，非嗾之不敢囓；叱之退，非招之不敢前。至於親屬賓客一及於門牆者，聆其聲亦能識其人。指揮馴狎，咸會人意，可謂有人性而無狸德矣。嗚呼！物之生，穉而壯，壯而老，老而病，病而死，順常理也。主人何憾焉！且計其歸于我以至於死，蓋十有一年于兹，其服勤守禦，功亦多矣。主人惻然而興，命童子具畚鍤，裹以寢簣，枕用玄石，瘞於古堞之下，亦弊蓋不棄，毋使首陷之義也。記曰捕田鼠者祀之，矧犬有功於人也昭昭矣，故係之銘。其辭曰：

嗟嗟奇獷，猥鞏之種。曰守曰禦，或静或動。靡失其常，風鳴意聳。卧護我家，取威于衆。相非狸德，爾馴且勇。唯有稱德，與良馬共。生也服勤，死當禮送。弊蓋之義，敢不是奉。

諭平陽路官吏文 為判官初任時作　時九年五月也

契勘國家張官置吏，本以為民，且縣而州，州而府，吏而官，官而長，雖上下分殊，大小職異，以承宣而言，寔為一體。至若親臨民事，周知下情，如賦税課程、婚姻良賤、債負田宅、刑名等事，推明根源，分别曲直，兩盡物情，一歸于正，為莫若州縣耳。故諺有之：「既為民父母，當作子孫看。」此言雖微，可以喻大。恐不當憚其煩勞，一委於吏，致開塞倖門，情生詐起，附會科條，高下其手。富强恃勢者，理本曲而返伸；貧弱冤抑者，情久鬱而罔訴。事體既乖，勢成稽滯，及愬者有辭，莫可推延，仍作疑似，上之于州。州司設有窺避事情，捨難趨易，艱於勞心者，止憑縣解，略不詳審，輒上於府者有之；易而有謂者，一委胥吏，聽其飾説，亂行剖决者有之；謂如按驗未完，辭情稍備，或明具條章，不行定擬，冒亂上陳，倖其萬一者有之。又念徇情同列者，視違錯而不言；既滿望代者，以患失而為慮。至於辭略苛細，不宜求痕洗垢，以察為明。然念軍國之利害，刑罰之枉濫，脱或差悮，而總府亦不敢止守大綱，不清明，而曰民嚚於訟；身不力行，而曰事纏于下[二]，以職以分，何不思之深也！總府固當持大綱，究其所以，自有任其責者矣。至若總司行有不逮，虧一道之紀綱，亦何以逃朝廷共理之責乎？又念郎官上應列宿，苟非其人，百里受害，静言思之，可不畏歟！稔聞公等，類皆明直，恪勤官政，小則寄百里之命，大則近連率之職，天官天禄，寔荷恩榮。獨有履正奉公，竭盡心力，以功名圖報，上可以答國家委寄之恩，下可以塞為民父母之望。噫！社稷人民，莫非王事視如私家，無不修理，推廣此意，又何俟告辭之丁寧，公移之督責也！自今以往，計能强其所當行，勉其所未盡，以一體為心，共理為務，遠懲積習，作新斯民，使一道元元，霑被王澤，而遂有生之樂，寔公等之力，總府敢叨其功乎？所以集衆思、廣忠益者[二]，惟期王事有成，則總府亦庶乎其寡過矣。

[一]而曰事壅於下：壅，原作「擁」，據文淵閣四庫本改。　[二]廣忠益者：忠，文淵閣四庫本作「衆」。

敦諭百姓文

汝等性秉五常，智周品物，聞善必遷，知過速改，此為固有之理、恒久保身之道也[一]。方今明教化，勸農桑，彰善癉惡為務，庶爾有衆，比屋安然，遂有生之樂，此明天子之意也。平陽陶唐故都，詩書遺俗，世不乏德。比者自遠思之，化陵夷衰晉之風，尚氣亢强，頗乖正理，致使訟牒囂繁，動經歲月，較其所争，至甚微眇，親舊變為仇讎，畎畝棄而荒穢，事端既起，歲計一空，亟當戒者，乘氣窒塞，不度輕重，果於自殘，禍延後人。嗚呼！一忿輕生，乃至於此，非愚而何？况朝廷委付守臣之責，非特有司常務而已，正以承流宣化、美厚風俗、安靖一方為重。兄兄弟弟，夫夫婦婦，恩義至篤也，不可因細故而致争；比鄰共里，連鄉並黨，緩急相恤也，不可以小忿而興謗。蓋好鬬者喪身之原，健訟者破家之本。興言及此，我心悲傷！汝也何心忍於為此？常念禮讓者，安順和睦之方；孝悌者，福澤富厚之本。一日自新，終身樂地，能爾，何止公庭致束杖之清，田里獲共安之樂，將見祖先神靈安於上，子孫德澤流於下，比屋雍熙，永為善俗，豈不快哉！豈不樂哉！據教諭、社長、耆舊人等，請以此意敦諭中外，使咸知勸戒，毋重其改作也。其有不待教率，自來孝悌勤儉，力田而省事，循理而畏法者，申明上司，別加顯異。若兇頑如前，恬不知省，上違總府之訓辭，下悖父兄之忠告，是亂常敗俗之人，國有常刑，悔將何及？至於有司非横以侵牟，豪强兼併而為事，科差不均，力役偏重，縱而不問，以致失宜，使汝下情鬱抑、控告無所，是總司撫字無方，得罪於汝，將何以息閭里愁嘆之聲，逃朝廷共理之責乎？汝等其詳思毋忽！

［一］此為固有之理恒久保身之道也：為，原闕，據王抄校本補。文淵閣四庫本作「汝」。

勸農文

切惟民生之本在農，農之本在田；衣之本在蠶，蠶之本在桑；耕犂把種之本在牛［一］，耘鋤收穫之本在人；人之本在勤，勤之本在於盡地利。人事之勤，地利之盡，一本於官吏之勸課。夫田功既盡，縱罹水旱，尚有所得。仰事俯畜[二]，迺克匡生。穡事不勤，雖直豐穰[三]，終無所穫。賦税饑寒，將何以濟？由是而觀，克勤者身之寶，自惰者家之殃，此勸課所云急也。提刑按察司欽奉聖旨，所至勸課農桑，使職近緣巡歷，考照簿書，其耕播栽植之事，勤惰勸率之方，大抵虛文，多失實効。勸農之官，長民之吏，安得不任其責？況今春首，農事方作，巡行勸勉，適在兹時。仰所在有司，照依已降條畫，遍歷鄉村，奉宣聖天子德意，敦諭社長、耆老人等，隨事推行，因利而利，察其勤惰而懲勸之。所有事條，開列如後：

一、如田多荒蕪者，立限墾斸，以廣種蒔。其有年深堉薄者，教之上糞，使土肉肥厚，以助生氣，自然根本壯實，雖遇水旱，終有收成。若無閑田，此最良法。

一、穀麥美種，苟不成熟，不如稊稗，切須勤鋤功到，去草培根。豈不聞鋤頭有雨，可耐旱乾。結穗既繁，米粒又復精壯，此必然理也。

一、一麥可敵三秋[四]，尤當致力以盡地宜，如夏翻之田勝於秋耕，概糲之方[五]，數多為上。既是土壤深熟，自然苗實結秀。比之功少者，收穫自倍。

一、所在水利，常令修葺，毋得因循廢棄。倘遇旱乾，獨沾豐潤，是地利偏惠一方，人力可不加謹。又兼此係朝廷最重之事，切當用意仰體至懷。

一、桑麻之務，衣服所資，切須多方栽種，趁時科蒔。自然氣脈全盛，葉厚稭長，飼蠶績縷，皆得其用。又栽桑之法，務要坑坎深闊，蓋桑根柔弱，不能入堅，又不宜拳曲難舒。根既易行，三年之後，即可採摘。

一、蠶利最博，養育寔難，如浴連生蟻，初飼成眠，以至上簇，必須遵依蠶書，一切如法，可收倍利。嘗聞山東農家因之致富者，皆自絲蠶。旬月之勞，可不勉勵。

一、耕犂之功，全藉牛畜，須管多存芻豆，牧飼得所，不致羸弱，以盡耕作。其或引重服勞，使長有餘力。若有羸老不堪者，切須戒殺心，擅行屠宰[六]。

一、鷄豚鵝鴨之屬，菜果瓠芋之類，皆可養人，務須多畜廣種[七]，用之接闕[八]，不為無補。故古人有言，菜不熟曰饉，豈為細事。

一、時至物成，罷亞壠畝，更加併力收斂，以防風雨損壞，有失歲計，不惟盡廢前功，一飯到口，自行暴棄，良為可惜！

一、古人蓄積最為急務。故國無九年之蓄，國非其國也。如平陽、太原兩路，例有蓄積，往往山下饑荒，鮮聞山上失所。近日官設義倉，正為此也。蓄積之事，其可後哉！

一、織絍紡績，責在女工。可諭家長，戒其慵惰，嚴立程限，造成端疋，以備粧着。蓋非鳥獸，必須温暖，可禦冬寒，若無衣褐，何以終歲？

一、或有頑不率教，惰農自安，背本趨末，敗壞淳風，朋游群飲稱曰事情，釀酒屠牲指為口願，田務方集，耽樂城市，其或別生事端，遭值官司，父兄親戚，理須營救，豈止破壞家產，田產轉成荒廢，此等切當禁止，毋得輕犯。

一、有孝悌力田為衆表率，汝等舉明到官優加寬卹，如有浮泛雜役可除者，即為蠲免，以勸餘人。據已上事條，仰社長、耆老人等，各於當社時時開陳，隨事推行，因利而利，察其勤惰而勸懲之，不致因循苟且，徒文具而已，庶可以仰副朝廷愛養元元、務農重穀之本意也。除已暗行體察，不如教者須議，省諭各令通知。

勸農詩

總勸

分司勸課不辭頻，汝但聞言日克勤。倘使有名無實效，到頭俱是具虛文。

糞田

年深蒔種薄田疇，糞壤頻加自昔留。田果糞餘根本壯，縱遭水旱亦豐收。

種桑

年年勸汝盛栽桑，相度田園土脈良。屬汝一根如法種，明年要見百根長。

勤鋤

鋤頭有雨潤非常，此是田家耐旱方。果使鋤跑功績到[九]，結多得米更精良。

水利

細思水利最無窮，普例災傷獨歉豐。倘有可興須舉似，已成毋得廢前功。

女工

田家門内事紛拏，最緊蠶繅與績麻。主戒婢奴姑勸婦，趂時作活可成家。

訟田

近年田産貴於金，明見無憑恃力爭。縱使一時官借向[一〇]，就中不直有神明。

結親

成婚作贅結歡情，往往年深致怨爭，省訟有方渠記取，始須書契兩分明。

讀書

孝慈和順革嚚愚，説似兒孫自讀書，縱不盡為官宦去，省心解事亦良圖。

省訟

典田賣舍屬曹司，何似無爭省狀詞。唆汝致争原是賊，勸令和忍是良師。

畏法

禁網寬疎固不苛，慎毋輕犯被拘羅。更思有理無錢語，試估家資有幾何？

屠宰

上司禁汝莫屠牛，間有人來告事由。豈止到官刑罪慘，怨讎相結幾時休？

鬬毆

農家蠶務與耕田，除却耕蠶半是閑。利害不多休致鬬，壞錢當罪片時間。

教唆

教唆冤報似循環，比及兒孫已被愆。若欲人生求利達，正須良善養心田。

盜賊

一毫非有莫萌心，竊物穿窬罪不輕。重是杖徒微刺記，枉因纖芥壞平生。

飲博

常思群飲與攤錢，此事尤須預禁闌。酗至輕生輸至盡[二]，恁時雖悔恐應難。

安分

貧須藉富富憐貧，安分懲貪德自新，積取餘糧防儉歲，慎無相率去祈神。

天報

四民唯汝最純風，天憫辛勤報已豐。試看仕途青紫客，大官多半是莊農。

終勸

分司勸汝事多忱，今歲詩篇意更深。切把此詩長記誦，來年比勸預關心。

又

文告裁成二十詩，篇篇皆出老農辭。汝歸相勸行毋怠，便是分司樂不貲。

[一]耕犂把種之本在牛：把，文淵閣四庫本作「耙」。

[二]仰事俯畜：畜，文淵閣四庫本作「育」。

[三]雖值豐穰：豐，文淵閣四庫本作「農」。　[四]一麥可敵三秋：一，文淵閣四庫本作「二」。　[五]概欛之方：概欛，文淵閣四庫本作「犂耙」。　[六]切須戒殺心，擅行屠宰：文淵閣四庫本「切須戒殺，勿擅行屠宰」。　[七]務須多斋廣種：須多，原闕，據王抄校本補。文淵閣四庫本作「須繁」。　[八]用之接闕：闕，原作「閗」，據至治本、王抄校本改。　[九]果使鋤跑功績到：鋤跑，文淵閣四庫本作「鋤頭」。　[一〇]縱使一時官借向：借，文淵閣四庫本「錯」。　[一一]酏至輕生輸至盡：至，文淵閣四庫本作「輸到盡」。

先祖妣韓氏祭文

中統元年庚辰秋九月丙寅朔十有一日丙子，男孫某等謹以清酌庶羞，遣奠于祖妣韓氏之靈：繄韓氏先，昌黎之裔，枝分派析，散處於衛。衣冠煌煌，文經武緯。越宋有光，司空之貴。惲觀其譜[一]，本支十世。猗嗟祖妣[二]，實出其系。薰沐膏腴，生夫盛世[三]。德婉柔嘉，主夫中饋。貞祐初元，金兵四潰。萬室一存，危若旒綴。時維祖妣，歸于王氏。内助我祖，畢力家事。遂濟坤柔，外扶貞義。我堂復構，我祀復繼。内治雖嚴，舒而脱脱。我祖先歸，我考時穉。勤苦流寓，栢舟自誓。鞠養提携，遂成偉器，名甲京師，一日騰沸。抱飴諸孫，免夫火水。至克負薪，其思非細。欲報之德，昊天罔既。八十之春，不為早世。顧不孝孫[四]，榮養殊替。有銜不祛，涕泗面被！庚申之秋，應辟東魯。力辟幕官[五]，唯曹是主。慮其不淑，庶獲奔赴。罔遂所求，心不遑處。后土皇天，實聞斯語。旬日之間，事易其故。天誘愚衷，駕言西騖。拜省庭闈，病為少愈。九月初吉，星河尚曙。有物告終，聲裂軒户[六]。奄奄在床，彌留不去。日薄西山，矯首云暮。風樹之悲，有淚如注。盤盤新阡，實惟高原。安之妥之，一遵訓言。傳家之範，敬奉周旋。左配我祖，何千萬年。嗚呼尚享！

［一］惲觀其譜：惲，文淵閣四庫本作「殫」。［二］猗嗟祖妣：猗，原作「尚」，據至治本、文淵閣四庫本、王抄校本改。［三］生夫盛世：夫，原作「大」，據至治本、王抄校本改。文淵閣四庫本作「大」。［四］顧不孝孫：孫，原脱，據文淵閣四庫本補。［五］力辟幕官：力辟，王抄校本作「力辭」，文淵閣四庫本作「募辟」。［六］聲裂軒户：裂，文淵閣四庫本作「動」。

廣平郡夫人完顔氏祭文　徒單學士母

懿懿夫人，金源之裔。分派天潢，坤柔所萃。式承陰教，婉其令容。作配德門，被之僮僮。蘋蘩主饋，化成肅雍。孟母之訓，伯姬之恭。是嬪是則，以號以封。立人之道，莫嗣續大。子挺儒宗，種德孔邁。令伯陳情，不仕而恝。菽水盡歡，心平日愛。素髪垂領，班衣在身。問安眎膳，眷然晨昏。野服瀟然，林下之秀。蘭玉盈庭，歲時上壽。日薄西山，其明則東。曾是微恙，而不及躬，起居燕樂，曳曳融融［一］！彼高明家，具慶則那。若母若子，為壽如何？親不知憂，孝養終天。享此全福，幾人則然。懿懿夫人，足慰下泉。膴膴周原，瞻氣葱曨［二］。居河之湄，有儼新宮。楄柎無憾［三］，哀以送終。懿懿夫人，為婦盡道，為母有儀。彤管有煒，千古是徽。尚饗！

［一］曳曳融融：曳曳，文淵閣四庫本作「洩洩」。［二］瞻氣葱曨：曨，文淵閣四庫本作「龍」。

［三］槅柎無憾：槅柎，文淵閣四庫本作「臨拊」。

祭王參議文　中統元年十月二十一日

維中統元年十月甲寅朔，二十一日甲戌，王惲謹以清酌之奠，致祭于參議先生之靈：藹藹王公，維德之宗。教子以義，從師于共。走也何幸，而與點同。氣質一變，舞雩之風。文士輩出，繄先生之功。公來典衛，粤惟八年。興滯補弊，政有後先。激濁揚清，巨細不捐。樂育之心，有加于前。士感公知，所立卓然。顧惟不肖，獨有二天。每侍几杖，接以温言。意向所在，多文字間。一意作成，汝其勉旃。家貧親老，擇我禄仕。床下之拜，言猶在耳。蜀山蒼蒼，公筆西指。董庵之别，誠發於衷。臨岐眷眷，告以終始。蹭蹬沉鱗，有俟乎此。孰為歸來？便隔生死！痛彼知己，世罕所遇。我思古人，涕零如雨。猗歟先生，伊時之麟。文彩風流，與道日新。既惠我輩，亦及我之後人。所謂故國，非有喬木之謂，而有世臣。峨峨豐碑，表公之墳。公雖云亡，其德在民。太行盤盤！淇流湯湯！永懷先生，何日而忘。

祭王府君夫人陳氏文

至元十二年二月

大元國至元十二年歲次乙亥，二月壬寅朔越日，承直郎、平陽路總管府判官王惲謹以香酌之奠，致祭于河南路宣慰副使王君太夫人陳氏之靈：伏以《詩》稱有基，婦道乃隆，《易》贊坤儀，徽柔所鍾。維夫人之淑，兼著一躬。母儀女範，媲于六宗。内助既裕，化成肅雍，彤管有煒，周南之風。嶷嶷賢嗣，總角從容。以契以分，昆仲猶同。二十年間，獲侍左右。歲時拜慶，稱觴上壽。顧畜殊常，如卵斯覆。我草惟纖，兄蔚蘭樹。突而弁兮，載同庠序。浹洽薰陶，亦叨時譽。調官南歸，四月惟夏，升拜北堂，德容甚暇。親哺之食，手飲以斝。駕言西行，辭拜床下。中心惻然，誨言灑灑！日薄西山，衆鶵飛翻，云别幾何，遽棄榮養。聞訃驚怛，愍焉如喪。英英白雲，太行之上。有淚盈睫，悵然東望。嗚呼！適去則順，其生也榮。較丘山與華屋，終哀樂而殊情。懿懿夫人，壽踰八旬。祔安玄堂，慶流後昆。是足以慰下泉，而釋悽愴於蒿焄也。惲以官守有限，罔獲駿奔。既不及撫棺而與謚，緊昔賢兮儗倫。以陶侃之忠順，知湛君之聖善；以不疑之平反，審母氏之慈仁。援例私議，寓哀於文，庶幾薦微誠而告精魂也。尚饗！

禱雨蒼谷神祠文

去冬今春，厥旱斯普，比聞三方，既禱而雨。維此衛邦，和氣艱阻，草木焦卷，種不入土。致此咎殃，誠守吏不德之故也。吏不稱職，罰及一躬，我民何為？罹此旱凶。嗟嗟四民，最苦我農，止食其力，歲期一豐，旱苟成災，散而西東。恭惟明靈，蒼水之龍，哀憫慈惠，正直明聰。司我雨部，山靈是宗；瀕彼淵池，雲雷之宮。民以病告，禱輒感通。忍以吏不稱職，卒莫救其隆蟲哉！願迴哀眷，澤我邶鄘，乃以有秋，祀事孔終。

祭王參議文 代史運使作

惟公奮迹渤海，應期挺生，婉畫長材，廓時之清。佐我父相，幾三十年，子惠兵民，以謀以旋。長淮百戰，松漠逾邁，死生以之，而有公在。蹻蹻大節，老而彌堅，襟融宇粹，秉心塞淵。中牟之仁，平陽之賢，哀哀衛民，賴公以痊。膴膴周原，熙然樂土，公雖云亡，其政則舉。走自恒陽，來寓南鄘，瞻邦遺像〔一〕，齊之蓋公。歌詩知政，泱泱大風！民懷遺愛，甘棠是比。士而感德，曠乎百世。矧伊嗣侯，義同昆季。嗚呼哀哉！吊罔及哀，生不獲事。遐想音容，河岳流峙。野日荒荒，群飛搶揚。公不少留，使我涕滂！跽而陳辭，奠此一觴。尚饗！

[一]瞻邦遺像：邦，文淵閣四庫本作「拜」。

春旱禱諸廟文

旱自去秋，極於今春。滌滌衛土，如惔如焚。夏麥已槁，曷休我民。秋種不入，饑饉薦臻。旦夕惶懼，不知所云。恭惟明德，守臣所欽。民以病困，神心孔仁。用是齋沐，以祈以禋。庶垂哀眷，昭鑒微誠。風伯回馭，山川出雲。一變鏊氣[一]，化而甘霖。秩我東作，庶幾西成。載謁祠下，冀答鴻靈[二]。尚享！

[一]一變鏊氣：鏊，原作「鋆」，據至治本、文淵閣四庫本、王抄校本改。　[二]冀答鴻靈：冀，原闕，據文淵閣四庫本補。王抄校本作「以」。

七夕祭竈文　至元乙亥平陽府作

三代之制，五祀孔修，群姓時享，或春而秋。欽惟竈靈，並奧而幽，朝烹夕飪，一家所由。火水相德，乃神之休，敢致薄奠，于陘之周。有肉如玉，有酒斯柔，味登于俎[一]，香列于卣。匪物將致，匪媚是求，久矣斯禱，庶答神休。尚享！

七夕祀竈，漢俗也。世久不用，獨吾家行之，多歷年所。且前人致恭，或斯苟得，此非予之心也。蓋庖湢飲食所出，五祀神為最尊。薄宦已來，餬口四方，是神即予主，予乃神之客也。匪朝伊夕，不無溷殽膠撓之瀆，惟神念客之故，庶有以安之。用伸告謝，以答神休。尚享！

[一]味登于俎：俎，原作「祖」，據文淵閣四庫本改。

謝龍神文

維至元四年歲次丁卯夏六月丁巳朔廿日丙子，翰林修撰郡人王惲謹以香酒之奠，敬祭于縣西平成鄉龍公之神：蟜蟜神龍，柄雨之機。亢陽為災，非雨則饑。士而力農，乃分所宜。惟百創理，一旱則隳。霈澤在天，屢及我私。疇敢不祇若神之威德也。尚饗！（以上《秋澗集》卷六二）

全元文卷一九六

王　惲　三〇

告家廟文　至元四年六月二十三日

維至元四年歲次丁卯六月丁巳朔，廿三日己卯，孝曾孫王惲等謹以香酒時果之奠，敢昭告于曾祖考府君、曾祖妣臨清吕氏；顯祖考修武府君、顯祖妣孟氏、韓氏；皇顯考忠顯府君、皇顯妣夫人靳氏之靈：先以丙寅歲十有二月，為子公孺聘婦，得宣差石君之第三女[一]。兹者往之女家，躬展禮幣。今龜告吉日，維斯時廟授有儀，式仲虔告。尚享！

[一]得宣差石君之第三女：差，文淵閣四庫本作「慰」。

祭元神祝文　憲宗六年九月二十九日

歲次丙辰九月戊戌廿九日丙辰，臣某等謹以清酌庶羞之奠，敢告于歲德之君：惟神一歲之君，百臣是統，端臨異位，獨秉威權，悔吝災祥，維神是與。臣某父某，年踰知命，心切齊家。動静之間，既乖攝養；公私之際，尤重愆違。而又庭户積殃，子孫不孝，於七月廿七日遽嬰未疾，將抵時冬，困致沉綿，力疲舉履。日因元命，躬薦愚衷，幸冀神明，蚤躋和豫。尚享！

告家廟文 至元四年八月十七日

維至元四年八月丙辰，十七日壬申，孝子惲、忱等謹以清酌百羞之奠，敢昭告于皇顯考忠顯府君、顯妣縣君靳氏之靈：嗚呼哀哉！維丁巳歲八月至今年丁卯秋仲，府君捐館十週星矣，寔至元四年秋八月丙辰朔十有八日癸酉也。十者數之盈，天道之小變也。祭法以春秋享奠，蓋因其氣之終始而致思焉。矧履霜露，瞻拱木，歲月近紀，親日愈遠，得不極其志而重其感傷乎！今之所謂道供，豈古致齋鄉親之意歟？兹者爰即正寢，敬演靈章，庶仗貞筌，以證妙果。神維格思，式伸虔告。尚饗！

至聖文宣王奉安祝文[一]

於赫元聖，萬世作準，曰義曰仁，風化之本。顧瞻清廟，曠兹有年，咎將孰執？迺吏之愆。爰自下車，心弗遑安。靡朝匪夕，載經載營。誕彌八月，厥功告成。奕奕新廟，桓桓五楹。峻以文階，重以神幄，有翼有嚴，乃丹乃雘。爰居爰處，以清以寧，神格其思，享兹非誠。爰曁厥民，日焉啟迪，仰止瞻依，聿脩厥德，庶幾報本，以謝不職。尚享！

［一］王抄校本於篇名之下有二行小字：「謂新廟成，奉而安之。」

兖國公奉安文

伏以庶工告成，新廟孔碩。於穆素王之亞，聿陪元聖之居，仰底攸寧，永欽厥祀。尚享！

鄒國公奉安文

伏以有嚴閟宫，載新祀典。仍增光於肖像，永配享於神庭。於穆維清，尚安且妥。尚享！

辭墓祭文

至元九年四月十七日

維大元國至元九年歲次壬申四月乙未朔十七日辛亥，男孫惲謹以清酌之奠，敢昭告于曾祖王父顯考王府君之靈：惲自至元五年冬十月，被召赴臺，至九年春[一]，用前資翰林修撰，由監察御史改授承直郎、平陽路總管府判官，已擇此月十九日赴任所，今當遠離墓次，伏冀明靈，特垂陰祐。尚享！

[一]至九年春：至，原闕，據至治本、王抄校本補。

祭孚惠神祠文

六月十四日祈雨，至十八日申刻大雨，至十九日黎明方止。

惟神淵懿徽柔，德妃乾方，觱沸其泉，寔為淵浸。屋而祀之，禮固宜矣。玆者時雨愆常，蒲絳兩州，旱暵頗甚。吏寔不職，民將何尤！夏麥勒而半成，槁稼噓而可燎。衆仰一溝之水，恃為卒歲之安。然得之有限，溉之不濟。與其施及乎有數之田，何若膏潤夫一境之内。惠恤哀憫，緊神能然[一]。伏望起伏龍，鞭電轂，神泓為之變動，川雲隨而翕從。細揵天瓢[二]，溥霑壠畝。使槁者勃興而如掘，熱者得濯而復醒[三]。雲漢昭回，一滌蘊隆之氣；甌窶滿載，卒成大有之年。神能鑒玆，敢忘昭報！尚饗！

[一]緊神能然：緊，至治本作「伊」。　[二]細揵天瓢：揵，文淵閣四庫本作「挹」。　[三]熱者得濯而復醒：復，原作「輙」，據至治本、王抄校本改。

祭斛律丞相文[一]　至元九年六月八日

大元國至元九年歲次壬申六月丁亥朔初八日甲午，承直郎、平陽路總管府判官汲郡王惲，謹以清酌庶羞之奠，致祭于有齊忠臣大丞相、咸陽王斛律公之神：伏念惲以監察御史，叨承郡幕，視事之初，來讞茲獄，求情罔獲，非神疇依。惟神心秉塞淵，氣餘忠謹，始焉義合於神武，終以威馳於栢璧。生為良弼，殁為明神。對越英靈，凛然如在，以德以功，宜永嚴祀。惲授館絳園，迫近神廡，號呶扑擊，不無振驚。然兇悍禍賊，寔神所憝。尚矜不逮，俾集厥事。式伸明薦，以克來饗。

[一]祭斛律丞相文：斛律，文淵閣四庫本作「耶律」。下同。

康澤王廟謝雨文

惲訊獄絳陽，囬經大平，百里之間，秋禾如槁。物之生植，時方尚養，民之告病，不為不勤。俾驕陽亢甚，耕隴塵翻，誠守吏不職之所致也。近雖致禱於鼓堆，行復展誠於祠下。及次襄陵，油雲四興，甘澤霈作，郊野灑然，溥獲沾足。且神化無方，龍德為大，山澤一氣，初無間然。雖愚衷適與之會，寔神碩衈而惠之也。用薦明禋，以答靈貺。尚享！

拜奠夷齊墓文 至元九年十二月十六日

維大元國至元九祀[一]，歲玄默涒灘，冬十二月既望，承直郎、平陽路總管府判官王某，恭以牢醴之奠，致祭於孤竹二賢之墓：嗚呼！天下有當然難合之事，惟特立者能成之；天下有至中大正之道，惟齊聖者能明之。三代而下，建天地之極，定君臣之義[二]，揭若日月，亘萬古而不息者，其惟二賢而已。壬申之冬，某以守吏按事蒲坂，仰止高山，其立卓爾，所謂「聞凛凛之風者，貪夫廉，懦夫有立志」也。趨拜几像，山烟四起。奠以牲醪，若恐將浼。有薇在山，有粒在篋。潔以馨誠，薦我明水。尚享！

[一]維大元國至元九祀：祀，原作「紀」，據至治本、文淵閣四庫本、王抄校本改。 [二]定君臣之義：定，原作「碇」，據文淵閣四庫本、王抄校本改。

祭黄崖山神文

節彼南山，奠安一方。爰産奇石，紫質青章。王宫繕興，爾焉來營。伐而材之，不無震驚。用是昭告，惟神降寧。庶憑默佑，迄用有成。尚享！

謁西岳廟文

維神德媲坤維，氣涵崑潤。際四海洪荒之内，位寔雄尊；在提封密邇之間，禮當趨謁。仰止三峰之峻，來伸一禱之誠。僥倖之求，斷不敢萌；憂戀之心，庶幾昭鑒。爰生申甫，來佐明時。冒瀆顯靈[一]，豈勝悚惕。尚享！

[一]冒瀆顯靈：顯靈，文淵閣四庫本、王抄校本作「顯靈」。

安二賢神文 至元九年冬

某以壬申之冬，來拜祠墓，悼其傾圮，几像暴露，載經載營。今也告成，睠彼雷首，肅焉神庭。緊二賢之德，聖之清兮！以孔聖之哲，極所稱兮！揭若日月，何廟貌之尚兮！封而匪屋，來者何瞻仰兮！蒼煙喬木，何山爛其光兮！盤非周粒，桂酒苾其香兮！神其格思，歲永此而享兮！

肇祭霍岳文 至元十三年六月二十六日

大元國至元十三年歲次癸酉六月壬午朔二十有六日丁未，承直郎、平陽路總管府判官王某，謹以牢醴之奠，致祭于霍岳中鎮應靈王之神：維神峻秀靈異，鬱為鎮山，冀州之野，嶽麓所盤。致興雲雨，祀典載新，報本信敬，兹焉其辰。顧維守吏，歲奉嚴禋，籩豆孔修，敢告駿奔。乃祝之曰：高宜麻麥兮下宜稌，蛟蛇結盤兮物不窳，王事庶集兮神所與。

康澤王廟祈雪文 至元十年十二月

大元國至元十年十二月己酉朔，承直郎、平陽路總管府判官王惲，謹以清酌之奠，敢致禱于康澤王之神：伏念一冬三白，歲事之常。今者云暮，未覩其祥。寒律徒切，風埃澒洞。宿麥雖萎，猶含餘凍。載憂載忡，春疫為重。彤雲油油，既合而收。和氣致盭，政或未修。吏寔不職，民將何尤！惟神降鑒，一雪孔周，災沴不作，惠我來牟。吾儕小人，敢後神休。尚享！

祭靖應真人姜公文　至元十一年二月十二日

大元國至元十一年歲在甲戌二月戊申朔十有二日己未，承直郎、平陽路總管府判官王某，謹以茗果之奠，設祭于靖應真人姜公之靈：某以中統元載，列職省郎，得掌綸命。帝遣使臣，奉宣詔旨，起公於晉，有「遐想仙標，載勤駉乘」之語，眷眷之意，何其隆信者哉！逮明年春，獲拜下風，寶玄之宫。野服黄冠，道淳德冲，曾無一言，及乎本宗。其揄揚稱頌若恐隕越者，堯舜禹湯文武之道之功。建祠奉祀，竭夫一躬。退而論思，豈墨名而行與儒同者耶？及官平陽，載覩儀容。振袂談舊，一沛平生之胸。愈知靖專之性，精誠之德，足以動三河而沃淵衷也！云何一别，上仙三峰。杳黄鵠其何邁？將神游乎太空。天藐雲高，涕泗無從。過故都而眷戀，庶斯文之可通。尚享！

兵次孟津祭靈源王文　至元十一年五月七日

維十有一年甲戌夏五月丙子朔越七日壬午，承直郎、平陽路總管府判官王某，敢昭告于靈源王殿下：我國家將有事于南服，桓桓兵甲，例作于晉。顧予小子，寔總其一焉。今兹南邁，前次河壖，尚克顯相，其安以濟。豈惟可免薄責？誠以威靈陰隲，以先啟行之力也。尚享！

祭平陽府東城門文

惟神職司啟閉，氣積陰凝。今者淫雨為祟，已及浹旬，害彼粢盛[一]，動妨民作。伏望道迪陽和，速成開霽。尚享！

[一]害彼粢盛：彼，原作「役」，據至治本、文淵閣四庫本、王抄校本改。

祭皋陶文

惲以到官四日，奉憲部符，鞫絳陽獄。大小之情，心敢不盡，恍惚曖昧，有不可致詰者。使讞議適當，生死兩明，愚衷不逮，神惟能誘之。冤滯沉痛，棰楚之下[二]，求而不獲者，神惟能伸之。伏惟明靈，尚克顯相。

[一]棰楚之下：棰，文淵閣四庫本作「捶」。

中元節祭三代告生孫汾郎文

伏為男公孺新婦石氏，於今月十有二日辛巳，生子名曰汾郎。蓋人倫之事，繼續為大。因時以享，式伸虔告。庶憑神佑，其安且宜。尚享！

立社稷祭告文

維神五土之祇，百穀之本。血食于社，萬世依準。禮墜而興，張本自兹。牲醪香腯，鼓鐘清夷。迄用康年，神其餟而。

維神百穀是長，萬民之天。配食于社，古莫能遷。名存實亡，乃吏之愆。張本于兹，神其鑒焉。有酒斯旨，有牲肥鮮。維神格思，歲其有年。

范陽房族祖九翁祭文　至元十三年十月十八日

維至元十三年歲次丙子冬十月壬戌朔十有八日己卯，房孫謹以清酌少牢之奠，百拜致祭于故軍資府君族祖九翁之靈：嗚呼哀哉！十二年春，予守官平陽，祖母慕容氏書來，以公訃告，國有常制，莫敢擅離，然聞母弟忱自疾亟，於引柩納壙，皆與及喪次，雖不獲戴星奔赴，中為少遑也。越翼日，即縞素，為位於府北郊之僧舍，發哀以祭。婦推氏、子公孺，新婦石氏在焉，慼不視事者五日。迨今年春三月，秩滿東還，將為指日即路，得哭墓而唁親老也，復為中書檄去，考試河南四道，滿三月而歸。日月逾邁，霜露之感，積諸中而至于攸久也如是，曠慢不恭之責，將何所逭？今茲之來，駿奔露處，不遑安者，凡十有四日。含凄茹辛，實以祭告為事。伏惟神靈，鑒茲哀悃。嗚呼哀哉！尚饗！

祭中書左丞姚公文

聖維天開，寵綏九有。必誕賢輔，以左以右。手斡機衡，殆天旋斗。伊公挺生，奮迹營柳。長白之英，遼江之瀏。元氣絪緼，鍾此特秀[一]。脱落俗學，沉浸道囿。姬情孔思，伊淵洛藪。一物致知，千古尚友。起而翼漢，雲雷交遘，啟沃淵衷，達聰纊黈。至元之初，公綰機紐。謀謨廟堂，股肱元首。職分六卿，綱維結糾。帝載用熙，豐而不蔀。大明黜陟，罷侯置守。萬鈞機張，賴公克彀。霖雨一濡，載清宇宙。我武維揚，荆襄持久。大闢屯田，櫛比糧糗。公善開物，務深耕耨。豳風良耜，十千為耦。繼倡農司，萬邦是揉。明彼王道，始夫南畝。護軍來歸，雪髯垂脰。長江失險，萬介比趣。特置館筵，體貌耆耈。眷我儒臣，甘盤之舊。天理人私，自公判剖。國勢民機，倚公安否。有辯懸河，而惡利口。四海具瞻，漢更商叟。龍光稠疊，玉杖秬卣[二]。望公百年，以佐元後。胡不憖遺？梁木壞朽。彼蒼悠悠，莫之能究。嗚呼！公之為學，知所先後。味道飫經，大羹玄酒。平生游藝，組繡雕鏤。公視餘事，為世瓊玖。公之逢辰，道合非偶。來儀舜庭，臺鼎鳳雛。揚歷中外，足展抱負。八十之春，已極眉壽。考終牖下，載啟其手。有子承家，公復何疚？嗟吾道之如綫，念後學之孤陋！與斯民之不幸，孰思濟而云救？惲自束髮，辱知最厚。拔擢提撕，兩端親叩。至登瀛洲，再承善誘。弦晦一週，玉堂清晝。今公云亡，此會難又。情悄悄以填膺，淚浪浪而霑袖。今也送不違執紼，葬不得撫柩。寓哀斯文，為一觴侑。尚享！

[一]鍾此特秀：特，原闕，據至治本、王抄校本補。文淵閣四庫本作「靈」。　[二]玉杖秬卣：杖，文淵閣四庫本作「鬯」。

故尚書禮部郎中致仕丁公祭文

嗚呼！維至元十三年夏六月，惲考試河南，拜公床下，留語終日，言不及私。維是治之隆汙，民之殿屎，法具未完，涕下漣而。至於廉於律己，老而知止，教子以義，方勑斷家事，其在倫列，如公一人而已。此天下之公論，非予得而私議也。區區之誠，幸惟鑒兹。尚享！

故吏部尚書高公祭文 至元十五年閏十一月十一日，大雪中拜奠。

惟中統壬戌之春，惲以事累，退耕于壠畝者，再罹寒暑。既而擇御史，開憲府，人文之選，公以予主。不肖誤蒙公知，擢置言路。三季裏行，我盼我顧。豈惟使之增光，迄薄用于今者，寔自公之載舉[一]。及官平陽，公判吏部。不以契闊，憐我椎魯。每借譽於時人，為聲勢之一助。是又見公終惠且勤，不我遐遺之故也。至於雄文大筯，忠規治具。三峽秋濤，危波砥柱。兹公論之有在，匪鄙言之能喻。念公平生，靄靄德度。霑賸馥於蘭臺，悵歲律之已暮。敢以受知一己之私，抒予哀而酹公之墓也[二]。神惟有靈，鑒兹誠素。尚享！

[一]寔自公之載舉：自公，原闕，據至治本、王抄校本補。文淵閣四庫本作「公」。 [二]抒予哀而酹公之墓也：酹，文淵閣四庫本作「告」。

外祖安陽縣丞靳公祭文 十五年復十一月十五日

惲年垂髫，省識公面，蒼髯堂堂，山立而弁[一]。逮予成童，受訓母氏，公之世家，頗聞一二。或官鄉縣，或擅科場，歷年五百，財雄一方。至公而衰，亦理之常。厥後一紀，公歿于鄉。惟嗣罔續，我考爽傷[二]。春秋時思，合食祖傍。是用傳訓，子孫奉行。公殯淺土，幾三十霜，棺衾改卜，未就深藏。姨母雖在，顧力弗遑。有劣其甥，按部洹漳。東望堯城，心焉靡寧。迎置姨母，如拜儀形。爰念葬事，與之經營。及茲春首，窆公于塋。庶幾畢考妣之志，慰安公之神靈也。尚期不昧，俯鑒微誠。尚享！

［一］山立而弁：弁：文淵閣四庫本作「異」。　［二］我考爽傷：爽，王抄校作「盡」。全句文淵閣四庫本作「我為盡傷」。

左丞董公祭文

至元十六年九月三日

至元十六年歲次己卯九月乙巳朔越十有三日丁巳，朝列大夫、燕南河北道提刑按察副使汲郡王惲，謹以清酏嘉肴之奠，致祭于故資德大夫、中書左丞、簽書樞密院事、贈金紫光禄大夫、平章政事、謚忠獻董公之靈：觀夫大燕南陲，全趙北垠，神尖鬱茂[一]，滹池淪淪，蟠精萃秀，篤生異人。公應運挺出，絕類離倫，閱敦詩禮[二]，感會風雲。奮父祖之餘烈，策寇鄧之高勛。其志慮良實，又濟以武惠惻隱之仁。謙而接物，勇見於大敵，恭以持己，孰知夫世臣。至於肅齊家範，友于弟昆，忠結主知，德庇生民。功愈大而心轉小，寵既厚而憂益殷。無私蓄為子孫之計，不樹黨收門墻之恩。其公亮謹厚，又似夫董侍中與萬石君也。幾世幾年，孕此忠純。方沐恩於鳳沼，俄星隕於中軍。痛丹青之宛轉，追畫像於麒麟。此非一己之私議，在中外哀悼所不忍聞也。惲爰自布衣，仰公清塵。接樽酒於中統之首，與賓筵於至元之春。每燕語之衎衎，顧若揚顒之可賓。矧二弟之欵曲，辱交久而情親。雖草宿而罔哭，聊寓哀于斯文。仲孺子之薄奠，庶劍繫于徐公之墳也。尚享！

[一]神尖鬱茂：神尖，文淵閣四庫本作「峰」。　[二]閱敦詩禮：閱，文淵閣四庫本作「悦」。

遷奉曾外祖殿試靳公祭文并外妣李氏

惟公才德兼備，元精孕和。早擅場屋，三中巍科。人文之譽，在公寔多。正大初元，公卒宜津，權厝新瀧，幾七十春。殯而未葬，譬彼行人，歸不及家，曷寧其身？兹者日吉時良，奉安祖傍，祔以元配，永閉深藏。魂而有靈，以賁幽光。尚享！

遷奉安縣丞外祖并外媪王氏祭文

惲以前歲後十一月廿三日，為遷奉之事，已告尊靈。今者應期舉厝，永慰幽甇。以順從祖，以安則鄉[一]。祔我外妣，閟此玄堂。靳雖衰宗，在公未傷。有甥姝以主祀，重時思而不忘。是則不必其子而光揚也。有牲斯羜，有酒斯香，神惟昭鑒，歆此一觴。尚饗！及葬公伯兄孝思貢士及姆外氏[二]。（以上《秋澗集》卷六三）

[一]以安則鄉：則鄉，文淵閣四庫本作「其藏」。　[二]及葬公伯兄孝思貢士及姆外氏：外，原闕，據至治本、王抄校本補。

全元文卷一九七

王惲 三一

祭蒲大夫文 至元十八年三月十九日

大元國至元十八年歲次辛巳三月丁酉朔十有九日乙卯，朝列大夫、燕南河北道提刑按察副使謹遣從事賈汝霖，以清酌庶羞之奠，致祭于河内公之神：惟公德挺群哲，獄清片辭，列高弟于聖門，揚仁風於蒲邑，三善之美，庸能既耶？適星垣有分桉之行，過神宇致一杯之奠。庶祈靈貺，以益不能。尚饗！

祭孝感聖姑文

惟神肇迹博靈，遇仙渦浦[一]。柔懿昭靈[二]，作蠶聖母。千祀永賴，神功斯溥。食弗再則飢，衣弗製則宴。念此歲事，惟神其惠顧之。尚享！

[一]遇仙渦浦：渦，文淵閣四庫本作「滆」。　[二]柔懿昭靈：柔，原闕，據文淵閣四庫本補。

故江漢大都督河間路總管兼府尹史公祭文

幽霤萃氣，招摇耀芒，合是二者，篤生忠良。惟公應運挺出，起家朔方。奮父兄之餘烈，荷天衢而鷹揚。武濟文經，為時棟梁。宿一軍於陽夏，號東南之精强。枳棘非所，移旌鎮穰。撫我瘡痏，靖我邊疆。其惠春雨，其威秋霜。掇我殘棄，變而金湯。復我陂障，積而陵岡。孰慮鱗介，易我衣裳。彼氣日索，我師堂堂！果上釣之一戰，掃敗葉於秋商。每出奇而制勝，初不知古人之所長。殆羊傅之久駐，控上流於荆襄。雖飛渡之無及，吴之所以亡者，本由此而用張。能回百戰之餘勇，効政蹟之章章！鬱公堂之佳樹，至今三鎮指為公之甘棠。然千將而補履，終所用而失常。加憂深而思遠，此夙夜之所以遑遑也。竟風悲於大樹，奄龍劍於幽藏。嗚呼！才有餘而用不悉，位雖高而志靡償。曾桃李不言，而天下為之傷也。公常幕余，二年倘佯。促膝言笑，執手飲觴。略吏事而不責[二]，謂國士之或當。兹奉恩綸，按部滹陽。望龍驤之塋域，能我涕之弗滂？瀉平生於此辭，庸表公之衷腸。噫！慟臨江之哭，在公則萬事已矣，有子孝繼，以後則其流未央。神之聽之，庶少慰其所望也。尚享！

[一]略吏事而不責：責，文淵閣四庫本作「肅」。

祭郝奉使墓文

至元十七年二月十二日

大元國至元十七年歲在庚辰二月十有二日甲申，朝列大夫、燕南河北道提刑按察使友生王惲，謹以清酌之奠，致祭于故翰林學士國信大使陵川郝公之墓：嗚呼！甲寅之冬，仲月之尾，公自杞來，道出鄘邶。始覿清揚，重於夙契，把酒論交，笑談游藝。顧睞回翔，吾子可誨，臨别之語，一何勉慰。維中元春，雲龍交際，我時游梁，與公再會。東館相遇，四并同醉，所學所行，盡發其秘。北次龍崗，嘔血而癘。書來及予，愈見友義。我車北轅，公已南逝，自兹及薨，凡十六歲。追憶平生，潸焉出涕。公之問學，閎肆汪濊，公之文章，豹炳虎蔚。萬斛淵泉，出不擇地，太史與倫，《皇墳》可媲。浩浩江漢，萬古不廢，發為忠貞[二]，見諸行事。著書垂聲，諒非本意，匪予得私，乃世公議。今我想公，令人短氣，斯文綫如，忍復殄瘁。直筆疇歸，大册孰畀，偉蹟鴻休，光潛揚厲。而最傷公，為國出使，初館儀真，主成和計。奉持國書，以死自誓，萬介外侮，群猘内猘。節落瘴煙，精誠益勵，屬國平原，同歸一致。長星墜芒，使軺還轡，玉上青蠅，何啻一二！惟皇聖明，見萬里外，録勞棄瑕，予豈汝罪。士無賢否，入朝見忌，膚愬再行，與病交劇。一僨不起，萬事瓦棄，感時懷人，憂來附髀。昔賢有言，常論我輩，大槩無差，節目或滯。如公之才，如公之志，雲夢九吞，曾弗芥蒂。俯掇勳名，高視一世，意廣思長，反為物制，豈惟公傷，因以自識。茫茫太鈞，形流萬彙，幾世幾年，生此偉器。贊用德宗，誼逢漢帝，百未一施，胡奪之易？鶏水淪光，郎山斂翠，隱然一丘，保之西遂。車過腹痛，我懷曷既，黄鳥聲悲，助我歔欷！臨風拜公，哭而載酹。嗚呼哀哉！孤忠伊鬱，幽憂憔悴，生罔能伸，死而永閟。寓哀斯文，庶昭枉昧。公如有靈，恐予言為知己也。尚饗！

［一］發為忠貞：發，文淵閣四庫本作「蘊」。

祭武强南龍池神文

維神威洞淵府，奮飛天衢。致雨興雲，執帝之樞。顧此冀野，時極焦槁，桑半捲而蟲作祟，穀出壠而氣未蘇。農官至無可而勸，窮民將失所圖［一］。匪惟吏責，恐亦神之所當虞也。况蒼精昏見，適時之雩，望靈池而致禱，庶少金其區區。嗚呼！聖帝仁而治下［二］，□□君也［三］，我當供厥職耳，免吏責而歲有成，兢惕之念［四］，則其敢後諸。尚享！

［一］窮民將失所圖：圖，原闕，據王抄校本補。文淵閣四庫本作「需」。　［二］聖帝仁而治下：「聖」、「仁」、「治」，原闕，據至治本補。王抄校本全句作「帝仁而洞下」。　［三］聖帝仁而治下，□□君也：此二句，文淵閣

四庫本作「上帝命汝以下，衛民居也。」　〔四〕兢惕之念：此句原闕，據文淵閣四庫本補。且下句句首無「則」字。

北嶽祈雪文

冀之為分，方數千里。惟嶽峻極于天，神寔安之；水旱疾癘，神主宰之。今者地不藏陽，寒氣失序，歲律向終，未霑冬澤，俾野土不膏，宿麥無望，春疫將興，已足深慮！饑饉荐至，民何以生？祈穀請命，憂人之憂，是亦部刺史之責也。悽悽微誠，敢用昭告。尚享！

祭侍講學士竇公文

惟公性極純誠，道深養浩。幼學壯行，出人意表。於周吉士，在漢有道。以術濟人，方德則小。丁巳春識公於沙麓之墟，辛巳夏吊公於肥縣之保。憶忝列於瀛洲，閱歲華者再杪。世知公漢家之羽翼，我以為中朝之元老。謀方膺於聖咨，憂遽遺於丘禱。今也云亡，士林悴槁。據慭遺而論，斯民有無禄之歎；以順受而言，得五福終命之考。再拜墳阿，奠酹草草顧藥籠之纖微，蓋以答平日之不我少也。尚享！

丞相史公明忌日祭文　十六年十二月十九日，按部中山府

維公出入將相，存殁哀榮。公自去世，于今幾齡？定人思公，雖殁猶生。永言不忘，曰忠曰貞，見之範圍，展也大成。勛藏盟府，德為世程。赫赫堂堂，如山不傾。定人那知，功被齊民。惲向侍燕几，謦咳親承。今遇明忌，來拜神庭。感念在昔，依依我情。有樂陳列，有酮在罍。碧草映堦[一]，酹兹一觥。尚享！定人像公於西北隅，此日享祀[二]，謂忠孝會[三]。

[一]碧草映堦：草，原闕，據文淵閣四庫本補。　[二]此日享祀：此日，原作「皆」，據至治本、王抄校本改。

[三]謂忠孝會：會，文淵閣四庫本作「公」。

史公祭文

惟公德冠群后，望隆漢儀，一節四朝，知無不為。收武定文綏之略，有金聲玉振之規。發至仁於易簀，識大運之盈虧。何己私之曾及，顓戒殺而為嬉。雖羊祜知吴亡而勸進，房喬以征遼而未宜，固足與之等夷也。嗚呼！柱石巍巍，欻然中微。風雨震凌，帡幪者誰？俾為善者嗒然而若喪，變怪者百

出而不疑。此又世之歔欷而含愴也。公殿是邦，尤極恩威。峨豐碑於國門，宜鎮人之涕洟。切嘗荷公左提右攜，豈孺子之可教？在卵而翼之之恩，大有濟於艱危。及聞公薨，身縶情馳。曠一奠而如負，蓋五年于兹也。今我何幸，改畀燕陲。歷河山之故封，悵音容之依稀。念公平生，其能已而。公雖云亡，為世蓍龜。公爽在天，尚克念之。蓋生而矜其愚，既有以省録，豈殁而知其來，復無所維持也[一]。追盛德而曷報，庶不辱我公之所知。尚饗！

[一]復無所維持也：文淵閣四庫本作「復漫無所維持也」。

岱岳祠禱雨文

峕峕岱宗，雷雨宅兮。艮震對代，生物仁兮。片雲膚合，天下澤兮。兹者春霜例災，桑柘空兮。二麥含實，勤將槁兮。秋雖下種，不出土兮。無褐無糗，歲何卒兮？衣被饜飫，膚合力兮。仰惟岳神，其念兹兮。憂民之憂，而亦部刺史公之責兮。慺慺微誠，神其鑒兮。尚享！

黄石公祠乞靈文

惟公鍾秀崇丘，降神圯上，靈氣驚世，惝怳莫詰。如子房以韓亡之餘，開炎漢之業，為帝師之崇，其頒授陰翼，竟濟世美者，先生之神之功也。不肖猥叨時名，艾服官事餘廿年，每以昧於事機，動成乖戾為愧。然非其材而樂之者，有賢父兄故也。矧先生之明靈乎？至若矜其愚昧，濯其固陋，增益其所不能，非先生其誰？用是乞靈祠下，區區之懷，神其鑒兹。尚享！

修治新阡告成文

鵲口四方，幾二十載，歲時拜掃，禮有不逮。水泛雷轟，未免惶駭，於其事亡，不孝之大。即此良月，躬為修治。芟蕪剪棘，增高夷圮。補植林空，再釐風水。郭以周垣，隆阿四起。樹門神游，題阡表氏。揭虔妥靈，非直觀美。功今有儫，以告以祀。神之聽之，以克永世。尚享！

韓君大祥祭文

嗚呼！王宗韓氏，通家往來，三十年間，情好孔懷。矧惟亡友，吾門上第，貞幹風生，發强剛毅。其在諸生，先子所器，年近而立，揚歷中外。臺掾郎曹，名聲曦曦。前歲之秋，告別何遽，曾未越境，夢隨川逝。日月云邁，奄復祥祭。論其受年，校夫禀氣，老而益强，期頤可致。衆維盡傷[一]，去之太蚤，古云五十，不為之夭。宛彼二雛，卓有所樹，翺翔仕途，儘持門户。依依孝思，以永終譽，君如有靈，亦足以慰夫懷之素也。尚享！

［一］粜維薹傷：薹，原作「薠」，據文淵閣四庫本、王抄校本改。

爲姓氏告亡妻文

維丁亥歲六月十八日丁丑，夫惲謹以茶果之奠，告于夫人之靈：推之為姓，世不多有，故嘗詢其所從出，為汝討論者有年，一無所見。適讀潛夫《氏姓論》曰：「推氏、建氏、南氏、舒堅氏、魯陽氏、黑肱氏，皆出楚之芈姓者。」先君熊繹氏之胤，其來光且遠矣。嗚呼！夫人歿而有靈，亦將歆慰其光且遠者，用是不敢不告。尚享！

中丞王公祭文

至元二十六年二月八日

大元國至元二十六年歲在己丑二月辛亥朔越八日戊午，友生王惲謹以清酌之奠，昭告于正議大夫中丞王兄之靈：嗚呼！朋友之重，義列天倫，切切偲偲，疇非弟昆。惟君顧我，而我宗君，以志則一，以分則親。如漆斯固，如蘭斯馨，而敬而愛，久而益新。爰自垂齠，以及於冠。授業蘇門，各伸志顧。智愚雖殊，道則一貫。君秉淵塞[一]，浩無涯岸，脱略辭華，好謀能斷。嘗論士心，酬酢萬變，如匪中立，鮮不棼亂。此予少君，餘何足算？我時念君，大器已見。敦我鄙薄，激我愚懦。治仕將歸，而予獨眷。繼分使符，有最無殿。在昔相度，有若昌黎。辟佐戎幕，大為己知，及論國計，莫之與規。裴非少韓，有崖其間，隱忍就事，材為實難。穆穆忠武，曰伊曰呂，桃李盈門，多士如雨。同升諸公，曰僎是與。初旹中舍，謂輕所處，長居六曹，是為之所，自後騰揚，又知所主。曰史曰張，曰姚曰許，交口薦揄，螭蟠鳳翥。望君廟堂，致主堯禹，其經綸國業，固足以見君之器宇。彼或無知，奚我齟齬。淮海歸來，道在心小，角巾私第，日事墳討。周防有餘，蛇虺結繳。讒火燒城，甚於原燎。伊鬱積中，不無熱惱，嘗切諗予，憂世心悄。覼閔何多，受侮不少。每見慰寬，外物一掃。擴量冲融，致養强矯。死非所憚，此何足擾。如金在鎔，百鍊不撓。白首窮途，亦足枯槁。留使咨謀，為世儀表。此天下之公論，非一己之私禱。云何不淑，不慭遺此一老？吾乃知蒼蒼報施，於焉有未曉者。念君問學，天人理皦。臨終永訣，投我腹稾。語何琅琅，秋空日杲。淚灑行間，茂陵遺草。哀哀二子，越玉陳寶。賢而有文，遹追來孝。所存者長，况不為夭，鍾鼎一事，古人誰了？嗚呼！事至蓋棺，夫復何道[二]？尚精爽不昧，而來者是保。我奠兩楹，腹痛如攪。言念平生[三]，相期遠到。苦樂行違，知者惟鮑。悠悠常情，異心同貌。老夫知音，自深痛悼。我過孰寡？我履孰蹈？有慟無聞，徒辟而摽。淚下河傾，寄兹一抱。嗚呼哀哉！尚享！

[一]君秉淵塞：秉，文淵閣四庫本作「衷」。　[二]夫復何道：道，原闕，據文淵閣四庫本補。　[三]言念平生：言念，原闕，據文淵閣四庫本補。王抄校本作「繾綣」。

路祭中丞王兄永訣文

維君豐度凝遠，内明而外閎。以予交游之久，頗髣髴其一二。其所以斯疾而至於斯者，而皆命之所致耶？豈用有餘而嗇於行耶？物或犯而隱不校耶？欲求合而反得乖耶？剪所愛而戕老懷耶[一]？不然，何氣運喪謝[二]，叢一躬而菑耶？方謗之興，予適在燕。嘗表裏乎西溪，致一言於諸公之間。力雖微而莫辯，庶幾友義盡予心之拳拳。用是生有以書慰之，殁有以文誄之，又罔以不敏，復銘而賁之。辭固斐然，思罄單無愧而已[三]。今者執紼徒送，永隔泉路。然古人神交，罔間存殁。臨岐贈言，故不憚其再瀆。伏惟明靈，鑒兹微悃。尚享！

[一]剪所愛而戕老懷耶：戕，原作「踐」，據文淵閣四庫本改。　[二]何氣運喪謝：喪，文淵閣四庫本作「衰」。　[三]思罄單無愧而已：單，文淵閣四庫本作「亶」。

御史中丞王公誄文

至元二十五年八月

大元至元廿五年歲在戊子秋八月十有一日，前禮部尚書、御史中丞東魯王公薨於維陽之客舍，友生王惲謹遣子某致奠，以不腆之文誄焉，其辭曰：

顯允王公，天姿粹精，文辭翰墨，外彪中弸。年甫弱冠，四擅華聲。從元問學，館申作甥，二公提撕，大潰于成。繼以賓師，主善共城。始拜公面，歡如平生，忘年定交，實為畏兄。青燈孔序，絳帷趙廳，尊酒文會，桐陰滿庭。既謁寥休，偉其豪英，力薦于上，與之同升。帝曰汝冕，秉心和平，乃眷乃顧，詔扈南征。潛鱗縱壑，天衢荷亨。一命卿貳，尋擢歷亭，改漕京兆，以廉見稱。擢之提憲，以顯以榮，搴帷杖節[一]，激濁揚清。移鎮三晉，八州敉寧，載臨恒衛，兩河肅澄。霜空千里，一鶚獨橫。走忝貳車[二]，峨冠振纓，言議甚衎，王事每兢。其臭斯蘭，其堅斯金，兩秩五年，愈親愈誠。訌賊搗死[三]，王度載貞，整我六曹，春官首徵。再執行憲，居中作丞，守以大體，與時浮沉。西湖瀲碧，吳岫空青，公餘吟醉，若慰羈情。用是北歸，伊誰云憎？倘佯淮海，子潛疾嬰。俟其少間，偕之北行，豈其奄忽，痛乖延陵。剛弗愛克，遂傷厥生。疇昔之夢，飲于兕觥。予欲從之，扞格莫能。今悟死別，神交匪冥。今歲夏仲，手書是承，寄是新作，託之稱停。豈意期月，遘此凶屯。初接傳聞，既疑且詢。繼來訃告，大為震驚。於戲！已矣王兄，歿而有靈，鄙懷我聽：以公壽言，六十六秩，未嘗疾痛，體胖心逸。以公宦業，通貴之極，三十年間，略無空隙。以公文章，不事雕飾，平易温雅，簡而有式。以公聞望，揚休山立，聲價一時，荆金趙璧；以公胤嗣，怡怡蟄蟄，翠竹高梧，鸞亭鵠植。所為福全，百福無逆，是用慰公，能事可畢。方之吾儕，又有大弗克及者。秉彛豐厚，度量寬宏，愷悌樂易，顧大光明。不以達貴，我崇彼輕。不以己長，格物自矜。心無城府，口絶否臧，孰為機張，以虞以防。坦焉蕩蕩，内敬外方。汪汪黄陂，撓之不渾。峕峕高山，仰之彌尊。天下之人，不問識否，聞君之名，僉曰良友，是喜是愛，稱不容口。我觀氣運，有通有窒，或負而乘，君子宜息。遺逸厄窮，固足摧抑，遽忍飄蕩[四]，忽還穹碧。是用盡傷[五]，載悲載泣。維此善人，天地之紀。幾世幾年，生此偉器？一朝云亡，歎興殄瘁。茫茫九原，愛莫之起。悠悠此懷，曷維其已。上以愾斯民之無禄，下以惜平生之知己。嗚呼哀哉！尚享！

[一]搴帷杖節：搴，原作「褰」，據文淵閣四庫本改。[二]走忝貳車：文淵閣四庫本作「走參戎車」。

[三]訌賊揭死：揭死，文淵閣四庫本作「俱息」。[四]遽忍飄蕩：忍，文淵閣四庫本作「思」，王抄校本作「遽忽」。[五]是用盡傷：盡，原作「奭」，據文淵閣四庫本、王抄校本改。

推氏卒哭祭文

至元二十四年二月十七日

至元廿四年歲次丁亥二月壬辰朔十七日戊申，中議大夫王惲謹以玄酒庶羞之奠，敢昭告于亡妻推氏之靈：嗚呼！禮嚴卒哭，氣渝一時。愾然興感，悠悠我思。去日漸遠，神而明之。爰仰道宫，有求戚知。哀薦成事，用光其儀。君子與孫，衰衣纍纍。心焉寸草，恩則春暉。伸哀報德，泣涕交頤。而於自致，其殆度幾。惟靈降鑒，以慰永悲。嗚呼哀哉！尚享！

祭三藏佛圖澄文

惟師薄游襄國，寔開帝聰。聞音知物，變眩幽通。非此無以囲猛鷙而神事功。我師真筌，不忘在空。來拜祠下，辛歲初冬。酹觴乞靈，裴囬呪龍。庶一勺之達水，滁野人之心胸也[一]。尚享！

[一]滁野人之心胸也：滁野，原闕，據王抄校本補。文淵閣四庫本作「澆至」。

祭宋文貞公墓　至元十九年五月十一日

至元十九年歲次壬午五月己未朔十一己巳，謹以清酌之奠，致祭于唐太尉文貞宋公墓下：嗚呼！惟岳降神，生甫及申，為周之禎，如公之生於唐，迺開元之治具也。昔玄宗能遠而不忘，一旦召而相之，何其明邪！及惑伶人一譴，公終老于家，何其昧哉！豈天寶之亂於後，有不容置大器於久安故？於戲！往者何咎？國家方以親賢為急，天或寵綏四方，若公者復克降靈，作甫與申[一]，免夫望壠思賢之歎，此臣子所以再瞻隧下[二]，動曠世相感之意也。區區之誠，惟神其鑒之。尚享！

[一]作甫與申：與，王抄本作「為」。[二]此臣子所以再瞻隧下：下，原闕，據至治本、王抄校本補。文淵閣四庫本作「道」。

授少中大夫福建閩海道提刑按察使告祖宗文

己丑秋八月四日[一]

至元廿六年歲次己丑八月丁未朔越四日庚戌，孝孫惲敢昭告于王氏三代祖考祖妣之靈：惲不肖，獲承祖宗遺訓，以至今日，又於此月初三日，欽奉宣命，進授少中大夫、福建閩海道提刑按察使，是皆祖宗奕葉德積之故，越小子何敢[二]？存殁光顯，宜知所自，特陳薄奠，是用昭告。尚享！

[一]己丑秋八月四日：四，原作「三」，據文淵閣四庫本改。[二]越小子何敢：敢，文淵閣四庫本作「能」。

祭待制徒單衍文

至元二十六年十月十二日

維至元廿六年歲次己丑冬十月丁未朔十二日己未，少中大夫、福建閩海道提刑按察使王惲，致奠于故待制徒單公之靈：嗚呼！禍與福，善惡以應之。變其常理，有不復致詰者。惟翰林侍講學士顒軒先生，厥心孔嘉，樂善修德，及其立朝行道，罔不傾悉。晚歲得子，又復良碩，學由家傳，志乃早立。先生云亡，相與咨惜[一]，念渠零屏，繼任翰職，淹留京師，豈造物者將有俟而補先生之不及？一旦夭奪，松摧玉質[二]，云何不淑，而臻此極？睠若堂之三封，悵遼海之不溢，何一氣之衰謝，逮子身而迹熄。余愈知善惡之叵量，蒼蒼之不可必也。不然，豈行焉忽諸，致臯陶庭堅之不食，吾不可而識也。噫！

[一]相與咨惜：與，原闕，據文淵閣四庫本、王抄校本補。　[二]松摧玉質：質，文淵閣四庫本作「折」。

辭壙祝文

伏以甌東南之極徼[一]，憲使外臺之正名，受命以來，夙夜祇懼，有不遑寧處者，於是月十七日卯刻，與子公孺輩前赴任所，伏惟明靈，相其不逮，以道護之。尚享！

[一]伏以甌東南之極徼：文淵閣四庫本作「伏以甌閩東南之極徼」。

祭雙廟文[一] 至元二十六年十月二十六日

至元廿六年歲次己丑冬十月丁未朔二十六日壬申，謹以清酌之奠，敢昭告于唐臣中丞張公、睢陽太守許公之靈：惟神忠抗全節，義摧賊鋒，既障江淮，載清河洛，精爽在上，其生炳如。惲等適有事於維揚，特乞靈於新廟[二]。顧惟朽質，遠涉畏塗，過覬之心，斷非敢萌，不虞之變[三]，庶祈默祐。尚享！

[一]祭雙廟文：廟，文淵閣四庫本作「忠」。[二]特乞靈於新廟：「靈於」，原闕，據王抄校本補。全句文淵閣四庫本作「特乞回新眷」。[三]不虞之變：不，原闕，據文淵閣四庫本、王抄校本補。

祭淮水文

惟神發源桐山，横界楚甸，德參四瀆，潤涵百川。惲恭被綸恩[一]，遠臨殊域，險阻炎蒸，有不自惜者[二]，惟神鑒祐，其安以濟。是則神上有以欽承明命，下有以全臣子之義也[三]。尚享！

[一]惲恭被綸恩：被，原闕，據王抄校本補。文淵閣四庫本作「奉」。　[二]有不自惜者：不，原闕，據王抄校本補。文淵閣四庫本作「所」。　[三]下有以全臣子之義也：全，原闕，據王抄校本補。文淵閣四庫本作「教」。

亡妻推氏祭文

遣奠祭文　至元二十三年十一月十二日

維至元廿三年歲次丙戌冬十一月癸亥朔十有二日甲戌，中議大夫、前行臺行御史王惲，謹以牲醪之奠，致祭于夫人推氏之靈：維君為婦克恭，以母則式，助我内治，其宜其適，四十三年，迺猶一日。眷我貧家，勤亦之極，惟是盡瘁，遂臻于疾。彌留八年，屢值已棘，孰祓其祥，稍復安息。孟冬辛酉，遽變容度，孰褫其魄，溘先朝露。惟此喪制，我實主之，布冠齊衣，我具舉之。木美藏嚴，恐速腐之，美慰汝心，汝其顧之。我卜甲戌，窆焉襲吉，奉安汝柩，皇姑之側。升輴發引，爰用控告，汝宜勿憾，我未爲佼。魂兮歸來些，四荒不可以往兮！惟汝子孫，是依是保，黯黯精魂，悁悁心目。旬浹之間，重有所祝。日薄西山，一語不復，念之盡傷[一]，又孰爲鬱[二]？於戲！零落山丘，生存華屋，自古皆然，非汝之獨。惟弗偕老，天爲之酷，有淚如泉，永注河曲。嗚呼哀哉！尚享！

[一]念之盡傷：盡，原作「𥁕」，據文淵閣四庫本、王抄校本改。[二]又孰爲鬱：王抄校本作「人敦爲鬱」。文淵閣四庫本作「又增悒鬱」。

過趙祭忠武史公祠文

夫用物精多者，英爽罔昧；垂顧異常者，死生不殊。我丞相忠武史公，以丘山之重，顧草芥之微，其生也卵而翼之，其殁也寐而訓之。兹者奉詔北上，展拜新祠，敢乞明靈，增益不逮。蓋愚魯之性，惟其素知，於言動之間，庶幾默祐。尚享！（以上《秋澗集》卷六四）

全元文卷一九八

王　惲　三二

中林有烏辭[一]

唁姨母而思親也。

哀哀母氏，壺儀光兮。我鞠我育，其勞昌兮。植思靜佳，風飄颺兮。顧惟蒿蔚，擬諼芳兮。菽水奉歡，其憂忘兮。母恃子豫，亦所望兮。一朝致樂，初未嘗兮。夜夢見之，晝微茫兮。歲月逾邁，拱木蒼兮，履此霜露，中心傷兮。我行宗城，如渭陽兮。瞻戀姨闈，自不遑兮。展我孺慕，聞母香兮。贈乏瓊瑰，幣帛將兮。枝同氣連，何殊於幽明間兮！庶幾母心，慰下泉兮。中林有烏，翩其反兮。情極反哺，鳴聲應而喧兮。可以人而不如烏之志兮。別淚盈睫，下霑袂兮，停雲在空，浩無際兮。我思母氏，曷有既兮。

[一]中林有烏辭：辭，原脱，據文淵閣四庫本補。

哀友生季子辭 并序

中統五年甲子歲夏五月廿有九日晝漏盡三十刻，府從事周貞以友生季子之喪來告。聞之驚怛，迺為輟食。因憶予弱冠時，始識渠于教官張文紀學舍，性資純雅，似不能言者，扣其《禮經》，皆能成誦于口。既長，從泌陽趙公業詞賦，故日夕翱翔，相得為甚狎。逮壬子秋，顒軒徒單公自甯來居，曰：「今而後執經問學，吾知所從矣。」於是摳衣席下，大玩厥辭，含章既貞，士論乃厭。每自嘆古人讀書患其無書，今人置書不覩何居？要當手畢群書[一]，使之滿家而已。及《三史》甫畢而病嘻，學之難成也如此，可勝嘆哉！子天性孝友，為人簡靖不群，喜作詩，其較量體格、推敲聲律，有過人者。然識者以骨清而癯、耳小而傴，恐非壽相也。今年春，顧見憊氣烝出顏間，僕謂曰：「子殆病矣！不然，何神與氣索然無光耶？子少休，學本潤身，守身為大，吾子其慎之。」既而卧病在牀，以迄于死。初，其父命其子曰：「而吏而商，斷不汝為。惟士與農，迺所願學。」吁！為父者，可謂知其子而得其教；為子者，可謂盡其孝而養其志者矣。維其天不假年，聲光潛窒，不少白於世，是迺可惜也。於戲！天道無親，常與善人。若季氏者，可謂一門善人矣。遘罹凶極，一至於此，天之報施善人，果何如哉？予不得而知也。噫！武死矣，非文曷以攄予之哀，而見若之志，如李觀、歐陽詹之不幸，終復聞於世者，以昌黎之文故也。君諱武，字子文，世為青齊人，壽三十有四。遂援毫寓哀，以畢其辭[二]。誄曰：

倚嗟季氏，以善傳兮，種德及嗣，培福田兮。父母之心，一何賢兮，子奉以行，周且旋兮。學根於心，浩浩天兮。再世而昌，其流淵兮。有物忌娼，坎壇纏兮。云何不淑，遘此邅兮？自古有死，豈子然兮，維卒不施，涕所漣兮。哀哀父母，白垂顛兮，狎于弗順，蓋子棺兮。東城之野，子之原兮。悲風瀟瀟，淇水寒兮。游魂一去，不復還兮。永矣無聞，閟九泉兮。反袂拭面，慨其嘆兮。禍淫福善，此何愆兮？天道悠遠，疑其無所閑兮[三]，其脩與短，不幸之間兮。嗚呼哀哉！夫我何言，子所安兮！

[一]要當手畢群書：文淵閣四庫本作「乎必廣萃群書」。[二]以畢其辭：畢，文淵閣四庫本作「抒」。
[三]疑其無所閑兮：閑，文淵閣四庫本作「聞」。

故中奉大夫浙東宣慰使趙郡陳公哀辭

至元十四年歲次丁丑秋，中奉大夫、浙東道宣慰使陳公按營田東下，歷明逾台[一]，九月七日，歸屯新昌，為賊姦所乘遇害，嗚呼哀哉！公未殁前五月，予夢公柩輤而過衛，再夢坐越府上，望公而不得接，後閱月，復夢把臂談詠，如在試院中時，第霧氣盪胸，終不覩其面。明日，卜奉常宋君不吉，曰後幾日，當有惡報至。予魄動而不忍聞。既而公故，吏張永錫以訃來告，乃審公之所以亡。嗚呼哀哉！

初癸丑歲，公侍謀于漢邸〔二〕，聞走名而喜之，及尹洛師，一見殆平生歡〔三〕。至元三年，以邦伯釐衛，日夕得游從燕處，為文章往復，時或持論古今，傾底裏無間。至於振衰礪懦，長予志殊鋭，四載間猶一日也。後五年，予自裏行得調，公亦移鎮河湟，自是不相覿者五易歲。維十有三年夏四月壬辰朏，堂移考試河南，得貳公行，躍躍不能寐。遂自梁抵申，由宛葉入洛，而竟事於汴，寢飦游居，不斯須離者，餘七十日。公以平昔出處，素所蘊而毖者，一發而盡於予。竊壯夫志弘而毅，氣剛以直，學切而有用，器遠而足識，皜皜乎有不可尚已者。及祖帳夷門，酒酣歔欷，悲不能訣去，至揚觶而歌曰：「孤忠耿耿，信不疑兮，匪席匪石，可卷移兮。與子論交，乃所期兮，日暮途遠，將何之兮？彼蒼悠悠，其聞斯兮。」予上馬歸，念且訝其遽如許也。嗚呼噫唏！公今死矣，予尚忍言哉？或者以玉山賊門庭寇也。終宋亡而不克揃，新昌下邑也，惡而無所預〔四〕，盍去諸。予曰：「公之不去者，以弭禍亂、懷新附，分也；事不辭難，患不苟免，志也。去之，民何賴焉？」賊或有知，使洞貫之誠，一言開悟，于以窮根窟，掃餘孽、宣威海道，以靖東南，在公為弗難。不幸擁馬直前，言未及諭，而兇鋒閧加。蓋公之所能者天也，其不能者命也。嚮使因鼠輩而喪厥守，以偷生而為得計，名節委地，坐睎民殘，是豈公之志也哉？況公生平忠誼表表，審量素定，晚節操履益堅，其遇當行可為，得少伸抱負，分一死久矣。昔顔太師知賊狀已明，將命而徑往；李司徒視逆刃交下，握節而不去。二公者，豈甘心劙躬哉〔五〕？正以忠烈之氣，寧以一不幸，遽可慊然於其心哉？今以公事節槩之，不少異矣。然不使公從朱游、王遵，瀝丹衷於折檻之前，抗忠諫於伏蒲之地，奈何鏦死道路〔六〕，纓絶於穿窬之手？此士論共惜，僕尤哀而為之辭也。公諱祐，字慶甫，趙之寧晉人。固窮力學，工為詩，尚氣，能道所欲言。節齋其自號也。嗣子夔，繼請兵討賊，得害公者七人，戮越州市。次子臯，扶其喪，葬北邙之新阡。其辭曰：

維天降材，深有謂兮，清明萃躬，經此一世事兮。伊逢昌辰，臣子尤不可易兮[七]，鴻毛沛風，宜乎奮厥翼兮。百鑱幾施，有物訶以忌兮，固窮善道，退而甘所棄兮。何縻以好爵，足將進而躓兮？擠之禍賊，天胡為而厲兮？俾姦惡者何所懲，忠善者將何恃兮？豈福善禍淫之戒，時或撓而弛兮？豈命數一定，善惡得而致兮？豈一氣偶然，乘之者隨所值兮？不然，何厚其所可薄，而賢者莫錫類兮？嗚呼！言至於此，天道悠悠，此心盡而俟兮。自古有死，死非以義，等草木之敝兮。堂堂節齋，明是義兮。夫我何尤？公所求兮。既獲死所，公乃休兮。有子而孝，復厥讎而歸故丘兮。是或蒼蒼者有足賴，神理於焉在兮。魂歸來些，歆予文之一慨兮。固元身不歿，名永肩於崧岱兮。噫！

[一]歷明逾台：台，文淵閣四庫本作「召」。　[二]公侍謀于漢邸：于，原闕，據文淵閣四庫本補。　[三]殆平生歡：殆，文淵閣四庫本作「如」。　[四]惡而無所預：預，文淵閣四庫本作「顧」。　[五]豈甘心劘躬哉：劘躬，王抄校本作「劘軀」。　[六]奈何鎩死道路：鎩死，文淵閣四庫本作「徒死」。　[七]臣子尤不可易兮：可，原闕，據文淵閣四庫本補。

故中奉大夫山東東西道宣慰使史公哀辭

事有曠世相感，郗歔不自已者，豈非義激於衷，默有所契而然耶？況神交罔間，没而陰相者哉。故宣慰史侯、五路萬户留後之嫡長、太尉忠武公之猶子也，不肖自早歲蒙開府盻睞，獲識侯于明，而合併有數，欵狎則未也。逮提憲朔南，適平宋來歸，時接燕談，三載之間，猶一日然。既而起公慰宣東方，走亦持節甌越，前次甬東，一夕夢公相戒云：「君方從事閩徼，得喪有命，尚慎眠食，不宜中動。」臨岐握手，有繾綣不已者。予又嘗銘公兄墓，以名驃見昵，及是方倦游思歸，公復見夢曰：「遠回在邇，但吾乘不得與同耳。」後數日，聞公訃，馬亦隨斃計公卒辰，適始夢甬上時也。吁，亦異哉！嗚呼！公於余深矣，往有以教，歸有以啟迪之，非神交而何？哭墓草宿，且惡夫涕之無從也。癸巳冬，予在翰林，公之子親衛指揮使焕、弟祕監輝來謁，出諸君銘章，仍有徵於余。感念疇昔，迺抒願言。公為人深靖有識量，善謀能斷。生長豪貴，不以居養自高，周知物情，未嘗臧否出口。平居褒衣素裙，以琴書自娱。賓從宴游，若與世浮沉者。及其治兵作牧，撫循籌畫，二者並用，不相底滯，有成算而無遺慮，所謂總戎作氣，帥尹而寓軍容者，公其有焉。宜乎為世父鍾愛，名聲昭於人，功烈著于後也。至元甲申夏六月，余將往歷下，見公於所居南樓，置酒酌別，既酣，談論古今成敗，傾徹底裏，且及平時痞痳風雲、破碎陣敵等舉，如濟南珍嶼、横槊臨江之役，皆是也。曰：「異時倘經故處，當知予愾王所敵志也。

吾老矣，將無復再得。」去三年，公薨謝官下。於戲！公今已矣。顧視一時鉅室世臣，其麗不鮮，較其德業問望，哀榮終始，略無遺憾，鮮有及公者焉。然尚何辭而哀之？惟是存歿陰相，久要之言，耿耿在抱，義激愚衷，故特發其隱而未書者，俾告公靈，庶慰車過腹痛、繫劍喬木之意云。其辭曰：

天之降才，實為艱兮；用應時需，又所難兮。文武一岐[一]，造物者靳其全兮。合而兼濟，粤惟世之賢兮。堂堂史公，北方强兮。知柔知剛，萬夫望兮。依乘風雲，秉鉞戎軒，蕩無前兮。有來群后，策勛盟府，相後先兮。收斂豹韜，作牧民编，于蕃宣兮；國倚以重，民懷風愛，動海堧兮。神而化之，人亡政息，伊時亶兮。嗚呼哀哉！若公者其英其靈，有無間兮。豈隨化歸盡，魂無不之，渺逝川兮。其或奮為神明，司幽玄兮。明復為人，續其志之淵兮。若或亶然，又不知其幾世幾年兮。論至於此，尚何言兮？所以增我永慨者，正復哀斯民之不幸，抑且感知己而涕漣也。

[一]文武一岐：岐，文淵閣四庫本作「轍」。

祝　辭　為劉孝先子迪作[一]

古者名訓冠前，字加冠後，改而推稱，蓋以責其禮之成全。成人之道，孝、悌、忠、信，莫重而先，四者有立，吉孰大焉。曰禹曰益，九官讓賢，及陳儆告也如是，况余人然。山木取義，併其名而字之。予以四行擴充迪傳，劉氏子其服膺拳拳，猶日見鄉先生于朝端也。

［一］為劉孝先子迪作：為，原闕，據至治本、文淵閣四庫本、王抄校本補。

周氏小女祝辭 元貞元年秋

元貞元年秋，過總尹孟戡家，出小女拜，且命誦《孝經》、《論語》等篇，殊琅然也。仍請訓辭為祝，因書以付之。蘭即燕故家留判趙公外孫也。

英英女孥，何靜嘉兮！翁初見之，燕故家兮。牙牙點粧，玭瓊珈兮。學語未正，鶯囀花兮。今年拜予，雙鬟鵶兮。洞簫有賦，非所誇兮。孝章魯語，誦無涯兮。謝以蘊稱，汝其昭兮。詢以小字，曰蘭嬌兮。葳蕤芳華，蟾翠翹兮。猗猗揚揚，兹容翹兮。女惟德馨，幽閑在兮。佩而服之，儀與誠兮。女紅蠶休，尤所賴兮。守以貞順，敬母怠兮。付之汝誦，于以書脱脱其義之帶兮［一］。

［一］于以書脱脱其儀之帶兮：其儀之帶兮，原脱，據至治本、王抄校本增。全句文淵閣四庫本作「于以書悦兮」。

觀溟漲辭

山雲蒸兮老而昏[一]，大壑滄兮涇流奔。渚崖曲兮千里，一夕平兮光瀰。二水之充兮無幽無深，遠朝滄溟兮臣妾之心。幽人觀其瀾，逝者何嘆兮！周而復還。萬物化結水之仁，功成而退兮，殆君子之逡巡。日三往而臨視兮[二]，悟夫噓噏於此身。又何必酌樽中之醁，問江山之神也耶？

[一]山雲蒸兮老而昏：老，文淵閣四庫本作「杳」。　[二]日三往而臨視兮：臨，原闕，據至治本、王抄校本補。文淵閣四庫本作「睇」。

鳴榔曲

至元九年三月

壬申春三月，予自京師南還，十八日夜半，過平棘西洨水上，聞漁人鳴榔中流，聲響甚厲，駐車起聽，令人杳然有江灣漁樂之思，作《鳴榔曲》以寫其音節云。其詞曰：

榔鳴葦間，回風遠遞。洲空月寒，音節愈厲。響應虚谷，波翻水際[一]。驚群魚而入槮[二]，笑古人之用智。予駐車而三聽，欲挐舟而同逝。

[一]波翻水際：水，文淵閣四庫本作「木」。　[二]驚群魚而入椮：椮，原作「糝」，據文淵閣四庫本改。

田横墓歌辭　至元十三年六月

至元丙子夏六月，奉堂移，偕節齋陳公，以事東之偃師。過横墓下，慨慕耿光，悲歌而去。歌曰：

秦以帝稱，魯連之所耻兮。漢以劍起，布衣之所極兮。横王東海，意不充其覬兮。天命攸歸，吾將奚所適兮？死或當理，庶烈士之則兮。（以上《秋澗集》卷六五）

全元文卷一九九

王　惲　三三

憲司箴

肅肅憲司，虞夏九牧。其在漢唐，刺史都督。控臨百城，靡不約束。既重其權，匪輕所責。治弘務簡，望隆威赫。有臺閣清嚴，無州郡急迫。繡衣四出，輶軒金節。命服有彰，非爾徒設。奉宣詔條，巡省按决。官之邪正，政之得失，酌汝之言，以明黜陟；俗之孅惡，民之休慼，恃汝注措，以安以息。國有重典，越惟刑辟，圜土幽囚，肺石寃抑。仰汝審察，哀矜致恤，毫髮或差，追悔何及！剛不可憚，憚則氣怫；弱不可欺，欺則衆怨。事無避難，避之愈集；法毋情破，破之有窒。何以處之？必正必式，一有私萌，力為之克。如松斯貞，如鷙斯擊，其嚴秋霜，其平砥石。是乃所云[一]，邦之司直，我玉無瑕，彼疵可録。志行氣伸，吏畏民服，一道清寧，乃稱所屬。其或暗夫大體，苛細是燭，較利害之孰多，至首尾之畏蹜。甘於慵身，計日而禄，官謗奚逭[二]？顔厚有忸。爰作斯箴。敢告司僕。

[一一]是乃所云：所云，原闕，據文淵閣四庫本補。王抄校本作「誰」。 [一二]官謗奚逭：奚，原闕，據文淵閣四庫本補。

言箴

語戒過繁，論先期用[一]。我之樞機[二]，寧惟妄動[三]。動躁輕易[四]，違理取勝。過慮思邪，皆言之病[五]。一不知檢[六]，有害於用[七]。審察安詳，時然後應。非法不言[八]，一出於正。其或不然，自陷於穽。念之念之[九]，銘箴是師[一〇]。

[一]論先期用：「論」、「用」，原闕，據文淵閣四庫本補。此句王抄校本作「幾先期重」。 [二]我之樞機：之樞機，原闕，據文淵閣四庫本補。此句王抄校本作「樞機斯動」。 [三]寧惟妄動：寧惟妄，原闕，據文淵閣四庫本補。王抄校本作「我擇我言」。 [四]動躁輕易：動，原闕，據文淵閣四庫本補，此句王抄校本作「惟言之愆」。 [五]皆言之病：「皆」、「病」，原闕，據文淵閣四庫本補。王抄校本作「狂」。 [六]一不知檢：「一」、「知檢」，原闕，據文淵閣四庫本補。此句王抄校本作「苟不惕乾」。 [七]有害於用：用，文淵閣四庫本作「性」。 [八]非法不言：原闕，據文淵閣四庫本補。此句王抄校本作「造次顛沛」。 [九]念之念之：後一「念」字原闕，據文淵閣四庫本、王抄校本補。 [一〇]銘箴是師：此句原脱，據王抄校本補。

忍　箴

忍之為字，以刃加心。少或弗隱，其傷必深。家府維訓[一]，挺挺而全。謂予平生，半在官聯。萬變前陳，履薄臨淵。少觸與競，其心即燃。自救弗暇，理何有焉？量汝之性，以忍為先。惟忍則濟，欽哉聖言！

[一]家府維訓：訓，原闕，據文淵閣四庫本補。王抄校本作「哲」。

楷杖銘　并引

孔林之木，瓌異者為多，魯人世不知其名者，蓋夫子没，弟子各持其方之木來樹焉。在枌檀龜柞中名殊顯者，獨文楷耳。前朝斲之板，持以備新進之儀，豈思其人、重其文、敬其手植之意也歟！紫陽公携二杖過衛，一以贈予，因識其楷之所以為楷也如是。吁！昔而簡，今而杖，用雖不同，至於重其文、敬其手植之意一也。銘曰：

體堅而微，色正則瑩，庚庚其文，挺挺其性。本根傳萬世之芳，枝葉蔭百王之聖。斲而杖之，以扶吾道之衰兮，庶由乎義路之正。且予年之方盛，是不可施於其鄉兮，復將虢蛇妖於異日，于以叩原壤之脛。惟桑與梓，必恭且敬。矧吾家之草木，敢不同甘棠而加愛兮，故賡之以舞雩之詠。

檳榔杖銘

體堅而柔，節促而澤，赤藤桃竹，非所狎兮。青蛇奮蟄，腹紋鱗鱗，入手滑兮。質挺炎德，出入有聲，豈特鏗爪甲兮。堂堂許公，國喉舌兮。杖而登朝，表孤節兮。是將代太尉之笏，擊奸慝於未孽也。

芝枕銘 并引

予觀神農氏之經，芝之種有五焉：紅者如珊瑚，青者如翠羽，黄者如紫金，白者如截肪，黑者如澤漆，皆光明洞徹[一]，如冰之堅，五岳之山産焉。後之以芝名者[二]，不若是[三]，豈柳柳州所謂天澤餘潤，雖枯枿敗腐，猶能幻出芝菌[四]，以為瑞物。是枕之芝，或間産名山，或蒸出枯枿，予不得而知也。但不斤不斲，底平面傾，犀文外繞，疊成枕形，誠可以薦牀第而承幽人之憩息也。銘曰：

體似重而輕，性似柔而剛，豈顛木之餘枿，薦幽人之野牀。質似芝而秀，文似犀而光，果齋房之瑞氣，化奇形而不忘。但髣髴兮一枕之妙，至於為芝為菌，吾不知其物化之常。秀比連葉，清凝寢香，枕或强名，用適則良。俾歆之藉之，勿邪其所思兮，是可以夢周公而接羲皇也。

[一]皆光明洞徹：皆，原闕，據至治本、文淵閣四庫本、王抄校本補。　[二]後之以芝名者：者，原闕，據文淵閣四庫本、王抄校本補。　[三]不若是：不，原闕，據至治本、王抄校本補。文淵閣四庫本作「率」。　[四]猶能幻出芝菌：幻，原闕，據至治本、文淵閣四庫本補。王抄校本作「蒸」。

砥柱銘

水之為力，無物不從。津門之險，壯夫砥之為雄。洪濤西來，萬夫前攻。而戰而薄，我當其衝。狂瀾勢倒，安流而東，屹嵩華之隆崇也。吾儕小人，弱植淺中。衰俗外誘，群邪外訌。苟内省而不疚，有砥心而直吾躬也。

金銀沙二泉銘

山之清潤，澤氣以通兮；坤之靈秀，醴泉以發兮。太行蟠亘，元陽所軋兮，天門左界，二泉並湇兮[一]。巨鰲背鑿，寶藏泄兮。靈淵濴淪，海眼徹兮。泓澄一碧，金瓊屑兮。金流石爍，爽冰雪兮。雲煙藉潤，為改色兮。酌而瀹茗[二]，甘冷冽兮[三]。挹之薦帝，明水潔兮。淋灕膏液，補天缺兮。女媧鍊石，用不竭兮。夸娥弛檐，濯困暍兮。七賢尋盟，沉醉達兮[四]。幽響傳谷，鏘瓊玦兮。山空月落，仙人揭兮。□□生肥，悟真訣兮。我銘勒石，泉不涸兮。

[一]二泉並渰兮：渰，文淵閣四庫本作「滓出」。

[二]酌而瀹茗：茗，原闕，據文淵閣四庫本、王抄校本補。

[三]甘冷冽兮：甘，原闕，據文淵閣四庫本補。

[四]沉醉達兮：沉，原闕，據文淵閣四庫本補。

端石硯銘

硯之同功甲與鋌，試之敵場惟利堅，其或不爾安用焉？嗚呼此硯穹而圓，神黿足跧舌有泉，既利我穎墨且便。青州絳州何所賢？題品入格因公權，處士或托斯銘傳。

默齋銘

語寂滅者，涉於絶類；談自然者，入於虛無。嗚呼！默乎？其天地閉，賢人隱，括囊無咎無譽者與。至於明良相遇，治具畢張，一言而可以興除者，如宣父夾谷之盟，孔明隆中之論，兹吾儒之事也，豈得退藏於默乎？豈得退藏於默乎？

閑邪齋銘

噫嘻是心，既岌而放。内開外膠，靡不馳鶩。忘返從流，於焉板蕩。維禮與義，以戒以懼。存之以誠，為閑之具。有人于斯，言動聽視[一]，庸信庸謹，造次於是。成德雖中，慮萌邪侈。一念或非，為奸所餌。《易》演文言，一閑大焉[二]。一聖精心[三]，權輿於乾。譬海乘載，一碇能安。如馬泛駕，受羈則旋[四]。險去而夷，浪平斯淵。彼碇與勒，曷能舍旃[五]。何似李侯[六]，周防未然？操心知要，惕焉拳拳。言信行謹，其德庶幾[七]。一誠存中，太山可移。素志不昧[八]，聖賢同歸。

[一]言動聽視：聽視，原作「視聽」，據文淵閣四庫本改。　[二]一閑大焉：文淵閣四庫本作「閑之義宣」。

[三]一聖精心：精，原闕，據文淵閣四庫本補。此句王抄校本作「千聖洗心」。　[四]受羈則旋：受羈，原闕，據文淵閣四庫本補。王抄校本作「六轡」。　[五]曷能舍旃：旃，原闕，據文淵閣四庫本、王抄校本補。

[六]何似李侯：似，原闕，據文淵閣四庫本補。王抄校本作「歟」。　[七]其德庶幾：德，原闕，據王抄校本補。文淵閣四庫本作「殆」。　[八]素志不昧：志不昧，原闕，據文淵閣四庫本補。此句王抄校本作「素位而行」。

洮石硯銘

吁爾洮，水中沚。翠欲流，礪於砥。考之譜，端歙齒。波及余，古月子。斵而泓，堅澤玭。孰為尸？王御史。

璹瑁龜洗銘

盥月槃，漢洗器。制爾形，從相類。漢維魚，我龜賁。取彼壽，縮元氣。宜子孫，傳後裔，銘者誰？王子系。

訥齋銘

堪輿兩間，事變靡極。成始要終，非言莫立。玄聖垂教，訥言為先。匪曰終默，時然後言。喋喋利口，返為事愆。覆邦亂家，身溺于淵。猗猗郜君，內思靖顓。一訥銘齋，浩浩其天。人亡道存，寔大其傳。尚來者而恪守，猶丹書與湯盤也。

文貞公笏銘 呈寶學士。公家物

唐有天下垂三百年，於粲者貞觀之治焉。其効蓋仁義之一言。世之望公，三辰在天，是則公之德，何俟笏而賢耶？銘存物亡，寔大其傳，則是樵之文伊、笏之曾玄也。猗歟寶公，國老之元。神物有歸，寶之几筵。安知無望壠而求後，因甘棠而思邵伯於燕者耶？

仙臺金跡硯銘 為宋少卿弘道作

盤盤嘯臺，一碧千尺。湛月露以洗空，隱松風之瀟瑟。仙游何之？留此真跡。斲而硯之，是將晦靈蹤於翕欻，藉玄雲而掩抑。神物有歸，蘭臺之客，會登玉清，蕩空碧。斗挹滄溟，醉憑鰲格。拂海苔之霞牋，揮仙火之巨筆也[一]。

[一]揮仙火之巨筆也：火，王抄校本作「人」。

楮都護銘

漢開西域，國三十六。中置都護，控制約束。强凌弱折，迺有攸屬。我嗜群經，視為席珍。繙閱不時，未免絲紛。亦作護府，仰兹楮君，統之有要，無相奪倫。侵損日遠，緝熙日新。插架安書，曰史曰墳。勒銘于上，策燕然勛。

太秀華銘[一]

丁生贈余湖峰一株，頂足背面蒼鱗隱隱，渾然天成，無微竇可隙。植立几案間，殆與頎頎君子相對，殊可翫也。昔元春陵作《瀼溪》、《杯樽》等銘，命名既異，垂戒又深，予嘗讀而愛之。因銘兹石，仍掇其義。

片石何狀？天然自若。鱗鱗蒼窩，背露蛟鰐。一氣渾淪，略無巖壑。太湖凝精，示我以朴。我思古人，真風眇邈。變詐百出，孰知誠確？心深洞府，混沌六鑿。剛健篤實，君子之質。惟其似之，是用比德。嗚呼！安得誠天下之意，如兹石之挺特也。

［一］太秀華銘：秀華，文淵閣四庫本作「湖峰」。

書厨銘　至元十七年八月

至元十七年八月三日夜，與子孺燈下觀《丹書銘》，因擬而作此。置之於室，胡若載之腹也。名汝曰厨，以其無不蓄也。腹至於餒，返為汝所忸也。子其戒之惟勖。

鸚鵡啄金桃研銘　大名劉總尹求予作《忍濟堂銘》，奉此研見謝。

鸚鵡啄桃，翩欲飛去。棲影片洮，以慧之故。芸閣風簾，疑若與晤。助彩毫端，辯夫詞語。搥黄鶴而倒芳洲，賡正平之賦邪？復明辟而以夢諫，草梁公之疏也。

菊井銘

余到官兩月，移居司西官舍，治舊井而新之。方衆菊爛然，擇其佳者，植諸欄傍，因銘之曰「菊井」。其辭曰：

養而不窮者，井之德也；服而能壽者，菊之靈也。我潔斯井，罔羸其絣。彼窈然而深，泓然而澄。蓋南山之餘溢，迺濟清而未名。思欲沉浸醲郁，皆菊之馨。庶幾西河南陽之意，仁吾民而制頹齡也。

冬藏圖右銘

太極中分，有静有動。氣與理錯，未免交閧。孰盡聖哲？不思而中。思而或邪，奚翅荒縱。理明伊何？精一為重。閑邪存誠，發而可衷。内莊全體，外致吾用。旦也奚思，尹則孰覺。一洗妄心，盡易前錯。學孔之學，樂顔之樂。華去實存，玉礱石斲。道最中害，或輟或作。不學而衰，即成枯落。念至于兹，立敢不卓。靳惜分陰，守之以恪。敬入為門，補我不及。足豈三餘，日新一日。動静云為，是為之則。敢告靈臺，服之無斁。

左箴

其目曰「定力以固窮」，為《冬藏圖》作。

天運循環，有泰有否，人生其間，乃一氣類。乏財曰困，弗通為塞，苟遇不安，習坎而阨。自昔君子，器藏俟時，出門有礙，吾將安之。仲由愠見，阮藉窮哭，惟昧困理，于鼿于觚。安之有道，説不徒泛，堅我定力，不容少濫。氣養以剛，志明由澮，少焉墮昏，亟為澄湛。衣弊服緼，一溫而止；飯糗茹蔬，一飽而已。茫茫厄臺，悠悠羑里，文明為夷，孔玉櫝毁。聖賢猶然，况弗至此。我道未亨，克念終始。

敬義齋銘

維天生民，畀之者全。氣有澄滓，因之以偏。惟聖立極，俾復其天。困而弗學，民斯為下，甘彼顓蒙，時有不暇。間有知悔，或窺厥竅。遺緒茫茫，又昧其要。大哉文言，聖學之宗，致力兼補，蒙而聖功，一敬内主，義須外充。凡百君子，有云有為，行而宜之，心宰物隨。祇直而莊，匪方於動，事物之來，未免變閧。惟其夾持，務成德尊，既銘吾心，復書我紳，始終是則，日新又新。

垂龍圖銘

所翁姓陳氏，福州人，嗜飲，恬於仕宦。善圖龍，見知於宋理宗。嘗以商船越海，與真龍遇，自是盡其情狀，其作也必乘醉潑墨為之。天機所到，非學而能，殆邈栩之噀墨法云。

醉墨翻，雲族聚，所翁圖龍與真遇。黑風吹海作太陰，大火出山雷奮豫。是將執雨機而飛天，儘滂沱而洗吴楚。

宿雲軒銘 并序

吾友中丞王君買宅蘇門，得奇石一峰，厥狀雲如，靄然煇應於庭户間，甚可愛也，因名其軒曰「宿雲」。徵文於余，乃以是文表之。其辭曰：

睠此來雲[一]，態度容與。觸石而生，與石為伍。宛被南山，宿我庭宇。主人名軒，其義安取？是將停藹藹之容，為思友之故邪？伴東山之卧，抱濟時之雨也。雲兮雲兮，出兩者之間，固無心兮，其從龍也，須以時兮。吾豈欲度之以自潔，徒為怡悦而已邪！

[一]睠此來雲：來，文淵閣四庫本作「峰」。

水晶筆格銘

玉瑩冰清，太陽之精，孰琢肖山之形。鎮我几案，虚白夜生，息我矛稍摩壘之聲。空明洞徹，爛冰峰之孤撑。物有形似，吁足可驚。若倚之而固寵，旭日已升，恐潰釋而摧崩也。

頤軒銘　為洪同簽作

堪輿兩間，物所充兮，而長而養，一氣融兮。人惟法天，浩焉同兮。頤以象觀，四陰内訌，惟養之以中正，不我舍而彼從，是以得終吉而在躬。洪公孕秀，海山沉雄，其材足以經制，其量足以含弘。贊翊樞務，既貞且忠。故謀謨應事機之會，談笑折尊俎之衝。不恃全美，方致養以為功。果我枵腹，以正以冲。虎眈其視，而始而終。見寒思煦，恐邊衣之未備；寸膚失養，念一士之或癃。扁吾軒而匪外飾，起居飲食，在日用常行之中。吾將養己以及物，致事業於無窮。是知大《易》迺萬世之龜鑑，尚何俟授一編於圯上之翁也。

愛菊堂銘

草木之品，色中氣清，有隱逸之稱，唯菊為能。含精益齡，晚而芳馨，又類夫君子退讓而不爭。圯橋老仙，友而堂名，雖墮履之弗進，亦足以卜幽人之永貞。華構傳芳，三世相仍，其孺慕也孝凝。然心深而愛，中樂不勝，口欲言而不能自鳴者，此郭氏之所以尋盟也。若夫平泉草木，固護封植，亦克厥承。是或一道，終未極愛之之至情。親存親没，觀志視行。曰如其道，終身是程。嗚呼郭君！至性愉色，豈得於尹氏者拳拳而服膺。吾今取為銘，以告草堂之靈。安知不入户，聞愾然之聲也邪？

虹霓硯銘 并序

趙太傅彦伯出示紫石大方硯，請銘。余以石有奇雯，類虹霓然，因以字之。銘曰：

蒼梧雲蒸九疑濕，碧海風濤翻出日，江山通秀鬱紫煙，産此珍材比玉德。金繩繞腹泄精英[一]，電激神光掣蛟室，雌霓斷影飲丹池，暮雨連蜷一千尺。虢泥鄴瓦稱善墨，石中乃有此奇質。子墨客卿尤所惜，大奇多自米家船，入手摩挲三嘆息。趙君文彩珊瑚鈎，禮樂縱横供夢筆[二]，左招協律揖孫通，出入英莖五音飭。

[一]金繩繞腹泄精英：繩，王抄校本作「蛇」。[二]大奇多自米家船……禮樂縱横供夢筆：文淵閣四庫本作一句「大率縱横供夢筆」。又，此四句前疑闕一句。

楊氏雕玉寶章銘 并序

故參政楊公之子昺，家藏漢雕玉印章二：方者丞相吉，圓者太尉震也。其博陽章，即乃祖息軒所傳故物。大定十二年，崔憲可詩序云：「長安許惟寧以是博秘監畫于闐花驄圖得之。」嗚呼！二公以通明正直，師表兩漢。今去千餘載，其風烈凜然，思其人而不得，覩物增慨，乃為作銘。士桓博雅好古，今為集賢直學士，庶幾能紹其家風者。

漢丞相博陽侯丙吉印銘

吁寶章，纔寸許。紐玄龜，綰漢組。隸為刻，見邈祖。神物護，照千古。此何夕？得摩汝。恍坐我，丞相府。初望氣，郡邸圄。詔夜殲，拒户樞。是雖天，公可無。偃柳興，將舊圖。乳褓恩，其可辜[一]。獄有櫝，秘不舒。是章緘，金縢如。歸有數，子與俱。十襲藏，無太踰。防有光，夜衝閭。六丁取，媲貞符，在博陽，宜特書。

漢太尉司徒楊震印銘

伊弘農，漢巨儒。道自任，聖為徒。主鱣堂，閲群書。表氏諱，兹為符。位台鼎，綰國樞。赫漢炎，走群貙。堂堂氣，忠義軀。四知金，厲貪夫。殆是章，玉不渝。内寵横，哲人殂。與雀環，瘞幽墟。見白日，歸子裕。世失系，紛莫區。伊莘楊，豈公孳。苟不爾，胡為乎？致大鳥，止丘隅。淚如雨，洗冤誣。佩之行，可舍諸。我作銘，此嘻嘘！

〔一〕其可辜：辜，文淵閣四庫本作「孤」。

張指揮甘白堂銘

我識先帥，于清之野，緩帶輕裘，投壺歌雅。伊時張君，侍立親傍，虎豹在穴，已炳其章。及將羽林，肯構其堂，榜以甘白，于先有光。試嘗聽其言論，諒天姿之殊常。是將調和衆味，羹傳鼎之美邪？彰施五彩，絺上公之裳邪？噫！吾説已竟，必一居於此，恐德業之未易量也。

忍濟齋銘

改作為楊子英題

多變而莫測者，事機淺深；殊跡而難度者，人心善惡。我據事會，忤激交作。彼以機成，客氣外鑠。或當懲而乃忿〔一〕，可理遣而反愕。隘不自容，事安能若。因小端而致大亂，又奚翅九州之鐵而鑄一錯也。理貴含弘，量崇濩落。功若與即，是心先作。言不可出，我舌為齗。故堅伺桓門者，收康濟之功；俛出胯下者，辦戡定之略。宜成王之戒君陳，見《周書》之噩噩。

〔一〕或當懲而乃忿：忿，王抄校本作「忍」。

海印奎星研銘

宋祕監弘道索賦詩，被東宫旨，編節《世宗實録》。

奎麗空，文之宗。秀孕石，與歙逢。礱而研，以類從。海有瀾，穹浮蓋，印天光，終古在。拱前星，問有待。霮玄雲，集毫彩。酌前言，作帝誡。

歙石壁研銘　并序　至元二十年正月二日

至元癸未歲正月二日，謁左山先生。坐間出茲硯示客，僕以形質異常，略狀數語。公喜甚，曰：「汝言殊有契予心者，吾子其為我銘之！」銘曰：

玉德而金聲，縠紋而紺理。湛兮虚，見明生於旁魄；恍兮惚，疑璧投於山鬼。玄雲横馭，風生燕几。顯諸用，起經綸於心上；發餘輝，綰秋蛇於筆底。是則公事業之美也。我將静濯碧空，洞徹表裏。觀春雨之散絲，似商霖之復起也。

醉仙石銘 為韓通甫作

爬髟薹緣[一]，蹣跚蹩跛。化而醉仙，蓬首不裹。傾欹落魄，對客裎祼。惟不適用，得脱秦火。黯桂樹之秋香，普故宮之青鎖[二]。推墮人間，無可不可。頑碧凝蒼，肩神垂㭊。留賓筵而盡餘歡，每蹲蹲而舞我也。

[一]爬髟薹緣：髟，文淵閣四庫本作「沙」。 [二]普故宮之青鎖：普，王抄校本作「夢」。

殷乳鼎銘 并序

韓生弘以瓦鼎示予，制極古而可愛。余曰：「此從何而得？」曰：「得之於帝辛之故墟，然不知其為何制也？」余曰：「此殷之乳鼎也。」即為之銘曰：

惟殷墟，廢已久。代所居，止野叟。殁而葬，此何有？其為物，故商埴。千年後，見白日。乳至四，宜螽螽。萬有生，皆此出。取為形，穀瑑璧。娩龍觚，飲而食。秋澗銘，渾沌鑿。韓生藏，深夜壑。後來者，見必作。

老人星贊

月帔雲衣，金支翠旃。御星駢而凌沆瀣，騰淵耀而表明時。爛祥光於萬丈，湛南海之清輝。我見我出，為瑞為禧。歷朱方而朝北極，祝皇壽之無期。何南山之鞏固，等旻天而峻齊。然後廓壽域兮無際，挈斯民而溥躋。倚蓋霏霏，蒼茫曷歸？貝闕珠宮，群仙與嬉。歌東皇而遠引，隨升降而入氣機。但天容海色，渺不可以涯涘兮，眩朝日之重暉。

先君思淵子畫像贊

德之厚，其所受也全。學之博，其所守也專。材刃恢恢[一]，利周物先。占氣斗間，世之龍泉。卒之臨大事以益辦，曾何以惠文而為賢？望之儼然，即之温然。治之隆污，持衡以權。一言吏師，世有可痊。孰謂神而化之之妙，托丹青而可傳耶？

[一]材刃恢恢：材，文淵閣四庫本作「游」。

王内翰寫真贊

總管蕭君出示承旨内翰寫真，木庵師題贊其上，似有所未盡者，因爲之贊云：

充氣之粹兮與材無忤，靈襟之廓兮以道爲腴。延譽在龍門之上，視草冠玉堂之廬。及其物則見百里之寄，其托輔則可六尺之孤。天步改玉，婆娑兩都。悵蒼蒼之秋色，鬱喬松而未枯。尚能賓扶桑之出日，振人文於燼餘。見之丹青，清風穆如。人徒知百年之遺老，我以謂中朝之鉅儒。彼晬然而容，盎然而春，見於眉睫之間者，固非山澤之臞也耶？

鮮于純叔寫真贊

遥遥華胄，世靄令聞。沇水之集，其源淪淪。老成雖遠，而典刑今見于斯人。髥踈而秀，心吉而仁。藤白而冠，紗烏其巾。豈見夫身外之身，予但知仁者之必壽，其風姿落落，百歲猶畫中之真也。

麟匜贊

噏嬴匜，脹豕腹，背負厥角挺奇骨。列太階，職盥滌，今歸于我研與匹。薊門市南冬日得，蒼溟之波浩無極。挹彼注玆泚我筆，姦枿誅絶旌直德，子孫寶傳金玉式。

桑泉老人畫像贊

德與學專，行為世傳，是之謂有年。雙瞳炯然，蒼髯戟然，人目曰山澤之仙。庸鉅知抱長孺之直，甘骫髒於門邊者耶？

范文公畫像贊

堂堂范公，三代之佐。致君澤民，盡夫在我。曰義與仁，經綸之具。篤信力行，曾不易慮。受知裕陵，千載一遇。其施幾何？貞我百度。狺狺群言，激公而去。天下之事，匪材莫為。遭時富材，中靳固之。治止斯耶？由數奇耶？再拜公像，涕洟咨嗟！

乖崖公真贊

堂堂益州，元精之傑。用智馭權，以氣達節。在德克剛，得吏之訣。其捄時也，若乖崖而極經綸；其擿奸也，不鈎鉅而洞窟穴。噫！太華之雲，清淮之月。豈無閑心，大厦火爇。較以出處，此兼善而彼獨潔[一]。宜公平生，日新事業。皂裘褐衣，有將之威，我拜公像，清風凛而，悠悠九原，愛莫起之。

[一]此兼善而彼獨潔：潔，原作「索」，據至治本、文淵閣四庫本、王抄校本改。

吕仙翁真贊

金道陵秘府物，今為王籛省家藏

元精貫中老不息，先生煉形與之一。氣機出入我所乘，世間甲子管不得。有時變現稱劍客，三江五湖風袖碧。江雲紅爛岳陽樓，醉飛星馭鞭金蚪。騎驢欵上長安道，來看西風渭水秋。古人事業垂不朽，八表神游欲誰友？乾坤况復一洪爐，萬古消沉竟何有？先生遺照滿人間，已是真筌不死傳。只須袖裏青蛇氣，夜夜人驚在斗邊。

駮華驄圖贊 并序

馬之有駮，猶人表之異常也。昔骨利幹貢馬百匹，中有駮者，太宗愛之，親為製名曰「决波騟」。又秦胡公有乘馬號「忽雷駮」，此馬毛質特異，豈骨利之遺種歟？故供奉官圖形以獻，見方物一時之盛云。

吁神騟，骨相殊，振蒼雲，散華軀。供帝閑，馭虬鬚，歷八極，塊清都。非所覬，三品芻，有物制，噤不舒。絡青絲，伍髯奴，終奮鬣，躍天衢。君無癡，玆畫圖。

填星神像贊

坤元之精，積而上曜，厚載之德，至静而妙。爛然黄明，有歲之兆，僧繇像之，其神杳杳。冠著牛首，類其順也，手縮方玦，取乎填也。非夫知鬼神之情狀者，何以測其奥隱也？（以上《秋澗集》卷六六）

全元文卷二〇〇

王惲 三四

二十四大儒贊 并序

堯舜之道，得孔子而後明；六經之旨，俟諸子而後發。逮秦火燔蕩，先王之迹，一向熄滅，而天理之在人心者，何嘗有一息之間斷哉！漢興，諸儒挺出，如董生、劉向、孔安國、毛萇、揚雄，號稱鴻碩。斯皆摘奎之光，發輝孔壁；探聖之幾，取訂口傳。致興學立官，文風彬彬，可謂盛矣。然六經之旨，有師授而無傳著，東漢已來，師説並行[一]，馬、鄭、賈、何，服虔、王肅之流，罔羅衆説，正誤刊繁，流藻箋註，復使聖道粲然，如大明當空，蔑不耿昭，以之斷國論、建民極，有不可斯須離者。至唐踵七代之衰，理弛文弊[二]，道統益微，及韓愈氏出，以道濟自任，隄障末流，廓清義路，蓋皇皇如也。故大儒位置，終之以昌黎伯者，良以此歟！若夫經緯三才[三]，彌綸元化，前世比諸氏功之列[四]，咸疏爵圖像[五]，列配神庭，永為不刊之典[六]。大元至元癸未冬十月[七]，齊府廟宮兩廡繪事告成，肸蠁明靈[八]，儼然如在。爰作贊文，昭揭於上，庶幾乾端坤倪[九]，軒豁呈露，聳齊人之敬，為邦家之光也。

左丘明

麟經垂憲，百王是懲。素臣筆傳，日星益明。文開史統，世咀華英。儷景同翻，永播休聲。

穀梁赤　封龔丘伯

聖道群用，見有深淺。赤也明經，辭清義婉。漢儒推轂，大開學館。繼我國政，論益光顯。

公羊高　封臨淄伯

麟出魯郊，筆終史削。公一再傳，若聆徇鐸。宜其資深，裁辯辭諤。折衷群疑，匪斯孰托。

荀卿　封蘭陵伯

金聲絶響，詭辯縱横。蘭陵著書，吐辭為經。憤彼譎變，欺世迷民。性惡之説，有激而云。

伏勝 封乘氏伯

秦火驪坑，儒厄斯極。天下没公，俾副孔壁。渾灝之義，垂範後王。賴公口授，帝道復光。照耀齊國，文奎煌煌。

毛萇 封樂壽伯

風雅三百，一歸無邪。絃歌音眇，孰為傳耶？温温樂壽，漢初名家。訓傳首出，遂正而葩。敦厚之風，永煽幽遐。

高堂生 漢博士，封萊蕪伯

秦尚法制，禮喪無幾。雝雝堂生，當炎之始。議定官儀[一〇]，國容有頎。會弁澤宫，赤舄几几。

孔安國 封曲阜伯

書出漢初，壁傳口授。古隸未分，詎免訛漏。天開聖孫，以傳以定。帝制復明，翼我國政。

戴勝 封楚丘伯

曲臺傳經，有千其儀。戴君發揮，其詳可知。履之則癸，悖焉來違。煌煌天序，相我民彝。

劉向 封彭城伯

彬彬中壘，帝胄惟英。授經草諫，力扶漢傾。己志伊鬱，聖學崇明。□冕玄端，山立神庭。

揚雄 封成都伯

有漢鴻儒，述作之賢。體《易》之妙，衍夫《太玄》。抉聖之心[一一]，繼成《法言》。大醇小疵，其然豈然。惟寂惟寞，天禄之閣。出處兩間，其何以作？

何休 封任城伯

高也傳經，心深而文。秦漢而下，莫闚其門。任城解詁，堅守如墨。開户免脱，破碎陳敵。駮我漢事，會歸其極。

鄭衆 封中牟伯

喧啾梁門，師也威鳳。志棲阿閣，學明三統。皇皇使華，漢鼎取重。諒夫通材，中藏大用。

馬融 封扶風伯

扶風氣豪，博精群集。賢如鄭賈，執經在席。暢我休風，彬彬文質。尚想絃歌，漢南之國。

盧植 封良鄉伯

海山沉雄，精貫斗極。篤生大儒，文武之特。以道事君，以經翼國。劍佩赫然，氣掩群慝。

鄭玄 封高密伯

秦燔六經，天理曾熄。漢興諸儒，臆説雜出。司均網羅，刊繁正誤。箋注皇皇，流藻終古。

服虔 封滎陽伯

卓越九江，清介不群。雅材文論，為世所珍。任城巨敵，左氏忠臣。光篚漢彦，蔚乎其聞。

賈逵　封岐陽伯

偉哉侍中，好問而博。通明四經，大肆厥作。綱維國論，張皇帝學。東觀石渠，光寵於爍。

杜子春　封緱氏伯

周官大典，興王之迹。制古辭約，我解我釋。入海穿深，薄霄透碧。品物詳明，千載是式。

范甯　封新野伯

藻發儒林，學淹墳籍。嫉世浮虚，著論詣實。盤盤學臺，膠庠大開。至今豫章，有來群材。

杜預　晉大將軍、開府儀同三司、當陽侯，贈司徒

堂堂征南，經制晉室。袵席金革，研精麟筆。學方武庫，世號經癖。有開後來，理順冰釋。繄公存歿，儻怳靈氣，我曰猶龍，焉取虺異。

王肅　魏衛大將軍、太常、蘭陵侯，贈司空

猗歟子雍，英發妙年。書易陽秋，傳列學官。制刊朝典，秩焕郊壇。汪汪東海，載觀其瀾。

王弼 字輔嗣，魏尚書郎，封偃師伯

龍出河圖，經成三聖。輔嗣窮幽，乾旋坤静。漢説多門，唯公取正。伊洛淵源，流光與盛。

韓愈 字退之，唐吏部侍郎，封昌黎伯

維天有文，公材命世。曠義滂仁[一二]，黜邪觝異[一三]。世溺方深，力以道濟。百折彌堅，死而後已。倒影滅没，藐不可企。

[一]師説并行：行，王抄校本作「有」。 [二]理弛文弊：弛，文淵閣四庫本作「雜」。 [三]經緯三才：經緯，原闕，據王抄校本補。 [四]前世比諸氏功之列：諸氏功之列，原闕，據王抄校本補。 [五]咸疏爵圖像：咸疏爵，原闕，據王抄校本補。 [六]永為不刊之典：永、典，原闕，據王抄校本補。 [七]大元至元癸未冬十月：大元，原闕，據王抄校本補。 [八]肸蠁明靈：肸蠁，原闕，據王抄校本補。 [九]庶幾乾端坤倪：倪，原闕，據文淵閣四庫本、王抄校本補。 [一〇]議定官儀：議定，原闕，據文淵閣四庫本補。王抄校本作「撰輯」。 [一一]抉聖之心：抉，文淵閣四庫本作「映」。 [一二]曠義滂仁：曠，文淵閣四庫本作「擴」。 [一三]黜邪觝異：觝，文淵閣四庫本作「闢」。

文中子

顯允文中，希聖之徒，闡教河汾，宛然洄洙[一]。斤斤隋文，不足與事，挾策歸來，心醉經史。曰魏曰房，曰杜曰李，學傳聖心，有樂有禮。貞觀至治，有三代風，論夫源委，先生之功。千古而下，與唐比隆。

[一]宛然洄洙：洙，文淵閣四庫本作「沂」。

鍾氏先世畫像贊 為鄉人大明作

顯允鍾公，肇跡自秦，金季家衛，以財發身。闤樓卉圃，照暎河濱，優游卒歲，壽開八旬。維嗣强矯，結髮從軍，奮提干將，屢收戰勳。釣臺雪潰，死節酬恩。伊恕之父，蛇化其文，憤志讀書，行比鄉鄰，陳力漕府，克公克勤。是知善繼述者，豈無其因，不過積德與崇仁。故培之厚者其發茂，浚之深者其流滴。嗚呼！鍾氏之子孫，能不封植其本根也！

趙曹州畫像贊

宓子宰單，鳴琴在堂。琅琅玉音，齊魯之鄉。流清芬於異代，得趙公之循良。峨冠惠文，貯書撐腸。不竊榮而易素守，曾格物而恃己長。貳政兩州，治績章章。字民折獄，仁恕内將。體春陽而休燠，孰知秋荼之繁昌。觀兩漢之卿相，自卒史而翱翔。以材以術，公其可方。固沉底於下位，浩淵流兮未央。維嗣善繼，乘驄奮驤，慶之所鍾，于焉厚償。匪槐棘而就列，將禮文之有光。又何啻簪白筆而飛簡華之霜也！

九公子畫像贊

史開府子名樟，喜莊列學，屢為萬夫長，有時麻衣草屨，以散仙自號。

鋭目豐頤，氣貌魁奇，被褐懷寶，有儼其儀。出紈綺之間，無豪貴之習，抱夷惠之志，蔚熊豹之姿。齊物我於一致，感盛衰之無時。其或戴遠游之冠，甘元氣之委，騎將軍之馬，掃干將之霓。欻生皋比，玄談四馳，提筆揮灑，以遨以嬉。斂凌雲之劍氣，等尺鷃而蓬飛。耻以藝進，與時推移。希達人之大觀，每先事於幾微。與其身之外樂，何若心之内怡。是則散之為僊，見於丹青者如是，又何計騰寓説而横氣機也？試將須而為問，恐吾言之庶幾。

漢諫議大夫王章博士朱雲贊 并序

孝成之朝，劍履間健者猶百位，然挺身為國、直言忠諫者誰歟？蓋當時乾綱紐弛，威福柄移，赤伏陰凝，堅冰日至，獨能痛國統之將微，憤中外之單弱[一]，毅然與天子合謀，屬具臣，矯朝曲，以社稷大計為言，殺身犯顔以成其仁者，在漢二百餘載之間，唯仲卿與朱游二人而已。何忠直剛果之氣，寥寥如是哉？論者方以不量輕重、陷於刑戮為譏。吾恐為人臣者，不以容身保禄是耻，將何以為訓？作諫議大夫王章、博士朱雲贊。其辭曰：

天厚之剛，百折不撓，履霜而冰，辨之當早。漢至元成，國統中熄，陰晻陽精，九廟不食。劍履群卿，孰非遠識，坐眡淪胥，權歸外戚。厄會中來，詎容人力？公豈不知，言出禍人，殺身成仁，臣子之職。彼牛衣言，固非所恤。諤諤南昌，感公奮激。抗書申明，路開忠直。三復斯言，寫我心慼。

博士朱雲[二]

維皇有師，禮自天秩，動静安危，以物以則。矧惟中材，性可善惡，俟我儀刑，狂聖迺作。安昌師漢，腹心之疾，竊我崇高，容奸隱慝。社稷大計，莫此為亟。雲位下僚，自任稷契。犯顔嬰鱗，為漢藥石。諫雖弗行，彼氣則折。欄檻嶙峋，我舌不結。少師劘軀，龍逢挺節。以分以職，於死為説。並游無慙，終古有烈！

［一］憤中外之單弱：單，王抄校本作「卑」。　［二］博士朱雲：文淵閣四庫本無此標題，另起一行刊此文。

嚴子陵贊

漢有天下，本以霸興，陵遲世季，其弊莫勝。光禹阿諛，雄歆狂鄙，元成以來，從風而靡。維炎中熾，故人作帝，先生慨傷，為漢砥礪。潔我一己，訓彼四方，顧惟可加，萬世之光。幽幽富春，渺渺桐江，釣絲裘褐，終焉倘徉。是則柔理之道，先生助治者，其維皇哉。噫！

漢議郎田疇贊

炎漢淪精，群雄蠭起，士昧所擇，依强而已。附袁臣曹，風從雲委，倖而有成，終焉自涴。堂堂幽州，志在安劉，信我大義，掃清國仇。先生委質，名正言順，報以國使，力扶衰運。間關歸來，大事已去，君讎未復，吾將孰與？躬耕故山，有死無貳。白狼之役，諒非本志。是懲是膺，權以濟事。何以明公？

龍盧之封。縶以千駟，禄之萬鍾。曾不少睨，肯縻其躬。嗚呼！智如荀彧，識似田豈，明不自保，竟貽終凶。千古而下，死魄英風[一]。

[一]死魄英風：魄，王抄校本作「愧」。

牴牻贊 并序

郡譙門兩棖下有石獸，左曰牴，右曰牻，為狀特異，隱其齒而吻張，崩其角而頗兀，頂髮雲委，垂卷兩膊。世傳殷宮中故物，自衛縣移置於此。考之《集韻》云：「秉心甚靈，蓋忠直獸也。」彼物爾得氣之偏者也，何以識其性之云然？以屈軼指接，神羊觸邪，麟趾厚而不踐，虎螭仁而有威，是以忠與直可得而推也。其所以表之以為世儀者，古人制物有所取而垂戒焉。蓋忠者衛上之謂，直者不骫之稱。此則臣子之所固有而所當為者。物能如是，可以人而不如獸之云乎？作《牴牻贊》。贊曰：

吁奇厖，三代制。賢其德，與獸異。體具存，神則逝。逐比干而下遊，悲獨夫之狂猘，牴兮牻兮，無效麟之出非時兮，使吾拭面而反袂。

西溪真贊

秩秩其德，曄曄其英。天稟之厚，固非學之所能。用晦而明，與時偕行。愚常與公從事，雅量有餘，曾不知趙張之釁鬩。豈鷹隼迅擊，終不若鸞鳳之和鳴也。我贊公像，庶幾典刑。道義視文章為重，雲煙同富貴而輕[一]。至于生也順事，没而吾寧，疇為丹青可得而名也邪？

[一]雲煙同富貴而輕：雲煙，文淵閣四庫本作「浮雲」。

雪堂普仁真贊

柳州序：「浩初讀書，樂山水，有文章。父子咸為其道，泊焉而無求。賢於惟印組為務以相軋者遠矣[一]。」

道行貞純，初不絶俗，機鋒灑落，即之可親。苦空任没膝之雪，處心探濟物之仁。草坐容身，雨花繽紛。雷音淵默，獸伏鳥馴。咄此圓神，澹如凝雲。耿金粟之孤影，笑人間之幾塵。愛而贊之，蓋浩初一流人也。

[一]原文見《柳河東集》卷二十五《送僧浩初序》。此為大意，非原文。

中書左丞許公真贊

古人以道濟為任者，時雖見於行藏，心不間于微著。於皇先生，道深絜矩。以希聖為心，律己為度。上明君道之方，下易薄夫之慮，危言立朝，聞者悚懼。公于斯時，屹傾波之砥柱。非天下至誠，其孰能與？瞻拜公像，魁然真輔。奉璋峨峨，其儼而裕。至於體用一源，先後有叙。試以中元之治較之，見論思與機務。念公平生，其丹青可得而喻也耶！

醫學教授趙公仲康真贊

洹水流潤，太行唯峨，篤生異人，司時之瘥。顯允趙公，被服委蛇，道高而施博，脈明而智多。世以醫名者衆，如公之醫，中而不頗，護養氣元，玉池生波，攻以峻劑，我禁我呵。鬱焉有餘，揮之以戈，俟其半衰，濟之以和。開壽域者五十年，良聲番番。其所以得于公者如是，被之贊歌。知陽報之有在，福子孫而為那也。

王子明傳贊

古人稱：殺身易，成事難。雖然，事有大小，公私之間，如不有己私，專以公心除天下之害，此其成尤為難能而可重。唐代宗以萬乘之權，群公卿之謀，至取一家奴，宛轉畏懦，不敢明言，竟以盜歸之，而觀著之節，可謂壯矣。

手植夏禹像贊[一] 并序

衡岳有怪栢一株，世傳夏禹手植。長沙温將軍得斯木一枝，堅勁苾芬，愛仰不已，以為神明之物也。刻帝像以奉之，亦臣子歷舜九疑[二]，叫雲蒼梧之義也。求潤色於余，秋澗王惲拜首稽首，而為之贊曰：

亹穆神禹，玄功格天，見之羹墻，况手植之所刊。帶不下而道存，體雖微而儼然。所謂斂之管窺，浩浩淵淵。嗚呼！三代吾不得而見之，得視斯像，固足以揭吾之虔。是將同啟石而不朽耶？抑以與九疇而共傳也？

[一]文淵閣四庫本題作「刻栢夏禹像贊」。

[二]亦臣子歷舜九疑：歷，文淵閣四庫本作「望」。

田仲德先生畫贊

言論固樞機之先，作行在士大夫為重。卓越田公，二者錯綜，氣無虚談，才見實用。翱游侯伯之間，擬擴香林之供。幅巾横策，掉首吟諷。予嘗閲鄒蒙之辯説，有以卜先生之定動。於戲！文獻不足，以柯為棟。載瞻遺像，安得不有人物眇然之痛！

栢溪主人張仲和真贊

堅以持其心，直以養其浩。用是二者，以全純孝。得其時而濟斯織，安其貧而取近效。其樂也融融，為行也慥慥！氣温而和，貌儼以肖。豈惟壽考兮康寧，永以為鄉黨後來之教。

趙瓠瓜寫真贊

丹頰秀眉，踈髯方頤。目朗炯欲曙之星，氣吐若垂天之蜺。略施為而見底藴，據懷卷而藏器機。

曩也為平津之上客，今而乃瓜田之布衣。注酒滿瓠，溉此鴟夷。醯雞笑甕天之舞，醉袖拂西山之低。赻趄囁嚅，尚肯效夏畦之病為？浮雲富貴，軒冕塗泥。况尺鷃享鍾鼓之樂，游談到六印之纍。卧元龍之樓下，覺許汜未全痴也。

耋杖圖贊

先生姓馬氏，名天昭，字雲翰，汾州介休人，自號師易老人。丁丑歲壽八十有一。德維懿其存，則不謂之命；氣維克其定，也能勝乎天。故衝風之火易熄，溉旱之禾有年，而况有道君子者焉。矯矯先生，匪曲而全。静以仁樂，健為德先。應獵無夢，絶韋有編。通而得夷惠之介，默而契消長之權。何軒冕之可累，豈山林而後賢。氣精而鶴壽，松貞而歲堅。故得甲子幾七七之數，乾陽符九九之玄。道與貌粹，峙而停淵。儼乎若介山之鬱茂，湇兮如素汾之淪漣[一]。方吾道之如綫，賴此老之康延。豈造物者畀西河南陽之壽，固將為斯文無窮之傳也耶？

[一]湇兮如素汾之淪漣：湇，文淵閣四庫本作「濟」。

趙徵士畫贊

君名鉉，字仲器，多巧思，精藝術。今年六十有一，自號鈍軒逸皓，所謂隱居求志、行義達道者也。祖質，字景道。家大興之穴窩里，金建春離宫在焉，常有詩題學舍壁間云：「折脚鐺中烹白薺，打頭屋底看青山。」道陵春水過，見之為賞識，左右以公卿名對，召見殊加優禮。仲器，公之曾孫也。

蒼髯于思，雙瞳炯然。勁逸鬱幽燕之氣，端倪賾太易之玄。挫止其鋭，鈍而名軒。曾於物而不滯，浩胸中之一天。是謂建春徵士之後，其「青山」秀句，猶隱見於眉睫之間也。

故金滎陽令傅輔之畫像贊

其父霖，明昌刑期進士[一]，行部臨潢，没於王事

玉潔含光，蘭幽藹芳。孰為氣機？貌温而良。我嘗陪公，杖屨倘徉。冲善為植德之本，揮遜厚周身之防。見之丹青，衣冠堂堂。維玉田之傳，其故家文物，尚髣髴明昌之煌煌！若子若孫，既衍慶以襲吉，又將見再世而昌也耶？

[一]明昌刑期進士：刑期，文淵閣四庫本作「年間」。

韓御史畫像贊

晦其明，而於物也周以旋；介而通，其於事也曲以全。神湛秋水，顔如渥丹。藹藹蔚和愉之氣，怡怡為孝友之賢。施之有政，其達固然。同峨冠于豸府，愛謇節之孤騫。所可見而知者如是，其不可企而得者，殆丹青之默然而淵也。

渡水十六羅漢贊 為聖安容老賦

誰吮滄墨作佛事？顧穎含光開太始。稽首尊者十六相，金沙灘頭渡淵水。魚龍異獸同一家，背負鱗浮供役使。碧蓮泛灩百花小，兩脚何曾踏泥滓。法身化現炯孤月，海風吹墮千江裏。補陀巖寶寶香濃，滄浪石上觀生死。白毫光滿海西岸，航此洪濤悲一世。玉溪老子出示余，意匠經營親説似。禪機已落慘淡中，我今試下第二義。九年面壁度龍象，一日西歸携隻履。菩提樹下喜相逢，拍板高歌聊爾耳。

香木琴贊 并序

南海石隱禪師合沉檀二木為琴，絲而撫之，其音克諧，有不讓於槁梧者。段生得之，以珍異丐余文以贊之。其辭曰：

繄琴之胎，以桐為材，製自虞氏，其來邈哉。斵以香木，南海之僧，絲而理之，有嶧陽之清。物逐所好，歸之伯寧。脱燎爐之融液，拉玉雷而為朋。藹然雜芬菲之韻，琅然泛韶濩之聲。嗚呼琴乎！學者寡而其將孰聽？倘鍾期之與遇，又何啻一再行也！

劉巨川簽事真贊

事機之棼，非才則務弛；天質之美，逢時則道行。於維劉卿，志氣蓋閎，臺閣肇建，鶚書應徵。豈惟夜書，快吏見稱，及佐府幕，游刃發硎。人奉承而不暇，我持難而肆能，致駕五馬，心奚以榮。律身束吏，明倫恤刑，陟而提憲，風動百城。褰帷聳具瞻之美，控拳無虚搏之名。抵几或迅，盤根莫劾。天或假年，蔚為名卿。宜大用而乃靳，殆收功於嗣興。卓彼二子，力振家聲，彯纓若綬，荷天衢亨。將見一日千里，騁駿足而躡雲鵬也。

黄洛老人畫像贊

猗歟趙公，以古為徒。燕居磐石，定力有餘。萬坌前陳，付之一壺，身心倏然，浮雲太虚。自號曰黄落散人，世指為山澤之臞。見於序文者如是。吾説試嘉遯之自如[一]。不居山林，匪樵匪漁。安我素分，而與道俱，醉以酒而適意，晦其明而内娱。壽幾九齡，健不杖扶。有子有孫，簪纓仕途。天之報施善人也，合若契符。甚矣吾衰，愛公起予，拊卷慨嘆，遂斂衽而特書。

[一]吾説試嘉遯之自如：吾、試：文淵閣四庫本作「我」、「是」。

軟背椅贊 并序

昔李山人詔隱衡岳，得虬松一枝，即形作椅，名之曰「隱和」，終莫能曉其何義。故左丞史公之子，假予是具[二]，其安四體，養老妙意，有不可勝言者。繩而綱之以軟其背，把而執之以駕其肘，至包承臀臂[三]，曲盡其宜。甚矣！工者得「老者安之、少者懷之」之遺意歟？名之曰「軟背」，且贊之曰：

咄此為具，其製非一。坐促背峻，似恭而踖。傍無兩把，予肘安適？而最苦者，磨隱傴脊。未若此君，溫柔旖旎，譬彼姬姜，擁抱而息。不高不亢，老者所仰。爰從何來？藍輿之狀。

［一］假予是具：是具，文淵閣四庫本作「為道」。　［二］至包承臂臂：包，文淵閣四庫本作「托」。

管幼安濯足圖贊　并序［一］

天下有二道，出與處而已。然審時處己，有未易言者。先生遭三國雲擾，蹈海而東，高尚其事，如度之致禮以加敬，丕之遠聘以拜官，皆恬然若無所聞，所謂隱居求志、行義達道者也。至於嘯傲物表，澡洒溪流，特一時閑適。若歆輩俾進履拱杖，猶恐自污，抗疏代位，此何理哉？自惟老繆，待罪翰林，赤日長驅，會集寓館。皆汗浹流，喝而欲踣，欻挹清風，豈勝愧仰？乃再拜稽首，而為之贊曰：

吁先生，古逸民。素所友，夷惠倫。傲狐瞞，東海賓。著皂帽，蹋碧粼。尚恐染，三臺塵。若歆輩，進履徒。破壁手，乃敢污。抗疏請，代三孤。昧平生，何足誅？百世下，孰知己？翛然心，見終始。大起予，有蘇子。

［一］原標題下無「并序」二字，據王抄校本補。

古燕印贊 并引

參政何公，世家易州。常於燕丹廢城中耕，得圖書小印雖百枚，制皆殊。一日，以所得者贈予，形如方斗，其文曰「韋宙」。宙，唐昭宗時宰相，豈古今人姓名有偶相同者耶？入手摩挲，甚可惜也。作斯贊以答雅厚。其辭曰：

燕有國，八百餘。維易容，薊故都。按壁壘，見雄圖。萬組印，雜簪裾。人與骨，朽已無。耕壠間，獨得渠。一粒小，丹砂如。其文宙，亦盛夫。紐岑樓，或龜趺。纍纍多，一皆殊。彼斗大，黃金塗。懸肘後，擊賊奴。氣雖豪，空淪胥。三摩挲，重嗟吁。猗參相，好古徒。知澹癖，為贈予。何所誌？遺惠書。

四子問孝圖贊

天地之經，其維曰孝。魯人所瞻，巨室是效。四子致問，庶幾要道。因材為篤，聖答各異。發藥其偏，從容和氣。思煽皇風，永錫厥類。怡聲粹色，玉佩華裾。表之丹青，清風穆如。嗚呼！安得一天下之慮，宛同是圖。

梁太師王彦章畫像贊

堂堂太師，勇冠萬夫。曾精甲之幾何，破南城於一呼。三日奏捷，素果不逾。大厦將仆，一木可扶。衆且顧望，我誓捐軀。蒼髯糢糊，目光炬如。戰酣歸來，氣鬱犀渠。惟孝與忠，同歸異途。緊錦囊之三矢，與長矛而不殊。宜乎文忠之筆，大書特書不一書而已也。吁！

劉珍母王氏真贊

嗟嗟母氏，恩斯勤斯！自期寸草，庶答春熙。况復身後，有養何施？履霜濡露，感懷歲時。嗟嗟母氏，健幹而慈。奉己以約，保家之肥。致家之完，乃有今日。我食我衣，皆母之力。曖曖停雲[一]，泉水湯湯。我思母氏，何日而忘？

[一]曖曖停雲：曖曖，文淵閣四庫本作「靄靄」。

重華鼓琴圖贊

幽幽深山，玄德聞兮。二女釐降，溈水春兮。乾健坤順，其道恒且久兮。袗衣鼓琴，固若我所有兮。手揮五弦，正始此其時兮。琅然玉音，一氣為之熙兮。鏘然和鳴，鸞鳳以之儀兮。衣垂手拱，其道本於斯兮。升道蒼梧，惋莫從兮！淚浥湘筠，思何窮兮。噫！

故處士牛了齋真贊

眼高一世，舌本懸泉，噴噀珠璣，孰為後先？樂育自好，以全性天，生也順受，没吾寧焉。彼顏渥而顴[一]，野服脩然，尚知為鴈門儒將之裔，庶幾青山白雲之仙也。

[一]彼顏渥而顴：顴，文淵閣四庫本作「丹」。

故翰林應奉陶珉溪真贊

貌古而氣清，言訥而行純。此見於外者，皆曰儒學之醇。若夫該貫經史，筆榦千鈞。玉佩瓊琚，大玩斯文。足以泛珉溪之雪浪，追顓軒之絶塵。然綸恩甫沾而不禄，壽蘄固於七旬。天之報旋，果何有於善人？峨弁朱衣，正笏垂紳。雖未及直玉堂之署，尚知為元貞辭翰之臣也。

房星贊　大德四年十二月八日

粉色黯淡雙絲浮，絳冠箕如柱劍緌。陽環夜半海氣湧，火輪欲上鞭金虬。赤䮾躍入玄關幽，殆似戰勝褰雲兜。千金漢將非吾儔，中令化筆通神謀，冷風拂座寒颼飀。大德四年臘八日作。

房四星為明堂布政之宫，亦四輔也。下一星上將，次次將，次次相。上即上相，所以理陰陽，正教化。南二星君位，北二星夫人位，又為四表。中間黄道之所從，為天衢，又為天關。南關曰陽環，其南曰太陽；北關曰陰環，其北曰太陰。亦曰天厩，亦曰天馬。主車駕。南星曰左驂，次左服，次右驂，又主開闔畜藏之所也。

松化石贊　燕城趙彦清家藏

伊石與松，秉彝堅潤。雯華根節，鱗皴挺勁。儼髯龍之淵潛，蜕康溪之深濬。伊艮震之交感，化而為他山之璡。逮務巖之玄豹，隱錦煸而如玟。水木清華，坤靈藉重。氣變無方，静含妙用。物貴異稱，金鏗玉振。昔焉不封於秦，今也罔言於晉。但摩挲而三嘆，非張華而孰綜？然室無滯而不富，況殊方之奇貢。嚮為山人隱和之具，今作仇池怪石之供。一線爐熏，靄若雲蓊。栩栩蝶去，夢繞神清之洞。

蛻齋劉先生真贊 先生諱思齋，燕人

猗歟蛻齋，蚖肆螭蟉，擴充家傳，資深善誘。愛波瀾之老成，宛黼黻之絺繡。曾管窺於一斒，竟韞匵而莫售。我瞻遺像，氣豐而蔀。一官廣文，禄才升斗。挈簞瓢兮屢空，曾臧否之何有。嗟共盡而奚言，豈獨哀於吾友。蛻齋初與胡國瑞同年登第。中統初為中書省掾，後辭歸，為彰德路學官，卒。（以上《秋澗集》卷六六）

全元文卷二〇一

王　惲　三五

增謚睿宗仁聖景襄皇帝玉册文

臣再拜稽首言：伏以至德難名，於穆乾坤之大；孝思罔極，有嚴祖考之稱。稽遺美而載揚，迺守文之先務。弘宣令問，茂對耿光。伏惟睿宗景襄皇帝，秀拔神支，淵潛龍德。英武内根於仁孝，温文外表乎謙恭。先事而謀，臨機善斷。當軍國撫監之際，赫風雲册伐之功。川蜀威加，宋人為之褫氣；鈞臺戰捷，金源遂不能兵。闢土宇而靖中邦，翊炎圖而隆寶運。策勳天府，歸美皇靈。方請命於上蒼，思保安於宗社。祥開後聖，光啟皇元。致今日之隆平，蓋孫謀之燕翼。惟天縱其睿智，故澤流於子孫。爰伸凝慕之誠，虔舉增徽之典。詢諸輿議，允協至公。謹遣某官某奉玉册玉寶，加上尊謚曰仁聖景襄皇帝，廟號睿宗。迺守先猷，仰聖靈之如在；式垂歆鑒，降福祉以無疆[一]。

[一]降福祉以無疆：以，文淵閣四庫本作「于」。

追謚先太子册文

皇帝若曰：於戲！故皇太子某，天姿玉裕，茂德淵沖。朕紹纂丕圖，仰遵太祖聖武皇帝遺訓，以爾世嫡元孫，譽望攸屬，爰從燕邸，正位春宫。愈貴能謙，居貞益慎。及夫聽政，揆叙有方；至於睦親，昆仲無間。尊師問道，日御經筵；視膳候安，時詢内豎。佐予柔理，惠彼小民。方念神器匪輕，投艱有託，豈期前星揜耀，永隔幽明。日居月諸，懷思曷已。比者大臣敷奏，宜易名奉祀，光崇彝典。今遣某官持册，賜爾謚曰明孝太子。永昭遺懿，式慰朕懷。尚冀明靈，歆承寵渥。

皇太后玉册文

至元三十一年五月

維至元三十一年歲次甲午五月朔某日，嗣皇帝臣御名謹稽首再拜言：洽萬國者，莫隆於孝治；揚懿德者，必著其徽稱。洪惟我幼沖人，嗣無疆大歷服，率先風化，無尚於斯。恭惟太母聖善懿恭，睿識遠慮，力行善事，陰賜及民。隆孝敬於先朝，軫憂勤於内助。宫壼仰其規範，宗族化其肅雍。誕躬而底于有成，翊燕謀而俾登大寶。深恩至德，蕩焉難名，匪極鴻一作推尊，曷伸至願。載惟昭考，已升祔於宗祧，言念宸闈，宜大崇其典禮。庶幾均報，仰答恩慈。今遣某官謹奉玉册寶，上尊號曰皇太后。伏惟皇太后殿下，端處福宫，誕膺顯册。儼母儀於四海，德配坤元；期聖壽於萬年，祥開神筴。永資慈訓，保我子孫。臣誠歡誠抃，稽首再拜謹言。

改元詔 元貞元年

朕祇遹先猷，嗣承丕構。訪予落止，在夙夜以靡遑；永言孝思，閱歲時而憯愴。惟春秋之謹始，實古今之成規。適届履端，聿新紀號，可改至元三十二年為元貞元年。咨爾有衆，體予至懷。

手詔侍郎楊大淵

省表具之。朕恪守王封，遽膺推戴，即位之始，不遑康寧。惟爾遠戍邊陲，久服戎政，身外心内，來陳賀章。宜加寵答之辭，以勵忠貞之節。故兹詔示，想宜知悉。

詔罷東平路管民總管兼行軍萬户嚴忠濟

爾父承國家興運，左右將士，同心戮力，封植東平，屹為名藩。我祖宗嘉爾父之功，乃建為侯。自爾嗣位，又二十年。朕初即政，命復襲爵，往即乃封，敬之慎之，其脩德砥行，自立名節，勉圖後效，無忝先猷。十七日戊寅巳刻，上臨軒親諭諸路總尹，遂以前東平總管嚴忠濟弟忠範為東平總管，仍戒之曰：「兄弟天倫，事至於此，朕甚憫焉，今予命爾主兹東土，非以訟受之也。彼所責匪輕，敬哉。今而後，苟不克荷，非若汝兄幸而免也。」

授賀某宣諭大理國制

幼懷奇節，筮仕昌時。及知遇於先朝，遂撫綏于大理。揚威絶域，昔收定遠之功；服事彤庭，屢抗伏波之請。宜旌前効，俾焕綸章。汝其宣暢皇猷，洋溢方外。爰體綏懷之意，以安遐邇之情。轉為招徠，式副所托。

宣諭大理及合剌章俾還本土手詔

嘉汝等遠自雲南，導從選鋒，轉戰千里，直渡鄂渚[二]，以達於此，勤已至矣。今者俾爾各還本土，以遂厥性。優賜各有差。

［一］直渡鄂渚：渡，原作「波」，據文淵閣四庫本改。

姜真人手詔

神以知來，智亦藏往。言念長江之邁，未嘗一日而忘。遐想仙標，載勤馹傳。雍容大厦，論用復於細氈；寂寞嚴扃，雲暫辭於故隱。春寒遺書，指不多及。

追封皇國舅按赤那演濟寧王謚忠武制

制曰：疏恩異姓，無踰王爵之崇；追册元勳，况在世姻之懿。典禮所逮，存亡靡殊。故皇國舅按赤那演，天挺英姿，志宣忠力，當祖宗造基之始，為股肱佐命之臣。衍慶軒星，儷輝宸極。惟勛閥之茂著，冠戚里以獨高。朕紹述丕圖，眷懷世德。宜錫大邦之號，仍褒壹惠之文。可進封濟寧王，謚曰忠武。於戲！議協明廷，庸布絲綸之命；澤流後裔，永昭泉壤之光。尚想英靈，歆此寵渥。

皇舅濟寧王妃制

制曰：爵以德崇，既建真王之號；婦因夫貴，俾隆藩國之儀。眷我外家，德昭祖母；誕彌聖后，作配先皇。豈惟内助之多，光溢徽音之熾。是宜管彤暐煒[一]，象服委蛇。顧予冲人，獲紹前烈，禮崇報本，心焉敢忘！可追封濟寧王妃。與對邦休，服兹寵數。重衍姻親之懿，永膺伉儷之榮。泉壤雖幽，歆承罔昧。

[一]是宜管彤暐煒：彤，原作「形」，據文淵閣四庫本改。

贈謚故光禄大夫左丞相都元帥阿木制

制曰：功德兼隆，其所及者既遠；存亡靡間，故為報也必豐。迺眷元勳，豈同常品。故光禄大夫、中書左丞相、都元帥阿木，挺英將種，作世虎臣。爪牙兼信布之材，韜略合孫吳之法。惟重厚克膺其委寄，故謙恭不有其智能。當世祖之恢圖，自元戎而宣力。奠我南服，隱若長城。秉持旄鉞者三十餘年，出入行陳者百五十戰。奮身不顧，忠如皎日之明；愾敵無前，勢若迅霆之擊。載揚我武，飛渡長江。佐收一統之功，名出諸將之右。繼將明命，遠震邊庭。威方暢於皇靈，訃遽聞於瀚海。朕奉先猷而祇懼，念王業之艱難。鬱爾風雲，追惟往昔；優加恤典，開勸後人。官資超極品之榮，封爵建大國之號。於戲！麟臺畫像，豈惟宛轉於丹青；甲第賜書，庸示昭光於窀穸。可特贈開府儀同三司、太尉并國公，謚曰武宣。精爽如在，不昧欽承。

太尉并國公夫人某氏制

平章政事卜鄰吉帶母别速真氏，父為於運宗臣[一]，嘗有功於社稷；夫亦折衝名將，屢宣力於封疆。位陟中台，慶鍾賢嗣。惟是數者，萃於一身。其存殁則俱榮，蓋始終之鮮儷。况内德壼儀之著，而婦規母訓之崇。錫之以翟茀之章，賁之以銀黄之飾。沛殊恩於既往，示深勸於將來。在邦彝皆所當然，於世教其或有補。於戲！脂田肇啟，獨垂範於兩宗；蘋饋相承，尚流芳於百祀。可贈并國太夫人。

[一]父為於運宗臣：於，文淵閣四庫本作「翼」。

追謚司徒鞏公制

制曰：節惠易名，恩禮備飾終之典；依光毓德，風雲非一日之期。故具官某，禀性淑均，處心貞亮。眷昭考當歧嶷之際，侍内庭多傳翼之功。奉事兩宫，勤勞有日。爰念邸潛之宿望，特班邦教之殊階。謀参密近，而屢效忠誠；位極崇高，而愈形謙謹。朕方升於大寶，將圖任於舊人。已聞歌露之悲，可後蓋棺之議。鼎湖未遠，想陪仙馭之游；泉壤生光，洞賁綸章之寵。可贈金紫光禄大夫，謚曰忠懿。有來精爽，不昧歆承。

追謚賽平章制

制曰：人臣罄奉上之忠，恩恤奚分於今昔；國家有飾終之典，光揚亦賴於子孫。於惟閥閱之家，況復風雲之契。某官某，儀刑西域，柱石中朝。以文武之長材，藴經綸之大業。爰從潛邸，早識英資。而又圖回每沃於淵衷，度量獨高於天下。四川分陝，朝廷無西顧之憂；六詔行臺，郡縣莫南服之理。福星霖雨，動應時祥；和氣嘉聲，撫綏殊俗。念匪躬而盡瘁，每當饋以興哀。朕祗奉先猷，循思遠節。位兼將相，德全始終。況爾孫支，光繩家訓，弼予孝治，進貳文昌。用推錫類之恩，寵以上公之號。於戲！鑄金圖像，豈惟專熾於前賢；告第頒書，尚冀傳方於來世。可贈某官某謚。英爽不昧，其克欽承。

賽平章國夫人誥

國治固先於家齊，古今匪易；婦秩諒從於夫貴，典禮攸宜。某官夫人某氏，婉自名家，嬪我賢輔。循法度而供壼職，以恭儉而相夫勞。委佗儼象服之尊，恭懿融管彤之美。以正以順，如山如河。主饋宜家，綿休積慶。夫延登於鼎胙，孫進貳於文昌。不以輝稱，曷彰内助。仍易小君之號，榮偕品極之封。於戲！德容尚肅於舊儀，誥鸞有煥；脂澤載光於故壠，世祚彌昌。可封某國太夫人，謚某號，主者施行。

追謚故都運梁公通憲先生制

制曰：望壠思賢，臣子無古今之間；顯親盡孝，國家有推奬之崇。矧茲文憲之傳，篤我世臣之舊。資德大夫、中書左丞梁暗都剌，故曾祖金中奉大夫、司農少卿陟，早登科第，顯歷仕途。履正奉公，才優國計。持難抗節，身為大閑。在先儒耆德之間，有泰和能臣之譽。經綸事往，道義日尊。流澤遠及於子孫，致位有開於卿相。克宣忠力，勵相我家。不有恤章，曷勸來者？可賜謚曰通憲先生。於戲！老成雖遠，典刑猶見於國人；寵數惟新，潛德載光於泉壤。尚期英爽，不昧歆承。

太子少傅竇公制

傳經明道，既輔立太平之基；崇德報功，烏可後非常之典？故桓傅致臨雍之敬，而甘盤動憶舊之思。古今雖殊，典秩不異。故翰林侍講學士竇默，業尊周孔，學際天人。詢治體以綱常為言，論人臣以功利為末。侍謀帝幄，剴切多文貞之風；論相中書，慷慨見陽城之烈。而又三代建國，明倫是先。惟西池儼籥羽之儀，故東序擴人文之化。風移俗易，一變虛文；地闢天開，載明正學。迺眷兩朝之耆德，寔為先禰之宮師。稽考規模，夢寐風采。是用榮分三事，光融邦教之階；恩賁九泉，瀟洒玉堂之契。有來精爽，服我寵靈。

夫人賈氏誥辭

天人之際，若弗可知；禎祥之來，各以類應。凡祖宗父母、尊榮壽考，未有不以善而致者。具官某夫人某氏，婉從清望，嬪我儒宗，恭儉以相其夫，勤恪以成其子。珩璜中節，藻薦多儀，清白傳家，管彤有煒。宜爾從夫之貴，寵膺華郡之封。鸞誥副加，服我休命。

追謚賈博兒赤制

負鼎于時，既逢其明主；當饋起嘆，有懷於昔賢。某官藩邸近臣，中朝耆德。適際風雲之會，素多監掌之功。割烹調和，迺其常事。威儀進退，曲盡恒規。凡侍殿庭，望高德度。方舊人而圖任，遽薤露以興哀。歲月雖深，德容如在。抱茂陵之弓劍，婉孌何窮！悵華屋之几筵，未昭杒奠。近因廷奏，大霈恩章[一]，可加贈某官謚曰某。嗚呼！授寵數以如生，幽明罔間；顧諸孫之衍慶，福祉方來。慰我老成，含嘻泉壤。

[一]大霈恩章：霈，原作「需」，據文淵閣四庫本改。

追謚忽林赤制

揚徽内職，固有籍於世臣；追錫親榮，迺式遵於彝典。某官高閎集慶，美行禔身。早以謙恭，光聯侍從。藝則名而威則棣，責於己而功於人。出入禁闈者幾三十年，主典玉食者何百餘事。忠勤奉上，夙宵在公。每多燕饗之儀，何止割烹之技。方廷章之宣美，遽朝露以溘先。可贈某官某謚。嗚呼！祇奉仙游，悵同翻於儷景；流光泉壤，尚垂慶於後人。魂而有靈，歆我寵數。

進呈世祖皇帝實録表

元貞元年六月

臣某等言：臣聞典謨述堯舜之功，令名顯著；方策布文武之政，義問宣昭。粤自漢隋，及夫唐宋，咸有信史，以貽後來。况大業豐功，震今耀古，惟深善述，首議丕揚。臣等誠惶誠懼，頓首頓首。洪惟世祖皇帝，仁孝英明，睿謀果斷。爰從潛邸，有志斯民。植根幹而佐理皇綱，聘耆德而講明治道。始平大理，再駕長江。過化存神，有征無戰。迨其龍飛灤水，鼎定上都。革弊政以惟新，擴同仁而一視。規模宏遠，朝野清明。内則肇建宗祧，創設臺省，修舉政令，登崇俊良；外則整治師徒，申嚴邊將，布揚威德，柔服蠻羌。加以聖無不通，明靡不燭。守之以勤儉樸素，養之以慈惠雍和。收攬權綱，綜覈名實。賞罰公而不濫，號令出以惟行。萬彙連茹，群雄入彀，削平下土，統正中邦。慕義嚮風，聲教奚朔南之暨；梯山航海，職貢無遐邇之殊。方且開學校而劭農桑[一]，考制度而興禮樂。國號體乾坤之統，書畫焕奎壁之文。罄所有而疇戰功，不待計而救民乏。聽言擇善，明德緩刑。斂福錫民，遇災知懼，得《洪範》惟皇之理，過周宣修政之勤[二]。以致時和歲豐，民安吏職。蓋帝德克周于廣運，故至公均被以無方。可謂文致太平，武定亂略。繼一祖四宗之志，兼三皇五帝之功。開天建極者三十五年，立經陳紀者二萬餘事。以謙讓弗遑於備紀，故纂修未至於成書。欽遇皇帝陛下，賁紹詒謀，厲精圖治。亟鑒觀於成憲，思適駿於先聲。深詔下臣，俾為實録。宅心宗祏，凝孝羹牆。開館局而增置官僚，敕群司而大紬圖籍。編摩既富，搜訪加詳。采摭於時政之編，參取於起居之注。張皇初稾，增未見於罕聞；承奉綸音，俾蠲繁而就簡。俯殫管見，仰體宸衷；盡略虚文，一存實事。其饗會征伐，文物典章，粲焉列三代之英，蔚爾開萬世之業。與夫才德孝廉之士，忠良姦佞之臣，版圖生齒之夥繁[三]，財賦畜牧之富盛，謹依條據，粗致無遺。今具所修成《世祖聖德神功文武皇帝實録》二百一十卷，事目五十四卷，聖訓六卷，凡二百七十卷。謹繕寫為二百七十秩，用黄綾夾複封全，隨表上進宸扆。臣某等忝備台司，幸膺盛典。顧惟載筆，才何有於三長；勉進蕪辭，慮庶幾於一得。冒瀆聖聰，不勝兢惕！臣等無任瞻天望聖激切屏營之至，謹奉表陳進以聞。臣等誠惶誠懼，頓首頓首，謹言。元貞元年六月日，開府儀同三司、中書右丞相、監修國史臣等上進。

［一］方且開學校而劭農桑：劭，文淵閣四庫本作「勸」。　［二］過周宣修政之勤：修政，原作「條」，據至治本、王抄校本改。文淵閣四庫本作「牧」。　［三］版圖生齒之夥繁：夥，文淵閣四庫本作「實」。

聖壽節賀表　至元十四年丁丑　代中省作

伏以龍德御天，協千載休明之運；星虹流渚，開九秋震夙之祥。正朔所頒，臣民胥慶。欽惟陛下長策遠御，叡斷有臨。凡經制於宏規，思光昭於先業，修振古未修之典，集累朝未集之勳。獨運神機，載揚我武。削平六詔，無好大喜功之心；混一三吳，見伐罪弔民之舉。治道已隆於貞觀，風聲仍邁於漢家［一］。尚深闕政之虞，屢致迓衡之問［二］。詢謀元老，懷保小民。體群臣敬其所尊，免包徭以之固本［三］。而又禁酒酤而重民食，憫兵餘而肆赦恩。動順輿情，咸躋壽域。繄爾至元之盛德，優於行葦之深仁。屬節届於誕彌，適躬臨於巡省。臣某等久承鈞軸，列侍瑶墀。一作：分司蘭省，阻司蕒堦。愧無金鑑之封章，切效露囊之微悃。鳳來儀而陪舞，聽簫韶九奏之音；虎拜手而揚休，祝天子萬年之壽！

[一]風聲仍邁於漢家：家，文淵閣四庫本作「室」。 [二]屢致迓衡之問：致，文淵閣四庫本作「欽」。

[三]免包徭以之固本：包，文淵閣四庫本作「賦」。

甲午賀正表 代中省作

伏以寅宮建斗，洪鈞轉一氣之春；漢殿稱觴，大禮重三朝之慶。衣冠環拱，文物昭融。恭惟皇帝陛下，乾健萃精，睿思作聖。頓皇綱而開大統，備百度而冠前王。澤既洽於域中，威復加於海外。中天而立，躋世於平。以富藏民，惠免逋懸之賦；先春肆赦，恩深寬大之書。繄至治之惟馨，致上天之伸祐。端臨正旦，光動多儀。受圖籍而膺貢珍，醼臣工而湛春酒。臣某等率先列辟，拜舞揚休。政與時新，萬有遂生成之樂；壽從天恪，八秩開億兆之祥。

大都城隍廟設醮保佑青詞[一]

伏以天監雖高，曾易顯思之命；基圖寅紹，敢忘奉若之誠。爰自君臨，頗歷年所。顧眇躬之上託，致至理之難艱。豈期外侮潛消，復荷天休兹至。炎風朔雪，大開一統；金穰玉燭，屢致豐年。而又雲静祁連，春回沙漠。晝日有平安之報，霜風無偃簿之虞。匪凉德之能然，皆聖靈之所佑。迺即青陽之月，恭修金籙之科。誥演琅亟，真臨玉境。導含景蒼精之駕，覆垂雲洪蔭之仁。鑒兹報謝之虔，重以保持之福。干戈止息，永惟四海之清；邦國榮懷，亦尚一人之慶。如式

［一］王抄校本於標題下右側有「代鹿庵作」四小字。

至元三十年崇真宫設醮齋意

大元皇帝紹隆丕構，撫御多方。欲期中外之安，致有憂勤之慮。爰資道蔭，用介福寧。擬於今月初三日，就大都崇真萬壽宫，設金籙醮筵二百四十分位，涓日既良，預期以告。

青　詞

伏以纂承有在，擴先業以丕隆；撫御攸寧，皆上天之申佑。況年齡之向邁，資福蔭以彌深。念兹一己之微，事有萬幾之重。邊聲雖捷，軫慮良多；精力自如，過勤或倦。而又四氣交更，而無不順盭；

多生感受，而未免乖和。敢殫禱謝之誠，普冀神明之相。潛消災滯，滋至天休。素履安舒，符乾剛而不息；皇圖鞏固，叢景福以惟新。無任懇禱之至。

祀廟樂章[一]

無射宫之曲 昭成

於赫皇祖，睿智聰明。天扶一德，海毓群生。文經武暢，治定功成。禋祀無期，昭垂頌聲。

[一]原《無射宫之曲》的上行低二格有「祀廟樂章」四字，似為總題目，然目録中無。從内容看，可包括自本文至《五方帝祭文》的十二篇，故以「祀廟樂章」為總題。

無射宫之曲 顯寧

天啟深仁，須世而昌。追惟顯考，敢後光揚。儀尊謚美，禮備音鏘。皇靈鑒止，降釐無疆！

祝文第一室

於赫聖武，開運立極。啟迪後人，奄宅萬域。繼體守文，爰及眇質。大位昭升，陰相之力。奉薦明禋，載祇載式。尚祈顧歆，永深燕翼。

第二室

丕顯睿祖，載揚我武。左右爾昆，耆定區宇。慶衍本支，紹纂基緒。嗣服惟初，禮須告祀。延洪幼冲，永錫繁祉。

第三室

明明我祖，神聖無方。武定文綏，于先有光。運開大統，德冠百王。仙馭漸遠，攀慕奚極。祔廟奉安，縟典是式。燕翼如在，英靈日赫。

第四室

於皇昭考，神靈在天。民受陰賜，餘二十年。不饗其位，眇躬是傳。追尊徽號，永言奉先。爰用昭告，齋慄揭虔。尚冀申佑，寶祚綿延。

登明亥元神

維神總劾成功，尊臨陰位，適承歲德，爰誕眇躬。屬秋仲之佳辰，致嚴禋之菲奠。仰祈昭格，永荷神休！

歲星木照星

維神象緯玄穹，祥開下土。直兹歲事，相我冲人。恭伸默禱之虔，爰即絳宫之閟。庶憑陰佑，聿底丕平。

柳宿胎星

維神光臨初度，獲纂鴻圖。顧惟凉薄之躬，萃集簡禨之福。近因多故，致禜幽壇。尚冀精英，更隆安吉！

新船落至祭歲君文

成舟委波，謂之落至，維神灼知，一歲之事。汎彼中河，轉致厥載，上下安輸，非神曷賴。

修玉門前橋祭歲君地祇文

應門將將，前臨天津。玉輅所馳，虹梁必陳。爰構爰締，築之陾陾！神維垂祐，迄于有成。

五方帝祭文

因方殊號，尊以帝稱，殿臨五部，有赫其靈。維橋之作，鞭石駕櫟，尚冀擁衛，大來百祥。

擬禁酒詔

漢賜大酺，歲有常數；周申文誥，飲戒無彝。況糜粟者莫甚於斯，崇飲者刑則無赦。近緣春旱，朝議上陳，宜禁市酤，以豐民食。朕詳思來奏，寔為腆民，可自今年某月日，民間毋得醞造酒醴，俾天物暴殄[一]，重傷時和。其或違者，國有嚴典，悔其可追。故兹詔示，想宜知悉。

[一]俾天物暴殄：俾，文淵閣四庫本作「致」。

中書省牒宋三省文

中書省劄該：爰自聖上即位之初，重惜南北生靈之故，一視同仁，首主和議，故遣信使講信修睦。往年征進大軍，即令各還本屯，仍嚴勑邊將，非奉上命，毋得妄動。行人銜命以來，載更歲律，寂無來音，何哉？不惟有失忱辭[一]，反啟邊釁，以致攻圍我上蔡，侵軼我鄧鄙，襲華陽，擾隨州，劫掠真陽，數犯漣水，此皆出於使軺已入彼疆之後，將和而戰，得無異議乎？夫信與義，自古所恃以為國者也。一旦棄捐，自有任其責者矣。向也大駕巡狩北庭，以平內難，今渠魁授首，已於正月廿六日還宮飲至。頃因行臺入覲，陛見之日，具以奏聞，請重兵壓境，以問其故。五月初五日，奉聖旨，此一事發端自我，姑待之。省府仰體聖上仁慈，尚存兼愛，恐咈初心，弗允所請。且夫朝廷大計已定，此特有司之事耳，今就委本路發使詳問焉，若復遲疑不决，秋高馬肥，至日別有區處。當司依奉省劄，令差諮議官崔明道、兵馬副都李合義充詳問使，移文淮東制司[二]：即今國使安在？何稽留不發？并節次侵疆之役，具由回示，以憑呈省施行，請早示定議，據此須至牒者。

[一]不惟有失忱辭：忱，文淵閣四庫本作「告」。

[二]移文淮東制司：制司，文淵閣四庫本作「副使」。

順德府大開元寺重建普門塔碑銘

國家以神武戡定區夏，際海内外，悉主悉臣，其所以尊顯釋教，彌綸元化者，方往昔為最重，于以推弘濟之深仁，斂無量之衆福，纘大寶，錫群生，躋六合於仁壽極樂之域，豈特崇奉而已哉！順德府大開元寺，爰自聖天子潛邸，迄於御極，持護寵錫者前後非一。至精藍净衆特命近臣主領，不與他寺比，三十年間，續光起廢，集于大成。主僧崇嚴以寺之大緣，寔肇基寶塔，今雖雄峙雲衛，未有紀述，何以壽無盡藏之傳？至元丁丑秋，懇輦真國師以其事請於朝。制可，命奉御脱烈傳旨翰林院，定撰合立碑文者。臣謹按提點僧崇湛具列事蹟。寺舊有塔曰「圖照」，癸酉之兵燼焉。逮國朝辛卯，萬安恩公來主亟丈，始圖興復。其感驗靈異，有神化無方者。初，公既祝髮，心印佛乘，機蟠利用，鍊形辟穀，面壁安禪，結習於臨城者五年，建緣於清泉者有日。演法出無礙妙辯，濟物現當機應身，至回邪入正，卻火返風，鷄悟靈而啄香，牛馴致而受戒。寒泉復智井之波，斗粟周衆僧之供。復以慈善根力，愈奇疾，極危厄，人藏髮餘，珠垂舍利，潔庖寮而侍館穀，代公私而息繹騷。其感化方便，人亘具舉，第以菩薩目之，以致遠邇隆嚮，願言依歸[一]。及廟役興，得能仁觀音舍利二顆，光大殊常，又易塔心，柱礎因風自正。故勳貴豪富、鉅商世農，施獻輸給，同竟事緣。金幣梓材，不期而輩至；藝巧工能，不率而子來。風動雲委，略無虚日。不十稔，疊構重簷，輪奂離立，文階層所，勢軋坤軸，藻拱璇題，翬飛塵外，若乃紺瓦鱗差，金輪眩彩。覆法雲於真境，曜慧景於康莊，絢爛動盪若金光，明中現無量化佛。仰之者火宅晨涼，即之者重昏夜曉，誠法界之寶宫，河朔之傑觀也！實經始於重光單閼之仲春，斷手於上章困敦之秋孟。簷十有三，崇六十仞，其工與費不可殫紀。癸卯冬，師拂衣禪室，歸寂真空。即日有雨木冰之異[二]，塔位石像亦怛化流潤，若潸焉出涕者。及斂，大衆聞空中來妙音樂聲，雲光變幻，環刹成五色樓觀，中現三大士像，至有升塔投空攀號者。其具戒門資萬數，內嗣祖傳法解《三藏》，教沙門今亦千計，其為世宗師感慕者蓋如此。己酉歲，嗣僧崇朗因太保劉秉忠奏疏，請聖上為大功德主，遂嘉納焉。且聞師梵行清修，乃遣近侍護葬，及建塔賜銘，謚曰「弘慈博化大士」，敕寺額曰「大開元寺」，塔曰「普門之塔」。爾後累降綸恩，優護贍卹，靡不備至。其紹化住持曰崇潤，嗣傳住持曰崇朗、崇悟、崇瑀，至崇嚴凡六代。初緣清泉凈土寺，乃大士宗侄崇音住持云。臣竊聞大雄氏之教，以清凈虚寂為心，方便慈悲為用。愍念大千衆生墮落苦海，洪濤鼓風，漂流無際。世尊心運慈航，拯溺度厄，俾登彼岸，歸凈土正路。又慮一切愛慾，有迷悶終不覺其本來真心者，故假象設教，閎厖靈歘，至理絶人區，事出天外。弗尒奚能傳悠久而警悟萬億劫邪[三]！窣堵波之建，假教高顯極矣。然道自人弘，功繇緣立，非遇間氣傑出，智慧開濟大士，疇克弘通法海，鋪敦教基，如是光大者哉！宜為聖天子終始崇奉如一，特詔賜銘，以昭永世。臣某拜手稽首而獻銘曰：

釋迦誕生自西域，靈山玄風暢無極。經從白馬肆金光，法本誠心歸利益。仁王應世憫言湮，大千淪流苦海厄。教因象設濟無邊，塔廟龍宫争湧出。開元大士弘慈公，五載雷轟奮禪窟，法音演出琉璃筒，建此道場化所服。高標突地跨蒼穹，一日雄尊三百尺，雨華天風韻流鈴，師雖示寂此長舌。聖皇錫號曰普門，臣今思議何惻怛！要欲手絜閻浮生，躋彼仁壽極樂國。臣聞大德必得壽，佛應回施無量福。蘿圖鞏固等彌盧，聖子神孫千萬億。（以上《秋澗集》卷六七）

［一］願言依歸：依歸，文淵閣四庫本作「皈依」。　［二］即日有雨木冰之異：冰，文淵閣四庫本作「花」。

［三］弗尒奚能傳悠久而警悟萬億劫邪：尒，文淵閣四庫本作「爾」。

全元文卷二〇二

王惲　三六

擬中書省賀河清表

伏以天開昌運，統一車書；地應休楨，河清陜洛。如式恭惟皇帝陛下，德昭天漢，思溥淵泉。覆露何止於中華，洋溢遠霑於方表。以致潤涵九折，鏡浄兩涯。自陜至汜，幾千里之遥；由乙至丙，逮三旬之久。鱗介之泳游可鑑，山林之形影皆分。躍圖馬於龍宫，未容專美；舞馮夷於鱗屋[一]，時出効靈。顧兹上瑞之方增，特表吾君之至聖。臣某等叨居華省，幸覩榮光。敢傾葵日之誠，用伐辭人之頌。遐荒嚮慕，百川宗滄海而王；寶祚洪延，萬壽等丹丘之固。又上澄下徹，光昭四表之平；國晏民安，永益萬年之壽[二]。

［一］舞馮夷於鱗屋：馮，原闕，據至治本、文淵閣四庫本、王抄校本補。

［二］永益萬年之壽：益，文淵閣四

庫本作「溢」。

擬聞捷賀表

天網雖疏，曾恢恢而有失；罪人斯得，迓穆穆之來平。外侮既消，頌聲交作。臣某等誠歡誠抃，頓首頓首。恭惟皇帝陛下，仁含動植，德媲生成。振長策而用三驅，念天顯而惇九族。荐雷之震，遠驚而邇懼；大風之舉，歌動而雲揚。側聞喜自於日邊，豈止威加於海内。臣某等職叨省署，阻奉鑾輿。竚目龍旂，遥伸虎拜。歸牧武成於周馬，歌功美邁於唐鐃。六轡言還，春動兩都之和氣；千官飲至，歡騰萬歲之霞觴。如式

中書省賀正慶八十表　甲午歲

伏以明堂受籍，萬方歸一統之尊；神策探祥，八秩開大椿之首。稽諸前古，曾未多聞。中賀恭惟皇帝陛下，德本至仁，天申顯佑。維神聖之廣運，致功業以獨高，粲然萃三代之英，蔚爾創一家之制。與天立極，躋世於平。我澤我威，洽乎南而暢乎北；曰聲曰教，漸於東而被於西。方且通達下情，蠲除積負。肆赦恩而哀矜庶獄，扇恭和而煦育群生。宜福壽之既，如川方增；見寅畏之心，維日不足。端臨

元會，光動漢儀。舒化日於中天，湛露恩於春酒。臣某叨承睿眷，久侍瑶階。備位秉鈞，何補馨香之治；捧觴上壽，永膺億萬之年！如式

中書省賀尊號皇帝壽八十表

伏以廣一億而輪一億，萬方歸一統之尊；春八千而秋八千，六葉開大椿之首。稽之載籍，曾未前聞。恭惟憲天述道仁文義武大光孝皇帝陛下，德本至仁，天申純佑[一]。繼一祖四宗之業，兼三皇五帝之功，燕翼貽謀[二]，動從民志。以太孫撫軍而重安國本，以新河轉漕而通惠畿民。建大學而首善京師，清中書而杜絶群枉。綏畇鑾輅，省秋斂而即田功；丕顯前光，纂武圖而修信史。惟聖神之廣運，納福壽於方來。神嵩屢聽於三呼，籛祖莫多於八百。顧兹鉅典，稱慶宜先。况盛事之難逢，幸微生之親見。臣某等職司蘭省，喜倍輿情。順考百王，實光千古。輸誠報上，區區歌天保之詩；以億祈年，永永同洛書之誦。

又

伏以王正紀月，萬方歸一統之尊；神筴儲祥，八秩啟無疆之算[三]。况得春於上日，協正氣於四時，事盛來并，禮須交慶。恭惟尊號〇〇陛下，誕膺景命，祇紹炎圖。載纘三代之英，創作一王之制。繼天立極，躋世於平。化行鯨海之南，威暢龍庭之北。廓廓然可謂無事，巍巍乎其有成功。方且以富

藏民[四]，與免積年之負[五]；方春布德，肆頒咸赦之恩。宜壽祉之方隆，見嚴恭之克享。端臨元會，光動皇儀。舒化日於中天，湛露恩於春酒。臣等率先列辟，拜舞稱觴。久侍臺階，何益體元之政；願言洛誦，來符垂億之年。

[一]天申純佑：佑，文淵閣四庫本作「嘏」。[二]燕翼貽謀：翼，原闕，據文淵閣四庫本、王抄校本補。[三]八秩啟無疆之算：算，文淵閣四庫本作「壽」。[四]方且以富藏民：以，文淵閣四庫本作「與」。[五]與免積年之負：與，文淵閣四庫本作「舉」。

聖壽節表

伏以日符協夢，茂隆探策之祥；鳳曆周星，方啟同天之運。休徵滋至，海宇交懽。中謝恭惟尊號○○陛下，帝學日新，聖模天縱。恢章先業，垂裕後昆。所欲從民，為天立極。以太孫撫軍而重屬世望，以新河通漕而倍溢民儲。建國庠而首善京師，清中書而杜絕群枉。方翠鑾之匣軫，慶玉燭之調元。敬展賀儀，載臨誕節。臣某等承乏鼎鉉，同秉國鈞。愧無金鑑之書，徒切露囊之獻。光瞻北極，列衆星環拱之先；壽等南山，伸天保不騫之祝。

翰林院聖節賀表

伏以翠鑾毌軫，屬千官欽至之秋；玉燭調元，慶萬寶登平之歲。載臨誕節，煥舉賀儀。中謝恭惟尊號陛下，内極文明，外昭桓撥。爰從登極之初，未嘗以位為樂。思章先業，垂裕後昆。燕貽謀而以之撫軍，清中書而俾之端本。于以息肩中夏，謹度侯藩。上禱下祈，為民斂福；東征西伐，與世除殘。文軌一家，而不曰治安者乎？煙火萬里，而可謂和樂者也！尚覬惟新之政，擴推不忍之仁。包舉遐荒，涵濡聖澤。臣等叨居辭館，榮列士林。敬奉俔觴，俯伸虎拜。敢希金鑑之誠，仰罄神嵩之頌。感生北帝，歌有商《長發》之祥；壽等南山，罄《天保》不騫之祝。

謝授翰林學士表

臣惲言[一]：今月日，蒙恩除臣翰林學士者。伏以求賢圖治，遠邁哲王，養老乞言，誠為重事。況聖代方文明之盛，在禁林須超逸之才。如臣者，學術素疏，桑榆垂晚。俾擢昇於衆上，殆選有於無中。兹蓋伏遇皇帝陛下，聖敬日躋，文思天縱。紹接千年之統，光揚列聖之徽。舍所短而就所長，小成小而大成大。敢不凝思螭首，益礪詞鋒。由外臺而登玉堂，固已極當代縉紳之寵；約舊章而修信史，何

敢企高天日月之輝。如式

［一］臣惲言：惲，原闕，據文淵閣四庫本補。

登寶位賀表

伏以承祧主器，已欣曆數之歸；助順與能［一］，允協神人之望。事光前古，運洽重熙。欽惟皇帝陛下，皇祖聖武之曾孫，明孝太子之嫡嗣。英武同符於先帝，温文早著於春宫。扈蹕東征，躬勤備至；撫軍北邁，我武維揚。符命自至而呈祥，宗盟樂推而同戴。既深丕眷，所助宜多。覩大寶之昭昇，將兆民之永賴。中統至元之治，行見增隆；漢文夏后之賢，莫之獨美。光融化日，歡沸民謳。臣某等久事先朝，備位政府；再逢嘉會，喜邁輿情。景命維新，按軒曆上元之統；太平假樂，稱瑶階萬壽之觴。

［一］助順與能：與能，文淵閣四庫本作「輿龍」。

老人星致語

伏以太平有象，治洽金穰；至德無方，文綏武暢。惟精誠之上感，致淵曜之輝臨。臣遠自狐南，光融狼北。厖眉鶴髮，月帔霞冠。遽踰常度之躔，來展流虹之慶。恭惟皇帝陛下，玉帛萬國，庭衢八荒。紹列聖之垂休，圖舊人而共政。幾先物而聰明齊聖，量包遠而恩澤無遺。取憑出丙之微明，用禱後天之遐筭。咸躋壽域，樂對昌辰。南極何深？下坤維七十五度；北辰伊邇，拱乾位億萬餘年。爰捧徽章，式伸善頌。其辭曰：

天地穹窿一氣氳，祥開來表帝皇真。九圍覆露堯天大，萬有榮懷湯德新。報上疇非思下下，推恩及物自親親。通明殿裏長生奏，願祝元貞萬萬春！

中書左丞姚公制

朕聞世祖睿臨之久，有文王多士之稱。如種楩楠而備樑棟之材，如積璠璵而供瑚璉之器。而況先朝故老，當代名臣，良用慨然，想見風采。故中書左丞姚某生禀淑質，世稱大儒。爰自潛藩，殆若神授，天扶道統，力主經筵。以聖道而覺斯民，燭天理而息邪說。智足以達其言行，辯足以濟其經綸。耕桑開王業之艱，征伐佐雲南之舉。罷侯置守，轉官之制初行；論道經邦，建極之功斯在。是用圖畀左轄，羽翼春宮。永惟佐命之勤，式贊承祧之美。籥羽東序，從容賢傳之嚴；綸綍北門，寂寞玉堂之話。百身莫贖，一鑑云亡，開國於營，用旌直德。可贈某官某謚。俯惟英爽，歆此寵靈。

中書左丞許公制

朕究觀世數，灼見天心。粤惟有不世出之君，然後得大有為之士。運符千載，道濟一時。中書左丞許某，爰自師儒，遂拜左相。用之不惟不重，學之不惟不深。貞一乃心，執持苦節。謀謨善斷，精識造微。既逢堯舜之明，用安社稷為悦。君聖臣直，理明道尊。庶幾夷夏之安，風以詩書之教。衣冠萬國，雍容叔孫之儀；仁義一家，剴切魏徵之諫。在中統、至元之治，有永淳、貞觀之風。此其效焉，功可忘耳[一]。而復養英材於國學，齊七政於璿璣。白首南歸，尚深北顧。憂來丘禱，歔欷柱石之衰；人去鑑亡，瀟灑風雲之契。感時懷德，想像其人，忍惜郵章，俾疏身後。可贈某官某謚。尚期窀穸，不昧欽承。

[一]功可忘耳：耳，文淵閣四庫本作「耶」。

翰林學士承旨王公制

人臣大節，忠義為先。郵典推恩，古今一致。故翰林學士承旨王某，道德淵深，人品峻潔。板蕩見忠貞之操，文章有正大之風。養力息兵，貽謀進諫。惟軍國正撫監之體，將謳歌見曆數之歸。白首匡時，赤心為國。庸示至公之論，曾無一己之私。而又扶昌運，則一代名臣；鎮雅俗，則百年遺老。去日漸遠，有念何窮。九原之氣猶生，不忘宗社；三事之報斯在，庶極哀榮。可贈某官某謚。尚冀英靈，服我休命。

請上尊號奏草[一]

臣某等言：伏見〇〇陛下，昭受顯號，今已十年，聖德神功，日新一日。又聖壽新歲，茂登八秩。考於典禮，合行再上尊號，上以贊揚功德之萬一，下以罄臣子愛戴歸美之誠。謹此奏聞，伏冀聖慈，特賜允許。□表。外任進賀。

[一]請上尊號奏草：草，文淵閣四庫本作「章」。

聖壽節賀表 至元三年

電繞中樞，寶曆啟千齡之運；祥開彌月，瑶墀儲八葉之蓂。凡在覆臨，疇非鼓舞。欽惟皇帝陛下，聰明時乂，聖敬日躋。爰從在御之初，未嘗以位為樂。大度同符于漢祖，宏規遠邁於唐文。纘四聖之丕圖，新一家之大典。尊崇故老，思致隆平；委任勳賢，迭居宰輔。文之以詩書禮樂，律之以軌度儀刑。薄賦輕徭，省官定制。尚側身而修行，每前席以賓賢。察納雅言，彌綸元化。上所以恢章先業，下所以弘濟生民。凡曰云為，務從休息。分總司而去積年之弊，更庶尹而削藩鎮之權。尊祖配天，妥宗祧於九廟；敷文柔遠，舞干羽於兩階。功德兼隆，神人交暢。以致服前代所不能服，臣上古所不得臣。東夷航海以來庭，西域梯山而欵附，可謂振長轡以遠馭，敞中國之至仁。仰惟極治之難名，皆出聖模之廣運。載臨盛旦，敬舉賀章。臣等猥領郡符，恩崇天造[一]，進乏千秋之金鑑，遥稱萬歲之霞觴。同虎拜以揚休，下列阻陪於北闕；効嵩呼而獻祝，賡歌載詠於南山。

[一]恩崇天造：崇，文淵閣四庫本作「同」。

聖壽節賀表

至元四年

甲觀開祥，嗣大歷無疆之服；華封請祝，罄後天難老之期。凡在壽臨，率均呼舞。中謝欽惟皇帝陛下，文思天縱，聖憲日新，得漢唐經國之權綱，極堯舜知人之濬哲。以岳牧治本也，疏之而册授；中書化源也，清之以弼諧。尚兼聽以為明，每得賢而恨晚。溥覃禄秩，優復民田。有官荷覆露之恩，含氣遂生成之樂。家給人足，時龢歲豐。九歌莫被其神功，萬事馴歸於道揆。而又順長道而屈群醜，推至悌而御多邦。謂本支一出於祖宗，重疏恩而立愛；江漢終歸於淵海，首繼好以息民。由既睦而於變時雍，以克肖而全付所覆。春際八荒之壽域，天開一統之徵祥。瑞屢見於蒼麟，箭罷傳於青海。西窮月窟，率稽顙以來王；東極扶桑，復寅賓而朝日。緊爾至元之盛烈，於昭曠古之深仁。瑞節載臨，賀儀焕舉。臣某等心馳魏闕，職限侯藩。阻振鷺以陪庭，儼天威之在上。千官飲至，傳聞置酒於南宫；萬歲稱觴，第切瞻光於北極。

兩宫正位稱賀表

伏以正位建儲，舉一代當行之典；推仁被化，遂萬邦咸喜之心。凡在臣鄰，同音鼓舞。中謝恭惟皇帝陛下，道彰坤順，德益離明。治首宫闈，基隆國本。著母儀於天下，融少海之波光。謳歌見四海之歸，教治豈二南之廣。壯本支於百世，聳官儀於一時。某等職忝侯藩，心馳象闕。徒切煙花之想，阻陪鵷鷺之行。敢罄丹衷，載陳封事。德符實運，拜揚稱三殿之觴；慶衍蘿圖，綿亘接萬年之統。

聖壽節御史臺賀表

鼎定皇圖，接千歲上元之統；天開甲觀，儲九秋盛德之祥。聲教所加，讙呼斯溥。中謝恭惟皇帝陛下，堯文天縱，湯聖日躋。爰從在御之初，未嘗以位為樂。躬勤儉德，夢想幽賢。察納雅言，恢弘治道。蕩皇威於北海，藉千畝於東郊。載崇列聖之鴻基，仍創一家之大典。漢官儀之漸復，唐治具之畢張。尚深闕政之思，屢下恤民之詔。内祓災而修行，外發政以施仁。明德緩刑，輕徭薄税。而又天臨睿智，坐折遐衝。昭曠度以無前，振長轡而遠馭。爰整干戈之事，終歸雨露之恩。雲掃黑山，孰謂玉關之久閉？春回鴨緑，旋聞滄海之維清。既荒外服之功，尤盡内修之理。緊爾至元之盛烈，於昭曠古之深仁。瑞節賁臨，賀儀焕舉。臣某等榮叨臺諫，戀切葵傾[一]。陪稱漢殿之觴，仰効露囊之獻。光瞻北極，罄封人上願之心；壽等南山，伸天保不騫之祝。

[一]戀切葵傾：戀，文淵閣四庫本作「願」。

聖壽節賀表

寶曆膺期，接千歲上元之統；日符協夢，開九秋盛德之祥。稱慶惟均，際天所覆。中謝恭惟皇帝陛下，離明繼照，乾健乘時。動順民宜，更張治化。求懿德而式序爾位，任吉士而勵相我家。尚深闕政之思，屢下子民之詔。去網更仁於湯祝，敷文思格於苗頑。既荒外服之功，尤盡内修之理。卜營督亢，宅壯陪京。據山河全勝之區，得貢賦適中之地。□以隆上都而觀萬國，備時巡而禮高年。四聰達群下之情，一豫為諸侯之度。臣某等榮叨郡寄，心切葵傾。阻稱漢殿之觴，徒効露囊之獻。運鍾北帝，祚有商《長發》之祥，壽等南山，伸《天保》不騫之祝。

御史臺賀正旦表　至元八年為御史時作

伏以鳳曆頒春，三正協夏王之統；鷄人唱曉，萬方稱漢殿之觴。品彙沖融，衣冠環拱。恭惟皇帝陛下，容德乃大，盛蹟無前。載新出震之權，端履乘乾之位。東漸滄海，高麗蒙再造之恩；西極渠搜，葱嶺多來庭之使。國字創一家之制，朝章舉曠代之儀。方漢之險，何足恃乎高深；蓬萊之波，旋復聞其清淺。終格羽干之舞，姑奉文誥之辭。咫尺天威，趨承鳳闕。蕩恩光於萬里，醉春色於九重。臣某等久侍瑶階，叨居憲府。獻可替否，詎能振臺閣之風；拜手揚休，仰以祝河山之壽！

正旦賀表

伏以玉燭調元，蓂莢啟堯堦之曆；椒花獻頌，錦封陪漢殿之觴。朝野同歡，乾坤交泰。中謝恭惟皇帝陛下，仁涵動植，德備廣淵。受籍以朝，履端於始。爰體春王之月，屢頒寬大之書。顧軫慮以洪深，躋吾民于仁壽。而復開明堂而坐治，奉帝藉以躬耕。總攬皇綱，務滋大本。鳳城斗轉，春迴萬里之農桑；紫禁天開，瑞靄兩都之雲氣。臣某等叨承列郡，遠被恩光。敢俯傾葵日之誠，仰以効華封之祝。遥瞻北闕，天威咫尺之臨；壽等南山，神筴授萬千之筭。

史都督讓總管表

臣謹言：推賢以位，敢希高世之名；以讓移風，固有為邦之教。志雖自信，政亦當然。中謝伏念臣某等。鷹犬微材，邊防舊帥。起家燕地，分土恒陽。累朝荷眷遇之恩，報國乏忠貞之効。正以先臣之故，久膺方面之權。崎嶇提陽夏之師，屯戍控荆門之會。仰憑聖筭，十載無虞；鎮守長江，寸功何有？比加寵數，方驚都督於諸軍；恭被朝章，俾襲天倫之舊物。君命凛雷霆之重，微軀處伯仲之間。情有難安，禮宜遜讓。臣兄某灼知民事，素秉忠心。功收製錦之能，政洽承流之體。如黃霸已優於治穎，何景宗遽可以臨民？伏望聖慈，鑒臣愚智。非敢圖私己之便，實恐貽不友之譏。念念天恭，敢後《周書》之誡；堂堂大國，務先《常棣》之風。謹拜表以聞。

聖節望闕祝文

龍馬授圖，已肇興王之迹；流虹啟聖，大開彌月之祥。凡居覆載之間，疇匪懽忻之至。欽惟皇帝陛下，聖謀能斷，睿智足臨。天祐人歸，功崇業廣。西平大理，蘇雲霓傒望之心；南渡長江，得風日清明之助。爰履神明之祚，恭承祖考之休。庸示至恩[一]，以昭曠度。親王昆弟，光輝棣蕚之樓；異姓勳臣，揚歷金華之省。尚求賢而若渴，每從諫以如流。所期無曠於庶官，急欲廣聞於民瘼。禮百神而斂福，順三時而務農。載戢干戈，俾安田里。旋仁發政，先困窮無告之人；講好息民，停邊鄙喜功之奏。而又兵民異政[二]，威愛並行[三]。鑑古昔之安危，立規模於宏遠。移官吏而除累年之弊，崇儒雅而興文治之風。尊京師而强幹弱枝，削藩方而如臂使指。分宰相於諸道，專委任而責成功；置統軍於遐陬，蓄精銳而消外侮。唐世之時雍丕變，漢家之治具畢張。以致祥風扇和，時雨霈德，炎洗蠻邦之瘴，春回沙漠之寒。車書八方，不曰治平者也[四]；煙火萬里，可謂和樂者乎！民歌德化之成，心靡帝功之有。當萬寶秋成之節[五]，適群龍首出之辰。湛珠露於仙盤，蕩金風於玉宇。香鬱三山之紫霧，懽騰太液之蒼波，吉旦光臨，溥天同慶。臣等叨居民部，阻奉壽觴。不勝葵藿之誠，仰答乾坤之造。遥瞻北闕，天威逮咫尺之臨；拜祝南山，神筴授萬千之筭[六]。

[一]庸示至恩：庸，文淵閣四庫本作「榮」。　[二]而又兵民異政：異，文淵閣四庫本作「并」。　[三]威愛并行：文淵閣四庫本作「惠愛同行」。　[四]不日治平者也：不，文淵閣四庫本作「洵」。　[五]當萬實秋成之節：成，文淵閣四庫本作「風」。　[六]神筴授萬千之筭：筭，文淵閣四庫本作「壽」。

十六年賀正旦表

任河南河北道提刑時作

玉燭調元，允協三朝之始；春城回斗，茂凝一氣之新。正朔所頒，邇遐交慶。欽惟皇帝陛下，端臨左个，誕受輿圖。仁擴春寬，道開時泰。化日舒而民力足，奔鯨沛而海道空。清明際區宇之間，鼓舞樂雍熙之治。尚惟事統，丕顯聖謀。孜孜下達於民情，念念化隆於邦憲。保釐荒服，減吏冗而益監司；惻憫長征，數軍實而免貧役。功極見寢兵之漸，策長盡馭遠之方。履兹肆覲之辰，介以如山之祉[一]。臣等欣逢盛旦，叨領外臺。政罔肅於簡花，禱徒伸於椒頌。遥瞻宸極，阻奉觥觴。夢聽鈞天，霑露恩於春酒；對揚休命，祝聖壽於南山。

〔一〕介以如山之祉：祉，原作「社」，據至治本、王抄校本改。文淵閣四庫本作「祝」。

聖壽節賀表

至元十七年八月初二作

秋滿皇都，荷大駕省方之豫；祥歌長發，屬千齡應運之辰。夙日載逢，儀章焕舉。恭惟皇帝陛下，聖惟桓撥，智足睿臨。卑式九圍〔一〕，大開一統。爰念盈成之戒，每深覆燾之仁。挈彼生民，躋于壽域。兵刑寢措，收帝王之極功；基業恢弘，光祖宗之丕緒。儲此無量之福，有來滋至之休。繄爾大元，於斯為盛。臣等叨持使節，違遠天威。雖微金鑑之輸誠，敢後封人之願祝。盤銘至再，天心享一德之新；嵩呼者三，聖壽永萬年之筭。

〔一〕卑式九圍：卑，文淵閣四庫本作「用」。

進瑞芝表

皇帝聖旨裏臣某等言：於所領汲縣界内，今月某日，陶工朱良舍中，產土芝一大本者。伏以至和大來，嘉貺昭應，爰念開先之兆，聿彰承順之祥。臣等誠惶誠恐，頓首頓首，欽惟皇帝陛下，政洽慈仁，敬事耆舊，聖惟廣運，惠澤春融，德合無疆，瑞草英發。彤枝曄曄，合為連葉之芳；紫蓋煌煌，敻出銅池臣某等無任忻抃慶頌之至，謹具表進獻以聞。臣某等謹言。

……之秀。木檽慚稱於弘景，郊歌美並於班書。以茲玉質之奇，特著吾皇之壽。適迎誕節，恭覩殊姿，

甲申歲正旦賀表　山東憲司

伏以齊七政于璣衡，統允協於夏正；受四海之圖籍，喜大溢於周邦。香翻白獸之尊，光動黄麾之仗。恭惟皇帝陛下，叡臨神筭，武定文綏。體元建極於中天，顓任責成於諸相。惟德應上天之眷，遂運開一統之祥。宴錫彤弓，晝接玉關之使；塵清滄海，暖回暘谷之春。歷觀往代之規模，未見今日之全盛。尚軫憂勤之念，屢頒寬大之書。使民之政，以次舉行；煩民之事，悉令革去。廓廓然可謂無事，巍巍乎其有成功。臣某等幸際竳辰，敢陳椒頌。遥下肅雍之拜，如臨咫尺之威。紫禁縈花，夢想鈞天之奏；華封獻壽，祝同嵩岳之呼。如式

聖節表

伏以氣調玉燭，開九秋大有之祥；露湛霞觴，獻天子萬年之壽。賀儀焕舉，海寓同懽。中謝恭惟憲天述道仁文義武大光孝皇帝陛下，立賢無方，從諫弗咈。畏服得所臨之道，威揚極載纘之功[一]。平内

難而以義滅親，停遐征而敷文柔遠。而又政歸一相，事革多門。永言夙夜之思，大得股肱之助。臣某等忝膺郡寄，密邇天顔。歌天保以歸休，阻陪鴛列；罄華封而願祝，竊効嵩呼。

[一]威揚極載纘之功：纘，文淵閣四庫本作「績」。

千秋節賀牋　至元十八年六月

運炎烏火，見上天於穆之休；一作「皇天眷命，大開一統之基，甲觀呈祥，適際誕彌之月」。帝降玄商，適長發其祥之月。千秋稱慶，四海攸同。欽惟皇太子殿下德粹元良，道隆純孝。允當楚璧，歷試堯難。未明問寢於龍樓，思治望賢於漢苑。日深子愛，時御經筵。擴推不忍之仁，陰作無量之賜。而又維持臺憲，與振朝綱。左右端人，圖惟國政。雖一事仰資於聖斷，致兩宮咸得其懽心。以兹中外之情，顒切撫監之望。某等内塵法從，外領雄藩。恩深少海之波瀾，躬侍春坊之劍履。玉巵為壽[一]，陪鳳舞於西池；鶴禁揚休，等嵩呼於北闕。一作「玉巵獻酒，陪鳳舞於西池[二]；寶緒分輝，俾壽昌於北極」。

[一]玉巵為壽：為，文淵閣四庫本作「奉」。　[二]陪鳳舞於西池：陪，文淵閣四庫本作「奉」。

進呈承華事略牋　至元十八年十二月

臣惲謹言：伏以學止虚文，在明時而何補？士傳民語，恐小道之可觀。俯瀝愚衷，仰陳瞽頌。臣誠惶誠恐，叩頭叩頭。恭惟皇太子殿下，温文海潤，孝敬日暉。方丕承天序之時，有歷試諸難之命。事統殆萬幾之廣，君門邈千里之遥。雖睿足以有臨，明足以繼照，仁足以及物，智足以周知，復多識於前言，乃益隆於孝治。謹采儲闈之事要，庶幾賈傅之遺規，儻賜乙觀，豈勝至幸！波洋少海，固不擇於細流；德表華箴，竊效持於衆美。臣惲今所纂集，名曰《承華事略》，梗廿篇，為六卷，謹奉寔投進，冒瀆嚴威，無任激切屏營之至。臣惲誠惶誠恐，叩頭叩頭，謹言。至元十八年十二月　日，朝列大夫燕南河北道提刑按察副使臣王惲進。

上經略史公啟

壬子年三月十七日，門下王某謹齋沐頓首百拜，致啟于經略相公閤下：右某言，乾坤草昧，建諸侯所以濟屯；茅土分封，惟太人為能開國。仰佐龍飛之運，須資嶽降之賢。擬議以言，非公孰可？洪惟經略相公閤下，器兼文武，運偶經綸。衆推為上將之材，自任以天下之重。攀鱗附鳳〔一〕，早依日月之光；捧轂推輪，榮受干戈之命。萃一門之忠孝，兼五路之侯封。終始四朝，險夷一節。仁温温乎冬日，氣凛凛乎秋霜。内藴一誠，外含萬動。推而行陣，則勇摧大敵；斂而康濟，則澤被生民。顧所遇之如何，必其才之相應。鷹揚虎視，收中原百戰之勳；蘭婉芝芬，靄漢將千金之譽。既備過人之智，故多及物之功。綏斯來，動斯和；存者神，過者化。紅蓮緑水，盡借籌人幕之賓；長劍危冠，皆扛鼎蒙輪之士。謂蟻穴尚干於天討，詔龍驤暫駐於遐陬。旌旗未指於淮壖，草水先聲於江左。虚懷下士，宜平原賓客之三千；不戰屈人，切充國便宜之十二。雖閑暇不忘於武備，一周旋悉本乎儒風。詩書鞍馬之間，談笑風塵之外。又且脱屣示讓，在人所難。當諸郎勝事之初，乃一旦奉身而避。棄壁而負其子，林回雖近於人情；捨己而與諸人，季札蓋存乎教典。方慶懸車之樂，復承顧命之榮。秉騄駟而超天河，以石之力，初不讓於霍嫖姚；股肱之貞，豈復減於蕭相國。而又量容江海，利先國家。顧所收之邑，委以腹心而參廟筭。增輝白日，叶贊明時；力障群陰，春回華夏。試手已安於漢鼎，阜民共拂於薰絃。柱不争；蓋先見之明，知其有在。果展斗間之紫氣，卒收度外之鴻名。知其褒有成忠，荐膺渥眷。復衛邑為之湯沐，豈曰偶然？錫康侯至於庶番，固所宜也。望符輿議，歡動百城。顧兹縕負以偕來，寔出恩威之素著。僉曰維昔有虎苛之政，于今無犬吠之虞。一新污穢之風，共沐神明之化。出幽谷而遷喬木，孰不快哉！若大旱之望雲霓，傒斯久矣。此共推於公議，匪獨出於私心。今衛勢據上流，士名沃壤。衣冠之所出，風化之所生。柰何民阽死者積年，政弊極之有日。洽期清静，無如宰牧之良；俗久浮佻，宜審急先之務。况仁深改革，意切矜憐。固非賤子元當陳，諒以愚衷之所激。伏念某三尺微命，一介書生。慚非適用之才，素負讀書之念。無繩以繫白日，昔年甘落佩之迁[二]；披霧而覩青天，今日有彈冠之慶。且平昔想聞其風采，況終身得為之主盟。為喜可勝，所憂一寫。聞風興起，已空北海之濱；杖策來歸，獨愧南宮之謁。儻預蒙於剪拂，庶得免於駑駘。所願無他，其心止此。借齒牙之餘論，煦枯槁於寒鄉。燕麥兔葵，尚冀春風之搖蕩；鼠肝蟲臂，敢逃大冶之爐錘。庶將螢爝之微，仰賀風雲之末。過此以往，不知所裁。某頓首再拜，冒瀆尊嚴，不勝戰栗之至。

[一]攀鱗附鳳：鱗，文淵閣四庫本作「麟」。

[二]昔年甘落佩之迁：迁，原作「迂」，據至治本、王抄校本改。文淵閣四庫本作「遷」。

上姚敬齋啟

中統元年七月六日，席生王某謹齋沐頓首再拜，致啟于尚書宣撫先生閣下：伏審九天頒詔，側聞方岳之分臨；四海嚮風，喜見太平之有自。顧惟孱劣，曷稱提撕[一]。況朝廷方弘治之辰，而州縣以得賢為急。須獲玄德昇聞之士，可副大人吐握之懷。如某者，稟性疎愚，與人樸直。斷無它技，徒切休心。爰自穉年，特乖庭訓。雖讀書鄉曲，謾攻童子之雕蟲；及學道蘇門，徒竊孫登之吟嘯。因沾餘溢，得列諸生。然固窮不輟於絃歌，念來事可為者忠孝。吾將仕矣，未見其人。蓋女為悅己者容，士為知己者死。俄翰簡光臨於圭竇[二]，見先生樂育之素心。為喜可勝，所憂一寫。何乃至於此？蓋有激而云。身賤貧而處世無聞，跡泥塗而遇知為貴。若夫燕築臺而師郭隗，豈天下之無人？備奉命而奔孔融，所喜世間之有己。將摳衣於不日，終瀝膽以謝誠。伏惟閣下學際天人，材兼文武。幾年潛邸，一變經筵。儀表四方，股肱元聖。方某聞捷，偉謝安雅量之雍容；抗表出師，見葛亮忠規之遠大。以致佐命收奇功於六詔，除殘僨封豕於三秦。盪平青海之波濤，補就蒼天之日月。方聳馬空於冀北，首令詔撫於山東。杖扶戴白之疲癃，春動百城之草木。欲隆承流宣化之權，故擴並採兼收之路。慮一夫之不獲，念小子以何堪？戴德若天，酬恩無地。比遂掃門之役，庶堅磨鈍之誠[三]。利一割之鉛刀，享千金於弊帚。翮知短鎩，敢圖運海之鵬程；言至再三，恐辱知人之藻鑑。過此以往，未知所裁。

[一]曷稱提撕：稱，文淵閣四庫本作「勝」。

[二]俄翰簡光臨於圭竇：翰簡，文淵閣四庫本作「瑶翰」。

[三]庶堅磨鈍之誠：誠，文淵閣四庫本作「情」。

上張左丞啟　中統元年六月

中統元年六月日，衛人王某謹齋沐頓首再拜，啟事於中書左丞宣撫相公閣下：欽聞明詔，來鎮雄藩。凡在提封[一]，咸增慶抃。謂天下大統也，尚建侯而不寧，初無中外之限；方岳至重也，惟得賢而俾乂，故咨帷幄之臣。然念德非盛大，不足以填壓夸毗；量非弘深，不足以包總細大。才非經綸，不足以酬事變；望非崇高，不足以饜人心。恭惟閣下，德富天彝，材為世用。望出中朝之勳舊，量涵萬頃之汪洋[二]。兵濟長江，符羊祜抗章之志；龍興代邸，偉宋昌獨斷之能。故得雨鬪雲開，陰消陽長。雷霆驅號令之威，朝野擴綱維之治。繡衣南下，寔承流宣化之權；齊斧西臨[三]，正擿伏破姦之日。而今況河朔數路，懷衛兩州。世官有晚唐擅據之强，風俗近天寶塗炭之苦。穢彰鄰邑，政出多門。其為害也，權在吏胥之手，賄甘桀黠之心。敗類者能先去之[四]，善人者其自存耳。以聖世求直言之者[五]，故愚儒及舊政之非。伏念某一介布衣，半生文史。顧其時之可出，念所學之無成。北闕上書，愧乏馬周之志；南山種豆，每懷楊惲之風。觀化明時，游心至道。不求鳴於時相，終混跡於常流。少得見知，俟喜顯名於韓狀；如蒙所請[六]，曾點終老於孔門。過此以還，未知所措。

[一]凡在提封：封，文淵閣四庫本作「刑」。　[二]量涵萬頃之汪洋：頃，文淵閣四庫本作「里」。　[三]齊斧西臨：齊，文淵閣四庫本作「蕭」。　[四]敗類者能先去之：類，原闕，據文淵閣四庫本補。　[五]以聖世求直言之者：世，原闕，據文淵閣四庫本補。者，文淵閣四庫本作「士」。　[六]如蒙所請：請，原作「讀」，據至治本、明修本、文淵閣四庫本、王抄校本改。

授翰林修撰同知制誥兼充國史院編修官謝中書省啟 中統二年七月二十九日

中統二年秋七月廿九日，王某謹齋沐頓首百拜，奉啟事于中書門下：伏以幼學壯行，自吾儒之常事；位尊德薄，寔君子之深憂。况禁林乃清切之資，而自昔極人文之選。如某者，性資樸魯，學術靡蕪。幼窺篆刻之文，稍服鯉庭之訓。而藏修蔑有其素，徒佔畢不去其心。血指汗顔，竊弄柳州斤斧；屬辭比事，略窺左氏門牆。賴鶚薦之先容，致囊錐之立見。幸遇鴻熙之世，來觀上國之光。自嗟坎井之蛙，日侍幕蓮之地。時乏駿足，用駑馬以代驂〔一〕；葦帿素屏，點蒼蠅而成質。方退南飛之鵲，重留西掖之垣。方筵預使席之榮，行李致館人之意。念朱雲之耻吏，哀王孫而進飧。顧影自憐，捫心有託。特以見知之厚遇，不無立仗之長鳴。苟丐虚名，盡光歸路，豈意誕膺綸命，峻陟文階。忝分蓮炬之光，得與玉堂之選。固不能奮陽城之觀望，無乃自郭隗而權輿。儘不負十載夜牕燈火之勤，足以瞑九原先子之目。其榮已極，夫復何求。兹蓋伏遇中書相公閣下，柱石中朝，風雲潛邸。羽翼四人之勳業，文章兩漢之精華。秩乃代天，門無棄物。父子傳温國之學，書史備鄴侯之籤。公將權衡，彼自為之高下；信如寒暑，卒皆遂於生成。豈謂帡幪，蔭及蕭艾。某敢不勉修士行，恪守官箴，仰酬雨露之恩，俯答丘山之德。蓬蓬運海，固敢期九萬里之程；碌碌因人，庶不在十九人之後。過此以往，不知所裁。謹奉啟事以聞。王某頓首再拜。

〔一〕用駑馬以代驂：驂，原作「駿」，據至治本、明修本、王抄校本改。文淵閣四庫本作「馳」。

齋　意

旱氣隆蟲，歷三時而已遠；守臣惶懼，顧大責之難逃。輒先穀雨之辰，敢罄雩求之懇。預期以告，於禮則宜。

祈雨青詞

恐懼自修，災有可消之理；敬誠斯在，天無不饗之心。伏念臣惲，素昧臨民，叨承總寄。每荷登穰之惠，庶寬撫字之憂。爰自去秋，迄於今歲，風霾蓬勃，生意焦枯，時疫大興，秋種未下。氣將交而寒薄，雲已合而風飄。既走郡祠，載呼洪造；恭輸至懇，光啟靈壇。集道侶於琳宮，宣琅函之真誥。伏望九天降監，列聖垂慈。分勑山川之神，普下雷霆之詔。風災一返，膏潤咸霑。使春事無訛，喜動四郊之末；秋成有望，歌賡高廩之詩。臣無任瞻天望聖激切屏營之至。

祈雨青詞

伏以萬物盈於兩間，亭毒必資於帝力；皇天祐于一德，高明庶格於精誠。比者時雨愆常，秋種不下。重念無辜之者，將罹饑饉之災。用是罷將作而弛土木，禁市酤而重餱糧。循省自修，冀回哀眷。氣將交而寒薄，雲既密而風醨。適當龍見而雩，爰致桑林之禱。恭延真馭，崇建靈壇。伏望列聖垂仁，九天降鑒。易陰陽之恒數，斡運化之玄機。下勑豐隆，霈流甘澍。蘇槁麥於南畝，播嘉穀於東郊。一滌昏霾，溥含生意。豈惟大賚，三農免失業之憂；嘉與多方，高廩享有年之慶。

祈雨青詞

天地乃萬物父母，忍饑饉之薦臻；風雨為一歲咎休，顧得失而與應。念守臣之不職，致春旱以為災。終風且霾，種不入土。近雖霑其濡潤，終未至於雱霈。二麥就枯，群情懷懼。念鰥寡無辜之者，有溝壑立至之憂。既走郡祠，載籲玄造。瀝愚衷之至懇，建雨部之靈場。伏望真宰鑒臨，高穹陰騭。溥同一視之仁，大霈如膏之澤。興嘉苗於四野，際和氣於兩間。庶寬轉側之勞，共慰傒蘇之望。所有報禮，其敢後而[二]。

［一］其敢後而：而，文淵閣四庫本作「歟」。

爲春旱蟲災青詞

伏念天聽雖高，惟至誠而能感；田功未即，繄歲事之可憂。敢瀝丹衷，仰干玄造。兹者自春徂夏，時雨愆期。蕘桑卷而步屈為災，嘉禾槁而風埃蔽野。吏則不德，民將何尤！非恐懼以自修，將蘊隆而曷已。爰差穀旦，乃建靈壇。延致羽流，恭修法供。應蒼精之昏見，冀誠意之孚通。伏願列聖垂慈，九天降鑒。俯回哀眷，霈甘澤於一方；丕顯神功，享豐年於高廩。

齋意

伏以驕陽恒若，時雨未沾。嘉禾槁而耕壠如焚，步屈災而春蠶闕食。齋心預告，於禮攸宜。

爲張縣尹吉求嗣青詞

伏以不孝有三，身無後而為大；輸誠儻至，天雖高而聽卑。敢瀝丹衷，用干玄造。伏念臣某一行作吏，壯歲當官。久居簿領之間，未免輕重之悮。或養志罔終於恃怙，或臨民多靳於哀矜。以致二子併亡，半生惸獨。自孽難逃於陰譴，隱憂忍及於先人。敢資惟惠之仁，受謹籲天之請。敬陳清醮，上扣高真。伏望大眷垂哀，憫孤影零丁之苦；維羆應夢，廣一門嗣續之傳[一]。

[一]廣一門嗣續之傳：傳，文淵閣四庫本作「祥」。

爲鄉人禱疾青詞

伏以民固多愚，匪易天心之感；老惟欲逸，何堪豎疾之嬰。敢以聽卑，用伸懇至。伏念臣某生居市闠，長失義方，凡有作為，不無過咎。或營營以窺利，或昧昧以馮生。正以貪癡，愈深罪釁；又緣移徙，多所紛更。穿掘既發其蓋藏，修治悮衝其禁忌。以致災徵未已，病日彌留；和豫既乖，眠食稍廢。捄藥徒為之瞑眩，朝昏遂苦於呻吟。伏望上聖垂慈，高真降祐。庶憑仁覆，得蒙羸劣之安；言念愚衷，永謹省修之戒。以上《秋澗集》卷六八

全元文卷二〇三

王 惲 三七

衛輝路創修文廟疏

竊以廟而通祀，國家極典禮之尊；教以多方，庠序乃風化之本。子焉而父，臣焉而君。大凡日用之間，無匪聖人之道。既富而教，以時則宜。猗嗟君子之邦，久曠素王之位。吏之不職，孰此重焉？學之不講，是吾憂也。爰興丕構，庸示教基。擴前日輪奐之規，敞百代神明之觀。經始雖先於一府，贊襄寔賴於諸公。蓋土木之資，瓦甓之用，須豪傑而共濟，庶程度之可完。仰止翬飛，永鏘玉振。春秋二祀，肅豆籩三代之儀；衮冕而王，還文物昔年之舊。凡我同盟之者，即當聞斯行諸。謹疏。

大成殿上樑疏

伏以起百年之廢，不渝乎素心；合四境之人，用扶其脩棟。凡曰有生之者，孰非吾道之中。功將底於落成，衆能無於小助。况鄉校半讀書之子，而師帥舉稽古之流。重瞻邶衛之天，久被絃歌之化。推求治本，一出儒宗。敢紆長者之車，來聽兒郎之偉。謹疏。

重修衛州蒼谷山廣施王廟疏

伏以民所欲而神必從，宜深乎報；神有享而民乃主，否則疇依。顧維明神，爰處蒼峪[一]。司分雨部，權控龍威。時罹暵乾，禱輒靈應。且王號已昭於舊典，而秩恩又見於新條。比者祠宇年深，榱楹日圮[二]。壂昏畫像，慘雷轟電擊之雄[三]；瓦落宫墻，動木老雲荒之嘆。今將上完霧棟，旁奕蒼池。及時瞻山雨之來，闔郡享豐年之賜。神報久已豐矣，公等宜如何哉？謹疏。

[一]爰處蒼峪：峪，文淵閣四庫本作「谷」。　[二]榱楹日圮：榱，原作「攘」，據文淵閣四庫本改。　[三]慘雷轟電擊之雄：擊，文淵閣四庫本作「掣」。

隰州蒲縣重建嶽廟臺門疏

伏以鐵鳳翔雲，神棲固極於壯觀[一]；銀臺墮墜，天廢必假於人謀[二]。眷岱嶽之行宫，據蒲城之右麓。豐碑具述，歷代增崇。雖作鎮於東方，寔普臨于率土。有禱輒應，顯化殊常。蓋幽明秘不測之神，而死生為總歸之府[三]。玆非尊奉，曷致敬恭。今將大復神譙，俾還舊觀。計百費以寔博，顧一己而難為。衆力經營，厥功可僝。舉蒙少助，不日告成。靈威肅喬木之風，雲氣動孤山之色。璇題藻棟，儼九天來格之儀；僚寀黎民，獲三殿護持之福。幸垂藻鑒，請署芳題。

[一]神棲固極於壯觀：文淵閣四庫本作「固神棲極於壯觀」。[二]天廢必假於人謀：文淵閣四庫本作「必天廢假於人謀」。[三]蓋幽明秘不測之神，而死生為總歸之府：文淵閣四庫本作「蓋幽明不測之秘神，而生死總歸之巍府」。

玉清觀化緣疏

竊以雲飛鶴舉，固所去以為常；火食屋居，在有生其可闕。未遂山林之往，所期性命之安。如某者，忝鄭圃之居，久滿户間之屨；慕子真之隱，擬耕谷口之雲。雖南鄰北里，總是檀那；而凌雨震風，可疏寢處。為歸翼數飛於夢蝶，奈拙謀復甚於林鳩。王録事倘助於草堂，庚桑楚庶休於畏壘。田園成趣，平分乎二頃煙霞；杖履它時，共樂此一庵風月。凡曰通方之士，能無尚義之心！

鄆城縣普濟寺化緣疏

伏以建外道場，不獨爲天女散花之供；祈聖人壽，庶或盡臣子永命之心。眷高魚之北鄉，乃獲麟之西鄙。古瞻勝槩，地發龍光。已霑普濟於明經，未覩華嚴之寶界。今將百堵具舉，精藍聿修。需仗衆緣，能成妙果。道昭者雲龕野衲，托鉢者海嶠行滕[一]。卓錫得泉了此這場；諸佛事投竿在水，肯教空載月明歸。謹疏。

[一]托鉢者海嶠行滕：托鉢者，原脱，據文淵四庫本補。滕，原作「騰」，據文淵閣四庫本、王抄校本改。

請黄先生德新主善疏

三年至穀，諸生忍廢於光陰；一卷立師，學行首明其模範。惟大冶有鑄金之妙，良工收琢玉之功。況漢庭發策，本之明經；而近代程文，自有定體。欲造科場之捷徑，須求事業之專門。伏惟殿元先生，藻發儒林，道傳絶派。繼踵於黄氏三山之後，探頤乎上古八索之前。而又馳騁乎百家，通貫乎六藝。春闈陣合，筆驚風雨之聲；夢澤胸吞，文麗江山之秀。久矣倦游之興，偉哉樂育之心。倘蒙憫小子之斐狂，永以為國人之矜式。高懸絳帳，嗣音敢自於吾儕；仰屬青衿，固讓毋勞於謙德。謹疏。

襄陵縣重建飛橋化緣疏

伏以平水澮川，依約金城之舊；彩虹沉影，空餘華表之遺。矧當晉秦南北之衝，有秋夏泛溢之阻。僧清者，心存肯構〔一〕，力振前修。經營者已數年，奔走者幾萬里。每以力微而事大，懼夫始作而終衰。驅石必東海之鞭，洪波可駕；銜木仰西山之鳥，尺啄徒勞。在他邦果於義為，豈鄉國獨無至意？倘垂一諾，過重千梁。少分有限之功，陰受無量之福。公私安濟，免勞鄭國之乘輿；遐邇具瞻，復覩河東之偉觀。謹疏。

〔一〕心存肯構：構，文淵閣四庫本作「絭」。

追薦孤魂化緣疏

切以辭辯游魂，雖著長終之變；傳明滯魄，深詳為厲之文。久失所依，誠為可憫！痛彼河南之戰，重為天下之傷。血殷溱水之波，尸蔽奉寧之野。兵自休者已三紀，祀而存者能幾家？野祭不來，愁絶喪元之勇士；沙場半歿，盡為亡社之遺黎。蕭條蒿里之悲風，黯慘棘林之老月。尚過者動蘽梩之嘆，況仁人同桑梓之情。義所當為[一]，祭而非諂，凡我見而知者，忍不聞斯行諸。故謁同盟，畢茲大事。魂兮來些，庶幾貴賤之攸歸；心獲所安，不謂幽明之有識。倘蒙金諾，請挂銀鈎。

[一]義所當為：文淵閣四庫本作「為所當為」。

上張宣慰疏　代劉進之作

切以辱甲子於泥塗，趙武有由吾之嘆；轉江沱之窮鮒，昌黎云投足之勞。懷古傷今，而復有此。進之先生，文摩屈壘，心醉麟經。學詩得東野之窮，好學有征南之癖。以壯歲負并汾之氣，幾年為河朔之遊。老雖益堅，空至於屢。具爾是逢，翻然可駕。拭白首窮途之淚，夢黃雲畫角之秋。思歸敝廬，得甘饘粥。撫孤松而吊影，望先壠以含悲。麥舡惠顧，一帆助順濟之風；華表歸來，獨鶴遂長鳴之願。伏惟使相學士閣下，氣嚴霜簡，名在帝心。炳趙衰愛日之輝，聳吏部泰山之望。爰從公議，兩鎮名藩。承流已浹於河汾，宣化又漸於海表。去國見似之者喜，同聲亟相應之情。嗚呼！託子而來，嘗切慕古人之義；請書而去，思游揚足下之名。為代悲鳴[一]，爰成尺素[二]。幸念鄉枌之舊，與分鄰燭之光。倘鑒私衷[三]，請題芳字。謹疏。

[一]為代悲鳴：代悲鳴，原闕，據文淵閣四庫本補。　[二]爰代尺素：爰，原闕，據文淵閣四庫本補。
[三]倘鑒私衷：鑒私衷，原闕，據文淵閣四庫本補。

爲宋儒楊從龍贖身醵金疏

切以觀軍府而釋鍾儀，傳美晉侯之德；解左驂而贖石父[一]，世稱晏子之仁。古則云然，今亦能爾。唐風雖儉，舉義則豐[二]；荆璞未逢，遇和則售。士人楊從龍者，晉州羇客[三]，吴會諸生。念江湖當波蕩之餘，得升斗遂身安之計[四]。在士庶官寮之者，當體寬恩以吹噓。惠費之仁，不過一讌。倘蒙金諾，請署芳題。

[一]解左驂而贖石父：石父，原闕，據文淵閣四庫本補。　[二]舉義則豐：舉，原闕，據文淵閣四庫本補。
[三]晉州羇客：羇，原闕，據文淵閣四庫本補。　[四]得升斗遂身安之計：之計，原闕，據文淵閣四庫本補。

筭學主善疏[一]

眷言六藝，數居衆技之先[二]；訓彼群蒙，業必專門之者。伏惟宜之先生[三]，術窺海鏡，心洞神機。

以勾股而測高深，極乘除而推盈縮[四]。挾此九章之妙，屢為一卷之師。倘許光臨，豈辭擁篲[五]。口傳要訣，同趣開悟之方；手筭萬籌，庶無倒顛之誚[六]。謹疏。

[一]筭學主善疏：文淵閣四庫本作「筭學士善疏」。[二]數居衆技之先：居衆技，原闕，據文淵閣四庫本補。[三]伏惟宜之先生：生，原闕，據文淵閣四庫本、王抄校本補。[四]極乘除而推盈縮：推，原闕，據文淵閣四庫本補。[五]豈辭擁篲：辭擁篲，原闕，據文淵閣四庫本補。王抄校本作「勝□幸」。[六]庶無倒顛之誚：誚，原闕，據文淵閣四庫本補。

爲刊字醵金疏

《汲郡志》者[一]，發明潛德[二]，豈惟鄉國之賢；關繫民風，庶見古今之事[三]。為書者凡一十五卷[四]，計字數近六七萬言。欲廣其傳[五]，必録諸梓。惟是閑居之久，苦無力量之多。凡工費口糧[六]，倘蒙少助；雖夜光明月，不為暗投。公等自優為之[七]，我正賴有此耳。謹疏。

[一]汲郡志者：原闕，據至治本、文淵閣四庫本補。[二]發明潛德：潛，原闕，據至治本、文淵閣四庫本、王抄校本補。[三]庶見古今之事：古今之，原闕，據至治本、文淵閣四庫本、王抄校本補。[四]為書者凡一十五卷：書，原闕，據至治本、文淵閣四庫本、王抄校本補。[五]欲廣其傳：欲廣，原闕，據文淵閣四庫本

補。　［六］凡工費口糧：凡工，原闕，據文淵閣四庫本補。　［七］公等自優為之：自優為之，原闕，據文淵閣四庫本補。

太康縣創建忠武史公祠堂疏

伏以臨危脱難，無深骨肉之恩；報德靡忘，莫重春秋之祀。惟太尉忠武公［一］，曩分帥閫，東甸京畿。擴仁心而斂兵鋒，招柘城而降陽夏。繼來臨戍，尤盡撫綏［二］。雜耕無相擾之私，按堵享維新之樂。百年父老，廕自餘休；三尺兒童，慶延史氏。今將起神祠於舊里，昭大德於新邦［三］。某等雖經始於一時，敢獨專其至美。庶憑衆力，易見成功。具我時瞻，要擬甘棠之木；眷言遺愛，豈惟墮淚之碑。凡我同盟，請題芳字。（以上《秋澗集》卷六九）

［一］惟太尉忠武公：惟，原闕，據文淵閣四庫本補。　［二］尤盡撫綏：綏，原作「緩」，據至治本、文淵閣四庫本、王抄校本改。　［三］昭大德於新邦：新，原闕，據文淵閣四庫本補。王抄校本作「吾」。

衛輝路總管府重修帥正堂疏

伏以聽共民事，必先處所之安；絡繹星軺，無匪王人之重。顧衛輝之公署，寔民庶之具瞻。起蓋年深，疏陋日甚。飭傳舍固為微末，論總治此則本根。今將重構一新，增光六縣。俸稍先輸其兩月，餘力須藉於衆官。勢惟乘其一時，工可就於不日。清香畫戟，雖云都尹之居；聖節公筵，永祝皇家之壽。敢祈同志，各署芳銜。

樂籍殷氏醵金疏

量珠買笑，空憶當時；餬口為生，重過故里。李弄玉幾年西邁，杜秋娘未老東歸。載瞻光禄池臺，總是舊遊桃李。樂籍殷氏者，名香佳麗，天賦芳温。曾將兩字風流，占斷八州煙月。此日紛華都識破，向來心事欲誰論？鳳凰臺上有伴吹簫，鼓笛場中何堪把色[一]？與行丐歌姬之院[二]，且少分鄰燭之光。萬水千山得得來，一瓶一鉢垂垂老。桑間游女，固能憐暮雨之詩；芳草王孫，尚不棄春風之面。倘霑餘潤，儘富歸裝。多寡隨宜，以疾為妙。謹疏。

[一]鼓笛場中何堪把色：把，文淵閣四庫本作「弄」。

[二]與行丐歌姬之院：與，文淵閣四庫本作「使」。

李府君建碑醵金疏

故汲縣長官李公天祥，素負義襟，號稱能吏。急難多國士之風，宰邑有桐鄉之愛。去世能幾日，有家為一空。短碑卧草，未覩瑶鐫；孤壠含悽，豈勝冥感！凡日相知之舊，能無墮淚之傷？庶少分魯肅之囷，共建此陽城之碣。睠言故里，永賁幽光。

請靳顯卿山陽闈庠疏

切以嬰孩教子，責在父兄；詩禮承家，必資師範。伏惟顯卿學師，性資純厚，賦業優長，規模有乃岳之風，句讀傳故家之習。久訓蒙於柘里，今閑處於山陽。煩於白社之間，載闡青衿之教。邑雖十室，使盡為忠信之人；喜動七賢，不負此風煙之勝。恭惟短疏，具列同盟。

重修泰山廟疏

伏以物有生死，維岳主司；事至隱微[一]，須人興葺。睠新中之左地，儼泰岱之行宫。當年廟貌壯麗有餘，此日岩廊摧毁無幾。賴陳將軍之果毅，曹鄉老之經營。一備糇糧，一鳩工役。周垣已興於百堵，正殿將復其五楹。度其工之寖繁，計所費以不少。若憑衆力，可見成功。使車馬風雲，喜降臨之有所；官僚户庶，獲福祐以無窮[二]。謹疏。

[一]事至隳微：隳微，文淵閣四庫本作「式微」。　[二]獲福祐以無窮：祐，文淵閣四庫本作「賜」。

重修河内公廟化緣疏

惟公德並群哲，材優四科。為邦致三善之稱，折獄有片言之譽。顧瞻喬木，懷想其人。况此蒲鄉，寔維舊治。民淳訟簡，猶沐休風；世遠祠存，不忘久敬。然塵昏像設，殆緼袍弊故之餘；草滿露壇，起燕麥動揺之嘆。惟夫興葺，可表尊崇，凡我同盟，義當少助。謹疏。

省齋裴先生建碑疏

伏以辭焉不愧，緣景行之獨高；得之無財，於人心而能佼[一]。故武昌節度同知省齋先生，兩朝名士，一世龍門。在鴻文大學之間，有瑞錦秋濤之譽。里雖稱其通德，墓未表乎豐碑。眼中縫掖半門生，身後殘膏丐來者。知歸報本，復有望於諸君；礱石劖銘，庶落成於不日。嶷嶷麒麟之碣，輝輝星漢之光。匪惟裴氏之獲安，誠亦士林之美事。

［一］於人心而能恔：恔，文淵閣四庫本作「悦」。

爲耶律伯明醵金疏

伏以分財曰惠，莫先赒急之心；見義當為，切戒後時之嘆。伯明秀造，漆水東丹之後，右丞文獻之孫。學則有餘，空至於屢。為子娶婦，禮尚未完；急手謀生［一］，力有不及。顧同志多狐貉之列，忍一家有風雪之寒。少分半宴之資，可合二姓之好。倘蒙薄助，請署芳題。

［一］急手謀生：手，文淵閣四庫本作「乎」。

張漢臣醵金疏

張漢臣者，監司故掾，淇奥諸生。緼袍傷此日之貧，客舍歎故人之雨。心關桂玉，運阻風波。既久淹吏部之除，未免索長安之米。况臺閣半為鄉舊，而燕雲古有義風。哀王孫者世為尋常，付裝資者日云不少。舉舡望惠，才固匪於建封；指囷不難，時豈乏於子敬。蒙滴水而為恩於目下[一]，奉千金而敢忘於他時。困涸能濡，多寡唯命。

[一]蒙滴水而為恩於目下：蒙滴，文淵閣四庫本作「望升」。

梁彦升醵金疏

太原人

山頹木壞，永哀賢哲之萎；高上坎中，未遂窀穸之窆。冀彼齊卿之悦，傷哉季路之貧。前進士太原梁公子彦昇，詩禮名家，羹牆純孝。思雙親而不見，抱孤影而自憐。秋草萋兮，恨隔於九原；春露濡而，履兹者二紀。惟得脱驂而賻，乃能大事之襄。四十萬非敢望於郭代公，五百斛庶少分於范左相。凡為同好，寧不興哀！淇水東傾，渺逝者如斯之嘆；太行西望，慰異鄉久客之心。

大繼長醵金疏

國破家亡，老作無依之客；衣單糧絶，誰堪卒歲之憂？大先生繼長者，渤海名家，中朝顯宦。功名富貴竟無有，文彩風流今尚存。黑貂盡季子之裘，短布纔寧卿之肝，雖黄髮高年之列，奈清霜九月之寒。甘餓踣於西山[一]，束荆薪而煮白石。哀哀漂母，進簞食以無難[二]；戀戀故人，贈綈袍而何有？大凡同志，能不興懷？所願不過一金，未免上煩多士。謹疏。

[一]甘餓踣於西山：文淵閣四庫本作「甘窮餓而踣西山」。　[二]進簞食以無難：以無難，文淵閣四庫本作「於何難」。

南宫縣文廟三門化緣疏

切惟衣無袖領，難以為全；行舍户庭，將何自出？南宫廟學，修建有年，大殿既完，兩序已具。獨臺門而未稱，在衆意以未安。須資多助之方，可就三楹之勝。雲煙動色，歲來泮水之芹[一]；雷霆乍驚，玉振殷人之輅。倘垂重諾，請署芳銜。

[一]歲來泮水之芹：來，文淵閣四庫本作「采」。

滑州文廟化緣疏

天下之事無大小，得人則興；郡國之學由古今，似緩而急。蓋庠序乃禮文之地，而弦歌為風化之原。繄爾侯邦，號稱文治；載瞻清廟，有乏宏規。廊無卑棲，狹僅容拜；宫垣頽圮，高不及肩。我將易故而增卑，衆欲妥靈而揭敬。輪奂動泮池之藻，丹青一繪事之新。審致大成，需資多助。垂旒委佩，復誾誾侃侃之儀；趨事赴功，得磊磊落落之者[一]。賢使君業為倡率，同僚屬理當贊襄。毋悋援毫，重書所諾。謹疏。

[一]得磊磊落落之者：者，文淵閣四庫本作「彦」，王抄校本作「老」。

鉅鹿縣講堂化工疏

粤惟大陸，寔曰古任。創興釋菜之宫，舊有明經之室。年深疎陋，日就傾危。今擬修崇，務敦風化。大弓長劍，其備可忘；三綱五常，非學不立。稍聽一丁之諭，將成百室之歌。敢仗斯文，共成勝事。謹疏。

爲周府君立碑醵金疏

伏以起千年已廢，詎能忘利益之恩；顧喬木而言，尚未覩麒麟之碣。故江淮都轉使周侯[一]，除興義重，撫字恩深。公雖云亡，德其可後。今也有銘不愧，墮淚無從。惟勁石而為特書，可於公而見不朽。庶圖少報，永振休聲。凡我同盟，共成盛事。謹疏。

[一]故江淮都轉使周侯：轉使，文淵閣四庫本作「轉運」。

汴梁路相國寺化工疏

汴梁路大相國寺住持僧柴某，欽奉聖旨修葺前殿，所有化緣疏文[二]，合行開具者。伏以梵宫盤鬱，無踰相國宏規；傑閣巋存，猶是李唐遺構。浩劫黯浮雲之衛，秋風動喬木之悲。顧二三之殘僧，將修完而何力。幸蒙睿眷，尚賴人謀。況有生趨嚮，而孰匪善心，在稽首歸依者當體上意，能傾心而樂施，或分囷以捐金。同新般若清光，與復天人偉觀。風鈴如語，響泛潮音；天女散花，有來衆士。祝延聖壽，載繙貝葉之香；翊贊皇圖，永比彌盧之固[三]。謹疏。

[一]所有化緣疏文：化緣疏文，文淵閣四庫本作「化疏」。　[二]永比彌盧之固：比，文淵閣四庫本作「此」。

請陶教授主善疏

切以擇師教子，孰無希驥之心；傳道解疑，須藉鑄金之手。況木非揉，則無自圓之理；玉惟㪍，則成就器之名。伏惟主簿先生，經明行修，學博才贍。聞望素高於儒館，淵源遠自於顒軒。講論造精一之微，文辭知古今之變。惟是青衿之子，常瞻絳縵之儀。敢瀆師嚴，再新函文。心專志致，深惟體用之方；日就月將，最切後先之序。以兹誘掖，與正斐狂。所有束脩，開呈於後。

重修開泰寺大功德疏

伏以道不遠人，善無先於利益；物興有數，勢須藉於英豪。迺眷燕山昔為遼府開泰禪寺者，爰因鄰第，建自樞臣。雖復兩朝之增葺，何堪雙樹之蕭條。如聲色香味，布施能圓；則上下虚空，何修不可。伏惟參政相公，才優鞭筭，義重規為。禪扣愚機，派流臨濟。遠暢神通妙力[二]，幾開方便法門。莊嚴已擴净慈天，庇廕證明羅漢夢。況兹金粟影巋，爾古精藍。雨花翳空，得還舊觀；登壇判斷，重振玄關。盡刮衣盂，已是多餘香積飯；有來福德，何嗟不到佛如來。載經載營，同心同德。永扶寶祚[三]，為國祐香。

［一］遠暢神通妙力：力，原作「方」，據至治本、明修本、文淵閣四庫本、王抄校本改。［二］永扶實祚：扶，文淵閣四庫本作「拱」。

前進士李舜臣侄求子婦醵金疏

切以燕雲尚志，情深友義之懷；婚媾及時，詩美桃夭之詠。前進士李公舜臣之侄元德，為子求婚，納徵有日。奈囊空而羞澀，須力濟於英豪。或采幣以相投，或青蚨而見賜。迓續先人之胤，配合二姓之懽。如種玉而獲珪璋，在貧家而得箕帚。豈曰小補，實荷鴻私。兒女債還，敢云遂尚平之志；簪纓顧恤，庶幾接仲郢之風。請署芳銜，用昭金諾。謹疏。

銅臺阿丑石氏疏

年方破瓜，在故里樂籍者凡四年。今嫁李氏，相得甚懽。辛巳春，以良家來見［一］，酒間叙話心事，追念舊游，蓋廿有二年矣。且有滄州之行，求余言為重，因書此以付。

去國期年，見似者而輒喜；改圖故步，念此意之可嘉。銅臺石氏者，穠艷呈霞，髻雲綰緑。白雪擅郢中之曲，絳羅捲薛氏之窗。玉秀蘭芳，風尖月細。荏苒四年之塵土，稱量幾斛之珠琲。悔失此身，得逢佳配。回金沙灘頭之夢，吹碧桃花上之笙[二]。顧自憐度日之難，未免有當壚之役。試看長樂坊頭雪，猶自春風醉裏香[三]。將安排老歲生涯，預準備藥爐經卷。已蒙重顧，來謝鈞慈。滿地流錢，共説平生鞭筭了；投竿在水，肯教空載月明歸。謹疏。

[一]以良家來見：以，文淵閣四庫本作「於」。　[二]吹碧桃花上之笙：上，文淵閣四庫本作「下」。　[三]猶自春風醉裏香：自，文淵閣四庫本作「曰」。

饒州路創建書院疏[一]

前泉州路總管府推官朱淮，故太師徽國文公嫡孫，今擬於杭州路擇湖山勝地創建書院，中起文公祠堂，教誨子弟，奉承香火，上祝聖壽無疆，次為宗屬朋從續考亭道脈之傳。伏望公卿士夫，喜聞樂助，庶資衆力，克遂初心者。

伏以明經傳道，深有賴於後人；圖報起祠，必資成於多士。況在曾玄之列，當膺倡率之勤。恭惟晦菴先生，學貫六經，名高諸子。始焉講學，克紹程、張之緒餘；展也成功，直造孔、顔之堂奥。發揮義理，昭若日星。没未及於百年，道大行乎四海。凡曰進脩之者，孰非沾溉之餘。方國家之右文，宜天下之通祀。迺眷餘杭名郡，未瞻遺像清光。聿修香火之新祠，爰擇湖山之勝地。計所需而甚廣，嘆獨力以難勝。少分涓滴之餘波，同濟經營之盛事。絃歌不絶，敢云家學之有傳；俎豆斯陳，庶使宗風之罔墜。倘蒙金諾，請署珍銜。謹疏。

[一]原文前無題，卷前目録此文處亦空一行。此題據文淵閣四庫本補。

張氏秋香館酒牓

伏以三尺紫簫，吹破金臺之月；一竿青旆，飄摇淇水之春。孝先張君，系出豪華，長居紈綺。壯五陵之裘馬，老尋中聖之家風。左顧東城，名香新館。雖借作育廉之地，已大蒐破敵之兵。瀧春溜於連床，貯秋香於百瓮。與同至樂，任價寬沽。罄翠罌銀勺之歡，是非何有？聽白雪陽春之曲，風月無邊。信不比於尋常，莫等閑而空過。任使高陽公子，從他宫錦仙人。争貰金貂，紛摩劍珮。繫馬鳳凰樓柱，掛纓日月牕扉。白骨蒼苔，古人安在？流光逝水，浮世堪驚！况百年渾是者能幾迴？一月開口者不數日。忍辜妙理，也作獨醒。莫思身後無窮，且鬬尊前見在。那愁紅雨，春圍繡幕之風；來對黄花，共落龍山之帽。快傾銀而注瓦，任枕麴以藉糟。只空工部之囊，扶上山翁之馬。前歸後擁，盡日而然。

林評事花約

伏以良辰樂事，雖曰難並；旨酒嘉肴，豈容獨饗？兹者小園竹木，粗有堪觀；故里賓僚，可疏一宴[一]。忍教康節獨擅花時；敢擬右軍同修禊事。伊誰有語，花枝羞上老人頭；來日無多，此樂莫教兒輩覺。玉盤濯月，已煩竹裏行厨；繡勒攢香，暫簇花邊駿馬。擇於今月二十八日，就弊圃聊備芳罇，伏望群英，早垂光降。

[一]可疏一宴：疏，文淵閣四庫本作「陳」。

茶約

伏以歡情漸減，豈任杯酌之娱；老境相宜，正有茶香之供。今者策勳茗盌，集勝爐薰。須分旗葉槍芽，選甚鷓斑螺甲。破紙帳梅花之夢，參老夫鼻觀之禪。要追陪七椀家風，共消遣一冬月日。勿謂淡中無味，且從静裏看忙。老懷自嚮故人多，此樂莫教兒輩覺。我今首倡，盟可同尋。湯響松風，已減却十分酒病；日拖竹杖，長行携兩袖香煙。顧此聞思，咸歸歡樂。謹約。

禊約

四序節氣，春極和，而季月為之盛。故古人因三日盛時而為元巳之節，然鮮克與巳相會。今歲茲辰，適值癸巳，又一盛也。用是約二三知友，讌集林氏花圃，所有事宜，略具真率。舊例各人備酒一壺，花一握，楮幣若干，細柳圈一，春服以色衣為上，其餘所需，盡約圃主供具。秉蕳續詠，辨追洧水歡遊；禊飲賦詩，修復蘭亭故事。

大成殿上梁文[一]

寶位龍飛，首闡大猷之化；儒宫灰冷，鞠為茂草之區。恭惟總管陳公，爰自下車，慨焉興感。仰體右文之意，推明樂育之心。因政平訟理之秋，舉禮在實亡之典，大復素王之宇，重開太極之天。于以增聖道之光華，鑿晚生之耳目。矧惟治本，一出化原。猗歟岳牧之心，擬變詩書之俗。落成有日，神化無方。折雄冠猳佩之徒，趨庭受訓；易篆刻雕蟲之子，執簡傳經。奠兩楹之豆籩，舞三代之韶箾。伸嚴祀典，咸啟敬心。猥承縫掖之流，可後閟宫之頌。有來多士，共駕虹梁。

兒郎偉，抛梁東，萬古宗風一泮宫，賴得賢侯扶聖教，太行元氣魯龜蒙。

抛梁南[二]，奕奕新宫播盛談，一旦詠歸欣有地，北山休掃讀書龕[三]。

抛梁西，聖學如天不可梯，須信小成從洒掃，互鄉名與大賢齊。

抛梁北，萬象經天瞻拱極，文奎高射德星明，昨夜騰光滿營室。

抛梁上，偃植圓義屹相向，人從懸甕發丹書，堅與西山兩無恙。

抛梁下，適衛屢為瑗所舍，春風緑滿杏壇陰，從此西遊宜税駕。

伏願上梁之後，邑多君子，世極文明。國本固磐石之安，天子享萬年之壽。斯文有在，振木鐸於中天；遺法復行，得人材於鄉校。舉霑寸進，仰答明時。

[一]本篇和《鎮國寺上梁文》、《亳州太清宫上梁文》、《萬壽宫方丈上梁文》、《太一宫清蹕殿上梁文》、《春露堂上梁文》等六篇，文淵閣四庫本未收。 [二]抛梁南：王抄校本在「抛梁南」前多「兒郎偉」一句。下「抛梁西」、「抛梁北」、「抛梁上」、「抛梁下」同此。 [三]北山休掃讀書龕：休，原作「伏」，據至治本、明修本、王抄校本改。

鎮國寺上梁文

伏以坤儀佐理，已收純被之功；象教加持，妙極大千之力。爰擇鴻都之右輔，聿興蓮宇之新宫。我國家崇報是圖，慈憫為念。演三乘而設教，斂五福以錫民。一朝之役，罔及於國人；萬有之輸，悉供於内府。於是郢斤運巧，鄧梓呈材。有來神力之無方，遂極天下之大壯。桓楹修棟，鬱雲氣之上浮；疊拱層櫨，屹丘山之壁立。仍差穀旦，共駕虹梁。用綴蕪辭，式伸善禱。

兒郎偉，抛梁東，六合天花散曉風，隻履不煩葱嶺去，九天開出梵王宫。
兒郎偉，抛梁西，萬劫塵緣妄想迷，方寸欲明諸佛果，正須一勺自曹溪。
兒郎偉，抛梁南，莫咤龍門萬佛龕，會使椤櫚雙樹地，萬方來此發經函。
兒郎偉，抛梁北，萬象森羅朝帝極，我為禮此玉毫光，聖德無量千萬億。
兒郎偉，抛梁上，寶氣瓏璁□□像，我今建此内道場，海會龍華無盡藏。
兒郎偉，抛梁下，千里王畿際兩稼，年年鐘鼓樂清時，共對人民霑聖化。

伏願上梁之後，天低法界，海沸潮音。山河扶繡户之光，日月擁雕簷之氣。永將寶供，仰贊皇圖。奠金城不拔之基，祝天子無疆之壽。

亳州太清宫上梁文

至道無名，混太初之一氣；真人首出[一]，廓衆妙之玄門。載歆道德之言，寔翊邦家之化。太上混元上德皇帝，潛輝柱史，肇跡瀨陽，千年丁令[二]，□話神遊[三]；三尺兒童，知尊聖祖。故歷代備褒□之禮，而皇家極棲觀之雄[四]。雖九□□伏於淵泉，而紫氣日纏於天宇。嗣興有數，今見其人。演化宗師真人，德紹蟠谿[五]，教流白霅。遠乘鶴馭，來住琳宮。爰即遺基，重興丕構。用篤皇家之祐，先開紫極之天[六]。及覩成規，有光往制。煙雲晻靄，車回隱玉之鑾；仙聖超騰，日仰猶龍之表。恭依善頌，用駕虹梁。

兒郎偉，抛梁東，綿絡鈞天夢帝宮，適喜頓然還舊觀，玄都仙客振孤風。

兒郎偉，抛梁西，萬里黄流入望低，為謝尋源張博望，故家仙李又成蹊。

兒郎偉，抛梁南，聖牘玄珠閟不談，且置金華丹寶説，請從河上發經函。

兒郎偉，抛梁北，玉帛中天朝萬國，玄風慶會雪山陽，柱下有人談道德。

兒郎偉，抛梁上，天蓋蒼蒼含萬象，西昇不著五千言，萬古流沙空悵望。

兒郎偉，抛梁下，祈福為民崇廣厦，道家設教貴無為，裘葛暄凉自冬夏。

伏願上梁之后，人庥道蔭，世沐泠風。山河扶綉户之光，日月擁雕梁之氣。竹宫望祀，休誇漢武之祈靈；故宅徵符，已表吾皇之萬壽。

[一]真人首出：首，原作「者」，據至治本、明修本、王抄校本改。　[二]千年丁令：年，原闕，據王抄校本補。　[三]□話神遊：話，原闕，據至治本、明修本、王抄校本補。　[四]而皇家極樓觀之雄：而，原闕，據至治本、明修本、王抄校本補。　[五]德紹蟠谿：谿，原闕，據至治本、王抄校本補。　[六]先開紫極之天：天，原作「大」，據至治本、明修本、王抄校本改。

萬壽宮方丈上梁文

伏以起百年之構，植大本於宗門；葺一日之居，見恒心於君子。萬壽宮丈室者，自昔中和之起廢，逮今六祖之丕承。物既弊而更新，制有增而匪舊。敞桓楹而中起，翼兩室以傍開。雲霞藹疊拱之間，燕雀賀華榱之上。前瞻玉境，通暢玄風；後壯宸居，擁陪法座。況仙馭來臨之有日，令威歸語以無時。工既落成，衆孰不樂！倚疊如山之壯，罄罩肯構之誠。重光動淇水之波，佳氣鬱太行之色。式扶脩棟，可後歡謡。

兒郎偉，抛梁東，燈火春城動竹宮，看取洞天閑日月，佩環聲在步虚中。西，苒苒春雲去殿低，莫道靈章仙秩峻，青霄有路是丹梯。南，故院當年一畝菴，碧瓦朱甍今覆壓，後人光大儘無慚。北，五福從來尊太一，碧霞千古振孤風，奕奕神光長拱極。上，符籙潛珍無盡藏，光芒未暇詑青藜，六代傳芳主亟文。下，玄教扶持衡可迓，德星所在風雨時，萬里如雲看多稼。

伏願上梁之後，教基大闡，福地重新。五雲來崑閬之仙，六甲秘風雷之奥。華簪列拜，載光傳度之儀；金簡朝元，永肅焚修之供。以兹快樂，普洽生成。

太一宫清蹕殿上梁文

伏以顧瞻琳宇，已嚴上帝之居；婉孌龍姿[一]，□□聖人之作。恭惟皇帝陛下，圖回治道，寤寐幽人。爰從潛躍之初，重有中和之聘。風雲允協，文物□□。□□道而沃帝聽，曾一言而利天下。師今不見，意若無□□□□大駕以來臨，駐故宫而懷舊。漢文授經於河上，□□加於，軒后訪道於崆峒，初不踰此，以兹寵握，光極玄門，念我後人，思皇睿眷。故大起御天之構，庶少伸就日之誠。既獻歲以僝功，乃□□而考室。敢陳善頌，用駕虹梁。

抛梁東，夜鶴休驚蕙帳空，一自翠華臨幸後，至今□國鎖春風[二]。

抛梁西，尚記春旗簇仗齊，真氣滿空驚户牖，光芒仁暇到青黎[三]。

抛梁南，論道當年有奥談，萬乘賁臨猶望攏[四]，非緣參決發經函。

抛梁北，金簡朝元瞻□□，□□萬歲永無疆，更願八荒開壽域。

抛梁上，碧瓦朱甍遵大壯，五雲佳氣鬱蓬萊，遊像□思□天仗。

抛梁下，華表人歸餘道價，□□雨露有偏恩，不遺靈章隨物化。

伏願上梁之後，日月擁雕楹之氣，山河扶綉户之光。道□以之增輝，真仙為之改觀。雲紅黼座，濃薰花氣之香[五]；風肅泰壇，光動竹宫之祀。斂兹廣福，錫厥庶民[六]。茂對明時[七]，溥同至樂。

[一]婉孌龍姿：姿，原闕，據至治本、王抄校本補。 [二]至今□國鎖春風：國，原闕，據至治本補。 [三]光芒仁暇到青黎：仁，原闕，據至治本補。疑為後人所描。 [四]萬乘賁臨猶望壠：萬，原闕，據王抄校本補。 [五]濃薰花氣之香：之香，原闕，據至治本、王抄校本補。 [六]錫厥庶民：庶民，原闕，據至治本補。 [七]茂對明時：茂對，原闕，據至治本補。

春露堂上梁文

伏以飛鳥知還，固擇安棲之所；弊廬託處，舉懷必葺之心。秋澗老人，樗櫟散材，萍蓬遠宦。東西南北，兩紀奔馳；雨露風霜，終年偃薄。久矣壯遊之倦，浩然故里之歸。迺構新堂，不遺舊物。豈獨廣居而移氣，蓋將追遠以顯親。連甍接棟，而中列三楹；却暑回寒，而旁開兩室。俾春秋寢祭，衆免勃磎；節叙賓筵，喜同笑語。惟是時思之切，仍題「春露」之名。言舉斯心，畀之來者。承承繼繼，無遏佚前人之光；鬱鬱葱葱，非祇謂喬木之美。爰扶脩棟，例有歡謡：

抛梁東，旭日紅，駘蕩春陽滿太空，人喜廟堂真宰出，不煩東觀論青蟲[一]。

抛梁西，萬瓦齊，撲地閭閻似碧鷄，春露堂中春自好，何嘗有意夢沙堤。

抛梁南，合朋簪[二]，友道微來不易談，正有歲寒三益在，風篁先種兩株杉。

抛梁北，正統一，東亘扶桑略西極，一堂雖起有先憂，所顧八荒開壽域。

抛梁上，天蕩蕩，光動太行三萬丈，主人投紱已歸來，夜鶴不須驚蕙帳。

抛梁下，觀治化，葉氣薰然衡四迓，過門有客問行藏，蓬纍而行得時駕。

伏願上梁之後，里多仁美，門掩春華。歲時豐穰，問甚桀中之葙？物情和好，愛及屋上之烏。對床賡風雨之吟，開卷得聖賢之樂。倘使少如所願，不為虛度此生。（以上《秋澗集》卷七十）

[一]不煩東觀論青蟲：煩，王抄校本作「須」。

[二]合朋簪：朋，原作「明」，據至治本、王抄校本改。

全元文卷二〇四

王　惲　三八

跋蔡中郎隸書後　至元八年八月十三日

科斗書當秦有天下未盡廢，而程邈易篆作隸，特用便牘削耳。逮中郎蔡邕去取丞相斯大小篆為八分，寔秦隸書也。近觀公建寧三年所書《五官功曹掾夏承墓表》，真奇筆也！如夏金鑄鼎，形模怪譎，雖蛇神牛鬼，厖雜百出，而衣冠禮樂，已胚胎乎其中，所謂氣凌百代，筆陣堂堂者乎。故書家評公書「骨氣洞達，爽爽為有神」，宜矣。昔張長史作書，多先觀古鐘鼎科斗文字，遂楷法妙天下。不然，則無漢晉已來高古氣骨。不肖往年道出襄國，讀《宋文貞神道碑》，見其筆畫一一涵篆隸古意，迺知其言為有徵。後之學者苟志於古，舍兩漢孰宗匠哉？至元辛未中秋前二日，同相人馬才卿觀於省掾吳蔓慶之寓舍[一]，衛人王某斂衽書。

[一]觀於省掾吳蔓慶之寓舍：吳蔓慶，文淵閣四庫本作「吳專慶」。

跋中興頌 至元十二年四月六日

歐陽公稱浯溪頌帖[一]，歲久剥裂，字多訛缺，獨李西臺一家藏最為完好。予樂得而見之。宦學四方來，藏魯公書甚多，兹獨闕然。及調官平陽，會郜君和之，出故家墨刻八軸，蓋浯溪臨本也。命兒子孺臨摹，雖精氣轉索，庶幾典刑具爾。嘗聞公平生書五百餘石，其風骨氣韻，率洞洞有神，如忠臣正色立朝，群姦魄褫；又如元氣賦物，流形都異，因其人而為變耳。始秦越人探丸起死，不主故常，在邯鄲則為帶下，過洛陽則稱老人，西入秦又以嬰兒醫名也。故評兹帖者，謂閎偉發揚，狀巨唐中興勳德之盛，豈虚言哉！閑閑公偶以銀鈎鐵畫目之，恐未盡善也。至元十二年乙亥歲，夏四月六日，卧病中書於謝帥第之北軒。

[一]歐陽公稱浯溪頌帖：帖，原闕，據文淵閣四庫本補。王抄校本作「石」。

跋郎官石柱記後 唐尚書左司員外郎陳九言文 至元十三年正月七日

古人稱長史得草聖不傳之妙，豈知真書在唐為一代精絶，所謂能行而後善走者也。魯公書學，氣侔造化，真楷得法，多自公始。《郎官帖》精絶為至，舊刻在京兆，今亡，或云淪瘞廳事址下。近從曹生季衡得墨本全文，蓋丞相壽國高公故家物也。老眼增明，伏翫不置者累旬，真希代寶也。十有三年春正月人日，題於西山之讀易龕。

跋手臨懷素《自叙帖》　至元八年十月

世傳懷素《自叙帖》有數本，劉御史文季云：「昔吾從祖河平君所藏本最佳。」後有蘇才翁跋云：「前紙糜潰，親為裝褙，且為補書，不自媿其糠粃也。」有杜祁公題云：「狂僧草聖繼張顛。」卷後兼題：「大曆年，堪與儒門為至寶，武功家世久相傳。」後又有山谷楷書釋文，蔡無可家故物也。北渡後，觀金城韓侯及秘府所收，俱無蘇、杜二公題跋，似亦非長沙真筆。至元辛未秋九月晦，余謁左轄姚公，出示太保劉公家藏帖，前三十三字亦云子美補亡，披玩之餘，令人仿像意韻，盤礴於胸中者累月。冬十月甲午，是日極暄妍可愛，乘筆墨調利，喜為臨此，拙惡非所慮，庶幾見其典刑云耳。監察御史汲郡王某仲謀甫題識。

題懷素草書千文後　至元十一年正月五日

予觀藏真大曆二年海西寺所書《千文》，極縱橫捭闔之狀，其欲斷還連，似斜復整，筆增妍而不繁，其减者意足而悉備，如風檣陣馬，驟不可當；倒冠落珮，狂莫得制。至於氣凌過庭，勢迫張顛，雄偉豪邁，超於法度之外者，一一視之，皆篆隸之古文耳。兹本雖出臨模，精氣固衰，骨脉具在，所謂雖無老成人，猶有典刑。十一年正月五日，風日清麗，手柔筆利，乘興學書，覺胸中煩滯，拂然從筆端出矣。

跋張嘉貞書　至元五年七月十五日

近考《瘞鶴銘》，乃知為右軍龍爪書也。予所藏唐中令張公嘉貞《北獄廟碑》，其意韻骨氣，敦厖古怪，如衡戈植劍，特龍爪遺法，為正書之一變耳。張公當開元初拜大將，提重兵卧護北門，其氣固已雄一世矣。及繼璟而相，以强敏風操聞。然史臣稱公性疏簡，與人交不疑，内曠如也。古人以書學為心畫，故其筆不得不雄放奇偉，像乎為人，然未免夫捧心效顰也，如優孟抵掌談話，與叔敖俱化，一一較之，有不然者，蓋其嚴辨有餘，而高風絶塵為少衰矣。戊辰中元日書。

跋麻姑壇記後　平陽盧氏家藏

歐陽永叔云：《仙壇記》有大小二本。此大書者也。其興寄縹緲，穠纖妍麗，無不可人，正如覩麻姑手爪，令人背癢時不待爬搔，已涣然冰釋矣。魯公書，大抵與元氣渾淪，千態萬狀，不可端倪，因其人而為變耳。第記中皆儻怳不經之事，公特為書之，豈王中令、謝太傅文彩勳名，凌誇百代，未害登東山而有高世雲霞之志也。

題魯公書臧氏碑後

至元十二年七月

魯公書三原臧氏二碑，所謂紇宗者，作擘窠大字，體端整而頗瀟散，如羽林壘壁，横天作陣，勢相戛摩，與衆星争光，而色正芒寒之氣，為有間耳。其懷恪神道，銛鋒勁畫，望之凛然。挺植戈戟，一一較之，不無利鈍。惜乎出秀巖臨摹，使千金駿足，困伏皂櫪間，其超逸絶塵之想，索寞無光，惜哉！乃知太師忠義之氣，發於筆端者，諒非積學而後能也。至元乙亥秋七月朔，得此帖於參政李公。

跋竹谿所題東坡墨戲後

竹谿書所見多矣，未有若此帖之真楷蕭散者，大似虞中舍諫獵奏狀，間以側筆學坡之媚耳。乃知公當大定、明昌間，不祇以篆隸獨步於玉堂金馬矣。輔之韞櫝愛玩，亦醉翁之意也，可謂真知賞音者哉。

跋孫過庭書　至元八年十一月廿四日

太宗以英偉之氣，凌跨百代，萬機之暇，游心翰墨。故二王法書，盡入秘府，摹倣臨搨，然後以牙籤玉軸，偏賜諸王。何好尚如此其篤！臣下得不從風而靡？過庭適當其時。今觀此書，規模步驟，一宗二王，得飛鳥出林、驚蛇入草之勢，然點畫散落，往往斷而弗連，蓋體具二王而章草為羽翼也。東坡謂陶詩初若緩散不收，反復觀之乃得奇趣。余於吴郡亦然。但近代名公品題不到，豈具眼者未暇及之邪？予特表而出之。至元辛未冬十一月廿四日，與兒子孺，重觀於京師咸寧里之寓舍，時雪霽氣清，率爾而作。汲郡王某謹題。

跋荆公墨蹟　至元九年九月五日

予嘗觀壽國高公所藏心畫水鏡，知此為臨川所書無疑。雖風骨遒勁，而筆勢散落，無繩削可據，殆似公當軸時，變新法，調夸毗子，青苗助役，無所紀極。噫！一念之差，至於筆墨間尚能髣髴。其為人如此，後之學者，處心擇術，當如何哉？至元壬申重陽前四日，書於平陽官舍。

跋黄華墨蹟

予觀公書多矣，曰黄華山主者，蓋公中年筆也。其格調步趍，要本二王[一]，氣韻蕭散，得元章之勝，勁厲初不逮之，然如王謝子弟，以生長見聞，猶足以超人群也。殷溪云。

[一]要本二王：王，原作「主」，據至治本、明修本、文淵閣四庫本、王抄校本改。

題黄華與李彦明太守一十三帖　彦明係公同年友也

此數帖，蓋公官翰林時書也。至有饑寒之厄，近在旦夕。又云：收拾扈從秋山，貧家至甚不易。令人披讀，可勝嘆惋。當明昌黼文之世，公以文彩風流，照映一時，其窘迫乃爾，豈官散禄薄，未為道陵所知？不然，貧乃士之常事，造物者庸玉汝於成邪？至於文翰之妙，如荆金和璞，自有定價，不待稱而後重也。

跋任龍巖烏夜啼帖

南麓書在京師為最多，其擘窠大書，往往體莊而神滯，獨此帖豪放飛動，超乎常度。而木庵師謂醉後興逸，妙能天成，豈長沙率爾而顛，字字圓轉之意邪？然古人得意處非一，如去乖就合，意居筆先，乘其調利，例多高風絶塵，不衹籍步兵作氣，而能奪三軍之帥也。

跋任南麓所臨潛珍閣銘爲大陽津張提舉彦亨賦總一百八字提刑王子勉目曰數珠帖

南麓書在金大定間，號稱獨步，然擘窠大書，往往體莊而神滯。今觀此帖，筆勢超逸，氣韻兼勝。豈非抵掌談笑，善學叔敖者邪？

宣聖小影後跋語

金正隆六年大學生馬雲卿筆，襲封衍聖公孔元措題識　至元十二年四月

宣聖肖像繪者非一，據聖儀四十九表儗之，猶潢潦之於河漢，培塿之於泰山也。孔氏云：家廟所

藏衣燕居服，顔子從行小影最爲真像。此本蓋再一傳也。嗚呼！尊其道，踐其跡，是謂之恭敬。不然天容日表，雖參於前而倚諸衡，是不幾於黷乎。至元乙亥夏四月，命士人王友仁臨寫，小子惲百拜敬書。

跋周處府君斬蛟圖後

役萬物而君之者，莫靈於人。而處尤以氣勝者也。彼司馬肜之阘鄙，未若神蛟之變怪也；老於菟之殘猛，不減氏萬年之嘯兇也。處一旦視之，猶尺蠖與孤豚耳。乃知擁殳之際，其氣固已蓋西戎矣。然有憾無援，受制於人，卒爲二豎所害。噫！千載而下，令人讀臨戎之篇，凛凛然猶有生氣，其睨梁王，不糞土若也。雲史筆之，諒有激而云。

跋貫休比丘像

釋貫休比丘像，予二見之，此幅與東平王氏所藏，衣紋精麄不同，恐學道子《雨部圖》鬼物筆法也。

跋陶縝生菜圖

蔬果猶犬馬然，以其恒見而難為工，故生意彩色，有郊圃水濱之異。縝之筆不見收於御譜，而為金陵所題詠，所謂一柸密雲龍，足以知名於當代也。

跋范中立茂林秋晚圖

中立初年，本學營丘，極平遠烱秀之狀[一]，至於山骨鬱茂，林麓幽邃，咫尺杳靄，遠隔千里，翕然若太陰雷雨，不可端倪。兹蓋居終南晚年之筆也，故當時有棄墨如泥之目。是知游藝雖宗匠前修，唯其胸中自有一天，乃能造微入妙。

[一]極平遠烱秀之狀：烱，原作「烔」，據明修本、王抄校本改。文淵閣四庫本作「迥」。

題寄寄老人陳氏詩卷

昔帝舜陶於河濱，器不苦窳，而陶之為器，最近古而適用廣。長安寄寄翁得適用近古之法，削為鼎研諸器，堅潤精緻，粹然含金玉之質，誠可方駕保張，遠紹澤之吕道人矣。

題王生臨道子横吹等圖後　至元十三年清明日

書與畫同一關紐，唐賢善臨書，宋人工點本，要之極形似而出神爽為佳。蒲江王生，以讀書餘暇游藝丹青，於臨放為尤能，蓋致思詳雅，不為法度窘束，筆與意會，探天機所到。近為予點道子《馬融横吹》、營丘《寒江晚捕》為可見[一]。昔龍眠作《李北平射邊騎圖》，觀矢之所直，迺應弦斃也，若向作著矢狀，則風斯在下矣。知此則能造微入妙，文甫其沉潛可也。丙子清明日，書於行館之敬止堂。

[一]營丘寒江晚捕為可見：捕，文淵閣四庫本，王抄校本作「浦」。

跋馬氏家譜圖後

夫源深則流長，本盛則末茂。至於家世蕃衍碩大，亦由忠厚之培埴、德澤之淵浸者耳。燕箸姓馬氏，自遼歷金，代有顯人，故居河朔者，多大墳是歸。昔狄武襄以族係不明，不敢附梁公之後，時人韙之。今絳尹馬君出示茲譜曰：此某之高曾也，皇顯也，降而下之曰伯，曰從，曰昆，曰仲，聯綿次序，蔚為一宗。蓋亦有自來矣。於戲盛哉！

遊澤州青蓮寺題示

至元十一年四月

至元甲戌夏四月戊午，予以分閲澤潞州兵，且需後命，乘暇同州尹皇甫琰來遊兹山，相與登福嚴佛閣，置酒小酌，欻林風振響，山雨驟至，煩襟塵思，灑然一醒[一]。少焉返照入壑，其西南諸峰，雲起曳縷，及頂而散，縈紆披拂，殆六銖曹衣空濛法身[二]。既暮，群動俱闃，溪流有聲，潨潧丹壑，如萬馬而兵，崩赴敵場[三]。静夜遠聞，耿耿忘寐，顧謂皇甫君曰：「此豈非山靈化現，以清雄之狀，娱遊人之耳目邪？」凡所得唱和詩若干首，因留題禪院壁間，以為它年林下故事。從遊者沁水尹太原李汝翼，屬吏丘山甫。承直郎平陽路總管府判官汲郡王惲題，子翁孺侍行。

[一]灑然一醒：一，原闕，據至治本，明修本、文淵閣四庫本，王抄校本補。[二]殆六銖曹衣空濛法身：文淵閣四庫本作「如六銖僧衣」。[三]崩赴敵場：崩，文淵閣四庫本、王抄校本作「奔」。

絳州後園題名

至元九年六月初伏後二日

絳以兩州六縣三十萬户之盛，守治一園，甲河東而名天下者宜矣。至元壬申春，予自霜臺來官平陽，適陽威人有獄疑而未能决者四年，遂被命來讞，授館絳園，留十有七日。既集事因，披讀唐已來園池圖記，按觀遺跡，莽為污宫，獨有老樹欹臺[一]，荒池漲水，想像當時亭榭竹木之勝，環合覆壓，倒影明滅，猶在瑶翻碧瀲中耳。感今懷古，因以見物理之盛衰，知哀樂之不恒也。同來者屬掾李諶、鄭宸，子公孺侍行。是歲夏六月初伏後二日，汲郡王惲題。

[一]獨有老樹欹臺：欹，王抄校本作「歌」。

跋秦得真墨軸後

墨之名家者，唐已來不數人，其難工也若是。如坡公尚煤松自劑，放潘谷漆法，至竈發舍焚，曾無倦色。宜乎秦君嗜之而不厭也。蓋將紹潘張之絶藝，發潛德之幽光耶？予近以沉煙寶劑，就龍尾石試之，其黑而能光，清而不沍，乃知精妙入神，方駕前輩，為諸公所稱道宜矣。

祭霍山祠題名

至元十年六月

至元九年冬，朝廷以郡邑鎮山大浸載諸典秩者，所司三載一祀。霍岳在河東寔為靈鎮，故事每歲以仲夏土極之日，用信報禮，昭虔度也。明年癸酉夏六月廿二日，惲行縣北，走霍邑，前次洪洞，雨不克邁。越翼日，抵趙城，適嚴祀省牲之夕，迺率霍州判官連漢臣、監縣事塔的、尹裴國用、主縣簿劉偉齋宿祠下。將事之夕，霧雨交作；既祀之朝，陰霾四開。三獻禮成，冷風肅然，神峰鶯嶺，軒豁呈露。雖韓潮陽之禮衡岳，孔廣州之祀南海，不足以喻其快也。陪祀者府兵曹解禎、縣佐史高政、税監張承慶、邑人薛昌齡[一]、嶽廟道士李志真、興唐寺僧普光、執事者吏王庭玉等一十五人，遂相與饜飫神貺而退。承直郎平陽路總管府判官汲郡王惲題記。從行者閭山張思誠、子翁儒。

[一]邑人薛昌齡：昌，原作「畐」，據至治本、明修本、文淵閣四庫本、王抄校本改。

跋唐忠祚柘條白頭翁圖

忠祚前宋人，《宣和畫譜》有傳

前人稱忠祚畫，不唯極其形似，如花美而艷，竹野而夭，能狀物之性為好耳。余尤愛其科條勁挺，放筆而成，得妙意於法度之外，殆書家所謂錐畫沙也。乃知畫與翰墨同一關紐，豈虛言哉。

跋楊息軒江灣漁樂圖

予初不解畫，工拙非所知，但開卷瀟灑，見漁家風味，令人渺然有江湖塵外之思。不知何時得帶苓箵以駕舡，獨聱牙而揮車，去作西溪漫叟，為畫家所傳寫，似亦不虛負此生矣。

跋甫田圖後　至元十五年入夏五日

近與李野齋讀岷隱先生詩說，沖沖然殊有所得。及觀是圖，其經國備物之制，傷今懷古之思，令人想見三代忠厚氣象，如在乎其間，親承其事。至於禽魚草木、車服豆籩之盛，一一視之，皆具古意，又有可觀可興者。撫卷三嘆，不覺慨然。孰謂丹青形容，起予至於斯邪！至元戊寅入夏五日題。

跋藏春劉公東亭等帖

此太保劉公書也，觀其筆法若不作意，故飄逸如此，絶似長沙素《苔磯静釣》等帖，識者當以予言為不妄。黄氏裝潢者，能爱之以為珍藏，豈性與藝習而相近然邪！

自題所書草字後

今日午睡起，偶作草字數行。因悟筆勢貴其神速，要如李愬夜半乘雪，出其不意，乃能入懸瓠城，縛取元濟爾。

又題草書後

草書筆勢至傾欹斷續，當如歌《三百篇》，會意時手舞足蹈，不知其為顛頓也。

題丙博陽問牛圖後

蕭曹稱漢賢相，然未免有牛飲池污之論，豈狃於休息，重夫更化者乎？及博陽秉鈞，闊略細務，每以燮和為心，神爵五鳳間，蔚然有聲，為中興名臣。以二公較之，佐命外吉寅亮之功，有足多者。胡氏謂「體元者人君之事，調元者宰相之職」，信哉。彼闤里門而消沴，因淖車而被謗者，坐享堂封，無所事事，曾不若丞相嘔茵吏耳。予適纂述《調元事鑑》，友人敬之之子公讓請題其後，故書。

至元十五年六月十六日

題贗本蘇才翁帖後

蘇滄浪書，多出懷素。山谷草聖，本學才翁，如戎州所書《漫興》九詩，何啻青出於藍，真超凡入聖筆也。若此者何為者哉？所謂真贗，不較可知。至於槜軒所題真蹟，蓋自別卷移之於此耳。至元戊寅夏六月十六日，午睡覺後。

題王郎中國範所藏唐翰林供奉畫玄宗幸蜀圖

世知天寶之禍，階於九齡罷相，政歸楊李，不知枉害忠良一言，玄宗已為聲色蠱惑其明，理亂顛倒，莫知所從。逮夫九縣飇馳，越在草莽，方思曲江忠諫，遣使祭墓，嗟何及矣！今觀是圖，自馳出大内，宫衛依然；供頓咸陽，父老進説；次馬嵬而六師不前，痛九廟而太子北駕；至犒遣扶風，蹭蹬蜀道，彷徨躑躅，惄焉如擣之懷，去五百餘載，按圖思事，如在目前，令人動被髪伊上之感，可謂畫中有史，其垂戒深矣。

跋黄華題郭壽卿雙溪圖

雙溪余家山物也，今觀公此作，所謂詩中有畫，畫未必能得真矣。

題閑閑公書祁宰傳後

此祁忠義贊也，蓋公在河北時所書。以老筆所至，自成一家。觀之似未免效顰耳，然堂堂之氣，已破碎陣敵矣。

題坡軒先生詩卷後

予嘗于鹿庵讌席，見老人數輩，衣冠楚楚，容止足觀，當時顯宦有不復及者，詢之皆前朝榷釀官也，而况坡軒者乎！先生在大定間，調監相酒，其風流文采，照映一世。時賢與之，不在明昌詞人之下。所存片言隻字，猶當享之千金，自非篤好，有睨而不顧者。夢卿出將家，喜詩學，固能寶而藏之。異時釃酒臨江，助吾橫槊之氣者，不為無得於斯文也。

題李懷遠事系後

至元二十五年正月十五日

李鎬，字之京，涿之定興人。父，金大定間進士第，終蘭州刺史。先生姿冲澹，樂山水。初，蘭州府君官鳳翔府，近山多勝槩，公日登覽怡説，至樂而忘歸。自是畫品日進。北渡後，留寓淇上，僕猶及識之，番番然一良士也。嘗作《樊樓風雨》、《春雲出谷》二圖，大為東瀛子蕭公所賞識，曰：「士夫間不多見也。」以門蔭官至懷遠大將軍、集慶軍節度副使，壽六十五，卒于衛。子師孟，字希賢，今年七十有五。為人質直好義，無它腸，精力强明，飲啖不少衰，時時尚能浮大白，酣適簪花曳杖，游行閭里。予每遇諸途，更忙與從容抵掌，談平日心事，初不以㤞獨而屑懷也。然未免作句讀師，自給其日料焉，復為一概然耳。戊子歲端月上元日，秋澗老人書，且得載郡志寓居之列云。

跋桑維翰手簡

國僑在五代間，初無書名[一]。今觀是帖，其策勳於鐵研間者，恐不獨專美於凝式也。具眼者當以予言為不妄。秋澗老人題。

[一]初無書名：初，文淵閣四庫本作「本」，王抄校本作「素」。

跋澮游王先生詩後

至元二十五年十月

黄華先生以海嶽精英之氣，發而為文章翰墨，當明昌間，照映一時。惟其早世，識者至今惜之。余向客京師，好事家屏圍幀軸，無非澮游詩翰，乃知老成雖遠，典刑盡見于是。此幅公之老筆，尤瀟灑可愛，豈神完守固，氣自清明，雖耄而不衰者邪？戊子冬陽生後一日，秋澗惲謹題。

題雲麾帖後　至元二十五年十月

李北海書，融液屈折，紆餘妍溢，一法《禊飲序》。但放筆差增其豪，豐體使益其媚，如盧絢下朝，風度閑雅，縈轡回策，儘有蘊藉。三郎顧之，不覺歎美。東坡云：「予書初學李江夏，後來自成一家。」及以《雲麾帖》一一較之，坡第按之稍扁，而青出於藍耳。《蘭亭》在古今為真行之祖，自太宗宗尚，一代學者爭師宗之，然如徐季海輩，尚未免諧體之俗，況餘人乎？公于斯時，獨能高視遠步，造微入妙，臨池策勛，固當為右軍忠臣矣。有具眼者出，乃知余言為不妄。戊子冬孟，秋澗老人王惲謹題。

跋米南宮書曾夫人墓誌後　至元二十五年八月二十七日

顔魯公稱殷成己雅善填書，嚮見唐人作《禊飲序》，每行特留二三白者，使見其己者之功夫耳。初觀是帖，即疑其神爽索然，乏飛動縹緲之勢；再視之，乃知為成己法也。緣襄陽出奇無窮，雖憑軾縱觀，不無看朱成碧，耽嗜者心慕手追，豈不踐跡，終不入於室邪？夢卿來託審定，所見如此。於戲！夢卿其寶之，安知飛電流雲之駿，不踵門而至者乎！戊子歲秋八月二十七日，秋澗老人題。

跋香林先生老饕賦後

真楷有常規，而顛草無定態。魯公傳長史之法，東坡得魯公之妙。至於率爾而顛，餘未見能旭也。今觀此帖，馳騁長沙，氣劘禱佛之壘耳。嗚呼！百年來人物淵源之盛，槩可見矣。先生姓田，字信之，前進士，蒙城人，學顏而至者也。晚進王惲謹題。

跋唐韋皐畫像

予嘗觀皐王畫像，魁偉奇傑。顏赫奕，視猛而髯戟，如老羆抗首，有百獸不敢傍之氣。不如是，何以破吐蕃四十八萬之衆，擒殺節度都督籠官千五百名乎！至外臣自預政，抗章勸進，軍旅之目，以定秦鏤號，其豪侈橫恣，在所不論。及歿，有司欲追繩其咎，賴門士陸暢者得解。至今盛名，有光於蜀。嗚呼！竹頭木屑，其可忽也哉！秋澗老人偶題。

題三百家詩選後

至元二十六年五月五日

潛溪稱唐人尤用意小詩，其命意與所叙述，初不減長篇，而促為四句，意工理盡，高簡頓挫，所以難耳。故必有可書之事，如王摩詰云：「西出陽關無故人。」故行者為可悲，而勸酒者不得不飲，陽關之詞不可不作。余亦曰：自簡古而發穠纖，由穠纖而出議論，此小詩所以最難工者也。且唐詩名世者千有餘家，此特三百而已。又鄱陽初選時，意不到此，間有三合者，亦足以見侏儒一節之驗也。且書學成於晉，歌詩極於唐，而論解之學盛於宋。雖然，非數百年涵養積習之久，不克成就如是。跡其所以然，蓋皆自上之所好中來。何則？嘗觀《初學記》載太宗文皇帝御製無題無詩，及其文子文孫，例能賦詠。又唐之士人，不能是者不復清流比數，習俗安得不從風而靡哉？二生經史外，行若有餘，此亦不可不知。故令一讀，使見前賢雖小道其用意有如此者，因書以為示。己丑重午日，秋澗老人題。

（以上《秋澗集》卷七一）

全元文卷二〇五

王　惲　三九

題遺山手簡後

公道存，在上者惟恐士之不才；公議廢，當塗者惟恐士之有才。此古今通病必然之理也。昔伊川與韓相維游許昌西湖，坐間有以書投韓者，程視之，蓋干進者也。程曰：「相公亦令人求之耶，況爾後乎[一]？宜其藩維棘鎖，遐想玉堂，如在天上也。」觀此帖者，幸不以遺山為疑可也。

[一]況爾後乎：文淵閣四庫本作「況賢俊乎」。

題張嘉貞北岳碑後　至元二十六年六月二日

余少時喜作擘窠大字，嘗書《出師表》於屋壁，房山劉先生過而見之，顧謂家府曰：「毋令輟學，後當名家。」因問余學書覺有進否？對曰：不知。但今日書，明日視之，有大可惡者，又不擇諸人書，以余拙視彼善者即默識於心，及省書當之，必倣其筆勢。先生曰：「此即汝所進也。」既而出此碑見贈，且提誨曰：「古人書，有當玩而必習者，有未易學而當玩者。吾今以是授若，非欲汝師之也。俟盡參衆妙，立筆後時時玩其意味可也。晚年當有所得。」此帖藏幾三紀，未嘗發視，今歲己丑，予六十有三，追憶往事，時時取觀，覺日有所得，乃知房山之言為不妄。不然，後生愛風華，老大即厭之而然歟！觀其簡古曠逸，初若緩散不收，一一視之，内方而外圓，風骨偉秀，殆似夫上簾瞻對鳳鳴朝陽時也。前人謂《焦山鶴銘》乃逸少龍爪書，或者謂未若以大辯若訥、大巧若拙方之為近似。余於嘉貞書亦云。唯具眼者當識之。因嘆吾老矣，技進而道不至，是亦所當懼也。然張公唐名相，今見於世者止此耳。技雖微，固亦有不可廢焉者。剪製已遂，題記於後，示阿孫韃郎，且使知嗜古者莫書學為重。何則？先賢手澤在焉故也。是夏六月二日，秋澗老人記。

題山谷手簡後　文瑞名璋

侍御于文瑞奉使江西回，以山谷《訴哀帖》見貺，觀者致疑其間，予曉之曰：公孝友純至，當痛酷摧裂之際，意有不在書者，此正言不當文之義也。若以微瑕而棄連城之璧，非余之所敢知也。

題竹溪詩筆

文獻黨公，大定間翰墨為天下第一，如雪溪黄山輩，皆北面師尊之。宜其片言隻字，為後世寶藏，仰之如泰山云。

題家藏禱佛帖後

至元二十六年七月

顔魯公書，氣洞金石，精貫白日。然得長史心法，筆力日進，遂集大成，公之書可知，宜其使長沙北面高誾，終不侔也。初藏者平章政事盧予時[一]，蓋自琉璃瓶中協神筴者也。大元己丑秋七月，秋澗老人曾收。

[一]初藏者平章政事盧予時：盧予時，至治本、王抄校本作「盧子特」。

題左山所書春露堂後

至元二十五年四月十二日

余構春露堂之明年，前參政左山商公作三大字[一]，自燕見遺，因刻而榜之，吾廬為爛然也。公今歲壽登八秩，觀其書端莊婀娜，略不見衰老之氣。吾喜其所養至剛，非唯書之盡善也。公為人雅重深謀，其翰墨之工，在公為餘事，然嗜好之篤，營求之切，殆饑渴之於飲食，祇以功業相逼，有不遑專事者。當急遽際，嘗與予論及，津津然喜見顏間，不知老之將至、日之云夕也。方在藩府時，以分陝之重，橫當事衝，至與貙虎相搏者屢矣。未嘗見志之衄，氣之靡，降而少屈，規其所不可求，避其所不可免者，此所謂砥柱頹波、屹然而莫傾者也。求試其心之所在，蓋安命順受而已。既安且順，則心乃定；心乃定，則氣不餒；氣不餒，則道可以坐進，而况技之云乎！醫家有云：「榮衛可以知人之脩短。」予亦謂文翰可以卜士君子之盛衰。今觀公書，以精神氣燄取之，是知公之壽考，既耆而艾也必矣。豈斯文未喪，造物者將屬之於公耶？於是書以自警。至元戊子夏四月十二日謹題。

［一］前參政左山商公作三大字：前，原闕，據王抄校本補。文淵閣四庫本作「夏」，當斷為上句末。

題張氏所藏先世手澤後

昔人以長不識父，對其畫像，輒拜而垂涕。張侯以勞卒軍中，子用道痛乎不覩其没，每得其手澤，雖片言隻字，洞洞焉奉之，如恐失墜。其於觀行速肖之心，為可見矣。

題時苗留犢圖　至元二十五年五月

君子之居官也，論其稱與無愧而已。苟能致君澤民，雖禄之以萬鍾、繫之以千駟，將受焉而不辭，况己之所當有乎？若苗之事，持清而近名[一]，矯枉過正者耳。然使貪墨畏人者，聞壽春之風，亦可以少知愧矣。此京兆王雲筆也，以年深色故，因之補綴，頗疎妙意。至布置分數，尚當與《斬蛟圖》氣勢兩相高也。戊子夏五月，秋澗老人題。

[一]持清而近名：持清，文淵閣四庫本作「拂情」。

題自書歸去來後

録事參軍丹陽薛君文曜，携佳紙見過，請余書晉處士陶靖節《歸去來辭》。是日晨，氣頗爽，在庚伏中難得朝也。乘筆墨調利，心手相應，忽憶往年過曲陽，見唐宰相張嘉貞所書《北岳廟歌碑》，不覺行墨以入其體，識者莫訝其刻鵠也。

題郎官石柱記後

至元廿五年七月一日

真生行，行生草。顛之草，至稱之為聖，其法蓋先能楷，所謂善行而後能走者也。《郎官石柱記》，以予聞見，今在世有三本，此本大梁崔氏贈余[一]，與平陽曹氏所藏壽國公故物同出一石，但未知柳城姚氏所寶者何如耳？商左山云：「正刻舊在京兆，兵後淪入公堂址下，恐不復出矣，汝輩宜珍惜之。」其姿體端方清勁，似出歐虞，自成一家。少陵云：「卓立天骨森開張」者也。至元戊子七月朔，秋澗老人記。

[一]此本大梁崔氏贈余：此本大，原闕，據王抄校本補。

跋蔡襄書後

嘗觀《心畫水鏡》，宋一代能書者不少，然蘇黄一出，爝火難為光矣。襄之書，在當時極為坡所推重，恐是徐行後長之義。夢卿好古，得於法帖者甚多，書學予非深之者，不千里遠來求題評，此亦不可曉也。秋澗老人題。

題哀江南賦後示韓陳二生　至元二十五年

史稱信有文集二十卷行於世，今祇見者，此數篇而已。乙卯歲，予得之於沙麓蕭茂先家，迨今歲戊子，蓋三十四年矣。近目疾，瞑坐者浹旬。二生來問，適新是帙，令句句詳讀，且究其用事非徒然也。蓋辭之為體甚多，學者不無利鈍於其間。汝等文竇方開，然有望而未見者，故令觀覽，欲彼摩其樸鈍，發其清新，此老夫之意也。嗚呼！理者性所自出，才者氣之所由形。中人以上，苟得其養，性使可復，才也者不可强而致也。或曰，理重才輕，取其重而舍其輕可也。曰：勢有不可偏廢者焉，理則體，才則用也，體與用具，然後可以持躬而應物。二生其志之。

跋楊補之墨梅後

花光梅，在前宋為第一，賞之者至有「買舡來住」之語。及補之一出，變苦硬為秀潤，曾觀《春風》、《雪溪》二圖者，乃知予言為不妄。一有自題云：「日移清影[一]，人立黄昏。」其用意不分，固己神凝於此君矣。

[一]日移清影：日，至治本、王抄校本作「月」，文淵閣四庫本作「旦」。

昭陵六駿圖後序

物之賢否一定，論其遇不遇可也。昭陵六駿，天降毛龍，授之英主，俾剪隋亂，及其功成，琢石為像，太宗親題真贊，以傳不朽，何存歿遭遇，其為幸也如此。宜其聲華氣艷，上與房、駟争光。故潼關之役，備體渙汗，又何神哉！如昭烈之的盧，冉閔之朱龍，名雖存而形何見焉？大史公稱閭閻之人，砥行立名，非附青雲之士，惡能施於後世者是已。予藏此圖久矣，特裝潢以備珍玩，因題品卷末，以寓余之所感云。

書送鄭尚書序後

至元二十五年十一月十日

韓柳文多同時相顧而作，如《送鄭權序》、《饗軍堂記》之類是也，筆勢翩翩，若相陵跨者。柳之記，間架曲折，宏深雅麗，出奇無窮，然不過崇治閈閎，饗燕軍容之盛而已。序之為文，纔五百餘字，雖云後出，詞氣絶勝，令人讀之，抵一部《嶺南方志》，覺海氣拂拂來逼人矣。其終篇致意最妙，專以貴而能貧、仁而不富為主，委曲謀猷之壯，從容箴戒之深，誠有關於嶺徼之治亂，為尚書權之藥石也。近年某官有奉使句麗，煩於乞索者，至為東人易而傷體，信乎貪而無威、微而無經術者，不可以華遠而寄邊方重命。嗚呼！公之斯文，曰經世柔遠之長策可也。作之明年，公卒。在諸文極為老筆，又見其氣之至耄不少衰也如此。韓生因說有問，特書此以示。戊子冬十一月十日也。

跋蔡蕭閑醉書風簷梨雪瑞香樂府一篇贈王尚書無競

王後有跋語小楷數十字，極妍勁可愛

樂府尚豪華，然非紈綺中人，未免鄰女效顰耳。明秀一集，以崇高之餘，發而為詞章，如飲内府酒，金沙霧散，六府為之醺酣，方之逢麴車而口流涎者，固有間矣。

跋竹溪所書墨苑篇後

東坡先生百世高士，至自跨竈作墨，得佳者數百丸，顧之而笑曰：「足供吾一世著書。」及煤發焚舍乃已。宜其竹溪為墨苑作書而不厭，所謂子雲、相如，同工異曲也。

薛紹彭臨魯公座位帖後

魯公此帖，純是一段折魚軍容直氣，知此然後可以論書之法度耳。

書南麓珍翰後

龍巖書在顔、坡之間，然未免有癡絶處。此帖殊清勁可愛[一]，豈得意時書邪？

[一]此帖殊清勁可愛：清，原作「靖」，據至治本、明修本、文淵閣四庫本、王抄校本改。

跋黄華煙江歸艇圖

先生當明昌間，以文彩風流，照映玉堂。今觀此畫，所謂金鑣野鹿[一]，志在長林豐草也。

[一]所謂金鑣野鹿：王抄校本作「所謂金鑣逐野鹿」。

跋閑閑公草書心經

《般若經》前後文辭重複，公書之，字字姿態不同。所謂堂堂天陣，臨機制變，出奇無窮者也。

錦峰真逸王仲元清卿書

錦峰書，意韻瀟散，不減古人。但前有黄山，後有閑閑公，故公之墨妙，揜而不彰。世稱士之得名，有幸不幸者，豈其然乎？

跋黄華老人二詩後

觀公手跡多矣，此幅恐是早年所作，然澗松出土，已有凌雲之氣。識者自當知之。

跋龐才卿悲潼關賦後

此賦都運龐才卿所作，其步驟全類《思子臺賦》，意則擴充潼關甲辭，字畫瀟散有法，出顔、蘇之間。前世士大夫學藝精妙如此，豈勝歎慕。

評楊凝式書 至元廿年四月五日

楊凝式書《維摩》等經説，皆作行體大字，瓌奇豪邁，瀟散中寓正筆。左山云：「魯公後，惟少師能得二王之法，所謂文起八代之衰也。坡公行書大槩類此。」至元廿年四月初五日，過辭左山，獲觀於座，所論如此。其王文荆公論云：「公書不曳之以就長，蹴之以就短」云。

題元楊手書後 至元二十年五月

卷中諸公，皆一時名勝。先生俎豆其間，諸賢樂與游者，其以道義故也。余早歲讀書蘇門，尚及見之，歲時以文酒吟詠於山水間，彬彬然極平時故家風味，不知軒冕為何物。孰謂三十年後，文物凌替而至於斯，拊卷援，豈勝慨慕。至元癸未歲蕤賓日謹題。

跋自書訓儉文後

文正公平昔著述，純粹深切，其有補世教，如菽粟之於飲食，可斯須離哉？後人傳誦敬仰，宜矣。

德昂茂異，喜讀書，善居室。屬余書斯文，將置諸坐右，取為修齊矜式，所謂儉者德之共也。故樂為筆之，初不計其工拙也。

跋羅謙甫醫辨後

容齋述醫論二篇，求予書，將板行，以證俗之訛謬。因念世之物理，流傳失正，漸習成風，無復革易者多矣。較其所係重者，莫醫若也。謙甫心存濟物，明當然之理，不為流俗所移，固自可尚。又使藥石亂投之禍，日有所弭，其於世豈小補哉！所謂砥柱中流，回狂瀾於既倒也。故樂為筆之。

跋紫絲靸鞋帖後

至元二十年夏

《紫絲鞋帖》四十六字，二十年癸未夏，借觀於張條山家。昔公書《太宗送梨帖》後云「珠還合浦，劍入延平」，蓋自謂也。此帖雖遒婉可愛，然筆虛墨嫩，九淵之神宜躍而沕，恐臨本也。觀者自當識之。

跋摹馬圖

書與畫同一關紐，昔人謂學書者，苟非自得，雖奪真妙墨，終為奴書。余於畫亦然。

題所臨顔魯公十帖後　至元二十年六月入伏前二日

大名楊君順之，家藏劉元剛嘉定間忠義堂所刻魯公書廿一帖。予擇其大小尤精者，臨一十紙。近在京師，入翰林，復觀顔碑十餘本，皆所未見也。又與左山商公論其平生所得於公書者數焉。一日，覺胸中頓有所悟，及南歸，取向所臨《裴將軍》等帖觀之，當時凝神筆端，非不玉汝，奈非其人而學不至何？譬如以美石追琢瑚璉，則不可也。癸未歲夏六月入伏前二日，大雨淋浪，五晝夜不止，開窗隱几坐，見舍東積潦，展觀此帖，偶為題其後云。

字程氏小子

癸未夏四月，僕還自京師，道出梁臺，蜀士程天驥自云伊川先生之遺裔，有子方黄[一]，携而拜予，因求其小字，乃訓之曰伊傳。嗚呼！小子其念之哉。

[一]有子方黄：文淵閣四庫本作「有子方黄口」。

跋檮軒壽安宫賦西園雜詩後

余生長汴梁，八歲而北渡河，當時風物有能記憶者，但如隔世夢寐中見爾。及讀如庵《西園雜詩》，何殊趙家老樹遺臺，令人對之有足悲者。故孫樵《雜報》云：「生恨不為承平時人」，良有以哉！收卷奉還，題其後。

漢文翁講室畫像

余讀漢魏五書云：成都有漢文翁高朕石室，壁間刻三皇五帝以來聖賢畫像，蜀太守張收筆也，收獻帝時人。近過劉氏家塾，遂獲其本。蓋自盤古氏以下，至仲尼七十弟子百一十三人，畫極精妙簡古，經千有餘歲，無絲髮剥壞，非神物護持，疇克爾邪？後有東坡所臨王逸少欲摹帖，氣韻豪逸，有顔魯公風格。再四展觀，悚然起敬，令人有振纓希古之想，真奇蹟也。

書劉氏屋柱　至元二十一年五月七日

至元甲申夏四月，余自泰安平陰東阿檢覆桑災而西，赤日黄塵中，馳六百餘里，忽得此屋休陰，車怠馬煩之意為釋然也。主壻劉澤克家有禮，且云：「此屋甫成，未經寢處，而公至可謂彈壓瘴氣矣。」又説婦翁張學臨終戒作佛事，以多誦《孝經》為囑，不圖田野間有此端士。重午後二日過此。

跋坡公春寒帖

茶使分寧李君踵門來謁，坐定，出《春寒帖》相示，願一言為審定。余曰：昔坡公在館閣時，每作一石一竹，净為好事者取去，況詞翰乎？所謂良金美玉，自有定價，尚何言？子歸而潛珍東緑，吾將見燁然之光，不唯在惠州李氏矣。

龍門寺題名 至元二十二年十一月十五日

余聞龍門久矣，嘗讀故相雲叟公題名，風煙形勝，盡在目中，終以不得一往為曠。今歲冬，適諸君以事會共，遂成此遊。相與分雲尋壑，攀木躋危，抵懸瀑下，少焉環坐磐石，盡一尊而去。凡得詩一十一首。偕來者判官李讓、州將劉民望、陳州長李公惠、前憲臺獄丞梁平、州學正張賁、士人程翼、蔡州吏目薛世英、郡人徐英。時至元乙酉冬仲望日也。

跋鹿庵書玉華宫詩後

鹿庵書，氣韻瀟散，嘗疑出《焦山鶴銘》。一日，問筆法於先生，曰：平昔於沙河碑致力為多。今觀此帖，一一較之，其瘦健清拔，蓋以廣平作骨，而取真逸為奇放也？

跋米元暉書

元暉書，類王謝子弟，以當家論之，闇中模索，知為人豪。然其間時有圓轉藏鋒處，豈厭家雞而欲歛乃翁之掉率邪！

跋虞世南十二大字

虞永興書攀鱗附翼十二大字，世皆以雄偉稱之。石刻墨本，凡兩見之。予特愛其結密無間，由智永小楷擴而充之，至於如此之極，且見夫落筆不難也。因悟蔡京書「太學首善儀門、昊天大帝」之類，其法度一出於此。今夕而有一舉兩得之快，於是乎書。

題耶律公手書濟源詩後

物之有光華者，雖微必著，況文章翰墨之卓越乎？近觀故中書令耶律公當壬辰歲過濟瀆留題詩翰，逮今歲龍集，適一甲子。其孫希逸，始托總尹靳榮，俾刻石祠下，屬予題數語於後。余曰：事之顯伏，雖數存其間，至侈大前光，在後人固當如是。所可敬而仰者，玉泉老仙於儷景同翻、經綸致澤之餘，復發為文章翰墨，鏗然而金石振，巍然而冠劍植，表裏國華，鼓舞元化，為世倚重，已見惡盈好謙、恬然静退之心，故賡和樂天詩韻為悦，無乃魏公醉白之意歟？俾來者觀咏，將有擊節嘆賞，挹高風而跋絶塵者矣，又何翅紀歲月而傳不朽者哉！

題臨潛珍銘後

至元年二十九年六月

《潛珍閣銘》，坡公渡海北，為李光道書於曲江。當時真蹟入石，為龍潭絶勝。逮淳祐乙巳，東嘉趙汝馭求訪百至，已不復得，惜哉！今所傳者，蓋漢中石刻濮之板本，再一傳也。此則以濮本較之，迫視筆勢，往往有形似者，豈踐其跡庶入室之意歟？然龍為神物，唯劉累乃能擾之，或者輙攀鱗進技，其氣亦可尚也。至元壬辰後六月，廉訪任君携以示予，曰：「此李安仁所藏也，幸吾子題數語於後。」故書。

題山谷苦筍賦帖後

臨安漕副喬仲山，予為御史時臺小吏也。庚寅冬，南行遺杭，仲山以是帖贐予。或有以真贋為問者，予曰：初未嘗經意，唯其無心於得渠，無求而見贈，取與兩間，皆出自然，若有不為嗜好所玩者，故喜為收之。至於書之真贋，君其問諸墨卿。

跋朱文公手書

子所見手蹟十餘番，皆老筆也。公何嘗以書學名家，只以道義精華之氣，混混灝灝，自理窟中流出，一旦揮灑，有不期然而然者，未易以翰墨畛畦論也。前人稱孔明《出師表》，祇見性情不見文字，予於公書亦云。

題杜仲正省掾家世卷後

先師泌陽府君，河中人。應進士時，石公子堅，同舍生也。且蒲當秦晉之郊，其河山之勝、樓觀之富甲天下，而文物之盛，如金吾李氏昆季及公，皆極一時之選。予嘗三走中條，登高望遠，追惟師之遺言，思其人而不見，徒有永言慨慕之歎。去年冬，予持節全閩，有杜君仲正來謁，蓋公之甥也。與之語，誾誾侃侃，頗有餘而辭甚雅，因念予兒時耳公之名，閱五十寒暑，始識其甥於甌閩越絶之徼，所謂老成雖遠，典刑得見於兹。一日携雷苦齋所述示予，且求訓勵數語於後。予謂今之士夫，思其大而略其細，知其雅而不通其俗，此大夫士之通患。曾不思觀其細，所以全其大也；通其俗，所以尊其雅也。今吾子含香佩橐，所治者皆簿書期會米鹽瑣屑之務，而能終日黽勉無倦色，安知開封府推，異時不至忠獻禮絶之地乎？

跋郭熙山水巨軸

崔生有畫二軸，不見題志，中隱云：此郭熙筆也。信當行兹能事熙無疑[一]。但立名不正，物不得順受。所謂「山亭避暑」者，余易之曰「江煙晚浦」。崔抱歸，志甚揚也。然坐而論道，謂之王公；作而行之，謂之士大夫。今降而嗜此以為高，且多識，雖屢中，何足道哉！

[一]信當行兹能事熙無疑：文淵閣四庫本作「信當行能事是熙無疑」。

跋顔魯公裴將軍帖

此帖予見者數本，皆大小不同，獨忠義堂刻臨摹最善，蓋純以隸體發其奇特爾。至於詩格雄偉壯麗，比之清遠等作，有何翅十倍曹丕也。

贈師御史彦貞名頤

世固有難事，惟篤好者即能之，况氣志清明者乎？御史師君彦貞，世為瀚海府人，姿英毅，達時應務，乃其所長。復於公餘以吟咏自樂，積而至十數篇，非好之篤，其克如是耶？因求一言見誨。予謂詩固一藝，心之聲，言之至文者也。作之者譬猶良工就利器，雖有棠谿之金，須百鍊乃得其精。如吾御史君，氣不凡，意竇方啟，能敏修不已，將見與日新之業並驅而前，至綴聯雲煙，撑霆裂月，恐不難矣。立夏後十日謹題。

書歸去來偶題於後

古今聞人，例善於辭，而克行之者鮮，踐其所言，能始終而不易者，其惟淵明乎？此所以高於千古人也。僕今年六十有五，衰病相仍，越在絶域，終日役役，疲於官守，雖云微勞，事有無如何者。因書此辭，不覺慨歎者久之。

跋蘇子美千文帖 至元廿七年八月

長史顛草，點畫略具，意度已足，子美迫近之。此帖豪放飛動，所謂筆陣堂堂者乎！歐公於本朝書，獨取蘇蔡三人[一]，非虚言也。周越輩安得窺其藩籬哉！趙生其寶藏之。至元庚寅八月謹題。

[一]獨取蘇蔡三人：三，文淵閣四庫本、王抄校本作「二」。

跋拙翁桃華春水圖 至元二十七年秋

《南華》云：相呴相沫[一]，不若相忘於江湖。此正圉圉相忘時也，但恐馮驩輩見之，即垂涎耳。庚寅秋題於水西寺。

[一]相呴相沫：呴，原作「拘」，據至治本、明修本、文淵閣四庫本、王抄校本改。

跋文公與子晉伯謨二帖　至元二十七年九月二十八日

建安諸公，往往以文公翰墨賜觀，視之皆非也。此二帖毋君希悦所藏，其為真蹟無疑，所謂剛健含婀娜、玉德而温栗者也。因知前書皆邑人江春山效顰，予特表而出之，惡紫之亂朱也。至元庚寅九月二十八日夜漏下卅二刻，既寤不能寐，起書於府集思堂之燭下，斂衽題。

題三河驛壁　至元二十七年十月十七日

余回自海徼，暑毒之氣，至此方作，眩卧於舟中者一伏時。蓋以閩中氣節不常，水土殊異，宦遊之士，鮮有不病而歸者。因念孔孟之道，能治心而不治病；倉扁之術，治病而不治心。安得合而為一，俾治南方不治之病，庶乎其有瘳者！余言雖鄙，庶有關於世教，故書。至元庚寅冬十月十有七日，題於三河驛壁，尚聞者知所警。

答戴生

余來官南越，凡十有一月。戴生叔堅者，閩産也，以詩文來謁，且言其志。久乃見其為人叔均[一]，有歲寒姿，扣之所學外，又通熟吏事。時居閑日久，思以三釜侍親，義形於色。予告之曰：行與止有數存其間者，此心不匲，則捧檄之喜，其來之不遠也。《傳》有之：「居則曰人不我知，如或知爾，則何以哉？」蓋言其學之不可不積，行之不可不卓也。戴生其勉旃。

[一]久乃見其為人叔均：叔均，王抄校本作「淑均」。文淵閣四庫本作「叔堅」。

晦翁墨蹟

紫陽先生手探月窟，足躡天根，初非欲書名家，唯其道義之氣，葱葱鬱鬱，散於文字間者，不得不如是耳。《傳》曰：「愛其人，愛及屋上烏。」況先生之手澤乎？韓生其寶藏之。

跋香林先生顛草

嘗愛甘露寺詩，草聖筆勢縱横，破碎陳敵。今觀香林先生遺墨，得涪翁步驟為多。具眼者當知余言為不妄。

跋黄華書後

昔黄華老仙，方書翰得名，求之者衆，日不暇給。張丹華家僮善於刻鵠，公時命代書，至真贋莫辨。此又張奴之重胎者也。

東坡開葑帖後語

此《借舡》一帖耳，令人讀之，聳然有趨事赴功之意。當時民説忘勞，概可知已。使公得坐廟堂、釐衆務，文致太平，為不難矣。

題米南宫帖後

今日客有自河朔山東來者，聞時雨霑足，蠶麥有望。適師盂携此卷相過，臨風展玩，沾沾然有三安之喜。不然，奚暇及此，且將為質錢博米之具耳。

跋褉飲序後　至元三十年四月

兩晉法書，李唐詩騷，宋人之論議，天機所到，有不可企及者。獨韓子以右軍書斌媚，可博鴉鴉而已。其立論峻絶，不詭隨如是，亦可愕眙。然予綿歷世故以來，士大夫所繫非輕，不爾安能有立於世？區區游藝，已是末學，令就末以泥其不必者，竟何為哉？至元癸巳四月，予入院後五日，師孟持此卷堅求跋尾，因信筆及此。

書商司業定武蘭亭本後

書學自是吾儕一段妙韻。昔先正商公善書而深識，客至多談是為樂，娓娓忘倦。公今已矣，言復得聞邪？去歲冬，予載入京師，與台符司業時會，愛其議論操守，識鑒書翰，得家法為多。如考定定武拓本，辯論隱顯，是否真贗，幾數百言，截斷衆流，會歸其極。予擊節嘆賞，何其該且洽也！然闇中摸索，知為人豪者，初不在是。世家子弟，當門户焜燿，鮮不以世味務快一時，商子曾有是乎？及其順受阨窮，以理自信，卓爾有立，於顛沛流離之際，吾胸中耿耿者曾不少挫。是則商之最起予者，故特表而出之，使世知夫寥寥千載下，殷士膚敏者，蓋有人焉，不秖以技進而已耳。適佳客在坐，聞予言，皆唯之而去[一]。因書卷尾以還。

[一]皆唯之而去：唯之，文淵閣四庫本作「唯唯」。

跋馬左丞所藏貫休羅漢後

時子卿有末疾不出　至元三十年四月

昔梁直閣將軍張僧繇，初作繪事，貌天竺二僧，侯景之亂，剖裂為二：一失所在，其一後為唐常侍陸堅所得。及堅病亟，所藏僧見夢曰：「吾有同侶，今在洛陽李氏，能求而合之，當以法力護爾平復。」陸如其言訪之，果驗，遂以錢數萬贖歸，陸疾隨愈。嗚呼！凝思之妙，通於神明、顯諸陰佑者如是。此盡云僧貫筆[一]。貫平生專藝，在唐一代，亦號精絶，能敬禮有加，安知不同繇僧通靈，時出光怪、而致主人勿藥之喜邪？歲癸巳夏四月題。（以上《秋澗集》卷七二）

[一]此盡云僧貫筆：貫，文淵閣四庫本作「貫休」。

全元文卷二〇六

王惲 四〇

宋廣平梅花賦後語 至元三十年春

廣平《梅花賦》，予嘗聞雙溪耶律公求斯文久矣，得之者當以乘馬相貺，願見之心與公略同。至元癸巳春，予待詔闕下，秘書郎趙天民來謁，趙之父故中書門客也，因詢賦之隱見，曰：「已得之矣。」翌日，録似本來獻，老眼增明，疾讀數過，至「獨步早春，自全其天，貴不性移，儼夫君子之節」之句，當時已為從父擊節，而龔美謂公鐵石肝腸吐婉辭為疑，以予觀之，風人託物，詞尚華麗，况徐庾之體乎？當時公甫踰冠，而歲寒之姿、調羹之事，固已表表於未第之前，如淵明高風遠韻，又何害見閑情於一賦者哉！

跋董右丞師中撰李道源先生陰德記後

董號漳川居士。道源名泌，廣平人，蓋儒而醫者，泌九十歲而終於家。子師孟，明昌間進士。至元三十年立夏日

昔昌黎公以醫師而喻相業，范文正不作相而願良醫。醫之與相，體用固殊，其於濟物則一也。然宰輔柄用，必需時命；醫師拯治，心術為先。故良醫賢相，寥寥百載間，得其人匪易。今皆萃見於一卷中，觀之者當起敬起慕，又何特題詠而已哉！至元癸巳立夏日書。

跋鍼者李君玉詩卷

前賢有以注《易》與《神農經》為論者，客曰：「當解《易》何居？」曰：「《易》解悮，後世辨明者不少；《本草》悮，立能殺人。」世謂鍼法亦然。予右髀有寒疾，將雨先痛。一日，謁默齋先生於沙麓，見其求鍼者滿堂，先生笑謂予曰：「汝亦入吾安樂窩邪？如瘻者、躄者、瘖啞者[一]、癥結者、氣壓者，法雖有重輕，莫不撤鍼而滯散，舍策而起行。」而予之髀痛，今三十年竟不再作。後官東平，一日與李公巨川話及此曰：予客淮南時，以兹術授竇公，今青出於藍。今君玉與少傅同鄉，不知其術授傳之李邪？竇邪？而別有所授而然邪？向聞李君嘗遊江淮間，曾遇異人鍼法[二]，蓋以神授，未若李、竇相傳，人

事著明者也。如太史公論方技，以怪而志者，吾皆不取也。

[一]瘖啞者：原作「音亞者」，據至治本、文淵閣四庫本、王抄校本改。[二]曾遇異人鍼法：鍼，原作「箴」，據文淵閣四庫本改。

跋眼科醫師卷後

心為衆善之宗，眼具五官之氣，故中有所動，思或稍邪，則司明為之眊昧。吾嘗念治眼病則易，變目眊為難。嗚呼！安得一中和之氣，瞭萬有之目，使一歸於正。不知龍目立論，亦將有此法邪？

跋玉田傅氏家傳後

金有國餘百年，專以詞科取士，曰相曰將，多出此途。議者以學涉剽竊，不明義理為言，然不可一概厚誣。事至於弊，祇能拘限常流，通人何所凝滯。及金祚垂亡，其伏節死義者[一]，皆前日之進士也。吾於北地得三人焉：順州刺史剛忠王者，行部傅公父子是也。公諱霖，字汝濟。明昌五年詞賦進士第，大安二年授崇義軍節度副使，二年行部監濆，歿於王事。嗚呼！其為烈盛矣哉。

[一]其伏節死義者：伏，文淵閣四庫本、王抄校本作「仗」。

題漢使任少公招李陵歸漢圖後

自古有死將，而無降將。至於兵敗力屈，此正人臣授命之秋，更無他議，譬猶弱婦不幸而遇强暴，有殺身而已。曾不此思，而曰「雖受汚一時，吾將有以報之」，此正李左校之妄圖也。子孟專使遠招，縱復南歸，將何為顔？予始讀陵傳，壯其初心憤發，哀其一敗而瓦裂也。中統辛酉春，予扈蹕北上，次桓之北山，或曰此李陵臺也。裴回四顧[一]，朔風邊草為之凄然。於是詠河梁之詩，嘆曹柯之議，又且惜武皇信相術而族陵家[二]，安在其為雄材大略也？自辛酉迄今三十餘年，復覩斯畫，因感而書此，以為人臣忠止之勸。

[一]裴回四顧：裴回，文淵閣四庫本作「徘徊」。　[二]又且惜武皇信相術而族陵家：相術，文淵閣四庫本作「親近」。

跋南蠻朝貢圖

海中島夷，際東南天地者以萬數。有唐盛時，率置都護而羈縻之，不特以力而臣服也。此即庶方小侯，不能專達，附於大邦而致貢，繪而為圖，以表中國聖人在上，德教洋溢，無遠弗届之者[一]。不然，意匠慘淡，何取於此[二]。

[一]無遠弗届之者：之者，文淵閣四庫本作「之旨」，王抄校本作「之盛者」。[二]何取於此：此，原作「比」，據至治本、明修本、文淵閣四庫本、王抄校本改。

書霹靂琴贊後

文章翰墨，善效顰者，往往體極形似，至於得意韻之妙，出畦畛之外，天姿限量其間，有不能以寸者，學鹿庵書，正坐是耳。或謂此帖子聵代作，非也。可秘藏之，防風濤擁棹，雷霆破屋，將有下取而豪奪者矣。

書娑羅樹碑後

李北海《娑羅樹碑》，筆畫勁韻，全是歐率更態度，但縱之使行耳。碑見在淮安州。

題王尚書無競小字東坡論語解

甲午夏五月，方外掾由師孟出是本見示[一]，卒然問曰：「公此書何法？」予曰：「渠以謂奚自？」曰：「此柳侍書步驟也。」子顧笑曰：「公瑾有云：『天下智謀之士，所見略同。』其師孟之謂乎！」

[一]方外掾由師孟出是本見示：由，王抄校本作「田」。

跋趙大年畫王摩詰詩意

大年分天潢之秀，馳譽丹青，當其瑣牕春明，綉閤香静，以倒暈連眉之嫵，寫荒寒平遠之思，非天機所到，未易企及。所謂風流貴介，筆頭有五湖之心者，蓋盡之矣。

題東坡災傷卷後

東坡先生論事，如陸宣公；剛直不容於朝，似顏太師。今觀此帖云「覽其災傷，肺肝如焚」。公憂國恤民之心為可見矣。然士無功名分者，雖毫髮細事，終不得一入手做，公之謂也。後又方云[一]：「有聞不惜頻示。及是。」此老又待招人物議也。臨風展玩，重為慨嘆。

[一]後又方云：方云，文淵閣四庫本作「有云」。王抄校本作「方書云」，多一「書」字。

明皇驪山宮避暑圖

《明皇驪山宮避暑圖》，郭忠恕筆也。宮館隨勢作三層覆壓：華清居上方，殿四圍垂簾，宮人隱見簾隙，類望遠而外窺者；中腰樓閣參差，冠山跨壑，半為宮柳蔽虧；其下水榭極峻，內人上下，雜沓無數，疑供帳也。波間漁郎艤艇，持網罟延佇者非一，駕自閣道乘腰輿擁仗，將昇榭而觀漁樂者。少陵云：「簾下宮人出，樓前御柳長。」忠恕意匠，正掇此兩句為主題。然人物界畫，慘澹取次，不甚精絶，恐亦後人臨摹，至善體詩人之意，殆與少陵同賦而親覩者云。

跋山谷發願文

元貞元年朝謁之明日，余燕息不出，偶展此軸為娛，因念黃太史禪機翰墨，號入神三味，至與仇池公並驅爭先，如《發願》等文，皆平生傑作，但恐益公題評，正好事者竊取綴之於此耳。聰明目眊，筆虛筆實，有能强為力者，伎癢悠悠，又復損一若可喜也。

題李龍眠畫班昭女孝經圖後

道義出乎天然，文章貴乎自得。昭以大家師範六宮，作《女誡》《孝經通》二十五篇。范史備載誡辭，而初不及經訓，豈擬聖太迫，殆《法言》之嫌乎？至於公麟畫筆，當時聖賢言行，情深義奥，後世有未易窺測者，天機所到，千古之事，如墮目前[一]，所謂出新意於法度之中，寄妙趣於言意之表，若《三百篇》比興宛從，絃而歌之，一唱三嘆，有遺音者矣。激薄揚清，助世教多矣。此畫予也三見，玆雖張仁所臨，殊有分數。昔東坡稱晉人法書今何所及，得唐人硬黄足矣。其十襲秘藏，遇知者一觀可也。

[一]如墮目前：墮，原作「隨」，據至治本、明修本、文淵閣四庫本、王抄校本改。

題東坡赤壁賦後

余嚮在福唐，觀公惠州醉書此賦，心手兩忘，筆意瀟散，妙見法度之外。今此帖亦云醉筆，與前略不相類，豈公隨物賦形，因時發興，出奇無窮者也？

跋黄華先生墨戲

近過雪庵，案上有黄華山水一卷，或問云何如？曰：此先生醉時行書也，衹為龍岩學中立太迫，故作是嘿墨法耳。

跋黨竹溪篆趙黄山文王子端書

黨篆趙文黄華書，正如打鼓弄琵琶，合着兩會家也。

跋米南宫靈臺戴華卷後

僕觀南宫書多矣，未若此幅韻勝而不鼓努者也。然雄冠𥘅佩，氣終行行，惟其自成一家，迺可貴耳。

跋漁人鷸蚌圖

自戰國功利之説興，視仁義為無物，時君世主以衆暴寡，以强凌弱，干戈相尋，互相吞噬，惟知利之為先，不究害之在其後也。故漁人鷸蚌之利，例皆被焉，非獨代之喻燕趙也。雖為當時妄舉貪得之誡，而孟軻氏云：「善戰者服上刑，連諸侯者次之，闢草萊、任土地者又次之。」可謂正大而有味矣！

跋山谷所書王建宫詞後

唐人詩風雅意韻，凌跨百代，况建之宫體，為世絶唱。加以涪翁揮灑醉墨，宜其天章雲錦，為之爛然生光也。

跋鹿庵先生所書鸚鵡賦後

此鹿庵先生二十年前所書也。嚮嘗問筆法於席下，曰：「予早年於沙河碑用功最多。」今觀此賦，乃知其言為有徵。先生人品峻潔，文章字畫皆有自得之妙。然珠璣散落有限，得者幸珍藏之。

跋左山公書東坡醉墨堂詩卷

左山公書，端重沉著，本出《離堆記》，其氣韻豪逸，比之魯公似為放曠。初不知其所宗，不肖濬癖，留心筆硯，悮為公所知。每過謁，必談論書學利病，留連竟日，不聽辭去。一日出示楊凝式《維摩帖》，筆勢縱横，天真爛熳，顧謂予曰：「魯公後，得其筆法者，獨少師耳。」由是知公書體兼顏、楊。然古之論書，兼及人品，非其人，雖工有不必貴者。公姿沉毅博學，富經綸器業，生平底蘊未展盡者，忽忽鬱鬱，一散之翰墨間，其風流藴藉，有不可梯接者。今已矣，片紙隻字，為世珍惜，況門客故吏邪？簡卿尚寶藏之。

題遼太師趙思温族系後

遼氏開國二百載，跨有燕雲，雄長夷夏。雖其創業之君規模宏遠，守成之主善於繼述，亦由一時謀臣猛將，與夫子孫蕃衍衆多，克肖肯構，有以維持藩翰而致然也。故開府儀同三司侍中贈太師衛國趙公，早以驍勇善戰，受知遼太祖，烜赫貴顯。生子十有二人，其後支分派别，官三事使相宣徽節度團練觀察刺史，下逮州縣職餘二百人[一]。迄今燕之故老，談勳閥富盛、照映前後者，必曰韓、劉、馬、趙四大族焉。嗚呼盛哉！孟子稱故國非謂喬木而有世臣者，其是之謂歟！裔孫穆聯綴遺譜，裝潢完整，携示求跋。予切有感焉。近代公侯將相之後，方一再傳，溷跡閭閻，甘心貧微，故家遺族，懵然不知者多矣，尚何望於考厥世而復其初哉！論者多曰：「盛氣已過，大福不再。」予以為不然，其説則孔子所嘆，文獻不足故也。夫子孫苟能讀書立志，雖愚必明，雖柔必强，族固寒微，可至清貴，况藉餘潤而承休光者乎？克敬潛心字學，慎言行，由史館從事歷州縣職，復保傳舊物，昭明宗系，則其紹述遺美，而又有望於他日也。

［一］下逮州縣職餘二百人：餘，王抄校本作「幾」。

題離堆記後

魯公書號稱大雅，尤可重者，以忠義之氣發而為心畫。然端人不為枉者作計，此天下之通論。公平生書五百餘石，略無異議，獨《離堆記》文與字併出公手，或者少有疑焉。蓋鮮于氏附炎國忠，天寶間切取柄用，致位顯赫，及喪師瀘南，反以捷聞，建碑省户，公然獻諛，向之為人，概可知矣。然觀記之所述，詳見者止向未第時卜築、讀書等事，豈與其潔不保其往之義也？若歷臺省、貳風憲、持節劍南、作尹京兆，中間云為，一無稱道，是則不待抑揚，賢不肖之分昭昭矣。不然，方元載以大奸當國，庭議之際，公直言折之，曰：「朝廷豈容公再壞邪？」舉朝危公，曾不少撓。又郭定襄以勳貴振耀一時，行次失序，毅然陳書極論其不當。由是而觀，公剛嚴之氣，如秋霜烈日，皜不可尚已！何瑣瑣姻婭，能降公志，諛彼枯觜者哉？正以子昱等拖舟涉險，歸葬先壟，純孝克成之志，有足嘉尚，如犁犢騂角，山川其舍諸乎？此蓋公述作之微旨也。趙氏子穆，年十八，好古學，篆隸皆通習之。請予以題記，後作是說以貽之。

書中興頌後

唐《中興頌》石刻，字徑數最大，立法最密。就魯公平生所書，合而論之，此為最善，其法度特變大篆為真楷耳，所謂祇見性情，不見文字。至元十三年春正月，江左平，圖書珍異，悉達京師，孟秀州德卿以是本見贈，把玩不釋手者累月。從弟韓從益求予臨寫，因勉為刻鵠耳。

題蘇氏寶章後

忠定二公書，金聲玉振，如清廟之瑟，一唱三嘆，有遺音者矣。今觀迨過等帖，筆勢圓熟，俱有伯父氣韻，而遲之此幅為尤佳，所謂王謝子弟，以生長見聞，猶足以超人群也。

東坡我有帖

係與外姻子豐正字書[一]，内云：去逸就勞，不知脱去有道乎？外郡雖麓俗，止早衙紛紛一時辰許，餘蕭然皆我有也。

觀公此帖，正以姻家故，假設己意，儆以官守爾。至於「早衙紛紛一時許，餘蕭然我有」，此又見公材刃餘裕[二]，酬酢萬變，若鑑之應物，妍媸巨細，靡不洞徹，物去湛然，如澄淵横壑耳。

[一]係與外姻子豐正字書：豐，文淵閣四庫本作「曹」。　[二]此又見公材刃餘裕：刃，文淵閣四庫本、王抄校本作「力」。

跋馬融卧吹圖

古人因技以達事者多，如點瑟暢風雩之樂，廣陵見魏室之微，正平以鼓摻返折曹瞞[一]，野王以箏歌疑釋晉帝，是不徒為樂之至斯也。若南郡之通樂律，度聲節，以畢五音，可謂能也已。然畏威刓方，裁成固罪，為端士所鄙，雖雄吹逸響，穿裂雲石，又何足貴之哉？其畫格簡古，如書中有筆，自非唐人夢不到此。

〔一〕正平以鼓摻返折曹瞞：摻返，文淵閣四庫本作「撾反」。

夷門圖後語　至元十四年六月立秋後一日

孫樵《讀開元雜報》，至「生恨不為太平人」，豈聲明文物，矯首拭目，聞可喜而觀可樂乎？近閲《夷門市廛圖》，其風物氣習，備見政和間流宕浮靡之俗，然非盛極無以臻此。予生長汴梁，及見百年遺老，往往尚能談當時風物，令人不覺有孫氏之歎。但二帝播遷，已兆眹於此，所謂治亂之跡，接踵相尋也。畫品則穠纖巧麗，出内供奉手無疑，正可與《夢華録》互為之覽耳。至元丙子二月，觀於平陽寓舍，夏六月重見於汴京試院中。明年夏六月立秋後一日，連雨中静坐，偶書於燕東開陽坊李黄門之故堂。

題蘭府君望海寺二詩後

昔張燕公南遷歸，詩筆益壯，人謂得江山之助。今觀蘭廣寧《望海寺》二詩，清雄奇逸，令人覺海上風濤之氣，拂拂襲人，所謂明昌雅製，風斯在下矣。

題石曼卿手書古檜行後

中允姿豪放，有高世氣，故其筆不得不瑰偉清勁，一時推重[一]，至有「河傾崑崙，雪壓太華」之語，何其壯哉！今覩繼先侍御家藏《古檜行》[二]，所謂字愈大而愈奇者也，然風格脩整[三]，類唐人誥書手，豈公早年書耶？

[一]一時推重：時，原闕，據王抄校本補。文淵閣四庫本作「世」。　[二]今覩繼先侍御家藏《古檜行》：覩，原闕，據王抄校本補。　[三]然風格脩整：然，原闕，據王抄校本補。

跋孫過庭書譜　名處禮，唐高宗時人

過庭垂拱間名善書，其草字譜，風韻瀟散，一宗二王，得飛鳥驚蛇之趣[一]。予嘗愛而臨之，然以古今題評不及為訝[二]，今日觀米襄陽《書史》云：「孫公在唐人，得二王法為最。」追憶前言，與南宮伯偶同[三]，所謂愚者千慮，亦有一得也。

[一]得飛鳥驚蛇之趣：得，原闕，據至治本、王抄校本補。文淵閣四庫本作「有」。　[二]然以古今題評不及為訝：及，原闕，據文淵閣四庫本、王抄校本補。　[三]與南宫伯偶同：伯，王抄校本作「識」。全句文淵閣四庫本作「與南宫偶同」。

題政和鼎識後

鼎之為器，鎮方所，辨神姦，惟其制作創於夏后氏，故後世寶重，至有力求而不可得者。唐武后妄意制作，固無可論，崇寧倣而為之，還復不能保。當時神秘，不啻宗社之重，一旦其鼎之神主，為鈍軒几席間物，吁可嘆也。鈍軒，遼金公侯裔，博古有學識。既得銅主，迺為奇遇訓名字焉。後以技能，命監鑄太宫鐘鼎，寶應開先之兆。子穆復繪圖，懇諸公題跋，予以重古物而揚父美。由是知物之無間重輕大小，由德而後可保，因所好而聚，待人而後傳也。

跋諸葛公遠涉帖

諸葛武侯《遠涉遺帖》，余既冠時，與鮮于純叔獲觀於沙麓張氏家。迨大德庚子冬，詔集賢所貯書畫，賜其院之官屬，吕司直所得者，亦有是帖。老眼復觀，焕若神明，頓還舊觀，然比之向所見者，後有東坡跋語，辨其印章，玉泉公家曾收。彦瞻博雅好古，可謂物得所歸矣。

跋宋漢臣臨丹華經後

篆生隸，隸生楷，變隸篆二體入真草而出古意者，唯魯公能然。故洛尹宋君漢臣善八分，體古而畫勁，嘗臆其有所從來，及觀所臨《丹華經》[一]，筆勢夭矯奪真，第朱墨異色耳。故隸書之妙，有以不期然而然者，雖衆期遠到，中道車傾，亦足以追縱擇木，凌跨李潮矣。二弟每一披玩，儼然如對其面。嗚呼！方風俗衰靡，無足言者，唐臣義夫能永懷不忘，可謂克念天顯者也。

[一]及觀所臨《丹華經》：經，原作「處」。據文淵閣四庫本、王抄校本改。

讀漢魏五書

至元十九年十二月八日

兩漢繼三代而下為最盛，但官儀略見於班史表序。予穉年讀昌黎《科斗記》文，知衛宏有《漢官儀書》，兵後典籍散亡，何從而得之？壬午冬，再入京師，始獲借觀於宋秘監，蓋青宫賜書也。其一代之制，粲然完備，皇乎休哉！宜其光武以軍容過洛，父老有復見官儀之喜。於戲！三代吾不得而見之，得見兩漢斯可矣。宏書才兩卷，求訪三十年之久，方遂一讀，豈亦有數存乎其間邪？矧功名富貴，可倖而致哉！因其奉還，筆之以紀歲月，時壬午十二月八日也。

跋高宗臨右軍帖

二王貞跡，不可復見，唐人硬黄臨倣，自當愛玩，况出建炎手書，顧龍跳虎卧之意，隱然在目中矣。

跋雪齋書宋孟州獵虎詩卷後

昔興陵選庭臣奉使江左，須得才辨有聞望者可，若宋孟州《射虎詩》，清雄振厲，遠而有光華，大定人文之盛槩可見矣。雪中展觀於曾孫秘監處，令人三復，清興四發。今秘監以學問德藝，又為青宮所賓禮，所謂黄門有父風者也。

跋臨本蘭亭序

此帖在臨本間最佳，却疑是唐人填書，年深墨花脱落，若透絹影耳〔一〕。猶當以薔薇露盥手、薌玉爇香觀之可也。

[一]若透絹影耳：透，原作「遂」，據至治本、明修本、文淵閣四庫本、王抄校本改。

題中興頌後

《中興》碑本，行於世者有三：其字頗小而加瘦者，蔡之所臨也；其搭印完好[一]、苦無剥嚙者[二]，永之再勒也。予嘗謂魯公此筆，用忠義為本，然後以大篆變而為楷體，故後之學者，終莫能及。院主書趙穆，博古通篆隸，今復研思於是，是將求筆意而通其變爾。吾知夫識斗間氣者，而得龍泉於豐城之獄必矣。趙生其勉旃。

[一]其搭印完好：搭，文淵閣四庫本作「搨」。　[二]苦無剥嚙者：苦，王抄校本作「若」。

跋謝靈運帖

謝康樂以風雅鼓吹兩晉，善書則未知也。今觀節卷《金華二詣》，與張芝《萎形帖》相上下可也。至於筆勢豪宕，殆是伐山開道氣象，千載而下，專車一節[一]，足見其為人，而當時隣略得不以山戎為駭乎？

[一]專車一節：車，文淵閣四庫本作「轝」。

答宋克温問魯公書法

余觀魯公書，分數布置，稱停深穩，雖毫髮精極，楷法至於韻勝温潤，正周旋曲折，剛健中出婀娜爾。極其所至，第見性情，不見文字，所謂性情以忠義二氣為之大本也。平日所得如是，未審吾友為如何耳！（以上《秋澗集》卷七三　以上彭久安校點）